FRANCISCO MARCOS MARIN

# Lingüística
# y lengua española
## Introducción, historia y métodos

EDITORIAL **Cincel**

74386

10

© 1975, EDITORIAL CINCEL, S. A.
Alberto Aguilera, 32 - Madrid-15

Impreso en Gráficas Velasco
Antonio de Cabezón, 13 - Madrid-34

I.S.B.N.: 84-7046-068-4
Depósito legal: M. 33.100-1975
Publicado en España
*Impreso en España - Printed in Spain*

*A Rafael Lapesa, mi maestro, y al Dr. Ismael Torre-cilla, médico y amigo, como primera satisfacción de una larga deuda.*

# INDICE

# ADVERTENCIA PRELIMINAR

Este libro no puede tener todavía sino carácter de bosquejo. Si, pese a sus evidentes imperfecciones, nos decidimos a imprimirlo, es porque, en su estado actual, puede ser de alguna utilidad como obra introductoria; al menos esto es lo que quisiéramos. Lo que más nos impulsa a la edición es que esa utilidad será un poco mayor en el caso de nuestros alumnos universitarios, quienes tengan alguna relación con nuestra actividad docente, o las personas que se han tomado la molestia de escribir indicando que un libro de este tipo podría ser un buen compañero de nuestra *Aproximación a la Gramática Española,* o incluso servir un poco de guía del profesor para quienes explican la *Lengua Española,* 1.º de Bachillerato, del autor de estas páginas y María S. Salazar.

Por este carácter auxiliar o de suplemento y complemento de unas enseñanzas orales, hemos procurado ir eligiendo entre las distintas opciones que la ciencia nos ofrece, aunque sin desdeñar las vías que no hemos seguido, antes bien, dejando marcadas sus entradas para que quienquiera pueda internarse.

La segunda parte de esta *Lingüística y Lengua Española* será una gramática, todavía no redactada, aunque han ido apareciendo aproximaciones a ella, que seguirán supliéndola, provisionalmente.

Todo trabajo, aunque sea tan modesto como éste, requiere el justo agradecimiento a varias personas: a mi esposa, en primer lugar, porque este alumbramiento ha sido largo y crítico; a Angel Manteca, porque se leyó la segunda redacción entera y le hizo valiosas anotaciones; a Ramón Sarmiento y Miguel Angel González, que leyeron capítulos; a Germán de Granda, por su imprescindible ayuda en los temas de lenguaje y sociedad; a Jesús Bustos, por su constante estímulo, y a mi querido maestro Rafael Lapesa, cuya huella (semiborrada por mi ignorancia) se refleja en todos mis escritos. En otros lugares del texto va impreso mi agradecimiento o mi reconocimiento en cuestiones más concretas, pero no quede ahora sin citar la provechosa enseñanza de Fernando Lázaro Carreter, en cuyo seminario he trabajado feliz durante varios años. En los aspectos prácticos (no por ello menos importantes), agradezco a Mercedes España Ramírez y María Luisa Ruiz Ortiz su inapreciable ayuda en la transcripción, y a editorial Cincel la prueba de confianza que es siempre la edición· de un libro.

# INTRODUCCION

Será difícil encontrar una justificación convincente para presentar un libro como el que el lector tiene en sus manos. Hablar de la Lengua y de la Lengua Española desde el punto de vista metodológico y crítico, prestar atención a los últimos adelantos de las ciencias del lenguaje, y no descuidar lo que pueda haber de sólido en los estudios gramaticales tradicionales; todo ello es ambición que por sí sola no se justifica. En estas circunstancias, cuando se siente la necesidad de escribir este libro, se busca un motivo justificador, una razón, aunque fuera la exigencia de la propia responsabilidad como titular de una asignatura lo que permitiera decir, al menos, que "donde fuerça viene derecho se pierde" [1].

Pasan los argumentos: justificación de los propios métodos docentes, preocupación por los sufridos alumnos o los opositores perdidos en la bibliografía, estímulo de colegas y amigos, comezón inevitable de escribir, deseo de precisar que la propia postura es de concordia y respeto, justa reivindicación de lo que se debe a España en el terreno lingüístico... Al final, ningún argumento en sí justifica el esfuerzo, porque la escasa valía del autor lo haría inútil; ahora bien, el conjunto de ellos parece pesar lo suficiente en el ánimo, y el libro se encamina a la imprenta, más necesitado de benevolencia que de crítica.

A lo largo de las páginas que siguen iremos tratando, de modo general, una serie de problemas también generales, considerados en sí mismos, primero, e históricamente, después, para irnos limitando a problemas específicamente españoles y cerrar con algunas consideraciones metodológicas que más quisieran ser panorama que selección.

Parece conveniente advertir que hemos de seguir las líneas de la 'escuela

---

[1] Juan de Valdés. *Diálogo de la Lengua*, ed. Montesinos en 'Clásicos Castellanos', p. 17.

9

española', entendido este término descriptivamente, en lo lingüístico a partir de Andrés Bello, Américo Castro, Gili i Gaya, R. Lapesa y F. Lázaro, y en lo literario enlazando esta base lingüística con las tesis de Dámaso Alonso. Hace cincuenta años se iniciaba la lucha entre lo que se denominaría ˙ después descriptivismo y mentalismo. Hace diez el triunfo de las tendencias descriptivistas, positivistas o estructuralistas parecía asegurado. Se asistía al nacimiento de la versión estructural de todas las ciencias y disciplinas. Con el desarrollo de las tesis generativas de Noam Chomsky y sus discípulos nos encontramos hoy ante una vuelta a los supuestos mentalistas, pero no como un retroceso, sino como una síntesis enriquecida por la experiencia de todos los estudios descriptivos que tan magníficos resultados han proporcionado. Por ello, es posible que un autor de tan indiscutible prestigio como R. Jakobson, maestro de N. Chomsky, hable de un estructuralismo que engloba lo generativo, al mismo tiempo que señala el carácter personal, de método y no de ciencia, de la corriente estructural. Hemos asistido también a una grave crisis de los estudios históricos, que no parece haberse superado todavía en los momentos actuales, pero que camina ya hacia una solución, sin que podamos precisar cuál será ésta. ¿Cómo ha reaccionado la ciencia española ante estas tendencias? Aunque en las páginas siguientes trataremos de dar respuesta a esta pregunta, nos interesa ahora puntualizar que la escuela lingüística española ha sido fundamentalmente mentalista. La aparición de magníficos trabajos, de tipo estructural, p. ej., como los de Alarcos, Adrados, Ruipérez, etc., no invalida este aserto, porque nuestros autores han utilizado métodos importados, llevándolos a culminaciones muy importantes, pero no han creado una escuela que se diferencie por sí misma, e incluso, en otro tipo de trabajos, como pueden ser sus estudios literarios, se han mantenido plenamente dentro de las líneas de estudios literarios de la escuela estilística de Dámaso Alonso. Es importante subrayar esto, porque lo que da verdadera cohesión a la lingüística española es que, a pesar de las grandes divergencias teóricas aparentes en el estudio de la lengua, la aplicación de este estudio a la literatura se hace de un modo bastante uniforme y que puede ser calificado, sin desdoro alguno, de mentalismo, una vez que hemos quitado de este término las connotaciones despectivas que le dan ciertas escuelas.

Si establecemos todas estas premisas es porque no queremos que la exposición de las tesis generativas o la aceptación de alguna de ellas se vea como una ruptura con la escuela española. Antes bien, creemos que la escuela española está especialmente preparada para la recepción de ciertas tesis generativas, por varias razones, de las que destacaremos algunas:

Los presupuestos teóricos de la gramática generativa se encuentran ya, si bien parcialmente, en dos pensadores españoles, Huarte de San Juan y Sánchez de las Brozas. No hacemos ningún descubrimiento con esta afirmación, pues está patente en los escritos de Chomsky, de los que cabe destacar para este punto concreto la *Lingüística Cartesiana*[2]. Pese a nuestras discrepancias con el estilo acre del autor, debemos señalar aquí, entre los libros que abundan en nuestro punto de vista, la *Introducción a la lingüística transformacional* de Carlos Peregrín Otero[3]. Nos parece importante destacar un párrafo de este libro[4], precisamente por la escasa difusión que ha podido tener en España:

Como un Chomsky 'avant la lettre' suena (Bello) en múltiples pasajes, como por ejemplo cuando escribe que a primera vista una lengua se presenta como 'un caos en que todo parece arbitrario, irregular y caprichoso; pero a la luz de la análisis, este desorden aparente se despeja, y se ve en su lugar un sistema de leyes generales, que obran con absoluta uniformidad, y que aún son susceptibles de expresarse en fórmulas rigurosas, que se combinan y se descomponen como las del idioma algebraico'.

Aunque Bello es sin duda uno de sus más egregios representantes hispanos, la tradición cartesiana[5] no se extingue con él. Bien viva está, por ejemplo, en la valiosa 'gramática filosófica' póstuma (1910) y en general en la obra de Eduardo Benot, nacido en 1822 (es decir, un año después de Schleicher). Y por supuesto, mejor representada que lo está la tradición comparativística en García Ayuso y en Tinajero, por ejemplo. En contraste con esta depresión, la labor del Centro de Estudios Históricos (título bien significativo) aparece como un prodigio de solidez, meticulosidad y rigor[6]. Menéndez Pidal, el prolífico fundador y maestro indiscutido de la filología hispana, no desmerece de sus coetáneos Meyer-Lübke o Meillet; Castro y Navarro Tomás son coetáneos de Sapir y Bloomfield. La segunda generación del Centro (Solalinde, Gili Gaya, Amado Alonso, Fernández Ramírez, Dámaso Alonso, Oliver Asín, García Gómez, Corominas, Lapesa, Tovar, Muñoz Cortés, Rafael Seco, Zamora Vicente) se corresponde (cronológicamente) con la generación de Jakobson y Harris. Alvar es coetáneo de Morris Halle, y Diego Catalán, albacea de la 'escuela lingüística española y su concepción del lenguaje' es un año mayor que Noam Chomsky.

De la larga cita anterior se desprende algo que no tenemos interés en ocultar. No por considerarse más o menos ligado a la gramática generativa se ha de ser juzgado como disidente de lo que en el estudio de la lengua española han hecho plumas tan autorizadas como las de Bello y A. Alonso, además de los citados antes. La disidencia puede dirigirse hacia Bloomfield, Hjelmslev o incluso Saussure, y, en el caso concreto del autor de estas líneas, casi no ha de entenderse como disidencia y, de todos modos, parcial y absolutamente respetuosa, por lo que nos preocupamos de establecer ahora de una vez por todas que si en lo sucesivo recurrimos a términos como "superación" o similares se tratará de superación teórica dialéctica,

---

[2] Hay trad. española, Madrid (Gredos), 1969, por E. Wulff.
[3] México (Siglo XXI), 1970.
[4] Páginas 68-69.
[5] Que, para Chomsky, está entroncada con el Brocense y Huarte de San Juan.
[6] Otero hace aquí algunas puntualizaciones concretas que se salen del ámbito de nuestro interés actual.

11

de paso a una nueva síntesis y no de juicios valorativos, de los que procuramos huir (abundan, quizá excesivamente, en otras obras).

Volvamos ahora a otros motivos por los que creemos que la escuela española está especialmente preparada para recibir la gramática generativa.

El segundo está implícito en el razonamiento anterior y en la cita de Otero; los grandes gramáticos españoles, precisamente por trabajar siempre en la línea de pensamiento y lenguaje, han adoptado una postura mentalista que los generativistas comparten, como afirman explícitamente[7]. No olvidamos tampoco que esto no quiere decir que los generativistas se consideren *continuadores* de estos gramáticos, sino que hay una base común que la gramática generativa trata de desarrollar científicamente, con el recurso a los métodos más exactos y sin desdeñar la ayuda de la matemática en la constante relación del lenguaje y la cibernética, mientras que el desarrollo de la misma base realizado por los gramáticos que llamaremos tradicionales es fundamentalmente intuitivo, no comprobable ni computable. El resumen de las tesis de Bello realizado por Otero o la cita de aquél lejanamente relacionable con la formalización del lenguaje quedan muy lejos de los extremos formalizadores a los que se acercan Schützenberger, Chomsky y Miller[8] o a los que llegamos en nuestros trabajos de formalización, por modestos que estos últimos sean.

En el estudio de la competencia lingüística del individuo encuentran las escuelas generativa y española otro lugar común. Frente a ellas está la preocupación de la lengua como entidad abstracta e inasequible que caracteriza a las escuelas estructuralistas. En un punto muy concreto vemos el contacto entre los lingüistas españoles y los generativos, se trata de la oposición entre las escuelas de estilística. La escuela saussureana predica una estilística de la lengua, del esquema, emparentable con las tesis estructuralistas, que llega a su culminación en la obra de Charles Bally. La escuela española, por el contrario, hace estilística del habla, se centra en el individuo, aunque más en el plano de la actuación que en el de la competencia. Esta última aclaración es necesaria para mostrar que no confundimos las actuales preocupaciones retóricas de la gramática generativa con la estilística de la escuela de Dámaso Alonso[9]. Insistiendo ahora en las diferencias entre la escuela española y la gramática generativa, que son muchas, obviamente, nos contentaremos con destacar que dentro de la preocupación por el individuo que es común a ambas escuelas y que las opone a la preocupación por la lengua en sí que caracteriza a las escuelas estructurales, el enfoque parece ser muy diverso. La gramática generativa se inclina más (casi debería-

---

[7] *Cf.* Otero, *op. cit., passim.*

[8] *Cf.* Noam Chomsky y G. Miller, *L'Analyse formelle des langues Naturelles,* en versión de N. Ruwet, París-La Haya (Mouton) 1968.

[9] Para la terminología generativa empleada *cf. infra,* así como F. Marcos Marín, *Aproximación a la Gramática Española,* Madrid (Cincel), 2.ª ed. 1974.

mos decir, se inclinaba más en un principio) al estudio de la lengua sin desdeñar la introspección del individuo, de los esquemas lingüísticos en la conciencia individual, de lo que se ha llamado 'competencia', en suma. La escuela española se muestra más inclinada al estudio de lo que el individuo realiza o ejecuta de la lengua, a la 'actuación', por usar el término con el que Otero y Lázaro Carreter traducen el «performance» chomskiano. Con los riesgos que las caricaturas traen consigo, podemos decir que el generativista es el estudioso que crea una frase, gracias a su competencia lingüística, y luego pone en juego las reglas gramaticales para hallar las que permiten generar esa frase y determinar si es correcta o incorrecta, desde el punto de vista de su gramática. Por el contrario, el lingüista mentalista o intuicionista español tomará una frase de la lengua hablada o escrita, la interpretará como "hecho de habla" y la estudiará sin haberse preocupado de establecer previamente las reglas gramaticales que le permitan fijar los criterios que han de servir para considerar correcta o incorrecta la frase seleccionada. En lugar de apoyarse en una gramática establecida previamente con arreglo o criterios científicos, y pensada para el análisis de frases y la determinación de su corrección, se apoya en criterios de tipo 'normativo' que le hablan de la aceptación o no de las frases sometidas a análisis según criterios de uso literario, reparto geográfico o convención social, motivaciones todas ellas extralingüísticas.

Hay pues, y resumimos así nuestro punto de partida, una base común, la preocupación por la relación existente entre el pensamiento y el lenguaje, y un interés común, la determinación de la corrección o incorrección de las frases sometidas a análisis. Otra coincidencia se halla en el individuo, aunque ambas escuelas se ocupen del individuo con distinta óptica, como hemos visto. Quizá fuera mejor hablar aquí de coincidencia en su oposición al esquematismo, a la consideración de la lengua como algo desligado del individuo. Este terreno es sumamente movedizo, pues aquí se oponen claramente las gramáticas generativas y las tradicionales en el método emplea-do. La gramática generativa es deductiva; establece las reglas y después analiza propiamente las frases para determinar su corrección. Si la gramática es incapaz de analizar las frases de la lengua a la que se aplica, es inadecuada y debe ser sustituida por otra de mayor capacidad analítica. Al mismo tiempo, debe ser capaz de generar frases correctas en esa lengua, alcanzando su plenitud cuando sea capaz de analizar y explicitar todas las frases posibles de la lengua en cuestión. Como éstas son infinitas, es imposible establecer empíricamente la perfección de una gramática generativa, pues nunca podremos deducir de sus reglas todas las frases posibles. Lo importante es que la capacidad de análisis y de generación son complementarias y se basan en el método deductivo.

La gramática tradicional, por el contrario, se basa en el método inductivo; elige una serie de textos (orales o escritos) que la sociedad aprueba como 'de confianza', los analiza, y establece como correctas las construcciones cuyo análisis coincida con el de las construcciones presentes en esos 'textos de confianza' previamente aceptados, de los que se han inducido las normas. Se trata de una gramática *normativa* de base sociológica y no lingüística, ligada a la creatividad de los individuos o a la mayor o menor apertura de la comunidad para admisión de construcciones de las que se han de inducir las reglas de la gramática; lo que determina la corrección o incorrección de las frases no es que no sean contradictorias con las reglas de la gramática; sino que aparezcan en 'los buenos escritores' o no. La gramática generativa es una gramática con base lingüística, mientras que la gramática normativa es fundamentalmente sociológica. La gramática generativa no se apoya en criterios extralingüísticos, mientras que la base misma de la norma es extralingüística. Sin embargo, no olvidemos, como ha señalado, entre otros, Dell Hymes, que la gramática generativa ha dejado de ser exclusivamente lingüística, porque el papel de las disciplinas periféricas, en relación con la competencia, es cada día más importante y, en este sentido, lo que era periférico pasa a ser central.

No vamos a insistir en esta caracterización de los distintos tipos de gramática, puesto que es algo que habremos de hacer con mayor detalle en páginas posteriores. Trataremos de no alargar excesivamente esta introducción, aunque se trata en realidad de un planteamiento, más que de una introducción de mera justificación.

Lo que nos importa ahora decir, y por ello se justifica la relativa extensión de la discusión precedente, es que el papel de la Literatura (estudio inseparablemente ligado al de la lengua) varía mucho en función de una u otra gramática. La gramática generativa no niega la Literatura, pero la saca del campo de interés inmediato de la lingüística. Se trata de series de actuaciones de determinados individuos, conservadas por razones estéticas, morales, sociales, en suma, y no como muestras lingüísticas. Un ejemplo de textos conservados con intención lingüística serían los diccionarios, que no forman parte de la literatura, sino de la gramática, son inventarios de una parte fundamental de toda gramática: el léxico.

La gramática constituye una ciencia autónoma dentro de las ciencias sociales, mientras que la literatura tiene un doble aspecto: como creación no es ciencia, sino arte, pero arte estrechamente ligado a la gramática. Toda obra literaria tiene una gramática, en el sentido generativo del término, y sigue unas reglas gramaticales, con mayores o menores excepciones, en el sentido normativo del término. Al mismo tiempo, la obra literaria se ve obligada a ser reflejo de la sociedad en la que ha nacido. No se puede hacer una obra literaria asocial, porque todos los elementos de la obra literaria son sociales. En este sentido, la obra literaria forma parte de la historia de la literatura: es una de las ciencias sociales, como también lo es la historia de la lengua, que es el punto donde gramática y literatura se dan la mano, ya que muy pobre sería la historia de la lengua que no dispusiera de textos literarios para ilustrar sus diferentes etapas. La interacción de elementos puramente lingüísticos y otros no lingüísticos en la historia de la lengua aparece expresada en múltiples ocasiones en los manuales de historia de la lengua[10]; parece, pues, ocioso insistir más en la necesidad imprescindible que tiene todo estudioso de la literatura de conocer bien la lengua en que esa literatura está escrita. Para quienes sientan cierta preocupación por aspectos de la literatura, la relación entre lengua, gramática y literatura debe ser escalonada. En este escalonamiento, lo primero que debe pretenderse es que el hablante, desde niño, conozca su lengua, que tenga con ella un contacto lo más intenso posible, que maneje el léxico, que lea, que adquiera con la mayor avidez elementos que enriquezcan su competencia. En segundo lugar vendrá el aprendizaje de la gramática, el conocimiento de la regla, los análisis y las composiciones atentas a la corrección, más que al desbordamiento expresivo. Tras ello puede venir el estudio literario en su doble versión: la literatura como goce estético del individuo preparado a ello por su competencia, y la literatura como historia de la literatura, y por ello integrada en la historia de la cultura, como peldaño último de la formación del hombre, de lo humano, humanismo.

[10] Véase entre ellos el de nuestro maestro R. Lapesa, p. ej. la p. 169, en la que se habla de la interacción de léxico, sintaxis y preocupaciones culturales de Alfonso X.

# CAPITULO 1
# EL LENGUAJE

## 1.1. EL LENGUAJE

En el estudio de nuestro tema se encuentran dos caminos que arrancan de ubicaciones muy distintas. Debemos referirnos a ello para cumplimentar el requisito metodológico que exige la delimitación y claro planteamiento de los objetivos y postulados, epistemológicos y terminológicos, de una ciencia. Sin que nos atraiga, por el momento, la discusión acerca de la validez de los términos 'ciencia natural' y 'ciencia cultural' queda claro que las ciencias lingüísticas son ciencias de la lengua y que la lengua puede ser estudiada como hecho científico. De ahí parte el primer camino de la investigación. Sin embargo, es innegable que, al mismo tiempo, el hombre es un ser social que, como tal ser social, se relaciona con otros hombres por medio del lenguaje, entendido como capacidad de comunicación interhumana por medio de signos articulados[11]. Desde esta perspectiva se ve el lenguaje como un hecho social. Antes de ahondar en esta caracterización social del lenguaje no estará de más advertir que los hablantes de lenguas románicas disponemos, en nuestras propias lenguas, de una valiosa ayuda terminológica; por ella podemos diferenciar *lenguaje,* limitado para la caracte-

---

[11] Quede claro, sin embargo, que este carácter articulado del lenguaje es una característica que pudiéramos llamar *latente* y que se patentiza, en ocasiones, por medio de expresiones inarticuladas. A los conocidos ejemplos de lenguaje de sordomudos, morse, etc., añádase el que da Pike, en *Presentación del Lenguaje* (F. Gracia ed.), p. 36. Se trata de un ejemplo interesante referido a la cultura mazateca. Pike, que toma su ejemplo de Cowan, nos informa de la posibilidad de conversación por medio de silbidos, sin limitaciones de ningún tipo y con toda clase de fines (simple conversación, regateo, venta, etc.). El silbido sustituye a nuestro grito, en una conversación a distancia, o a nuestro susurro (es más audible), cuando no se quiere molestar a otra persona presente. Se puede pasar de él a la conversación normal y viceversa, según la voluntad del hablante, sin que parezcan existir reglas restrictivas.

rización del hecho social e, incluso, como hecho natural, en el sentido de 'facultad de lenguaje', de *lengua,* limitada al hecho sistemático, científico en el sentido de que puede admitir, al menos teóricamente, la axiomatización, como veremos cuando nos ocupemos de la lengua en relación con el habla. Frente a nuestros dos términos, *lenguaje* y *lengua,* las lenguas germánicas, de las que nos interesan especialmente el alemán y el inglés, sólo disponen de uno; de este modo, cuando leemos en alemán *Sprache* o en inglés *Language* sólo el contexto podrá aclararnos si debemos traducir esta palabra por *lenguaje* o por *lengua,* o por algo que englobe ambos conceptos románicos.

1.1.1. Vamos a limitarnos ahora, como hemos dicho, a la consideración del lenguaje desde el punto de vista social. En este sentido, parece evidente que el lenguaje es el medio principal de comunicación interhumana, que en torno a él se ha estructurado la sociedad, y que gracias al mismo se ha configurado la historia. A medida que los avances de la ciencia han hecho precisa la distinción entre el hecho social de una capacidad de comunicación y un medio de comunicación específicamente humano (lenguaje), y una materia de estudio científico, analizable y clasificable convencionalmente, sistemática (lengua), se ha ido precisando la definición de ambos términos; los textos germánicos, que, como decíamos, sólo disponen de una palabra para designar estos dos nuevos conceptos, son todavía muestra compleja, pero en ella ya se observa la visión culturalista por el lado alemán y la iniciación del concepto de ciencia limitada por el anglosajón[12], con los términos únicos de *Sprache* o *language.*

1.1.2. Una de las definiciones que Guillermo de Humboldt (1767-1835) dio del lenguaje *(Sprache)* es la que dice que es "una emanación específica del espíritu de una nación concreta", la expresión de una "forma interior" que comporta una concepción peculiar del mundo, una cosmovisión específica (Weltanschauung); por ello la teoría humboldtiana se llama también teoría de la cosmovisión o Weltanschauung[13]. Este concepto de lenguaje, interpretado a través de la forma interior, se unió en von Humboldt con la concepción de la lengua, más científica, o menos rústica, como se prefiera, lo que

---

[12] Para la distinción lengua-lenguaje *cf.* Toma Pavel: "Une question terminologique: la paire 'langue-langage'", en *Revue Roumaine de Linguistique,* XII, 1967, pp. 443-452.

[13] *Cf.* Milka Ivić, *Trends in Linguistics,* p. 49. Acerca de von Humboldt hablaremos con mucho mayor detenimiento al ocuparnos de la evolución de la lingüística y, sobre todo, en el capítulo de lenguaje y pensamiento. De momento, nos conformamos con añadir, como una de las varias definiciones de 'forma interior' o 'Innnere Sprachform' (pues no siempre la define Humboldt del mismo modo) la que la caracteriza como "aquel constante e invariable sistema de procesos que subyace al acto mental de llevar señales articuladas estructuralmente, organizadas al nivel de la expresión del pensamiento". Vendría a ser, como ha dicho M. Ivić *(cit. ibid.),* "la estructura psicológica específica de los hablantes individuales, de la que depende la organización concreta de los aspectos sonoros y significativos de su lengua".*Vid. infra,* 2.1.

ha permitido la reinterpretación de Chomsky en la definición de lengua como "un sistema generado recursivamente[14], donde las leyes de la generación son fijas e invariables, pero cuyo alcance y el modo específico como se aplican permanecen enteramente sin especificar". Sin embargo, antes de despojar el pensamiento humboldtiano de las excrecencias románticas, conviene precisar que algunos de esos aspectos rústicos han podido tener una influencia beneficiosa; así, p. ej. la idea común de Goethe y von Humboldt de que el espíritu de la lengua de una nación es básico en la determinación del espíritu de su literatura[15], idea que no expresaríamos hoy con la palabra "espíritu", pero de la que podemos quedarnos perfectamente con la afirmación de que la lengua y la literatura de un pueblo están indisolublemente relacionadas e intercondicionadas.

**1.1.3.** A partir de las ideas de Humboldt se dio mayor importancia al aspecto colectivo que al individual. En este sentido, es curioso que Hermann Paul pensara que el lenguaje debe ser estudiado, fundamentalmente, como propiedad de toda la comunidad de hablantes[16], mientras que H. Steinthal, continuador en principio de las ideas de von Humboldt, introdujera luego la noción de habla individual (actuación, podríamos decir) como aspecto científico del tema. El lenguaje de la comunidad, para los continuadores de Humboldt, es la expresión de la psicología colectiva y del mismo modo, para Steinthal, el lenguaje de cada individuo es la expresión de su psicología individual. Como Ivić nos hace observar[17], Steinthal introduce, consecuentemente, una idea que será luego central en ciertas escuelas idealistas: la de que los significados de las palabras dependen de cada individuo, de su experiencia y personalidad.

**1.1.4.** A medida que nos acercamos al siglo xx las definiciones van adquiriendo una mayor precisión, prescindiendo de ideas vagas y apriorísticas, como "espíritu", "raza" y similares. Junto a la definición de tipo social, comunitario, los autores germánicos van dando a los términos *Sprache* o *language* un valor más cercano a *lengua* que a *lenguaje;* así, para Whitney, el lenguaje, precisado ya en el contexto en el sentido de lengua, es "la suma de las palabras y las frases por medio de las cuales cualquier hombre expresa su pensamiento"[18]. En esta definición podemos observar cómo se mezclan la interpretación del hecho social *(lenguaje)* y la del hecho puramente lingüístico, inmanente *(lengua),* cuando se habla de la expresión del pensamiento por un lado, y la suma de palabras y frases, es decir, elementos formales y funcionales, por otro. Es cierto, en verdad, que la

[14] Es decir, mediante leyes que pueden volver a aplicarse sin restricciones en su aplicación. *Cf.* Noam Chomsky. *El Lenguaje y el Entendimiento*, p. 119.

[15] *Cf.* Farinelli, "Guillaume de Humboldt et l'Espagne", *Rev. Hisp.*, V. 1898, p. 67.

[16] M. Ivić, *op cit.* p. 61.

[17] *Ibid.,* p. 53.

[18] *Cf.* Noam Chomsky, *El Lenguaje y el Entendimiento*, p. 39.

charnela queda conformada por el hecho de que estos elementos formales y funcionales se hallan a disposición de un contenido de carácter psíquico, como es el pensamiento.

**1.1.5.** En resumen, el lenguaje es una facultad humana, una capacidad humana que permite la comunicación entre seres humanos. Por medio de esa comunicación podemos manifestar nuestros pensamientos (complicado tema, sobre el que habremos de insistir). Para los lingüistas actuales es fundamental el hecho de que la facultad de lenguaje, la capacidad lingüística, parece ser algo que distingue al hombre de otros seres vivos, aunque la frontera sea borrosa en algún punto.

**1.1.6.** Como puente (o frontera, según se mire) puede convenir que hagamos una referencia, siquiera sea breve, a otro aspecto interesante: el lenguaje como diálogo. En efecto, un innegable punto de partida radica en el hecho de que la comunicación establecida por medio del lenguaje arranca de un yo para pasar a un *tú*. Ya Hegel había precisado esta especial característica del lenguaje, la de un ser-ahí cuya existencia sólo puede realizarse en un ser para otro [19], y si G. von der Gabelentz precisa que "el lenguaje humano es la expresión articulada del pensamiento mediante sonidos" [20], una página antes nos había dicho que "el lenguaje exige primero un Yo y luego un Tú" [21].

**1.1.7.** No obstante, esta relación entre el Yo y el Tú es un esquema comunicativo mínimo. Hay todo un mundo externo, un mundo de las cosas y las experiencias que es necesario considerar. Sin embargo, no vayamos a creer que el lenguaje se limita a inventariar y que un estudio del lenguaje se convertiría en un albarán de la experiencia. El lenguaje, nos dice Sapir [22], es también "una organización simbólica, creadora, cerrada, que no sólo influye en gran medida sobre la experiencia obtenida sin su intervención, sino que define de hecho la experiencia, sobre la base de su perfección formal y también porque proyectamos inconscientemente sobre el campo de la experiencia las expectativas implícitas contenidas en ella".

**1.1.8.** Señala luego Sapir, y en ello insistiremos en seguida, al hablar de Morris, la semejanza del lenguaje y un sistema matemático, apoyándose en el complejo formalismo del sistema conceptual mediante el cual conservamos la capacidad de referirnos a un mundo aprehendido, al mismo tiempo que quedamos prisioneros de la red terminológica del conocimiento, bien sea creador o receptor, de tal modo que "en cuanto los lenguajes difieren

[19] *Cf.* E. Coseriu. *Sincronía, Diacronía e Historia,* cap. III, n. (23).
[20] *Die Sprachwissenschaft.* Leipzig, 1901; reimpresión. Tubinga, 1969, p. 3. Citado por J. A. Collado en "Lenguaje y Pensamiento", *ES,* pub. del Dep. de Inglés, Univ. de Valladolid, 3, Septiembre 1973, p. 179.
[21] *Cf.* E. Coseriu, *op. cit., ibid.,* traducimos nosotros.
[22] E. Sapir, "Conceptual Categories in Primitive Languages", en *Science,* 74, 1931, página 578, *cf.* Schaff, *Lenguaje y Conocimiento,* p. 102. n. (9).

en su sistematización de los conceptos fundamentales, tienen tendencia a corresponder sólo muy ampliamente como portadores de símbolos y, de hecho, son inconmensurables en el mismo sentido en que son inconmensurables dos sistemas de puntos en un plano considerado en conjunto, si fueron establecidos con relación a sistemas distintos de coordenadas"[23].

**1.1.9.** En estas palabras de Sapir se nos presentan las dos posibilidades no excluyentes de continuar el estudio del lenguaje, la que insiste en el aspecto formal, inmanente, y nos llevará a la lengua y la lingüística, y la que lo hace en el aspecto social, trascendente, conduciéndonos así a los problemas abordados por la antropología, la etnología *(latu senso)* o la sociología. Por ello, no tiene nada de particular que un etnólogo como Malinowski[24] haya insistido "en la importancia que tiene el *contexto situacional* en la relación entre el habla y las actividades del tipo de cazar, pescar, sembrar".

El problema del contexto es central en la escuela inglesa, a partir de Firth, para quien[25].

El 'contexto situacional' para Malinowski es una serie ordenada de acontecimientos considerada como *in rebus.*

Mi punto de vista era, y aún es, que 'contexto de situación' debe usarse mejor en el sentido de construcción esquemática adecuada para aplicarse a acontecimientos lingüísticos, y que se trata de categorías relacionadas en un nivel distinto de las gramaticales, aunque más o menos de la misma naturaleza abstracta. Un contexto situacional para un trabajo lingüístico relaciona las siguientes categorías:

A. Los rasgos distintivos de los participantes: personas, personalidades.

(I) La acción verbal de los participantes.

(II) La acción no-verbal de los participantes.

B. Los objetos distintivos.

C. El efecto de esa acción verbal.

**1.1.10.** Esta actitud se refleja en la escuela inglesa, como podemos ver en la afirmación de Robins acerca de la necesidad del estudio del lenguaje como parte de la actividad y el proceso sociales, y de la función

---

[23] *Ibidem.*

[24] A ello se refiere Pike, en *Presentación del Lenguaje,* cit. p. 43.

[25] J. R. Firth, *Papers in Linguistics. 1934-1951.* Oxford University Press. 1.ª ed. 1957, reimpresión 1958, p. 182; traducimos nosotros. La importancia de la noción de 'contexto' es extraordinaria, así, p. ej., para E. Coseriu, "Determinación y Entorno", en *Teoría del Lenguaje y Lingüística General,* 3.4.1.: "constituye *contexto* del hablar toda la realidad que rodea un signo, un acto verbal o un discurso, como presencia física, como saber de los interlocutores y como actividad". En la lingüística americana, dentro de la corriente del contextualismo o culturalismo, el significado de una forma lingüística (según Bloomfield) se define como "la situación en la que el hablante la emite y la respuesta que provoca en el oyente". El significado, pues, es relativo, contextual o situacional.

contextual como garantía del significado lingüístico, puesto que en el contexto situacional es determinante del entendimiento de cualquier afirmación [26].

**1.1.11.** Para Morris [27], en cambio, hay ambigüedad en el término *lenguaje (language)*, puesto que, para los formalistas, cualquier sistema axiomático [28] cumplirá las condiciones exigibles al lenguaje; para los empiristas lo más importante es que la relación signo-objeto denotado exista, mientras que los pragmatistas insisten en la consideración social del lenguaje. Morris, a través del estudio semiótico, llega a postular una visión integradora [29] al decirnos que "al igual que un signo único queda caracterizado por completo cuando se especifica cuál es su relación con otros signos, con los objetos y con sus usuarios, así un lenguaje queda caracterizado por completo cuando dan... las reglas sintácticas, semánticas y pragmáticas que rigen a los vehículos del signo" [30].

**1.1.12.** Con lo dicho en las páginas anteriores de este capítulo hemos tratado de indicar, si bien brevemente, que la problemática del estudio del lenguaje puede dirigirse en dos direcciones: o bien se concede la primacía al aspecto social de esta comunicación lingüística, y entonces se camina hacia las ciencias sociales, o bien se otorga el papel principal al aspecto sistemático, esquemático, al modo como se construye esa comunicación,

[26] Referencias más amplias en Pike, *Pres.*, cit. pp. 43-44.

[27] "Fundamentos de la teoría de los signos", en *Presentación del Lenguaje*, cit. pp. 61-62.

[28] *Cf.* J. Katz, *Filosofía del Lenguaje*, p. 34, donde, siguiendo a Hilbert: "Un sistema axiomático viene dado por la especificación de cuatro cosas: un vocabulario que recoge los símbolos que han de emplearse en el sistema, un conjunto de *reglas de formación* que determina las series de símbolos que en el vocabulario son sintácticamente aceptables como fórmulas del sistema, es decir, como fórmulas correctas, un conjunto de *axiomas* que comprenden las indemostradas, verdaderas y correctas fórmulas del sistema, y un conjunto de reglas de *inferencia* que determina el conjunto de teoremas en relación con el conjunto de axiomas. La función de un sistema axiomático es la de especificar de un modo finito todas y sólo las verdades infinitamente diversas propias de un determinado campo (en este caso el matemático)". Hemos de hacer notar que, en nuestras citas, utilizamos traducciones españolas siempre que es posible, pero con la libertad de corregir su sintaxis o su léxico. Ello ha sido especialmente necesario en el caso de esta *Filosofía del Lenguaje* citada ahora, pero puede suceder en cualquier otro texto, siempre esporádica pero consciente y deliberadamente. Así hemos eliminado galicismos horrendos como 'influenciar', p. ej. Esto no supone menosprecio hacia los traductores, sino conocimientos de las pésimas condiciones en que desarrollan su trabajo.

[29] Morris, *op. cit*, p. 63.

[30] En lógica, a partir de Carnap, se precisan los conceptos de sintaxis, semántica y pragmática, arrancando de la crítica de los lenguajes naturales, que admiten la posibilidad de construcciones que sigan las reglas de formación de frases (sintaxis natural), pero carezcan de significado (semántica natural). Sintaxis, semántica y pragmática lógicas están necesariamente relacionadas. La sintaxis lógica, como estudio de lo que llama Morris *dimensión sintáctica de la semiosis*, se ocupa de las relaciones formales entre los signos, de las construcciones lingüísticas y sus propiedades formales; la semántica lógica, como estudio de la *dimensión semántica de la semiosis*, trata de la relación signo-objeto, en dos tipos: entidades lingüísticas y aspectos de la realidad, como asuntos, acontecimientos, por un lado, o bien construcciones lingüísticas (sintácticamente correctas) y condiciones veritativas de dichas construcciones lingüísticas. La

21

y caminamos entonces hacia la lingüística como ciencia inmanente, es decir, que tiene en sí misma su propio objeto de investigación, que ya no es el lenguaje, sino la lengua[31]. La posibilidad de síntesis parece quedar abierta.

**1.1.13.** De todos modos, parece necesario insistir en algunos aspectos del estudio del lenguaje, tales como su adquisición, la relación con el mundo animal, o con la construcción del mundo de los objetos. A ello nos dedicaremos en párrafos siguientes.

## 1.2. CAPACIDAD DE LENGUAJE

En este apartado iremos viendo una serie de ideas que nos llevarán a la consideración del lenguaje como un hecho diferencial, como el rasgo que distingue la oposición humano-no humano, según veremos luego. En principio, conviene indicar que la aproximación al problema de la capacidad de lenguaje ha de rozar de alguna manera el del origen de éste[32]. Nosotros no queremos insistir en este aspecto especulativo, si bien parece conveniente indicar que no parece existir hoy el prejuicio sobre la condición acientífica

semántica supone, pues, las *reglas sintácticas,* que no dependen de ella, sino de la Sintaxis, las *reglas de designación* para la relación nombre-objeto y las *reglas de verdad* o *veritativas* que permiten establecer un juicio sobre el enunciado en términos de verdadero-falso. Mediante la pragmática se estudia la *dimensión pragmática de la semiosis,* o sea, la relación del signo con lo que Morris llama el 'intérprete'. Intervienen aquí aspectos sociológicos y psicológicos, factores de distorsión psíquica o social, modelos del enunciado y su adecuación, todo lo que hace que el hablante se exprese por medio de signos en construcciones admitidas por la sintaxis y con la adecuada semanticidad, pero matizado por sus motivos psicológicos (incluyendo aquí aspectos como su clase social y la de su interlocutor, etc.) y que el oyente reaccione ante ese discurso bien construido que escucha.

[31] Estamos haciendo una primera división, por lo que no entramos, de momento, en la discusión lengua-habla, ni en la de si es posible una lingüística del habla. *Cf. infra,* 4.4.

[32] *Cf.* G. Révész, *Origine et Préhistoire du Langage,* (trad. francesa) París (Payot), 1950, así como el breve resumen de J. Roca Pons en *El Lenguaje,* Barcelona (Teide), 1973, pp. 7-12, con la bibliografía allí citada, y los importantes estudios de E.H. Lenneberg, "El Lenguaje a la Luz de la Evolución y la Genética", y R. L. Schiefelbusch, "El Desarrollo de las Facultades Comunicativas", en *Presentación del Lenguaje* (F. Gracia, ed.), pp. 97-150 y 151-174, con magnífica bibliografía. En relación con problemas pedagógicos y/con bibliografía pensada para un medio español, con orientación más didáctica que lingüística, *cf.* el tema 9 de las *Contestaciones completas al temario del Concurso-oposición para el Ingreso en el Profesorado de E.G.B.,* convocatoria 1974, 5. I, pp. 82-94, Madrid (Escuela Española), 1974. Sobre problemas de origen del lenguaje en la Unión Soviética *cf.* A. Schaff, *Introducción a la Semántica,* p. 29. Acerca del doble carácter del lenguaje: artístico y comunicativo, *cf* A. Llorente: *Teoría de la Lengua e Historia de la Lingüística.* Madrid (Alcalá), 1967, pp. 373 y ss. Debemos citar ahora, aunque su abarque es muy superior al de este párrafo concreto y habremos de referirnos de nuevo a ella en diversas ocasiones, la reseña de R. Jakobson al libro de François Jacob, *The Logic of Life: a History of Heredity,* en *Linguistics* [1974], de la que citaremos por la preimpresión que el Profesor Jakobson ha tenido la gentileza de enviarnos y que le agradecemos de corazón.

de la discusión del tema, que llegó a la prohibición de hablar del mismo en la *Societé de Linguistique* de París. En estas páginas no nos interesa tomar partido por la tesis de tipo teológico o de la revelación, que ve en Dios el creador del lenguaje, ni por la de tipo metafísico que achaca esta creación a un espíritu más o menos identificable con Dios. Y tampoco parecen existir pruebas convincentes de que el lenguaje se haya originado por un desarrollo especial de una capacidad común a hombres y animales[33] (tesis biológica) ni en tesis onomatopéyicas gestuales o de otro tipo. Hoy día parece que estamos muy lejos de una solución del problema (salvo la que se basa en la revelación y bien sabido es que la revelación supone una premisa no científica, la fe). En nuestro mundo occidental, dominado por las tres grandes religiones monoteístas de origen semítico, el problema de la palabra es central como arranque de la revelación. De los textos básicos de estas religiones (Antiguo y Nuevo Testamento y Alcorán), ya el Antiguo Testamento se ocupa de la lengua, como se cita a menudo, en el libro del Génesis, 2.19 y 2.20:

Y Yahvéh Dios formó del suelo todos los animales del campo y todas las aves del cielo y los llevó ante el hombre para ver cómo los llamaba, y para que cada ser viviente tuviera el nombre que el hombre le diera. El hombre puso nombres a todos los ganados, a las aves del cielo y a todos los animales del campo.

**1.2.2.** La primera actitud del Génesis es una actitud denominadora de tipo genérico, que no se altera con la introducción del nombre propio con la creación de Eva, llamada simplemente con el femenino de 'hombre'. Así Adán es *'iš*, o sea, varón y Eva es *'iššah,* o sea, 'mujer', y se llama así, explícitamente, "porque del varón ha sido tomada" (2.23). En el Antiguo Testamento la palabra pasa muy pronto a lo que los teólogos llaman "las fuentes de la teología del Verbo". En el mismo Pentateuco (Deut. 30.14) se nos dice ya que "la Palabra está cerca de ti, está en tu boca y en tu corazón para que la pongas en práctica."

**1.2.3.** No es nuestro objetivo reseñar los muchos lugares del Antiguo Testamento en los que la palabra, el nombre, la denominación, el nombrar, etcétera, tiene interés destacado, señalaremos, eso sí, la importancia mítica y mágica del Nombre, especialmente del Nombre de Dios, que se mantendrá en el Cristianismo y el Islam.

**1.2.4.** En el Nuevo Testamento la palabra, como Verbo increado, es punto de arranque de la teología, a partir del repetidísimo versículo del evangelio de San Juan (Jn, 1.1-5):

En el principio la Palabra existía
y la Palabra estaba con Dios,

---

[33] Que se manifiesta en alguna de las funciones del lenguaje, que veremos más adelante.

y la Palabra era Dios,
Ella estaba en el principio con Dios.
Todo se hizo por ella
y sin ella no se hizo nada de cuanto existe.
En ella estaba la vida
y la vida era la luz de los hombres,
y la luz brilla en las tinieblas,
y las tinieblas no la vencieron.

**1.2.5.** No podemos detenernos en los aspectos religiosos del problema, pero todos nuestros lectores saben que existe una liturgia de la palabra, bastante sintomática en su denominación.

**1.2.6.** En cuanto al Islam, es innegable que la base de todo lo que a veces se llama cultura árabe, a veces cultura islámica, es la religión. Lo que para las naciones europeas supuso el nacionalismo, para el mundo árabe lo supuso ese concepto de fraternidad religiosa que tan bien supo inculcarles Mahoma. Muchos han sido los avatares sufridos por el mundo islámico, pero su tabla de salvación internacional ha sido siempre el apoyo de quienes estaban hermanados por la religión. El Islam como religión está ligado genéticamente a judíos y cristianos, a partir de una interpretación especial de leyendas bíblicas. El Islam es una religión "de Libro", y este libro es el Alcorán, razón de conservar una lengua escrita común sobre las grandes diferencias dialectales. El concepto de revelación es compartido por las tres religiones, pero no del mismo modo. La revelación, para la teología musulmana, es más dictado que inspiración. "La forma de la palabra y su contenido son divinos. El proceso se describe como un 'hacer bajar' del cielo, donde está el arquetipo"[34]. Hay un resto evidente de doctrinas platónicas, pero se llega mucho más lejos con la tesis del Alcorán increado, según la cual el libro (que significa simplemente, como se sabe, "la Lectura") es eterno y no ha sido creado. Si para los cristianos, como hemos visto, la Palabra de Dios se hace Cristo (hemos citado Juan 1.1), en el Islam, esta Palabra se hace Alcorán[35]. No se trata de un libro, sino de una comunicación (casi comunión) directa con Dios, que exige la purificación de quien lo toma para leerlo o recitarlo.

**1.2.7.** Esta digresión ha tenido la finalidad de hacer notar cómo existen profundos motivos culturales que no hay que olvidar en el tratamiento del tema, y mucho menos en favor de argumentos de tipo único y simplista. Ahora podemos volver a lo poco que sabemos con bases científicas sobre este asunto. Podemos abordarlo a partir de varias preguntas:

¿Hay algún dato que nos permita fechar, por muy aproximadamente que sea, el origen del lenguaje?

[34] *Cf.* nuestra traducción de Philip K. Hitti, *El Islam, modo de vida,* Madrid (Gredos), 1973, esp., pp. 29 y ss.
[35] *Ibid.,* pp. 54 y ss.

24

¿Depende el lenguaje de la estructura del cerebro?
¿Depende el lenguaje del proceso evolutivo?
¿Cómo se va desarrollando el lenguaje en el niño?

**1.2.8.** A la primera pregunta podemos contestar que la única fechación posible de la aparición del lenguaje, como capacidad de lenguaje, es que tuvo que ser anterior a la diversificación de las razas, pues todas muestran una capacidad de lenguaje idéntica[36].

**1.2.9.** La relación del lenguaje con la estructura del cerebro es algo mucho menos claro. Al menos no parece que la capacidad de lenguaje dependa de una peculiaridad de la estructura cerebral que se pueda apreciar a simple vista[37]. Si bien es cierto que la mayoría de los hablantes tienen su capacidad de lenguaje ligada a la región central del cortex cerebral izquierdo, no todos tienen esa estructura cerebral: muchos zurdos la tienen en el hemisferio derecho, y en algunos ambidextros está repartida. Además, si se elimina esa zona en fecha temprana por una operación quirúrgica (consecuencia de accidente o tumor, por ejemplo) otras áreas cerebrales se especializan rápidamente en la función lingüística[38].

**1.2.10.** La respuesta a la tercera pregunta, en cambio, puede que sea afirmativa. Antes de abordarla en sí, no obstante, conviene precisar que sólo podemos reconstruir algunos puntos muy simples del origen del lenguaje, y el resto parece imposible. Tampoco puede tomarse en cuenta, con datos empíricos serios, la relación originaria del lenguaje humano con la comunicación animal, tema al que nos referimos de nuevo brevemente. En cuanto a la relación del lenguaje con el proceso evolutivo, Lenneberg[39] se limita a decir, precavido, que "nuestra actual capacidad para el lenguaje muy bien puede retrotraerse a alteraciones del material genético (cambios intracelulares) específicas de la especie, las cuales, sin embargo, afectaron determinados ritmos y direcciones del crecimiento durante la ontogénesis (gradientes espacio-temporales), produciendo una fase ontogenética especial en la que se da una confluencia óptima de diversas capacidades; es así como pudo producirse un período crítico para la adquisición de lenguaje".

**1.2.11.** En resumen, podemos decir que la adquisición de la facultad de lenguaje en el hombre, a lo largo de su proceso evolutivo, fue muy temprana, que tal vez se apoye en ciertas alteraciones específicas del hombre en esa evolución, pero que no parece haber datos suficientes para ligarla necesariamente a una parte precisa y determinada del cerebro. No hay objeciones teóricas que invaliden la presuposición de que, puesto que la

---

[36] *Cf.* Lenneberg, *op.cit.*, p. 145.
[37] *Ibidem*, p. 133.
[38] *Cf.* Lenneberg, *ibid.* y B. Milner, C. Branch y T. Rasmussen, "Observaciones sobre la dominancia hemisférica cerebral", en *Presentación del Lenguaje*, cit., pp. 193-208.
[39] *Op. cit.*, p. 144. Acerca de los niños salvajes, de los que nos ocupamos a continuación, *cf.* Varios (Malson, Itard, Sz. Ferlosio) en nuestra Bibliografía.

facultad de lenguaje distingue al hombre de los animales, debe ser algo innato, y no adquirido por un aprendizaje en la relación hombre-sociedad (de la que luego nos ocuparemos, por otra parte).

**1.2.12.** No parece que sea necesario aclarar que el hecho de poseer la facultad de lenguaje, que se da en todos los hombres, salvo grave lesión cerebral, no significa que todos los hombres posean una lengua determinada. Al contrario, hechos desgraciados como los protagonizados por niños salvajes, sordomudos o similares, nos prueban sin ninguna duda que el niño alejado del contacto de una sociedad no es capaz de adquirir ni desarrollar ninguna lengua. Es decir, que el individuo posee al nacer la facultad de lenguaje, pero necesita aprender una lengua determinada, por medio del contacto social, para desarrollar esa facultad innata que posee. Es más, si en un período determinado de la infancia (hasta los siete años, se supone) no se utiliza la facultad del lenguaje para aprender una lengua, puede ser que se pierda luego la posibilidad de aprender a hablar, como parecen probarnos los casos de niños salvajes descubiertos demasiado tarde.

**1.2.13.** Acerca de los niños salvajes, tema fascinador, disponemos ahora del volumen conjunto traducido y comentado por Sánchez Ferlosio, en el que se recogen el trabajo de Lucien Malson, con espléndida bibliografía, y los dos informes de Jean Itard sobre Victor de l'Aveyron. Es lástima que las observaciones de Malson estén viciadas por el apriorismo básico que arranca de creer probada la inexistencia de naturaleza humana, individual o colectiva. Estos niños criados con animales plantean problemas complejísimos, el primero de los cuales es saber si se trata de criaturas que no fueran anormales congénitas porque, en este último caso, ha indicado Lévi-Strauss, nos exponemos a equivocar toda una investigación. También sería fundamental saber a qué edad se perdieron, pues no es lo mismo que los animales adopten a un niño de cuatro años, ya con cierto desarrollo lingüístico, que a uno de cuatro meses, y es también muy importante saber cuánto tiempo ha pasado entre animales y qué edad tenía al volver al mundo de los humanos. Creo que en ningún caso se poseen todas estas informaciones, por lo que hay que manejar con mucho cuidado el material de investigación.

**1.2.14.** Conocemos unos veinticinco casos (algunos muy dudosos, como el de los niños de los Pirineos, carneros probablemente), de los que sólo unos ocho adquirieron cierta recuperación.

**1.2.15.** El tercer niño de Sultanpur, que al ser hallado tenía unos cuatro años, parece que fue recuperable, y llegó a ser policía (no entramos en el desarrollo mental y lingüístico necesario para esta profesión en el lugar en que la desempeñó).

**1.2.16.** La muchacha de Sogny, hallada a los diez años, aproximadamente, parece ser que adquirió la capacidad lingüística adecuada y que quiso hacerse monja.

26

**1.2.17.** No sé a que edad fue hallado Tomko de Hungría quien, al parecer, llegó a hablar el eslovaco y comprender el alemán, lo que le convierte en la excepción interesantísima del grupo.

**1.2.18.** Kaspar de Nüremberg (Kaspar Hauser), que apareció cuando contaba diecisiete años, llegó a escribir y comprender y a ciertos progresos articulatorios, pero hay que tener en cuenta que no se trata de un niño salvaje, sino de un niño encerrado, que nunca perdió el contacto humano, si puede llamarse así a alguien capaz de encerrar diecisiete años a un inocente.

**1.2.19.** Victor de l'Aveyron, hallado a los once años, llegó a unos niveles de comprensión muy limitados, y nunca habló.

**1.2.20.** Kamala, la niña lobo de Midnapore, hallada a los ocho años en una guarida junto con una camada de lobos y otra niña, de unos dos años, un caso interesantísimo, llegó a alcanzar un vocabulario de unas cincuenta palabras.

**1.2.21.** Desconozco el desarrollo lingüístico que alcanzaron el segundo niño de Lituania, hallado con diez años, siempre aproximadamente, y la muchacha oso de Fraumark (Hungría), de dieciocho años; parece ser que ambos lograron cierto grado de uso del lenguaje, me inclino a pensar que sólo de comprensión.

**1.2.22.** Como proceso de aprendizaje, la adquisición de la lengua materna se realiza en distintas etapas. R. L. Schiefelbusch[40] sustituye las denominaciones tradicionales de *gritos reflexivos, balbuceos, ecolalia* y *habla verdadera* por las de

1) Estimulación sensorial y sonrisa.
2) Vinculación.
3) Adquisición de palabras y exploración social.
4) Adquisición y experiencia del lenguaje.

**1.2.23.** Además de esta progresión escalonada conviene tener en cuenta que el niño, para dominar su lenguaje, tiene que integrar el componente fonológico (mejor que "sistema fonético"), el sintáctico (mejor que "sistema gramatical") y el semántico (y no sólo "léxico" o "vocabulario"). Por ello, mientras las tres primeras etapas se producen entre el nacimiento y los tres años, la cuarta etapa puede empezar a partir de los dos años y no termina nunca, realmente, si bien podemos decir que termina cuando el individuo domina reflexivamente (y no sólo por su competencia lingüística) los resortes de generación de frases correctas y sólo de frases correctas de su lengua. Por ello es fundamental el estudio del lenguaje como expresión

---

[40] *Op. cit.,* p. 152. Para el proceso de aprendizaje en el niño *vid.* E. Alarcos Llorach, "L'acquisition du langage par l'enfant", en *Le Langage,* dirigido por André Martinet, 1968, pp. 323-365.

en la enseñanza primaria, ya que la enseñanza permite al individuo reflexionar antes sobre los fenómenos lingüísticos y dominar las reglas.

## 1.3. LENGUAJE ANIMAL Y LENGUAJE HUMANO

Hemos hablado, a lo largo del párrafo anterior, del lenguaje o, mejor, de la capacidad de lenguaje, como rasgo distintivo que marca la diferencia entre humano - no-humano, y hemos hablado también de que no parece probable que el lenguaje humano se relacione, en su origen, con la comunicación animal. Nos referiremos sucintamente al tema, dotado ya de una amplia bibliografía[41], para que no falte en nuestra exposición una referencia.

**1.3.2.** Charles F. Hockett[42] sitúa al hombre en el mundo de los seres vivos, dentro del género *homo,* del cual han existido dos especies: el hombre de Neanderthal, del Pleistoceno (de unos 700.000 a 30.000 años a. J. C. ap.), extinguido, pero dotado también de un cerebro grande y pesado, similar al del *homo sapiens,* que es la especie que perdura. Además del hombre de Neanderthal, más cercano al hombre actual que cualquier otra especie, había dos tipos de homínidos en el Pleistoceno: el *Pithecantropus erectus* u "hombre de Java" y el *Australopithecus* de Africa del Sur. Estos homínidos no tenían un cerebro tan grande (aunque no sabemos con certeza que el tamaño del cerebro sea determinante de la capacidad lingüística) pero conocían algunos utensilios y el fuego. Más lejos en la línea evolutiva están ya los "grandes monos", cuyo lazo de unión con el *homo sapiens* se desconoce.

**1.3.3.** Hay aspectos comunicativos comunes a hombres y animales. El más curioso es el relacionado con la danza de las abejas: la exploradora, como sabemos, transmite información que permite ubicar el macizo de flores de las que libarán el néctar. Sabemos que lo hace valiéndose de indicadores porque si variamos las indicaciones las abejas se desorientan. La danza informativa de la abeja exploradora transmite dirección, sentido, distancia y referencia. La recepción de la información es instintiva, totalmente innata, no se enseña ni se aprende. También es innata, institiva, la comunicación que se establece entre dos machos para delimitar el terreno de caza propio (común entre los mamíferos) o entre macho y hembra en la época de celo[43]. El carácter instintivo, biológico, de esta comunicación la diferencia

---

[41] El lector puede ampliar lo aquí dicho con la sucinta exposición sobre el estado del tema que da Francisco Gracia en la Introducción a su *Presentación del Lenguaje,* esp. pp. 18-19. En esta misma obra se recoge amplia bibliografía. Por nuestra parte, destacaremos los trabajos de Ramsay y Sebeok, cuyos datos incluimos en la bibliografía final.

[42] *A Course in Modern Linguistics,* cap. 64.

[43] Debo a Angel Manteca Alonso-Cortés la noticia de un curioso experimento: el comportamiento en época de celo de dos perdices criadas en cautividad y que nunca habían tenido contacto con sus congéneres fue exactamente igual al de las perdices libres.

por completo de la comunicación humana, por muy compleja que pueda parecer inicialmente. Como señala John Lyons, acertadamente[44], el lenguaje humano tiene en común con la comunicación animal un componente conductista, pero tiene como rasgos específicos sus propiedades generativas y sus nociones semánticas (significado, referencia y sentido), que no puede compartir con el comportamiento comunicativo animal.

**1.3.4.** Por tanto, del hecho de que una gran cantidad de animales (y no sólo vertebrados, como dice Lenneberg[45]) produzcan o emitan señales ópticas e incluso acústicas por medio de las cuales se establece un cierto tipo de comunicación (gracias a que existe un receptor de la misma especie capacitado para percibirlas e "interpretarlas") no podemos deducir que esta comunicación, o mejor, la función biológica que permite esta comunicación, sea de tipo similar ni mucho menos idéntico, antes bien, como el mismo Lenneberg nos dice, la experiencia parece indicar que dichas funciones biológicas serían distintas.

**1.3.5.** El problema del lenguaje aparece ligado al de la evolución de la especie humana en los trabajos de Miller, Galanter y Pribram[46], quienes plantean varias alternativas:

**1.3.6.** Para Nissen y otros muchos psicólogos americanos, el lenguaje no sirve para introducir nuevos procesos psicológicos, es sólo un sistema más rápido y eficaz de resolverlos. Según estos autores, no habría diferencia esencial en la base común postulable del lenguaje animal y el humano. Los psicólogos rusos, encabezados por A. R. Luria y F. Ia. Yudovich creen, en cambio, que, a partir del lenguaje, son posibles nuevos desarrollos psicológicos en el crecimiento del ser humano. También Miller y los otros firmantes del trabajo citado se manifiestan en contra de la continuidad darwiniana, entendida con estrechez, en el desarrollo lingüístico.

**1.3.7.** Si entendemos el lenguaje como lenguaje abstracto y conceptual tendremos que responder negativamente a la pregunta sobre el carácter de lenguaje de la comunicación animal. La conducta abstracta, la categorización y conceptualización son exclusivos del hombre y determinan su lenguaje, por lo que no puede aparecer el término *lenguaje* como denominación de la relación comunicativa entre los animales (y mucho menos entre las plantas, que no carecen de algunos tipos de comunicación, p. ej. la sexual)[47], sin que olvidemos, - pese a todo, la posibilidad de algún límite borroso.

---

[44] *Theoretical Linguistics*, 9.3.6.
[45] *Op. cit.*, p. 97.
[46] "Planes para hablar", en *Pres. del Lenguaje*, pp. 249-272.
[47] *Cf.* A. Schaff, *Lenguaje y Conocimiento*, p. 172; la "Présentation" de Jean-Claude Pariente en el volumen *Essais sur le Langage*, París (Les Ed. de Minuit), 1969, esp., p. 14, y, en este último volumen, el artículo de Kurt Goldstein, "L'analyse de l'aphasie et l'étude de l'essence du langage", pp. 257-330. J. M.ª Valverde, en *Guillermo de Humboldt y la Filosofía del Lenguaje*, p. 87, al exponer las ideas de Cassirer, las puntualiza así: "El lenguaje resulta algo completamente diverso, contra lo que se pensaba desde el evolucionismo, de la 'capacidad

## 1.4. LENGUAJE Y CONCEPCION DEL MUNDO EXTERNO

Hemos ido viendo, hasta ahora, cómo el lenguaje es un sistema comunicativo que permite a los seres humanos relacionarse entre sí. Tras ello, nos interesa saber qué es lo que se transmiten los seres humanos, para poder luego hablar de cómo se lo transmiten, al ocuparnos de las funciones del lenguaje. En principio, el hombre utiliza el lenguaje para comunicar a otros hombres su apreciación de la realidad, bien sea de la realidad exterior a sí mismo, bien sea de sí mismo. Hemos de aclarar que no nos interesa el aspecto filosófico del problema y por ello podemos sentar algunas premisas metodológicas que nos serán útiles para esquivar discusiones marginales. En cualquier manual de fundamentos o de historia de la Filosofía se pueden encontrar datos para una primera ampliación del tema. Aquí prescindiremos, en la medida de lo posible, de la especulación, a menos que se trate de especulación inmediatamente relacionada con la lingüística. Podemos por ello admitir, sin más, que existe una realidad exterior que nosotros captamos por medio de nuestros sentidos. No nos interesa ahora, ni podemos saber empíricamente, la naturaleza exacta de la relación entre la realidad, la cosa en sí, y lo que nosotros percibimos de la realidad[48]. Estas líneas, por su parte, nos sirven de introducción del futuro planteamiento de problemas más directa e inmediatamente ligados a la lingüística, como pueden ser la teoría de los campos, la relación pensamiento y lenguaje, o la hipótesis Sapir-Whorf, entre otros, temas, que trataremos con detenimiento en el capítulo 2, pero de los que ahora, forzosamente, anticiparemos algunos planteamientos.

**1.4.2.** De un modo muy esquemático podemos dividir las teorías sobre lenguaje y realidad en dos grupos: para unos el lenguaje es *creación* y para otros *reflejo* de la realidad, si bien la tesis del *reflejo* admite una interpretación moderada. Los teóricos que admiten el papel creador del lenguaje pueden dividirse en dos grupos[49]; en el primero de ellos estarían

de signo' demostrada por ciertos animales superiores, antropoides especialmente; constituye una mediación especial, que supone una actividad específica y una forma de estructuración del propio cosmos, 'especulativa', conceptual, a diferencia de la meramente reactiva del animal. De otro modo, para el animal no hay objetos, sino estímulos; el hombre, en cambio, ve organizarse en torno a él un cosmos de objetos, gracias al distanciamiento y generalización de su mente mediante su facultad simbolizadora. El hombre, pues, no está en un mundo de acción y reacción, sino de representación".

[48] La bibliografía sobre el tema es amplísima, dada su importancia; además de los dos trabajos citados en la nota anterior, *cf.* las entradas de nuestra bibliografía final referidas a Benveniste, Bühler, Buyssens, Cassirer, P. Chauchard, Chomsky, Delacroix, Humboldt, Katz, Llorente, Piaget, Sapir, Trier, Valverde, Vygotsky, Wittgenstein, Whorf, y las referencias que iremos dando en nota. Sobre la aprehensión de la realidad véase Adam Schaff, *Introducción a la Semántica*, esp. pp. 136 y ss.: "La controversia entre la concepción trascendentalista y la concepción naturalista", y A. Llorente, *Teoría*, pp. 384 y ss.

[49] Schaff, *Lenguaje y Conocimiento*, pp. 212-213.

los que creen que la teoría del lenguaje en la concepción del mundo se relaciona con la del lenguaje como un producto de acuerdo arbitrario (aunque esta segunda tesis se suele adoptar tácitamente), el papel creador lo desempeñaría el aparato conceptual: es el punto de vista lógico, expuesto en Carnap y Ajdukiewicz. En el segundo grupo estarían los que creen en el papel creador de unas formas formantes, llamadas formas simbólicas y que son productos de la psique humana [50]. Este segundo punto de vista es el adoptado por Cassirer [51]. En sus propias palabras [52]:

La representación 'objetiva' —y es esto lo que trataré de explicar— no constituye el punto de partida del proceso de formación del lenguaje; antes bien, es la meta a que dicho proceso conduce: no es su *terminus a quo*, sino su *terminus ad quem*. El lenguaje no entra en un mundo de percepciones objetivas sólo para asignar "nombres" que serían signos puramente exteriores y arbitrarios a objetos individuales dados y claramente delimitados los unos respecto de los otros. Es por sí un mediador en la formación de los objetos; es, en un sentido, el mediador por excelencia, el instrumento más importante y preciso para la conquista y la construcción de un verdadero mundo de objetos.

**1.4.3.** J. Trier y L. Weisgerber [53] creen que la aprehensión del mundo real, que se supone oscuro y complejo, sólo es posible a través de la configuración conceptual que se realiza por medio de la palabra. El sistema lingüístico, en metáfora grata a los creacionistas, es una red que articula a partir del conjunto. El lenguaje, que no es reflejo, es creación de símbolos intelectuales, de tal modo que lo aprehendido depende de la forma y articulación del sistema simbólico lingüístico gracias al cual se aprehende y estructura.

**1.4.4.** La tesis del reflejo, por su parte, puede entenderse de un modo realista, como que las cosas son como nos parecen al percibirlas, es decir que la aprehensión e interpretación de la realidad es directa, o bien, de una manera más moderada, por medio de una crítica del realismo, podemos establecer una "tesis moderada" del reflejo. Es este sentido, al mismo tiempo que se niega la tesis de que el lenguaje crea la imagen del mundo, se niega también que el lenguaje se limite a ser el reflejo de la realidad objetiva.

[50] Sobre estas formas simbólicas hablaremos más adelante, *cf.* 2.1.

[51] J. M.ª Valverde, *Op. cit.*, p. 85, señala que "Cassirer concreta su gnoseología en la forma simbólica, mediadora entre lo nouménico y lo subjetivo, y fundadora de lo que propiamente es 'mundo', cosmos, aquello con que nos las habemos". Y es que, para Cassirer, insiste Valverde, es primordial el papel del símbolo, donde se encuentran la mente y lo trascendente, encuentro que es posible, a su vez, mediante el símbolo. Por la simbolización funciona el espíritu humano y se estructura la realidad. (*Cf. et.* nota 47, *supra*). *Vid.* A. Llorente, *Teoría*, pp. 388 y ss.

[52] "El lenguaje y la construcción del mundo de los objetos", en *Teoría del Lenguaje y Lingüística General* (trad. de *Psychologie du Langage*) Buenos Aires (Paidós), 3.ª ed. 1972, p. 23.

[53] En texto de Trier recogido por Schaff, *Leng. y Con.*, p. 35, nota.

En el lenguaje hay siempre un elemento subjetivo que desvirtúa el papel del reflejo. Podemos seguir hasta aquí la tesis de Schaff[54], especialmente útil luego en lo que pueda servirnos de medio crítico para aceptar una parte del papel creador del lenguaje, que de ningún modo *crea* la realidad, pero sí, en cierto sentido, la imagen de la misma. La imagen de la realidad objetiva, obtenida mediante el reflejo, se ve conjuntada por la 'creación' subjetiva que la configura. La imagen de la realidad objetiva no llega a darse en nuestra mente, porque en el proceso de aprehensión se articula de acuerdo con la estructura lingüística, que 'crea' esa imagen, insistimos, pero no la realidad. Este término *creación* ha de entenderse en el sentido limitado del elemento subjetivo que introducimos siempre en la aprehensión. El lenguaje como reflejo y configurador ('creador') de la realidad adquiere una importancia extraordinaria, puesto que no se trata sólo de un aspecto individual, hay también un carácter social del lenguaje, como transmisor de experiencia, que reviste un interés indudable. "El poder con que actúa la filogénesis sobre la ontogénesis, el poder de la experiencia de generaciones ya desaparecidas sobre nuestra experiencia individual, es enorme. Lo que distingue el lenguaje, que al mismo tiempo es pensamiento, en la realidad existe objetivamente, pero la imagen del mundo puede considerar ese algo de uno u otro modo, o no considerarlo en absoluto. Y en este sentido restringido el lenguaje 'crea' de hecho la imagen de la realidad"[55].

**1.4.5.** El hombre percibe la realidad de forma activa y, al actuar, la transforma. La percepción de la realidad no es, como veíamos, un simple 'reflejo en un espejo', sino una aprehensión en cierto modo subjetivizada por el papel limitadamente 'creado' o configurador subjetivo del lenguaje. Esta subjetividad, aunque sea parcial, supone una proyección, que, como acción es *praxis*. El papel del conocimiento es activo y en él la praxis está presente desde el principio, y no como criterio veritativo final, tan sólo.

**1.4.6.** Con lo anterior hemos pretendido limitarnos a presentar las premisas sobre las que iremos elaborando, en el capítulo 2, el problema del lenguaje y el pensamiento, es decir, la relación entre el mundo exterior y el individuo. Antes de ello, sin embargo, resulta imprescindible cerrar el capítulo que nos ocupa ahora con la exposición de los fines que el lenguaje puede cumplir.

## 1.5. FUNCIONES DEL LENGUAJE

El fin primordial del lenguaje es la comunicación, pero esta comunicación se matiza y especifica con las distintas funciones que el lenguaje tiene

[54] *Ibid.*, pp. 219 y ss., 239, 242, 250 y ss.
[55] *Ibid.*, p. 239.

para cumplir sus diversos fines. El estudio de las funciones del lenguaje nos sirve, por otra parte, para completar algunas de las afirmaciones de 1.3. sobre lenguaje humano y lenguaje animal, ya que, como veremos inmediatamente, hay dos funciones comunes a hombres y animales [56].

**1.5.2.** Casi tan importante como distinguir las funciones es señalar que no se dan aisladas generalmente, sino en combinaciones complejas en el discurso. También conviene indicar, frente a lo que se lee a veces, por simplificación excesiva, que las funciones no están ligadas a determinados procedimientos morfológicos, como el diminutivo, por ejemplo.

**1.5.3.** Las seis funciones del lenguaje que veremos pueden dividirse en dos grupos; en el primero de ellos incluiremos las tres funciones fundamentales, en el segundo las tres funciones secundarias y analíticas.

**1.5.4.** Las tres fundamentales arrancan de la construcción de un *órganon* en el que el fenómeno acústico concreto, que es el elemento central, se eleva a la categoría de signo en función de tres tipos de relaciones: la que mantiene con objetos y relaciones, en virtud de la cual es *símbolo* o *representación,* la que mantiene con el receptor, en virtud de la cual es *llamada o apelación,* y la que mantiene con el emisor, por la cual es *síntoma, indicio o expresión.* Los términos *expresión, apelación* y *representación* sustituyen con ventaja a los que el mismo Bühler había empleado en 1918: *manifestación, repercusión* y *representación.*

**1.5.5.** Cuando decimos que las funciones expresiva y apelativa se dan también en los animales cometemos una cierta inexactitud, puesto que el modelo de *órganon* para los animales no puede suponer una elevación del fenómeno acústico a la categoría de signo ya que el animal no analiza el par {significante, significado} que el signo comporta, y porque, en último caso, la relación del fenómeno acústico no es triple, como en el hombre, sino doble: expresión y apelación, sin posibilidad de representación, precisamente por no poder analizar el signo.

**1.5.6.** Para la primera función, la *expresiva* o de *síntoma* no es preciso el interlocutor. Se trata de la manifestación de algo interno del emisor: dolor, sorpresa, alegría. Esta expresión de sensaciones primarias (que por ello se dan también en los animales) puede realizarse con interjecciones (lo más próximo a los gritos de los animales), como ¡ay!, ¡caramba!, o los tacos, frases exclamativas, o procedimientos lingüísticos más complejos, como la alteración del orden de la frase o un empleo del diminutivo. Veamos este último punto.

**1.5.7.** Los diminutivos tienen una triple función, que se corresponde con las tres funciones del lenguaje que ahora vemos: hay diminutivos afectivos, activos y nocionales. La función del diminutivo afectivo se corresponde

---

[56] *Cf.* Carlos Bühler, *Teoría del Lenguaje,* trad. de Julián Marías, Madrid (Rev. de Occidente) 3.ª ed. 1967, §§ 2:2; 2:3.

con la expresiva y puede realizarse de dos modos: o bien con el diminutivo simple, o con el *diminutivo de frase* de Amado Alonso[57]. El hablante que dice *ven aquí cerquita,* con un diminutivo simple, o *ya tendremos que aguardar unos añitos,* con un diminutivo de frase, está proyectando su concepción íntima del espacio y el tiempo referida a dos situaciones concretas. Ni el espacio ni el tiempo se reducirán en sí o para el oyente, por mucho que exprese el hablante su peculiar concepción de ellos por medio de un diminutivo, cuya idea fundamental aquí, y eso está perfectamente claro, no es la de tamaño.

**1.5.8.** Mediante la segunda función, la *conativa* de llamada o *apelación,* el hombre y los animales buscan el acercamiento a un semejante, y no la simple expresión de sensaciones y sentimientos. En el caso del hombre, se busca un interlocutor, en el de los animales una respuesta. A esta segunda función pertenecen los vocativos, los gritos vocativos, como *¡Eh!* y las órdenes; pero también puede manifestarse, en el caso del hombre, por algún procedimiento lingüístico especial, como el empleo del diminutivo. activo tal como puede observarse en la *captatio* del mendigo: *hermanito, una limosnita,* o en el *diminutivo de cortesía: espere un momentito.*

**1.5.9.** Mientras que la función conativa busca un interlocutor, pero no exige una reacción lingüística al estímulo lingüístico, la tercera función, *la simbólica,* exige la reacción lingüística del interlocutor, por lo que ya es exclusiva del hombre. Esta función es la que permite la comunicación objetiva, provoca sensaciones y reacciones lingüísticas, como hemos dicho, es la de las preguntas, de la conversación ordinaria, de la relación con el interlocutor, en suma. Aunque aquí ya intervienen todos los procedimientos de la lengua, conviene cerrar las referencias anteriores a la triple función del diminutivo, paralela a la triple función del lenguaje, con una referencia al diminutivo correspondiente a la noción simbólica, que será el diminutivo nocional, en el que no aparecen connotaciones afectivas o aparecen muy secundariamente. Si ante una silla mayor y otra menor digo *prefiero la sillita,* la idea fundamental del diminutivo es la simple mención de tamaño: igualmente podría haber dicho *prefiero la menor.* El que va a comprar una mesa o una silla de juguete pedirá una *mesita* o una *sillita* y bastará con ello para indicar el tamaño, incluso en algo tan poco afectivo como un albarán: *tantas mesitas de tal tipo.*

**1.5.10.** El paralelismo del diminutivo y las tres funciones primarias apoya nuestra afirmación de que hay diferencias entre las funciones expresiva y apelativa del hombre y los animales, debidas, como decíamos, a que el hombre dispone de un tercer miembro de relación, la función simbólica, y de elementos de esta función simbólica que pueden emplearse en las otras dos, de los cuales carecen los animales.

---

[57] Amado Alonso, "Noción, emoción, acción y fantasía en los diminutivos", en *Estudios Lingüísticos. Temas Españoles.* pp. 160-189.

Como puente entre estas tres funciones primarias y funciones analíticas propiamente dichas, que suponen la función simbólica, tendríamos que situar precisamente una de estas funciones analíticas o secundarias, presentadas por Jakobson[58], la función *fática* o de contacto, mediante la cual indicamos que no ha habido ruptura de la comunicación. Entendida, así, es evidente que no puede ser propia de los animales, pues esta comunicación supondría la función simbólica, de la que carecen. Ahora bien, puede ser entendida como indicación de un estar ahí, sin propósito o presuposición comunicativa que envuelva un símbolo, y entonces puede ser entendida como función de los animales también. En el hombre, entendida del primer modo, se ejemplificaría con los signos que emitimos cuando oímos por teléfono una comunicación larga, para que nuestro interlocutor gracias a nuestros *uhm, sí, ejem, bueno, claro,* etc., sepa que la línea no se ha cortado y que nosotros no hemos abandonado el auricular. Entendida del segundo modo, como simple indicador de presencia, la tendríamos en el hombre cuando, antes de entrar en una habitación que suponemos ocupada o de pasar por un paraje donde nuestra presencia puede resultar indiscreta, carraspeamos o hacemos algún ruido que permita a otras personas saber que nos disponemos a hacer acto de presencia.

**1.5.11.** La quinta función es, sin discusión, específicamente humana, mediante ella empleamos medios lingüísticos para hablar del lenguaje. Es la función *metalingüística*, estrictamente analítica. La empleamos para aclarar o pedir aclaración sobre el significado de una palabra: *no sé que significa "bazuqueo"*, su oficio gramatical: *'en' es una preposición*, su origen: *'bibliografía' es un compuesto de origen griego*, y tantos otros.

**1.5.12.** En sexto y último lugar tenemos la función *estética* o *poética*, añadida por Jan Mukarovský en 1936. En ella lo fundamental es el lenguaje en sí, como mensaje, con su centro en sí mismo, con la tendencia a motivar la relación entre expresión o significante y contenido o significado en cada signo, para lo cual se potencian los elementos que están ahí pero que el lenguaje ordinario desatiende, como repeticiones de sonidos (aliteraciones), semejanzas (ecos). Esta función, que culmina en la obra literaria, en la que existe una finalidad de belleza y una potenciación máxima de estos recursos, no está ausente del lenguaje ordinario, donde tantas veces decimos *Elvira es un nombre precioso, la siguiente estación me suena raro, prefiero la estación siguiente*[59], *el adjetivo que mejor le cuadra es 'insensato'*[60]. El lenguaje publicitario y las consignas hacen uso abundante de esta función. Jakobson habla del éxito de la consigna *I like Ike* (ai laik aik) con su reiteración de *ai, aik;* Lázaro Carreter ha basado en la función estética,

[58] Lingüística y Poética", en la versión francesa de los *Essais de Linguistique Générale*, París (éd. de Minuit), 1963, p. 220. Hay versión española.
[59] En este segundo ejemplo hay un contacto innegable con la función metalingüística.
[60] Con mayor contacto metalingüístico aún.

por reiteración de la sílaba *cont,* el éxito del *contamos contigo.* Se puede llegar a fórmulas más complejas, que incluyen los trabalenguas, como el anuncio, en un canal francés de Montreal, de una conocida marca de automóviles norteamericana: *Sachez chasser ce chat.*

**1.5.13.** El centro de donde irradia lo específicamente humano del proceso general comunicativo del universo es la función simbólica, en cuyo núcleo está el símbolo. Este símbolo es la unión entre la realidad y el hablante, a través del proceso del conocimiento, al que nos hemos referido someramente en 1.4.; pero el hablante no se relaciona directamente, de esencia a esencia, con la realidad, sino mediatemente, gracias a su pensamiento y a la expresión de este pensamiento: el lenguaje. La relación entre pensamiento y lenguaje, fundamental para el entendimiento de los procesos intelectivo y expresivo y las diferencias que pueda haber entre ambos, requiere un estudio más pormenorizado, en el que trataremos de ocuparnos con mayor amplitud de lo esbozado hasta ahora. A ello dedicaremos el próximo capítulo.

CAPITULO 2

# LENGUAJE Y PENSAMIENTO

## 2.1. CONCEPTOS DE FORMA INTERNA Y FORMA SIMBOLICA

En varios lugares del capítulo antecedente nos hemos referido a W. von Humboldt y E. Cassirer, así como a sus conceptos de forma interna o interior (Innere Sprachform) y forma simbólica (Simbolische Forme); incluso hemos adelantado alguna definición[61].

**2.1.1.** La forma del lenguaje que, como hemos dicho, no tiene una definición única en la obra de Humboldt, puede ser: "Aquel constante e invariable sistema de procesos que subyace al acto mental de llevar señales articuladas estructuralmente organizadas al nivel de la expresión del pensamiento"[62], según habíamos visto. La forma interior es una forma formante de nuevas categorías, es un principio dinámico gracias al cual las palabras, que toman el lugar de los objetos, se configuran, puesto que para Humboldt el lenguaje realiza un esfuerzo formal, mediante el cual se vierte la materia del mundo fenoménico en la foma del pensamiento.

---

[61] *Cf.* Nota (13). *Vid. et.* Mercedes Rein, *La filosofía del Lenguaje de Ernst Cassirer.* Montevideo (Inst. de Filología, Dep. Lingüística). *Cuad. Fil. Ling.*, 2, 1959.

[62] *Cf.* N. Chomsky, *El Lenguaje y el Entendimiento,* p. 119. De ahí deduce Chomsky su definición de lengua en el sentido humboldtiano, como vimos en 1.1. Además de los libros de Valverde y Schaff citados, *cf.* Rafael Lapesa, "Evolución Sintáctica y Forma Lingüística Interior en Español", E. Coseriu, 'Semantik, innere Sprachform und Tiefenstruktur", Roger Lanhan, *Wilhelm von Humboldt's Conception of Linguistics Relativity* y Robert L. Miller, *The Linguistic Relativity Principle and Humboldtian Ethnolinguistics,* así como la reseña de H. Hoijer a estos dos últimos, en *Lg.,* 45, 1969, pp. 216-218. Sobre la interesante relación de von Humboldt y España, además de Farinelli, cit., *vid.* Erich Ruprecht, "Wilhelm von Humboldt und Spanien", *Homenaje a Johannes Vincke* (C.S.I.C.) 1962-63, II, pp. 655-673. De los difíciles textos de Humboldt, disponemos de la versión española de dos trabajos,

**2.1.2.** Por ello, en el estudio de la forma interior tendremos que atender a varios aspectos: la simbolización, puesto que el símbolo une realidad y pensamiento (lo cual se hará más explícito en la obra de Cassirer), la actividad lingüística del individuo y de la nación (que se expondrá con mayor detalle en el cap. 3), el carácter dinámico y evolutivo del lenguaje, que es al mismo tiempo realización, producto, y su valor como lengua, entendido con bastante claridad por Humboldt, según expondremos.

**2.1.3.** En cuanto al alcance del término *forma interior,* R. Lapesa[63] cree oportuno modificar la definición adoptada por Amado Alonso: "principio agrupador, subordinador y opositor de formas de pensamiento" y "contenido psíquico, y no sólo lógico, de cada construcción con estructura propia", en el sentido de que "la *forma* interior no es el *contenido* psíquico, sino la *conformación psíquica* del contenido, correspondiente a cada construcción con estructura propia".

**2.1.4.** En *Über die Verschiedenheit des menslichen Sprachbaues*[64] nos dice que "el lenguaje es indispensable para que la representación se objetive, al regresar al oído la propia creación verbalizada. El lenguaje no actúa como partiendo de los objetivos ya plenamente percibidos. Pues sin el lenguaje no habría ante la mente objetos (como tales). Ya en la percepción hay una cierta subjetividad; incluso cabe considerar a cada individuo como un punto de mira en la visión del universo". R. Lapesa ha señalado[65]

publicados en un volumen por ed. Anagrama de Barcelona: *Sobre el origen de las formas gramaticales y sobre su influencia en el desarrollo de las ideas. Carta a M. Abel Rémusat sobre la naturaleza de las formas gramaticales en general y sobre el genio de la lengua china en particular.* Del libro de Valverde hizo una durísima reseña, injustificada, a nuestro juicio, Yakov Malkiel, en *H. R.,* XXVI, 1958, pp. 162-167. Malkiel insiste en la validez de la relación von Humboldt-Sapir-Bloomfield, en la hipótesis Sapir-Whorf (con bibliografía) y en algunos puntos que interesaban entonces a la lingüística, puntos que, según él, Valverde no destaca debidamente. Señala fallos de detalle, no tan importantes como pretende. Discrepamos de Malkiel en la dura crítica que hace de la capacidad científica y estilística de Valverde (en la que el tiempo no le ha dado la razón). La obra posterior del profesor español es el merecido mentís de las afirmaciones del californiano. *Vid. et.* J. Gaudefroy-Demombynes, *L'oeuvre linguistique de Humboldt,* París, 1931. El concepto de forma interior, ampliado de forma divergente del de von Humboldt, por lo que no lo incluimos en el texto, se encuentra en la obra póstuma de A. Marty (1847-1914), *Psyche und Sprachstruktur,* 1939, ed. de O. Funke, 2.ª, Berna, 1965. *Vid.* O. Ducrot, en *La Linguistique,* 8, 1972/2, pp. 153-158. El punto de partida de Marty era su intención de basar los principios de la lingüística general en cimientos psicológicos. Teoría del Lenguaje y Psicología con ciencias con tantos puntos comunes que casi se puede decir que la Filosofía del Lenguaje es su Psicología. La forma lingüística, para él, se caracteriza por su significado, mediante el cual se expresan los estados psíquicos del hablante, de tal modo que resulte estimulado el oyente para producir la reacción lingüística adecuada. *Cf.* A. Llorente, *Teoría,* pp. 92 y ss.

[63] Artículo citado, p. 139. Se refiere a Amado Alonso, "Sobre métodos: construcciones con verbos de movimiento en español", en *Estudios Lingüísticos, temas españoles.* P. 235.

[64] Cap. IX. Trad. de Valverde, *op. cit.,* p. 34.

[65] En el artículo citado arriba, pp. 138-139. *Cf. et.* nuestra *Aproximación a la Gramática*

que "si la forma interior de una lengua resulta de la actividad íntegra del espíritu orientada hacia la palabra, es forzoso que contenga una mayoría de elementos compartida con la forma interior de otras lenguas. Parte de ellos, inherente a la esencia misma del lenguaje, existirá en todas; parte será común con las lenguas de la misma familia o rama, o con las representativas de una civilización afin." Este texto nos ofrece dos tipos de sugerencias: de un lado está la cuestión de los universales del lenguaje, que veremos en otro momento; pero también tenemos que tener en cuenta que las lenguas, entre lo que todas tienen en común, tendrían una serie de rasgos que von Humboldt nos expresa en el siguiente texto[66]:

La dependencia mutua entre pensamiento y palabra explica claramente que las lenguas, verdaderamente, no son medios para expresar la realidad ya conocida, sino, mucho más, para descubrir la realidad aún desconocida. Su diversidad no es de envoltura y signos, sino diferencia en cuanto a las visiones mismas del mundo. Este es el motivo y el último fin de toda investigación lingüística. La suma de lo cognoscible como campo de elaboración del espíritu humano se encuentra, entre todas las lenguas e independientemente de ellas, en el centro. El hombre no puede aproximarse a este ámbito meramente objetivo más que según su modo de conocimiento y percepción... Pero el subjetivismo de toda la humanidad se convierte en algo objetivo. La concordancia originaria entre el mundo y el hombre, en la que se basa la posibilidad de todo conocimiento de la verdad se va recuperando, por tanto, gradual y paulatinamente a través del fenómeno.

**2.1.5.** Lo fundamental del lenguaje, en consecuencia, es su papel de concepción del mundo. Gracias a su forma interior, la lengua va formando las nuevas categorías que le permiten realizar una aprehensión activa de la realidad, por lo que es evolutiva; al mismo tiempo, conserva, en esa misma forma interior, sus principios estructurales, configuradores, que la mantienen idéntica. Muchas de estas nociones son todavía muy aprovechables, sobre todo si les quitamos la carga de su tiempo, como muy bien ha indicado R. Lapesa[67]. Hoy día nos resistiríamos a hablar del lenguaje como protagonista de los procesos intelectuales con el papel de creador, y esto es precisamente, como ha señalado Schaff[68], lo que se configura,

*Española*, cap. 3. El concepto de *forma*, para los glosemáticos, por otra parte, designa todas las combinaciones posibles de un signo de una lengua con los restantes signos de esa lengua, mientras que, para otros autores, como Benveniste (en *Problèmes de Linguistique Générale*, pp. 126-127, traducimos nosotros, pero hay traducción española): "la forma de una unidad lingüística se define como su capacidad de disociarse en constituyentes de nivel inferior". Sobre la *forma gramatical cf.* A. Llorente, *Teoría*, pp. 57 y ss.

[66] Citado por Schaff, *Lenguaje y Conocimiento*, pero tomado de Weisgerber. *Das Gesetz*, p. 171.

[67] En el artículo citado. Abunda en esta opinión A. Llorente, *Teoría, passim*, y especialmente, pp. 96 (nota), 221, 386 y 435.

[68] *Op. cit.*, pp. 22-23.

según la concepción humboldtiana "en la teoría de la función como noción del mundo y de la forma interna del lenguaje". El carácter evolutivo del lenguaje, por su aprehensión activa, queda explícito en otro texto de von Humboldt[69]:

El lenguaje es algo en cada instante permanentemente transitorio. No es un producto (ergon), sino una potencia (enérgeia). Su verdadera definición sólo puede ser genética. Es la labor, perennemente renovada, del espíritu, para hacer al sonido articulado capaz de la expresión del pensamiento.

**2.1.6.** Lo dicho antes acerca de su capacidad generativa puede apoyarse también en otro texto:

El lenguaje no consiste sólo en sus producciones concretas, sino en la posibilidad de obtener otras innumerables[70].

**2.1.7.** Como anunciábamos, hemos visto en nuestro autor el lenguaje como concepción del mundo en dinámica formación de nuevas categorías, gracias a esa forma interior configuradora o formante que lo mantiene en su identidad a lo largo de una dinámica en la que se manifiesta una capacidad generativa que lo caracterizan como lengua[71], junto al empleo individual, como habla, de donde se llegará, como veremos, a los extremos

---

[69] *Ueber die Verschiedenheit,* cap. VIII, trad. Valverde, p. 36. He aquí como expresa A. Schaff, p. 24, la relación entre intelecto, lenguaje y actividad: "En Humboldt, la idea de la concepción del mundo contenida en el lenguaje depende estrechamente de la idea del lenguaje como factor *modificador* del mundo (...) El intelecto aprehende la unidad del mundo gracias a la configuración de la realidad a través del lenguaje (...) En Humboldt, la idea del papel del lenguaje como modificador del mundo, o más bien *creador* de éste, se relaciona con la tesis metodológicamente fructífera de que el lenguaje no es *ergon,* sino *enérgeia,* que se le debe investigar genéticamente, en su dinámica, y no considerarlo como modelo rígido y acabado".

[70] *Ibid.,* cap. XIII, trad. p. 36. Esta capacidad generativa, que es más propia de la lengua que del habla, en términos de Saussure, puede servir de base a la refutación de lo que afirma Broendal en "Langage et Logique", *Essais de Linguistique Générale,* Copenhague, 1943, p. 52, sobre la condición romántica de Humboldt y su concepción del habla, no de la lengua, derivada de ella. Como afirma acertadamente Coseriu, en *Sincronía, Diacronía e Historia,* I, 3.2.: "esto es enteramente inexacto. Humboldt vio perfectamente la lengua, pero no dualísticamente, fuera del hablar, y ello no depende de su romanticismo, sino del hecho de que fuera del hablar la lengua no tiene existencia concreta: si esto es 'romanticismo', entonces los antimentalistas norteamericanos, quienes reconocen que 'un sistema no puede observarse directamente' y que se deduce de la actividad lingüística, son tan románticos como Humboldt". (*Cf.* nota siguiente).

[71] Así aparece en este texto, que cita Rafael Lapesa, *op. cit.,* p. 137, en versión de Valverde, cit., p. 123: "El sentido de la lengua debe contener algo inexplicable en particular, un presentimiento intuitivo del sistema entero, requerido por la lengua en su forma concreta. Ocurre aquí lo que se repite en la producción del lenguaje en general. Cabe comparar el lenguaje con un tejido prodigioso en que cada parte está en conexión más o menos visible con las demás y todas con el todo".

idealistas y románticos de espíritu del pueblo, de la nación, ambos como sujeto colectivo, según veremos al ocuparnos de la sociedad, en un terreno que hoy ya no nos parece aceptable, pero que no quita un ápice al valor de su autor en el planteamiento y aclaración de problemas que siguen inquietándonos.

**2.1.8.** Varios son los lazos de unión entre W. von Humboldt y E. Cassirer; en el caso de la *forma interna* y la *forma simbólica* la relación está en la *forma* de la concepción apriorística kantiana[72]. Cassirer cree que el lenguaje es la forma simbólica fundamental, pues las otras formas simbólicas (mito, arte y conocimiento científico, si bien el arte sólo parcialmente) utilizan el lenguaje. Esta forma simbólica es una forma apriorística creadora de la imagen del mundo, pero no es un *mundo intermedio,* como acabamos de ver, sino una energía espiritual que crea apriorísticamente. La noción de *forma* es fundamental en Cassirer, pues llega a afirmar que "en general, uno debería limitarse al mundo de las formas y rechazar el mundo de la materia como metáfora innecesaria"[73]. La negación de la materia culmina, en fecha ya muy cercana a nosotros y posterior a la *Filosofía de las Formas Simbólicas,* con un texto que reproducimos íntegro, pese a su longitud, para no restarle claridad[74], si bien lo hacemos en

---

[72] *Cf.* Schaff, *op. cit.,* p. 57: "Cassirer introduce las formas *simbólicas,* y éstas son formas con las cuales el espíritu *crea* el mundo de los objetos. Las formas simbólicas también poseen un carácter apriorístico, pero, al mismo tiempo, también se apartan en mucho del punto de vista clásico de Kant, lo que, entre otras cosas, es consecuencia directa de la concepción de la cosa en sí". En efecto, como también nos dice Schaff, *ibid.,* p. 62, "lo que separa a Cassirer de Humboldt se puede reducir, sobre todo, al problema de la cosa. Humboldt está más próximo a Kant, reconoce la existencia del *mundo de las cosas,* y para él el lenguaje es un *mundo intermedio* situado entre el conocimiento y el mundo de las cosas. Para Cassirer, el lenguaje no es un 'mundo intermedio', pues desaparece la necesidad de mediación. El lenguaje es simplemente el *creador* de la imagen del mundo que aparece en la consciencia".

[73] "Sprache und Mythos", en *Wesen und Wirkung des Symbolbegriffs, Cf.* Schaff, *op. cit.,* p. 54.

[74] *Zur Logik des Symbolbegriffs,* p. 209. *Cf.* Schaff, *op. cit., ibid.:* "Si es cierto que toda objetividad, todo aquello que denominamos visión o saber objetivo, siempre nos viene dado sólo en formas determinadas y sólo podemos obtenerlo a través de ellas, entonces jamás podremos salir del ámbito de estas formas, cualquier intento de considerarlas hasta cierto punto "desde fuera" está condenado, por anticipado, al fracaso. Sólo podemos considerar, experimentar, imaginar, pensar *en* estas formas; estamos atados a su significado y rendimiento meramente *inmanente.* Pero, de ser así, aparece bastante problemático con qué derecho podemos constituir un concepto opuesto y un concepto correlativo al de forma pura. Hablamos de una 'materia' de la realidad que adopta una 'forma' que es configurada por ésta, pero al principio esto sólo parece una mera metáfora. Pues nuestro conocimiento no la ha recibido nunca como materia *pura,* como algo que, por así decir, sólo posee una esencia desnuda, sin estar determinada de un modo u otro por una forma. Este algo es más que una mera abstracción —y una abstracción de carácter muy dudoso y discutible—. ¿Existe, por tanto, un "material" de lo real antes de la aparición de toda configuración e independientemente de ésta? Marc Wogau cree, con razón, que se debe responder negativamente a esta pregunta, si se parte de los supuestos que he establecido en mi *Filosofía de las Formas Simbólicas.*"

nota, para descargar el texto, en el que habremos de incluir, necesariamente, la definción de *forma simbólica*[75]:

> Bajo 'forma simbólica' debe entenderse toda energía del espíritu a través de la cual se une un contenido significativo intelectual a un signo significativo concreto y se relaciona íntimamente con este signo. En este sentido, el lenguaje, el mundo mítico-religioso y el arte aparecen provistos de una forma simbólica determinada. En efecto, en todos ellos destaca el fenómeno fundamental de que nuestra consciencia no se ocupa de percibir la impresión de lo externo, sino que relaciona cada impresión con la actividad libre de la expresión. Un mundo de signos e imágenes autocreados se contraponen a lo que llamamos realidad objetiva de las cosas y se afirma contra ella con una plenitud autónoma y una fuerza originaria.

**2.1.9.** El mundo de los signos, como mundo del que tenemos conciencia inmedita, en oposición al mundo de las cosas, se rige por las leyes descubiertas y formuladas por la filosofía de las formas simbólicas. Haciendo un poco de historia de esta filosofía, que se relaciona originariamente con el concepto humboldtiano de forma interior, y exponiendo sus postulados más importantes —casi podríamos decir, los imprescindibles— esperamos haber iniciado la introducción del lector en el tema del pensamiento y el lenguaje, del que pasamos a ocuparnos.

## 2.2. PENSAMIENTO Y LENGUAJE HUMBOLDT

Al abordar esta parte de nuestro texto, tendremos que limitarnos a señalar facetas del problema fundamental, con la intención de recoger lo que hemos ido diciendo en párrafos anteriores y situarlo dentro de una doctrina más amplia, tanto histórica como sistemática. Nuestro estudio tiene presente la dificultad del objetivo así como el problema metodológico que siempre plantean las introducciones y exposiciones generales: excesivo esquematismo y dificultad de expresión o escasa profundidad. Por ello trataremos de dar la amplitud posible a la exposición, al mismo tiempo que procuramos no olvidar la necesaria armonía entre las partes de este libro, que no es una monografía sobre el enunciado de este capítulo y este párrafo. No sólo es imposible eludir el tema en una obra de la naturaleza de la presente, sino que debe ocupar en ella un lugar necesario para el adecuado equilibrio del conjunto.

**2.2.1.** De las tres preguntas que los estudiosos se han planteado sobre este asunto, que versan sobre la primacía cronológica de pensamiento y

---

[75] *Der Begriff der Symbolischen Form...*, pp. 187-176. Traducción en Schaff, *op cit.*, p. 58.

lenguaje la concepción del mundo determinísticamente dependiente del lenguaje o no, y la relación entre categorías lingüísticas y mentales, parece primar la tercera, si bien durante siglos la pregunta ha recaído en la primera, tan cercana al problema del origen del lenguaje, que hoy vuelve a inquietarnos, y a cuyo interés no hemos podido sustraernos en 1.2. Para que el espacio no rebase los límites convenientes, según hemos dicho, habremos de limitarnos en el tiempo y no llevar nuestro problema más allá del siglo XVIII[76].

**2.2.2.** La relación del lenguaje con el pensamiento es importante para todo tipo de filosofía, pero su interés aumenta para aquellos que, como Cassirer, creen que el hombre está en un mundo de representaciones[77]. Esta idea no es nueva en Cassirer, sino que, una vez más, supone una radicalización del pensamiento de von Humboldt, pues también este autor había resaltado que el fin primordial que debe presidir el estudio lingüístico es la relación del lenguaje con la formación de representaciones, extremo que llega a la afirmación de que "la suma de estas representaciones es lo que constituye el hombre", antecedente claro de la citada opinión del filósofo vienés[78].

**2.2.3.** Como necesaria ubicación e hilo de Ariadna en el complicado laberinto en el que entraremos a continuación, conviene que hagamos una síntesis de la historia del problema[79], desde que Herder se plantea la importancia del lenguaje como formador del pensamiento sistemático, hasta las implicaciones contemporáneas de la hipótesis Sapir-Whorf.

**2.2.4.** El problema, en su versión moderna, es decir, desde el s. XVIII, arranca de la concesión del primer premio de la Academia de Ciencias de Berlín a Johann David Michaelis, en 1759, aunque el libro apareció en 1762, en el concurso "Quelle est l'influence réciproque des opinions du peuple sur le langage et du langage sur les opinions?" Esta obra, que Herder leyó probablemente en 1766, puede estar en la base del interés herderiano por el tema, que culmina en 1770 con el premio de la Academia a su obra *Über den Ursprung der Sprache,* donde ya aparecen ideas precursoras

---

[76] El utilísimo libro de F. Lázaro, *Las ideas lingüísticas en España durante el siglo XVIII,* Madrid (C.S.I.C.),1949, ocupa también una parte de su texto con la exposición de la polémica sobre el origen del lenguaje, en relación con el tema estudiado.

[77] Cf. Valverde, *op. cit.,* p. 87, y nota (47) *supra.*

[78] Así concluye un párrafo de *Ueber die Versch.,* p. 119, que dice, en la versión trad. en Schaff, cit., p. 24: "la diversidad de lenguajes sólo es una diversidad de sonidos que [el hombre] emplea meramente como medios para aprehender las cosas. Esta idea es perturbadora para el estudio del lenguaje; es idea que impide el desarrollo del conocimiento lingüístico y lo hace realmente inexistente e inútil... La verdadera importancia del lenguaje radica en la participación de éste en la formación de representaciones. Aquí lo encontramos todo, pues la suma de estas representaciones es lo que constituye el hombre".

[79] Cf. Schaff, *op. cit.,* pp. 17 y ss. Para Herder *vid.* A. Llorente, *Teoría,* p. 376.

de la *forma interior* de Humboldt[80], o del lenguaje como concepción del mundo por un pueblo[81], del mismo autor.

**2.2.5.** La herencia del pensamiento de Herder es inmediatamente aprovechada por Humboldt, de donde hay una influencia lateral hacia países eslavos, como Rusia, con A. Potiebna, y Polonia, con Jean Baudouin de Courtenay. Tras la obra de Franz Nikolaus Fink, 1899, la *Volkerpsychologie* de Wilhelm Wundt, en 1900, con su título, donde se mezclan el romanticismo y las nuevas corrientes, que aún se manifestarán en la escuela de Vossler y Croce, o en títulos como el del trabajo de Georg Schmidt-Rohr, *Die Sprache als Bildernin der Völker,* llegamos a la *teoría de los campos* y sus puntos comunes y discrepantes con el neo-humboldtismo[82]. En América tendremos ya las primeras muestras de la hipótesis Sapir-Whorf, de cuyo desarrollo nos ocuparemos en 2.3.

**2.2.6.** Una vez más tenemos que situar la exposición del pensamiento de von Humboldt en el centro de nuestra atención. El filósofo de Potsdam (1767-1835) es una muestra interesantísima de la mezcla del racionalismo dieciochesco ·con el romanticismo germano (su amistad con Schiller data de 1789, sus contactos epistolares con Goethe son una valiosa ayuda para el estudio del siglo XVIII en Europa). Su neokantismo, señala Valverde[83] sólo se ve matizado por algo de la herencia de Leibniz, si bien conviene limitar la herencia de Espinosa que señala Steinthal a lo que del monismo es lugar común del idealismo alemán, claramente perceptible en un Goethe[84]. Para los españoles, la figura de Humboldt adquiere especial interés por dos· razones más: su estancia en España, y los contactos que tuvo en Roma con Arteaga y Hervás[85]. Para el mundo universitario, su condición de fundador de la Universidad de Berlín, en 1810, es otro nuevo motivo de grato recuerdo.

**2.2.7.** Con su base filosófica racionalista y la huella de Leibniz, frente al empirismo de Locke, no puede extrañarnos que von Humboldt sea reivindicado como uno de los antecedentes de la gramática generativa, con la

---

[80] "El lenguaje no es sólo el instrumento, sino también la tesorería y la forma del pensamiento", cit, por Schaff, p. 18, y también la afirmación de que el lenguaje es "la forma de las ciencias, no sólo en la cual, sino a través de la cual, se configuran las ideas", *ibid.* 19, de *Fragmente über die neuere deutsche Literatur,* en *Herders Werken,* Berlín (Hempel), parte 19, p. 340.

[81] "El sistema lingüístico que constituye el patrimonio de un pueblo dado, forma la concepción del mundo de sus miembros", en Schaff, *ibidem.*

[82] Sobre la teoría de los campos, *cf.* Schaff, cit., pp. 29 y ss. y, especialmente, Suzanne Öhman, "Theories of the 'Linguistic field'", en *Word*, 9, 1953, pp. 123-124. Sobre el neohumboldtismo *cf. et.* Schaff, *op. cit.,* p. 28, nota, y H. Badilius, "Neo-Humboldtian Ethnolinguistics", *Word,* 8, 1952.

[83] *Op. cit.,* p. 26.

[84] *Ibidem.*

[85] La estancia de von Humboldt en Roma (1802) quedó trágicamente marcada como consecuencia de la muerte de sus dos hijos menores.

que tiene innegables puntos de contacto, una vez salvadas las diferencias de época. El primero de ellos, entre los que veremos, es la idea de que el lenguaje es connatural al hombre, central en nuestro autor y que lo aparta del evolucionismo de la ciencia de su época, pues, evidentemente, el paso hasta el animal superior, dotado de facultad de lenguaje, escapa a las posibilidades de la mera materia, desde el punto de vista humboldtiano, que es claramente idealista en este aserto. El prototipo del lenguaje se encuentra en la razón humana, donde está puesto originariamente. El lenguaje no puede explicarse como producto racional. Esencialidad que queda plasmada en la afirmación de que "la producción del lenguaje es una necesidad íntima de la naturaleza humana, no sólo un comercio social para la comunicación, sino algo asentado en su misma esencia, imprescindible para el funcionamiento de sus potencias espirituales"[86].

2.2.8. Este lenguaje innato ha de tener una relación esencial con el entendimiento, como hemos visto en el anterior texto de Humboldt, y como vemos en su afirmación de que "como sin el lenguaje no es posible ningún concepto, sin él tampoco puede haber para el espíritu ningún objeto, pues todo objeto exterior sólo por medio del concepto adquiere entidad plena ante el espíritu"[87]. Objetivación y subjetivación son funciones complementarias, pues si bien es cierto que Humboldt no niega la realidad exterior, también afirma que no hay sólo actividad de los sentidos, sino una formación de representaciones que constituyen objetos en el pensamiento, gracias a la actividad subjetiva. Así, la actividad interior, que es subjetiva, objetiva

---

[86] *Ueber die Versch.*, cap. II. Valverde, *op. cit.*, p. 32. Este autor lo interpreta como que "el hombre necesita el lenguaje para pensar" pero creemos que lo que dice Humboldt es que sin lenguaje no hay pensamiento y sin pensamiento no hay lenguaje. En el libro de Valverde, la interacción entre el filósofo del XVIII y el del XX llega al punto de provocarnos la pregunta de si, a veces, no se ha dejado llevar, el segundo, más por sus ideas que por el texto alemán. Así, en la p. 31, es Valverde quien nos dice que "el lenguaje es la forma de operación del pensamiento humano", idea que compartimos, y que sirve de botón de muestra de la preocupación común.

[87] *Ibid.*, pp. 113-114 de la trad. *Vid. et. ibid.:* 107: "El lenguaje es el instrumento formador del pensamiento. La actividad intelectual, plenamente espiritual y que, en cierto modo, transcurre sin dejar huella, mediante el sonido se hace exterior y perceptible para los sentidos. Tal actividad y el lenguaje son, pues, una sola cosa, inseparables entre sí. Aquélla, no obstante, está ligada por sí a la necesidad de procurarse un *enlace* con el sonido lingüístico; el pensamiento de otro modo no puede alcanzar *propiedad,* ni la representación llegar a ser concepto. El enlace inseparable del *pensamiento,* del *instrumento vocal* y de la *audición,* con el lenguaje, se basa inalterablemente en la orientación originaria, no más explicable, de la naturaleza humana. La adecuación del sonido al pensamiento salta aquí también a la vista claramente. Al concentrar el pensamiento, como un rayo o un golpe, toda la fuerza de representación en un punto, excluyendo todo lo (demás) en aquel momento, salta el sonido con recortada precisión y unidad". Conviene distinguir, como hace Valverde (p. 44) entre la facultad de lenguaje y su ejercicio. El hombre debe poseer la primera "por el mismo hecho de existir en cuerpo y alma; mediante la actualización y el uso de esta potencia es como llegará a ejercitar su ser de hombre en cuanto tal".

en el conocimiento lo aprehendido, mientras que la actividad de los sentidos, que es objetiva, sólo puede actuar gracias a la actividad interior, pues del enlace de ambas brota la representación[88], "se convierte en objeto, frente a la potencia subjetiva, y regresa a ésta, tomada ahora como tal objeto. Para esto el *lenguaje* es imprescindible. Pues al abrirse paso en él el impulso espiritual a través de los labios, su creación regresa hacia los propios oídos. La representación se traslada así a objetividad real, sin sustraerse por eso a la subjetividad"[89].

**2.2.9.** Nuestro autor llama *lenguaje* a la configuración que tiene en nuestro entendimiento el mundo aprehendido. El lenguaje tiene así un doble aspecto, de vehículo de admisión de la idea y de vehículo de emisión de la idea. La idea es sustancial; su única posibilidad de expresión, de objetivación, es la forma, es decir, el lenguaje[90]. La esencia del lenguaje, por eso mismo, es esa forma configuradora, esa forma formante a la que denominamos *forma interior*, puesto que gracias a ella el lenguaje, como actividad, es capaz de categorizar como objetos en el entendimiento lo que aprehende por las funciones enlazadas de la actividad sensorial y la actividad racional. Con un criterio semántico se puede hablar de *fuerza del espíritu* o de *sangre del espíritu*[91], pero no se trata sólo de que, como ha resumido Valverde[92], "el concepto deriva de la impresión producida

[88] *Ibid.*, trad. 109.
[89] Véase la insistencia en la idea en otro texto (*ibid.* 114): "Como el sonido particular entre el objeto y los hombres, así entra el lenguaje entero entre el hombre y la naturaleza que actúa sobre él, interior y exteriormente. El hombre se rodea de un mundo de sonidos, para asumir en sí el mundo de los objetos y elaborarlo. Estas expresiones no sobrepasan en modo alguno la medida de la simple verdad. Primordialmente, y aun exclusivamente, puesto que la sensación y la acción depende en él de sus representaciones, el hombre vive con los objetos tal como el lenguaje se los trae. Por el mismo acto por el que despliega de sí el lenguaje, se vuelve en él, y cada idioma tiende en torno del pueblo a que pertenece un círculo que sólo le es posible traspasar en la medida en que se entra en el círculo de (algún) otro". Este concepto del lenguaje queda apostillado por Valverde (p. 45), cuando nos dice que "en el lenguaje está la racionalidad, pero, humanamente, encarnada en una forma concreta —'fisionómica'—, sujeta a un despliegue a través de un encadenamiento de fonemas, ocupando un cierto tiempo —incluso en el hablar interior— y empleando una cierta materia".
[90] *Ibid.*, 125: "El lenguaje está presente en su totalidad en la mente, es decir, cada elemento concreto se relaciona con lo que aún no se ha hecho propiamente significativo, y con la suma de los productos reales o posibles. La evolución real ocurre progresivamente y lo que aparece como nuevo se forma en analogía con lo ya existente".
[91] Así en Unamuno, en muchos lugares, p. ej., en "La Gloria de Don Ramiro", de *Por Tierras de Portugal y de España* (ed. Austral), p. 108: "Una vez más, y va la de ciento lo menos, sin que sea la última, una vez más he de repetir lo de que la lengua es la sangre del espíritu y que en un idioma va implícita una cierta filosofía, un cierto modo de concebir, y, aún más que de concebir, de sentir la vida. Sean cuales fueren los cruces de razas, sea cual fuere la sangre material que a la primitiva se mezcle, mientras un pueblo hable en español pensará y sentirá en español también."
[92] *Op. cit.*, 154.

por el objeto, y el sonido que emite el hombre respondiendo a la viveza de esa impresión es la palabra", sino de una doble acción, de objetivación y subjetivación, para la formación del concepto (puesto que el hombre, como hemos visto, es representación, y en ella se combinan sus dos facultades: sensitivas y racionales), y de subjetivación y objetivación, para la expresión de la palabra.

**2.2.10.** El lenguaje, pues, es mucho más que un simple vehículo del pensamiento[93]. Tiene, como hemos visto antes, una capacidad generativa que le permite hacer un uso infinito de medios finitos[94]. Si la facultad de lenguaje y el pensamiento son idénticos, las leyes del lenguaje serán, simplemente, las leyes del pensamiento adecuadas a la sustancia sonora que las expresa[95]. Tras un enunciado tan simple se esconde un importante problema filosófico, que Valverde enuncia así[96]:

Para él, el lenguaje no es algo con que se encuentra la filosofía, sino algo que está en su misma base: más aún, el filosofar tiene lugar *mediante* el lenguaje, y, por tanto, aunque su orbe de objetos reales y hechos espirituales sigue siendo el mismo y conservando el mismo sentido, *su filosofía como actividad* ha cambiado de signo, o mejor, ha sido absorbida por el lenguaje que no es, insistamos, para Humboldt, la lengua, ni la terminología, ni las expresiones, sino algo más general y anterior, el modo de operación de la mente. Lo revolucionario, pues, de la concepción humboldtiana es que ahora más bien que de una 'filosofía del lenguaje' habría que hablar de una lingüística filosófica, una filosofía como lenguaje, o, más claramente, un *filosofar como lenguaje.*

**2.2.11.** La tesis humboldtiana de que el principio motor de la facultad de lenguaje y pensamiento es el mismo, y su idea de que el lenguaje es objetivo central de todo estudio que quiera llegar al pensamiento (la Filosofía por ello), aparece expresada en otro texto, recientemente vertido al castellano: la *carta a M. Abel Rémusat sobre la naturaleza de las formas gramaticales en general y sobre el genio de la lengua china en particular*[97]:

[93] *Cf.* Jensen, "Clase Social y Aprendizaje Verbal", en *Pres. del Leng.* de F. Gracia, p. 424: "Sería un error pensar que el lenguaje es simplemente un *vehículo* del pensamiento; ambos son completamente interdependientes tanto desde el punto de vista del desarrollo como de la función".

[94] *Ueber die Versch.*, trad. Valverde, 129, p. 119: "El proceso del lenguaje no consiste sólo en dar lugar a un resultado concreto; debe abrir la posibilidad de producir una multitud indefinible de dichos fenómenos, bajo las condiciones que le pone el pensamiento. Pues se enfrenta con un campo finito e ilimitado; la suma de todo lo pensable. Debe así hacer un uso ilimitado de medios limitados y lo logra por la identidad del pensamiento y la facultad que produce el lenguaje".

[95] *Ibid.,* 135, p. 193: "La formación gramatical brota de las leyes del pensamiento, a través del lenguaje, y descansa en la congruencia de las formas sonoras con aquéllas".

[96] *Ibid.,* pp. 57-58.

[97] Barcelona (Anagrama), 1972, pp. 78-79.

Las relaciones gramaticales existen en el espíritu de los hombres, cualquiera que sea la medida de sus facultades intelectuales, o, lo que es más exacto, el hombre al hablar sigue, por su instinto intelectual, las leyes generales de la expresión del pensamiento mediante la palabra, pero, ¿sólo de ahí podemos derivar la expresión de estas relaciones en la lengua hablada? La suposición de una convención expresa sería indudablemente quimérica. Pero el origen del lenguaje en general es tan misterioso, explicar de una manera mecánica el hecho de que los hombres hablen y se comprendan mutuamente comporta tal imposibilidad; en cada pueblo primitivo existe una correspondencia tan natural en el método seguido para asignar palabras a las ideas, que no me atrevería a considerar como algo imposible el que las relaciones gramaticales hubiesen también estado marcadas desde el principio en el lenguaje primitivo.

**2.2.12.** Parece apuntar en Humboldt la tesis innatista así como la tesis de la identidad de la estructura latente o profunda en todas las lenguas, lo que supondría la identidad básica del pensamiento humano, tesis no desarrollada porque estaba en pugna con su concepto romántico germánico del espíritu de los pueblos como determinante de sus actuaciones y parte fundamental en la constitución de su morada vital. Pese a todo, tal tesis parece apuntar en el siguiente párrafo [98]; referido a la identidad de estructura profunda de una lengua a lo largo de su historia:

Resulta (y este resultado me ha sorprendido en el curso de mis investigaciones aplicadas a los cambios de una misma lengua, durante un cierto número de siglos) que, por muy grandes que sean esos cambios bajo muchos aspectos, el verdadero sistema gramatical y lexicográfico de la lengua, su última estructura, son siempre los mismos, y que donde este sistema cambia, como en el paso de la lengua latina a las lenguas románicas, hay que situar el origen de una nueva lengua. Parece, pues, que las lenguas pasan por un período en que alcanzan una forma que en su esencia permanecerá inmutable.

**2.2.13.** Von Humboldt renuncia a la búsqueda de esa estructura profunda (*última* dice la traducción). Sus ideas de etnólogo y su afán diferenciador de los pueblos por su espíritu le llevan a otra afirmación en la que, probablemente, está el punto de partida de la hipótesis Sapir-Whorf, a través de E. Cassirer, y de la que nos ocuparemos en 2.3.

**2.2.14.** La relación entre pensamiento y lenguaje se analizará más tarde como relación entre las leyes lógicas y las leyes gramaticales, que son interdependientes, pero no idénticas. Un importante ejemplo de esta relación entre gramática, lógica, pensamiento y lenguaje nos ofrece la definición de Stuart Mill [99]:

---

[98] *Ibid.*

[99] Rectorial Address at St. Andrews, cit. por O. Jespersen, *Philosophy,* p. 47, traducimos nosotros.

Considera durante un momento qué es la Gramática. Es la parte más elemental de la lógica. Es el principio del análisis del proceso del pensamiento. Los principios y reglas de la gramática son los medios por los que hacemos que las formas del lenguaje *(language)* se correspondan con las formas universales del pensamiento. Las distinciones entre las distintas partes de la oración, entre los casos de los nombres, los modos y modos y tiempos de los verbos, las funciones de las partículas, son distinciones en el pensamiento, no sólo en las palabras... la organización de cada frase es una lección de lógica.

**2.2.15.** Con la posición de Stuart Mill nos vamos acercando a un análisis lógico del lenguaje en el que, a su vez, la gramática servirá de modelo metodológico a la lógica. Esta postura, que ha tenido gran importancia en la gramática española, como veremos, es un intento de resolver un problema que quedará pendiente tras Humboldt: la posibilidad de analizar el elemento subjetivo en la unión de la actividad sensorial y la interna, cuando, en la superación del romanticismo, los vagos conceptos de "espíritu", "fuerza interior" y similares van dejando de ser inmediatamente admitidos y los investigadores tratan de sustituirlos por conceptos definibles en términos científicos.

**2.2.16.** El lenguaje como creador de la concepción del mundo, como principio activo gracias a una forma interior, formante del mismo lenguaje como producto pasivo, con la capacidad generativa que produce infinitos resultados, es decir, frases, a partir de medios finitos, es decir, reglas de formación de esas frases, es una concepción de tan enorme vitalidad y actualidad que Guillermo de Humboldt, pese a los años transcurridos, a la carga temporal e inaceptable de las doctrinas dependientes de su situación cultural e histórica, y a los grandes avances de la lingüística, sigue siendo uno de los pensadores más atractivos y su pensamiento uno de los más ricos en sugerencias de todas las épocas pasadas de la historia.

## 2.3. PENSAMIENTO Y LENGUAJE DESPUES DE HUMBOLDT

Como introducción de este capítulo segundo creímos necesario adelantar al primer párrafo las ideas más importantes de Cassirer[100], y sobre ellas volveremos al relacionarlas con la hipótesis Sapir-Whorf. Otro aspecto importante en el que Humboldt ha sido también el precursor, como muy acertadamente señala Schaff[101], es la teoría de los campos, en la que, pese a que podamos considerarlo continuador de Herder, su influencia, con la mezcla idealista de Kant y Hegel, además del autor citado antes, ha sido

---

[100] *Cf.* su *Filosofía de las Formas Simbólicas,* especialmente t. I. trad. de A. Morones, México (F.C.E.), 1971, y, dentro de él, el cap. IV.
[101] *Op. cit.,* P. 22.

la más importante, si bien la huella de Cassirer ha sido muy marcada en algunos teóricos de los campos, y así habremos de señalarlo.

**2.3.1.** Los puntos más extremos de las tesis humboldtianas, como habíamos adelantado, fueron desarrollados por el teórico de las formas simbólicas; así, frente a la mezcla de la tesis romántica del espíritu del pueblo con la unión de lenguaje y pensamiento, en el texto de Humboldt al que aludíamos al final del párrafo anterior, antes de hablar de Stuart Mill[102].

No hay que ignorar que el espíritu personal de un pueblo, de una raza, puede estar más felizmente dotado que el de otras de las cualidades necesarias para la formación del lenguaje y para la inteligencia de las formas abstractas del pensamiento (dos cosas inseparablemente unidas).

**2.3.2.** Cassirer se interesa más por la versión más cercana al pensador inglés, relacionando lenguaje y lógica, pero siempre dentro de la perspectiva idealista[103].

El comienzo del pensamiento y del lenguaje no está en captar y denominar simplemente cualesquiera diferencias dadas en la sensación o en la intuición, sino en trazar espontáneamente límites, efectuando ciertas separaciones y enlaces en virtud de los cuales surjan del flujo siempre idéntico de la conciencia formas individuales claramente definidas. La lógica suele encontrar el lugar de nacimiento del concepto ahí donde se alcanza una clara delimitación del contenido significativo de la palabra y una fijación unívoca del mismo mediante determinadas operaciones intelectuales, particularmente mediante el procedimiento de la "definición" según *genus proximum* y *differentia specifica*. Pero para llegar al origen último del concepto el pensamiento debe retroceder hasta un estrato todavía más profundo, debe escudriñar los criterios de enlace y separación que operan en el proceso mismo de la formación de las palabras y son decisivos para agrupar todo el material de la representación bajo determinadas clasificaciones lingüísticas.

**2.3.3.** En otros lugares de su famoso libro, relaciona Cassirer peculiares formas de expresión con categorías mentales, extremando puntos de von Humboldt de los que arranca. En lo que concierne al trasplante de las ideas humboldtianas a América, Schaff[104] afirma que las ideas del lingüista germano eran desconocidas para Whorf, pero conocidas por Sapir. Schaff desarrolla las ideas previas a la formulación de esta hipótesis por Whorf[105], especialmente su entronque con las investigaciones etnolingüísticas que carac-

---

[102] *Sobre el origen de las formas gramaticales...*, p. 22 de la Trad.
[103] *Op. cit.*, p. 262.
[104] *Op. cit.*, p. 94.
[105] *Cf.* Hymes, *Language in Culture and Society.* N. York (Harper & Row), esp. 19a (Franz Boas), 62 (Max Müller), 125 (Marcel Mauss) y 129 (Benjamin Lee Whorf, "A linguistic consideration of thinking in primitive communities").

terizan el enfoque peculiar de lo que luego sería el estructuralismo norteamericano. Schaff también acentúa en su crítica las tesis vacilantes de Humboldt, dejándose llevar por los extremos de los humboldtianos.

**2.3.4.** Antes de entrar en algunas definiciones del concepto de *campo*, parece conveniente señalar el punto de partida común (o los puntos comunes que benefician el arranque de la teoría) en la intersección de varios movimientos filosóficos. De este modo Schaff, el gran investigador del tema [106], al relacionar convencionalismo, neopositivismo, tesis de Humboldt, neohumboldtismo y neokantismo, indica que todas ellas tienen en común su fundamentación en el papel creador del lenguaje. Puesto que la imagen del mundo es creada por ese lenguaje, si alteramos el lenguaje alteramos la imagen del mundo. Volvemos a encontrarnos ahora con la imagen de la red en cuyos nudos conceptuales se va fijando la imagen del mundo de los objetos, según vimos en 1.4., imagen común al convencionalismo radical y a la teoría de los campos. Ahora bien, pueden existir diferencias basadas en el tipo de idealismo, especialmente en la aceptación del mundo nouménico y en la interpretación del fenómeno, así como en "la influencia de la concepción hegeliana del espíritu objetivo, que aparece en nuestra imagen del mundo por mediación del lenguaje" [107].

**2.3.5.** En 1931, Jost Trier introdujo el concepto de campo al afirmar que "la palabra se une con las demás del mismo campo conceptual constituyendo un conjunto autónomo y recibe su ámbito de significación de este conjunto" [108], definición que precisará en 1934, al decirnos que "los campos son las realidades lingüísticas vivas situadas entre las palabras individuales y los conjuntos de palabras, que tienen en común con la palabra el ser componentes parciales, el articularse y, con el patrimonio lingüístico, el desmembrarse" [109].

[106] *Op. cit.,* pp. 81-82.

[107] *Ibidem.*

[108] *Ibid.* pp. 29 y ss. *Cf. et.* Walther von Warburg, *Problèmes et Méthodes de la Linguistique* París (P.U.F.), 2.ª ed. corregida, 1963, pp. 169 y ss. *Et.* Jost Trier, "Das sprachliche Feld, eine Auseinandersetzung", en *Neue Jahrbücher für Wissenschaft und Jugendbildung,* 1934, pp. 429-449.

[109] Schaff, *ibid.* En español disponemos del magnífico estudio de Ramón Trujillo, *El campo semántico de la valoración intelectual en español.* La Laguna (Secretariado de Publicaciones), 1970. 557 + 3 hojas, donde se habla de campo, según Trier, en las pp. 75, 83, de *campo asociativo* en 75 y 82, de *campo semántico* en 80 y 514, y de *delimitación de campos* en 93. Trujillo alude, en p. 75, a que el introductor del término *campo semántico* fue, al parecer, G. Ipsen, en 1924, y da también (pp. 75-76) las dos notas básicas de campo, según Trier: que la esfera conceptual quede totalmente cubierta por los elementos integrados en el campo, y que ningún elemento de un campo sea también elemento de otro. No hay intersección entre los campos; de este modo, toda alteración de un elemento repercute en los vecinos y así sucesivamente. Conviene aclarar, sin duda, que a Trujillo le interesa el concepto para fines prácticos: la estructuración semántica del español, mientras que nosotros lo tratamos con fines teóricos, dentro de la problemática general de la relación pensamiento-lenguaje.

**2.3.6.** También en 1934, Karl Bühler había necesitado la noción de *campo*, tal como vemos en su definición de la palabra: "signos fonéticos acuñados fonemáticamente y capaces de campo de una lengua". Por valores de *campo* se entienden los especiales de la *situación* y del *contexto*, y por situación el conjunto de circunstancias en que tiene lugar el discurso[110].

**2.3.7.** Así llegamos a Leo Weisgerber, para quien el papel central corresponde al *espíritu de la lengua*[111], dentro de un idealismo fácilmente explicable, pues Weisgerber es más kantiano que Humboldt, ya que recibe, junto a la de éste, la influencia de Cassirer. La noción del espíritu de los pueblos como ser ideal objetivo, inadmisible para Kant, deja su puesto central a la *imagen del mundo*, en la que se reúnen dos conceptos básicos humboldtianos: la *visión del mundo*, manifestada como producto, *ergon*, estático, y la *forma interior*, manifestación activa, dinámica, *energeia*. Por ello la actuación del lenguaje, una vez más, se explica como la red que fija con palabras-nudos la masa evanescente del mundo exterior. Su definición de campo, 1953, reza así:

"Un campo lingüístico es, por tanto, una parte del mundo lingüístico intermedio que está formado por el conjunto de una articulación orgánica de grupos activos de signos lingüísticos".

**2.3.8.** La teoría de los campos es otro intento de avanzar, a partir de postulados idealistas, hacia la explicación de las relaciones del lenguaje con el pensamiento, y cómo, por la acción común de ambos, interdependientes, estructuramos en nuestra mente el mundo de los objetos y formamos nuestra concepción del mundo y la expresión de la misma.

**2.3.9.** Otras importantes aportaciones a nuestro tema proceden de la psicología; hacia 1920, Jean Piaget estudia la relación pensamiento-lenguaje a través del niño, mediante el análisis del lenguaje de éste[112]. En "el pensamiento en el niño pequeño", el célebre científico establece tres puntos principales, entre otros varios: que determinadas estructuras lógico-matemáticas no son innatas, que es posible utilizar el desarrollo psicológico experimentable del niño como método explicativo psicológico, y que la forma de construirse las estructuras mentales permite utilizar la psicología infantil como "epistemología genética". Resumiendo, quizá excesivamente, diríamos que, para

Por eso él pasa a ocuparse a continuación de las interesantes aportaciones de Coseriu y Pottier, de las que no hablaremos aquí.

[110] Cf. *Aproximación a la Gramática Española*, 9.2. y, sobre todo, 20.2. y *Teoría del Lenguaje* pp. 439-441. 2.ª ed. 1961, p. 359.

[111] Schaff, *op. cit.*, pp. 38 y ss. La bibliografía de Weisgerber puede consultarse en el homenaje que se le tributó en su sexagésimo aniversario: *Sprache-Schlüssel zur Welt. Festschrift für Leo Weisgerber*. Dusseldorf. 1959. *Vid. et.* A. Llorente, *Teoría*, pp. 390 y 435.

[112] Cf., p. ej., *Seis estudios de psicología*, Barcelona (Barral), 1973.

Piaget, el niño es egocéntrico, desarrolla antes la lógica de las acciones que la lógica verbal (ya no estamos entre pensadores que consideran al hombre más como representación que como acción), le preocupan (al niño que crece) los estados antes que las transformaciones, y va evolucionando lentamente de la acción simple a la acción compleja, que le obliga a la reversibilidad y la conservación, tras lo cual razona sobre las transformaciones, inicialmente despreciadas; de este modo se desarrolla la consciencia.

**2.3.10.** Frente a Piaget tendríamos la importante escuela soviética, encabezada por Lev Semenovich Vygotsky, cuya obra, *Pensamiento y Lenguaje,* se publicó, póstuma, en 1934[113]. Para el psicólogo ruso, el pensamiento es "auto-orientación dentro del mundo", por lo que ha de desarrollarse antes que el lenguaje; pero, cuidado, esto no quiere decir que se origine, exista antes, al contrario, Vygotsky cree que "en el desarrollo del niño existe un período pre-lingüístico en el pensamiento y una fase preintelectual en el lenguaje"[114], pero la pregunta por la anterioridad de cualquiera de ellos es tan inútil como preguntarse la anterioridad del hidrógeno y el oxígeno para explicar la composición del agua. Incluso si creemos, como nuestro autor afirma, que hasta los dos años están separados, lo único que podemos deducir de ello es que no evolucionan por la misma vía, pero sin que tampoco podamos saberlo, es más, "la ausencia de un vínculo primario no implica que entre ellos sólo pueda formarse una conexión mecánica"[115]. La palabra y, consecuentemente, la significación de la palabra, es la unidad de análisis que propone el autor soviético, ya que la unidad que encontramos en esa significación de la palabra llega al punto de no saber si se trata de un fenómeno de lenguaje o de pensamiento. Sin significado no hay palabra, y sin posibilidad de actualizar ese significado tampoco hay palabras, sino tan sólo concepto, o generalización, desde el punto de vista de la psicología, incomunicable en último término, y, por ello, inanalizable[116]. Desde los dos años, pensamiento y lenguaje, significado y significante unidos en el signo lingüístico, están unidos para siempre, salvo accidente patológico. Es importante destacar que la palabra no sólo es medio de unión del niño con el mundo de los objetos, sino también del niño y la comunidad. Las cosas tienen nombres porque hay una convención acerca de esos nombres y el niño participa en esa convención. En este sentido, dentro de la escuela soviética, son fundamentales los trabajos

---

[113] *Cf.* Schaff, *op. cit.,* pp. 147 y ss., y, sobre todo, la obra de Vygotsky, bien en la edición inglesa, con interesante prólogo introductorio de Jerome S. Brunner, *Thought and Language,* trad. de E. Hanfmann y G. Vakar, Cambridge (Mass.) (M.I.T. Press),1962, XXI + 168 pp., o en la reciente versión castellana del original, con prólogo de José Itzigsohn, *Pensamiento y Lenguaje. Comentarios críticos de Jean Piaget.* Trad. de M.ª Margarita Rotger, Buenos Aires (La Pléyade), 1973, 219 pp.

[114] *Op. cit.,* p. 159.

[115] *Ibidem.*

[116] *Ibid.,* cap. VII, *passim.*

de A. R. Luria, mientras que la lingüística americana ha permanecido en contacto con los rusos gracias a la espléndida labor de puente de Roman Jakobson.

**2.3.11.** Para este autor[117], la importancia del estudio de la afasia radica en que se trata de un fenómeno regresivo por el que el paciente va perdiendo el lenguaje por el procedimiento inverso al del aprendizaje, o sea, las primeras estructuras que se pierden son las últimas adquiridas, y las últimas que se pierden son las que se habían adquirido primero; de este modo, el afásico, por leve que sea su lesión, pierde estructuras complicadas, como la distinción de cantidad, o la tonal, o la capacidad para derivaciones complejas, mientras que sólo en caso de afasia muy aguda pierde la capacidad simple de emitir sonidos. Esta pérdida de capacidad lingüística, o expresiva, si se quiere, está ligada, al parecer, a la imposibilidad de efectuar normalmente determinadas actividades mentales, así, los dos tipos de afasia que establece Jakobson[118] están relacionados con la pérdida de la relación interna de semejanza y la capacidad de selección derivada de ella, o bien con la de la relación externa de contigüidad, que supone la capacidad de combinación. El paciente afectado por una afasia del primer tipo ha perdido su capacidad de nombrar y definir, mientras que el que sufre del segundo, o afasia eferente, ultrasimplifica la construcción de la frase, en lo que se ha llamado "estilo telegráfico".

**2.3.12.** En el seno del problema que examinamos, la postura de Jakobson resulta especialmente ilustrativa, pues, teniendo abundantes datos empíricos que muestran la relación entre lenguaje y pensamiento, evita cuidadosamente pronunciarse sobre cuestiones no experimentales, como la capacidad de lenguaje y la capacidad de pensamiento. Esta postura moderada, que compartimos, nos ha llevado a anteponer el pensamiento de Jakobson a la exposición de la hipótesis Sapir-Whorf, de modo que el lector tenga ya un punto de referencia sólido (si bien nada atrevido) antes de entrar en la importante teoría norteamericana.

## 2.4. LA HIPOTESIS SAPIR-WHORF[119]

En los años veinte y treinta de nuestro siglo se elaboraron las ideas fundamentales de esta hipótesis, que dice, según una de sus múltiples definiciones[120], que "la sustancia del contenido organizada en una forma diferente por cada una de las lenguas no es tampoco universal, sino que corresponde

---

[117] Especialmente en *Lenguaje Infantil y Afasia,* trad. de Esther Benítez. Madrid (Ayuso), 1974, 248 pp.
[118] En muchos lugares, p. ej., p. 213 del libro citado.
[119] Para la bibliografía *cf.* Sapir y Whorf en la nuestra final, así como la nota (105), *supra.*
[120] A. Rey, *La Sémantique,* p. 10.

54

a distintas visiones del mundo: sin embargo, ya en el comentario posterior de Rey nos encontramos con lo que va a ser general en los partidarios de esta hipótesis: el admitirla moderadamente, con correcciones que tienen en cuenta, como veremos con más detalle en 2.5., que parece haber unas leyes de estructuración de esa sustancia del contenido que son comunes en varias lenguas, y tal vez en todas. Es la vieja idea de los universales del lenguaje, que pasa por alternativas de olvido y de primer plano a lo largo de la historia de la lingüística. En esa aceptación retocada y matizada influye, desde luego, el hecho de que las ideas de Sapir (m. 1939) y Whorf (m. 1941) se popularizaron más tarde, a fines de los años cuarenta. Los partidarios de la hipótesis en mayor o menor grado como Harry Hoijer, George L. Trager, Charles F. Voegelin, Floyd Lounsbury, Dorothy Lee, Dell H. Hymes, etc., salieron, sobre todo, del campo de la etnolingüística y la antropología, mientras que sus opositores fueron filósofos, sobre todo, como Max Black, Charles Landesman y Lewis S. Feuer, entre otros.

2.4.1. La figura de Franz Boas como antecedente de esta hipótesis sólo se puede sostener en el sentido de que la etnolingüística norteamericana sale de él, de su edición del *Handbook of American Indian Languages* y de la revista por él fundada, el *International Journal of American Linguistics*[121]. Con Boas se introduce entre los estudiosos la idea de que la cultura tiene una función específica en la configuración del lenguaje de cada pueblo. Con relación a la hipótesis en conjunto quizá sea poco, pero para ponerla en marcha fue suficiente. Sapir, alumno de Boas, habría de ser quien estableciera las formulaciones generales, mientras que Whorf le daría el arranque concreto a partir de sus estudios sobre la lengua de los indios hopis.

2.4.2. La influencia de Boas tuvo que ser decisiva para que Sapir, aún conociendo las ideas de Humbolt, se manifestase mucho más moderado que los humboldtianos y limitara el problema a la influencia del lenguaje sobre la percepción de la realidad por la sociedad. Muy lejos ya de los románticos, huye explícitamente de ideas relacionadas con el "genio de la razón" o el "espíritu de los pueblos", que habían llegado a alterar las primeras intuiciones geniales de von Humboldt. Para él ya no es el lenguaje el creador del mundo de los objetos (admitamos o no la existencia de la realidad exterior), sino que el problema va de un polo a otro: del pensamiento al lenguaje y del lenguaje al pensamiento, siendo tan importante como los dos el papel de la sociedad y la cultura, enraizándose así la preocupación de la escuela etnolingüística americana con la del idealismo europeo, pero superando los aspectos meramente teóricos y especulativos

---

[121] *Cf.* Hymes, cit., pp. 7 y ss., y un texto interesante de Boas en 19 *a.* Contra la consideración de Boas como antecedente de la hipótesis se manifiesta Schaff, *op. cit.,* p. 97. Acerca de las posibles repercusiones de la hipótesis en la U.R.S.S., por medio de Korzybski, quien había hablado de la hipótesis de la relatividad lingüística antes que Whorf, *vid. et.* Schaff, p. 114, donde también se encontrarán otras referencias bibliográficas sobre Whorf.

de este último. Schaff cree que la idea central se encuentra en *The status of linguistics as a science*[122], donde se relacionan el "mundo real" y la "realidad social" y se sientan las bases de un estudio posterior sobre lo que la sociedad admite como habitual por medio del lenguaje, para proyectarlo sobre la realidad, también por medio del lenguaje, consciente e inconscientemente al mismo tiempo, es decir, consciente del empleo y de la voluntariedad del lenguaje, pero transmitiendo con él una serie imprecisable de valores culturales del acervo común inconscientemente acumulado. En este sentido se formuló la hipótesis del modo más radical en Sapir[123]:

No existen dos lenguas, tan semejantes entre sí, como para que se pueda afirmar que representan la misma realidad social. Los mundos en los que viven sociedades distintas son mundos distintos y no simplemente el mismo mundo con distintas etiquetas.

**2.4.3.** No obstante, esto, insistimos, no debe entenderse en el sentido de que el "espíritu de un Pueblo" esté relacionado con el "espíritu de la lengua", como se observa con claridad en el siguiente párrafo[124]:

Pero aún suponiendo que el temperamento influya en cierta medida en la configuración de la cultura (aunque es difícil precisar de qué manera), no se sigue de ello que influya del mismo modo en la configuración de la lengua. Es imposible mostrar que la forma de un idioma tenga la menor relación con el temperamento nacional.

**2.4.4.** Otros puntos de la tesis humboldtiana de interacción del lenguaje y el pensamiento aparecen con claridad en el texto del que citamos, poco después de lo dicho arriba[125]:

El lenguaje está íntimamente ligado con nuestros hábitos de pensamiento; en cierto sentido, ambas cosas no son sino una sola. Como nada nos indica que existan profundas diferencias raciales en la conformación primordial del pensamiento, la inagotable riqueza de la forma lingüística, o sea la infinita variabilidad del verdadero proceso del pensamiento, no puede decirnos nada acerca de tales diferencias raciales profundas.

**2.4.5.** Es, por tanto, iniciar una idea humboldtiana para llevarla a consecuencias diversas, sin negar explícitamente las afirmaciones de von Humboldt, pero afirmando su indemostrabilidad, y alejándolas por ello del terreno reservado a la especulación científica.

**2.4.6.** También se aparta Sapir de von Humboldt en la tesis del nacimiento del lenguaje y su relación básica con la capacidad de pensamiento pura.

---

[122] Schaff, *op. cit.*, p. 103.
[123] Página 162.
[124] *El Lenguaje*, trad. de Margit y Antonio Alatorre, México (F.C.E.). Citamos por la 3.ª reimp., 1971, p. 246.
[125] *Ibid.*, p. 247.

Para la interpretación de esta discrepancia es imprescindible tener en cuenta que, para Sapir, el lenguaje es, sobre todo, forma[126]:

Lo único constante que hay en el lenguaje es su forma externa; su significado interior, su valor o intensidad psíquicos varían en gran medida de acuerdo con la atención o con el interés selectivo del espíritu, y asimismo —ocioso es decirlo—, de acuerdo con el desarrollo general de la inteligencia. Desde el punto de vista del lenguaje, el pensamiento se puede definir como el más elevado de los contenidos latentes o potenciales del habla, el contenido a que podemos llegar cuando nos esforzamos por adscribir a cada uno de los elementos del caudal lingüístico su pleno y absoluto valor conceptual. De aquí se sigue inmediatamente que el lenguaje y el pensamiento, en sentido estricto, no son coexistentes. A lo sumo, el lenguaje puede ser sólo la faceta exterior del pensamiento en el nivel más elevado, más generalizado, de la expresión simbólica. Para exponer nuestro punto de vista de manera algo distinta, el lenguaje es, por su origen, una función pre-racional. Se esfuerza humildemente por elevarse hasta el pensamiento que está latente en sus clasificaciones y en sus formas y que en algunas ocasiones puede distinguirse en ellas; pero no es, como suele afirmarse con tanta ingenuidad, el rótulo final que se coloca sobre el pensamiento ya elaborado.

**2.4.7.** Bástenos esta larga cita como resumen, por lo demás insuficiente, del rico pensamiento de Edward Sapir sobre el tema[127]. Ante la imposibilidad de alargar indefinidamente este capítulo, que ha dado lugar a abundante literatura, tenemos que limitarnos a seguir a Schaff[128] en la síntesis de la hipótesis Sapir-Whorf, que fue mucho más desarrollada por el segundo, y sometida a comprobación empírica satisfactoria para Schaff (como planteamiento del problema, no como solución) dentro de las limitaciones de un planteamiento no materialista, pero insuficiente para una tesis idealista:

"1. El lenguaje, que es un producto social, configura como sistema lingüístico en el que nos educamos y pensamos desde nuestra infancia, nuestra forma de aprehensión del mundo que nos rodea.
2. Considerando las diferencias existentes entre los sistemas lingüísticos, los cuales son un reflejo de los distintos medios que crean estos sistemas, los hombres que piensan por medio de estos lenguajes aprehenden el mundo de formas distintas".

**2.4.8.** La formulación más radical de la hipótesis se encuentra en Whorf,

---

[126] *Ibid.* pp. 21-22.
[127] *Cf. et.* Schaff, *op. cit.,* esp. p. 103. Pero se puede decir también, a la inversa de Sapir, que los lenguajes se van diferenciando para adaptarse a la peculiar concepción del mundo que tienen los pueblos que los hablan, lo que estaría más de acuerdo con la tesis de Humboldt, sin la hojarasca romántica. Claro está que, como creemos haber mostrado, Sapir no participa de la idea del 'espíritu del pueblo'.
[128] *Ibid.,* pp. 107-108.

según hemos dicho, quien, en su obra más importante sobre el tema, recientemente vertida al español[129], los expone del siguiente modo:

Articulamos la naturaleza siguiendo líneas que nos vienen dadas por nuestra lengua materna. Las categorías y tipos que sacamos del mundo de los fenómenos no los encontramos simplemente en él porque, por ejemplo, son obvios para cualquier observador; (...) la forma en que articulamos la naturaleza, la organizamos en conceptos y les atribuimos un significado viene determinada, en gran parte, por el hecho de que participamos en un convenio de organizarlos de este modo, un convenio que es válido para toda nuestra comunidad lingüística y que se halla codificado en las estructuras de nuestro lenguaje. Naturalmente, este acuerdo sólo es implícito y tácito, *pero su contenido es totalmente obligatorio;* no podemos decir absolutamente nada sin someternos al orden y clasificación dados que prescribe este acuerdo.

**2.4.9.** Es curioso que, ahora que parecíamos acercarnos a un planteamiento objetivo del problema se nos vuelve a introducir un elemento que ya creíamos haber superado[130], la concepción de la realidad, pues mientras el mundo objetivo, del que el lenguaje es reflejo, era una realidad indudable para Sapir, para Whorf es el espíritu el que organiza la corriente amorfa (*caleidoscópica,* dice Schaff) de impresiones percibidas por la actividad sensorial, o sea, que de nuevo nos encontramos con que el sistema lingüístico organiza nuestra percepción de la realidad, en un paralelismo interesante con lo que habíamos dicho de la red lingüística en cuyos nudos se estructura el mundo conceptual, en varios lugares y, especialmente, al ocuparnos de la teoría de los campos. Con ello podríamos concluir que, en realidad, no hay una hipótesis Sapir-Whorf única, sino un núcleo común de teorías, con las que se relacionan otros puntos de vista específicos y diferentes, incluso sobre aspectos importantes, en los que los planteamientos de Sapir y los de Whorf no se pueden unificar, como vamos a ver en seguida.

## 2.5. ULTIMAS POSICIONES

La hipótesis Sapir-Whorf, que acabamos de estudiar, no se puede sostener hoy en su forma original, coinciden Roger Brown, John Carroll, Eric Lenneberg, Wladimir Swegincew, e incluso sus defensores, como Hoijer, quien la matiza limitándola a que los hombres que hablan distintas lenguas son llevados por éstas a entender de distinto modo su percepción de la realidad, acerca de la cual, como existencia del mundo exterior, no siente la menor duda el hablante, como no la siente sobre la apreciación directa de este mundo por la percepción sensitiva. Estas ideas deben ponerse en relación con las de Clyde Kluckhohn, más cercano a Sapir que a Whorf. La hipótesis

---

[129] Citamos por la edición norteamericana, *Language, Thought and Reality,* según versión de M. Bofill en Schaff, *op. cit.,* pp. 110-111.

[130] *Cf.* 1.4., *supra,* y Schaff, *op. cit.,* p. 112.

queda hoy reducida a la aceptación de la interdependencia del lenguaje y la concepción del mundo[131]. Como lugar común de todos sus seguidores, más o menos cercanos, podríamos decir, pues, que nuestro sistema lingüístico influye en nuestra concepción del mundo y, por ende, en nuestra conducta *(behaviour)*, desde donde hay, a su vez, una influencia en el lenguaje[132]. Sin embargo, con ello no hacemos más que llegar al punto de partida, en muchos casos. El mayor acuerdo se lograría en el sentido de que, como la experiencia parece comprobar, sólo se puede pensar cuando se ha aprendido a hablar en la etapa adecuada de la vida, y que siempre es necesario conocer una lengua, porque pensamos en una lengua, y no en momentos divisibles en: un pensamiento abstracto, primero, y una concepción lingüística, después, con la concreción lingüística correspondiente, que no podemos probar, como hemos de ver al ocuparnos de Buyssens. Todo esto queda señalado en una cita que también recoge Schaff[133].

Aunque Cassirer y Whorf suponen un progreso respecto a investigadores anteriores, la forma en que se aproximan al problema revela un defecto que es común a casi todos los primeros estudios sobre lenguaje y conocimiento. Ni Cassirer ni Whorf se manifestaron con bastante claridad respecto a la naturaleza de la relación que habían decidido describir. No lograron establecer en términos generales, ni tampoco concretos, qué modos de comportamiento deben ponerse en relación. En efecto, ambos introdujeron una serie de hechos empíricos, pero, puesto que no los sometieron al mismo tiempo a un criterio de relevancia, no sabemos por qué escogieron precisamente esos datos; tampoco sabemos si era posible reunir hechos que se opusieran a su hipótesis. El material empírico de sus obras tiene carácter anecdótico, y puede servir para obtener consideraciones de naturaleza fundamentalmente relacionada con la teoría del conocimiento; no debe confundirse con material de prueba de una hipótesis. En la práctica, sería inútil que intentaran estudiar sus obras de acuerdo con hipótesis *prácticas* de trabajo, cuya verificación exige una reunión de datos exactos que pudieran ser aceptados o rechazados a la luz de observaciones objetivas.

**2.5.1.** También Harri Hoijer[134] rechaza el valor probatorio para la hipótesis general de muestras empíricas anecdóticas, así como rechaza la

---

[131] Así en Quine, según Bar-Hillel, *Aspects,* p. 158.

[132] Muy pocos lingüistas que se creen en la línea de la hipótesis firmarían hoy las palabras de B. L. Whorf que recogen Miller y otros, en *Presentación del Lenguaje,* p. 266: "las formas de los pensamientos de las personas están controladas por leyes estructurales inexorables, de las cuales no son conscientes. Estas estructuras son las sistematizaciones intrincadas y desapercibidas de su mismo lenguaje, lo que se pone fácilmente de manifiesto mediante una comparación y un contraste sencillos con otras lenguas, especialmente con aquellas que pertenecen a una familia lingüística diferente". Poco después (p. 252 del texto inglés) se afirma la *predestinación cultural* de las formas y categorías en cada uno de los sistemas estructurales gigantescos que constituyen las lenguas.

[133] *Op. cit.,* p. 127. *Cf.* E.H. Lenneberg y J. M. Roberts, *The Language of Experience. A Study in Methodology.* Indiana University Publ. in Anthropology and Linguistics, 13, 1956, pp. 1-2; Suplemento del *I.J.A.L.* 22, 1956.

[134] "The Relation of Language to Culture", en *Anthropology Today,* 1953, pp. 559-560.

sobrevaloración de la influencia de las costumbres lingüísticas en el conocimiento sensible y el pensamiento. Incluso cuando un hablante carece, en su lengua, de una distinción que existe en otra, y emplea un término para lo que otra lengua tiene dos, puede distinguir, por una perífrasis aclaratoria, la diferencia entre los dos términos de la lengua que le es ajena. Así, los navajos, que sólo tienen una palabra para algunos nombres de color, frente a dos nombres nuestros, como en el caso de 'marrón' y 'gris' o el de 'azul' y 'verde', pueden distinguir el marrón del gris y el azul del verde, y emplear correctamente una lengua en la que esas distinciones existan. Naturalmente, las necesidades de la vida exigen adaptaciones del lenguaje a las mismas: las distinciones entre los diversos tipos de nieve (según color, dureza, espesor, etc.) que son tan importantes para el esquimal, hacen que éste las distinga con diversos vocablos, innecesarios en una tierra en la que la nieve sea un fenómeno esporádico. Del mismo modo, podríamos añadir, los habitantes de una ciudad de hoy, en general, hablarán de un 'caballo', y no de los distintos tipos del mismo, mientras que no dirán 'tiene un coche', a menos que se refieran a situación económica, sino 'tiene un 2 C.V., un 850', etc... De este modo, el ciudadano rompe la monotonía que daría a la ciudad la consideración unitaria de todos sus vehículos automóviles, como el esquimal no ve la monotonía que nosotros sentimos, al ser incapaces de distinguir todos los matices de nieve que él ha aprendido a 'pensar diferentes' al mismo tiempo que aprendía a 'nombrarlos diferentes'. En la frase de Max Muller: "no hay pensamiento sin palabras"[135], podríamos resumir ese mínimo denominador común de la hipótesis Sapir-Whorf.

**2.5.2.** Para finalizar este capítulo nos ocuparemos de cuatro autores más. El primero de ellos es G. Révész[136], para quien, en este tema, se tratan dos cuestiones fundamentales, referidas a la relación funcional y existencial entre pensamiento y lenguaje:

"En su aspecto funcional, podemos distinguir con bastante facilidad el pensamiento y el lenguaje entre sí. El pensamiento se dirige a la aprehensión de la realidad, el lenguaje a la comprensión e influencia mutuas".

**2.5.3.** La tesis de Révész viene a concretarse en lo que hemos visto hasta ahora como lugar común de cuantos se ocupan del tema, a saber: que no puede haber pensamiento sin lenguaje ni lenguaje sin pensamiento, separándose así de Sapir, quien alude explícitamente, en las primeras páginas de *El lenguaje,* a la posibilidad de ' pensamiento sin lenguaje, apoyándose para ello en la introspección.

**2.5.4.** Hacia los años cincuenta, el problema se vuelve a enfocar con

---

[135] En Hymes, *op. cit.,* p. 62.
[136] "Thought and Language", *Arch. Ling.,* 2, 1950, pp. 124-129.

60

un aire nuevo. La discusión de la hipótesis Sapir-Whorf queda en un ámbito fundamentalmente americano. El psicologismo es ahora elemento primordial.

**2.5.5.** G. Révész se enfrenta a la pregunta esencial: la relación pensamiento-lenguaje, ¿es necesaria?, ¿puede darse pensamiento sin lenguaje? No parece haber defensores de que exista lenguaje sin pensamiento, pero sí los hay de la posibilidad contraria, es decir, la existencia o, al menos, la posibilidad de un pensamiento averbal. En el simposio celebrado por iniciativa de S. G. Révész[137], se presentó B. L. van der Waerden como defensor de la posibilidad de este pensamiento averbal. Schaff[138] critica detalladamente sus puntos de vista, basados en una interpretación poco convincente, al parecer, del pensamiento geométrico, debida a la formación matemática de van der Waerden.

**2.5.6.** El pensamiento de Révész, por último, es monista en cuanto a que lenguaje y pensamiento constituyen una unidad existencial, y dualista en cuanto a las funciones de ambos[139].

**2.5.7.** Schaff tampoco puede aceptar[140] la tesis de Buyssens, expuesta en el simposio citado, de que la multiplicidad de lenguajes es argumento en favor de la independencia de pensamiento y lenguaje. Mas no sabemos que exista un pensamiento independiente del lenguaje y, por ello, expresable en varias lenguas; de este modo, la argumentación de Buyssens sería falsa. Una nueva exposición de la argumentación de éste[141], en la que se mezcla una crítica que remonta a Bloomfield, y que conduce a rechazar la especulación como base del análisis taxonómico (lo cual es absolutamente consecuente con los postulados bloomfieldianos, dicho sea de paso, pero no con el problema que nos ocupa, en el que la especulación es imprescindible, salvo que nos reduzcamos a la mesurada postura de un Jakobson), conduce al establecimiento de cuatro puntos:

    *a)*   Falta de paralelismo entre la estructura sintáctica y la mental.

    *b)*   Límites a la comunicación, inefabilidad.

---

[137] *Cf. Acta Psychologica*, X, donde se recogieron las ponencias.

[138] *Op. cit.*, pp. 188 y ss.. En la p. 193 concluye: "en todo caso, desde el punto de vista de aquellas disciplinas científicas que se ocupan de los procesos del pensamiento, no se puede justificar ni la afirmación de que el lenguaje sólo aparece *ex post* en el pensamiento —y además sólo con el objeto de dar nombre a los productos ya acabados del pensamiento alingüístico— ni tampoco la afirmación de que se pueden crear conceptos sin intervención del lenguaje. Como tampoco se puede aceptar la tesis de que el pensamiento es innato, pero el lenguaje se aprende o, finalmente, la afirmación, que no concuerda en absoluto con lo que sabemos actualmente sobre el tema, a saber, que los sordomudos piensan, tanto si se les ha enseñado a hablar como si no".

[139] *Ibid.*, p. 202.

[140] *Ibid.*, pp. 198 y ss., y J.A. Collado, *op cit.*, pp. 186-190. La argumentación de Buyssens acaba resultando inconsistente para su intérprete, a pesar de que éste se inclina por el argumento dualista.

[141] *Verité et Langue. Langue et Pensée*. Bruselas, 1969, *cf.* J. A. Collado, *ibid.*

*c)*  Modificación de la lengua por el pensamiento.
*d)*  La lengua, en cambio, no influye sobre el pensamiento.

**2.5.8.**  El primer argumento es circular: la descripción de la lengua no debe hacerse con criterios lógicos, y las leyes de la lógica no deben fijarse con criterios lingüísticos. La existencia de palabras "vacías de sentido" es algo que Buyssens tendría que demostrar primero, pues, en los casos más claros, están, al menos, en función fática, por lo que, como mínimo, se mantienen como conductoras de comunicación. Los casos de polisemia, lenguaje figurado, etc., tampoco son revelantes, es más, estamos en condiciones de decir que se deben a un desarrollo posterior del lenguaje, cuando ya el individuo ha adquirido el dominio de éste. Constituyen un refinamiento y no una característica básica: sinonimia y polisemia son rasgos excepcionales dentro de una lengua. Aún más, los niños que ya empiezan a dominar la sintaxis (entre cuatro y siete años) tienen grandes dificultades en la correcta interpretación de los sinónimos, y son totalmente impermeables a los juegos de palabras, en principio.

**2.5.9.**  Con todos los respetos, hemos de decir, en lo que concierne al segundo argumento, que es de muy poco peso: la inefabilidad es un lugar común de los poetas, pero todos sabemos que la poesía no se hace con ideas, sino con palabras. El que no podamos transmitir nuestro conocimiento individual a la conciencia individual de nuestro interlocutor exigiría, en primer lugar, que supiéramos qué es conocimiento individual, qué es la realidad y qué es nuestro conocimiento de ella. Buyssens entra aquí en contradicción metodológica, utilizando argumentos especulativos mentalistas que antes ha negado, apoyándose en el mecanicismo de Bloomfield.

**2.5.10.**  El tercer argumento es cierto, el pensamiento influye sobre la lengua modificándola[142], pero no es cierto el cuarto, o sea, que no se dé la reciprocidad, que la lengua no modifique el pensamiento. Este cuarto argumento se apoya en el primero, que no hemos podido aceptar antes, luego carece de base metodológica. Es también de carácter especulativo, a partir de dos apriorismos, la preexistencia del pensamiento (que no puede basarse en pruebas empíricas) y la diferencia de la estructura mental y la lingüística, que ya hemos definido como argumento circular e inaceptable.

**2.5.11.**  Dejando aparte otros autores, no por ello desprovistos de interés, pasaremos ahora a la exposición de algunos de los puntos defendidos por un lingüista de la talla de Emile Benveniste[143]. Para este autor[144], "pensamos un universo que nuestra lengua ha modelado previamente". La lengua, y no el lenguaje (Benveniste puede aprovechar, como nosotros al traducirlo,

---

[142] *Cf.* la explicación del futuro románico en E. Coseriu, *Sincronía...*, 2.ª ed., pp. 157 ss.
[143] En *Problèmes de Linguistique Générale*. París (Gallimard), 1966.
[144] *Ibid.*, p. 6.

la precisión de matiz entre lengua y lenguaje que le ofrece su lengua románica) es quien modela nuestra concepción del mundo, nuestro universo particular. En algunos momentos parece llegar a las posiciones más extremas de los neohumboldtianos, como en esta afirmación [145]:

Por lo mismo que las categorías de Aristóteles son reconocidas como válidas para el pensamiento, se revelan como la transposición de categorías de lengua. Lo que podemos *decir* es lo que delimita y organiza lo que podemos pensar.

**2.5.12.** Más adelante [146], limita el alcance de sus afirmaciones, ante la evidencia de la capacidad de todas las lenguas para describir las nuevas experiencias, exponiendo así un dualismo muy moderado:

"En este sentido, [el pensamiento] se hace independiente, no de la lengua, sino de las estructuras lingüísticas particulares".

**2.5.13.** Podemos decir nosotros ahora que, en este sentido, es decir, en el de que el pensamiento sometido a las exigencias del método científico sigue los mismos pasos "en cualquier lengua que escoja para describir la experiencia", en este sentido, por tanto, también tenemos que colocar a Benveniste, como a von Humboldt, en la línea de los pensadores que sitúan la relación entre pensamiento y lenguaje exclusivamente en la zona de la estructura profunda subyacente a las estructuras profundas de las lenguas particulares. Tal parece en el siguiente párrafo [147]:

Ningún tipo de lengua puede, ni por sí mismo ni él solo, favorecer o dificultar la actividad del espíritu. El desarrollo del pensamiento va ligado más estrechamente a las capacidades de los hombres, a las condiciones generales de la cultura y a la organización de la sociedad que a la naturaleza particular de la lengua. Sin embargo, la posibilidad del pensamiento está ligada a la facultad de lenguaje, puesto que la lengua es una estructura informada por la significación, y pensar es manejar los signos de la lengua.

**2.5.14.** Para terminar, nos ocuparemos ahora de las conclusiones de Adam Schaff, en su espléndido trabajo. Nos parece que bien podemos estar de acuerdo con la interacción de pensamiento y lenguaje, contra Buyssens, pues "el hombre siempre piensa en algún lenguaje y, en este sentido, su pensamiento siempre es hablado y su lenguaje siempre es una construcción simbólica y significativa: lenguaje que al mismo tiempo es pensamiento." [148]

[145] *Ibid.*, p. 70. *Cf. et.* 63 y ss.
[146] *Ibid.*, p. 73.
[147] *Ibid.*, p. 74.
[148] *Op. cit.*, p. 236.

**2.5.15.** Esta interacción se completa en el marco social[149].

"La forma en que piensa un hombre depende, sobre todo, de la experiencia filogenética social que está comprendida en las categorías del lenguaje que le ha transmitido la sociedad a través del proceso de la educación hablada. Desde este punto de vista es correcta la afirmación de von Humboldt de que el hombre piensa tal cómo habla."

**2.5.16.** La glosa a estas palabras, que cierra nuestro capítulo, puede muy bien ser la insistencia en esa facultad de lenguaje, estrechamente ligada a la del pensamiento y estudiada desde von Humboldt hasta hoy con una similar preocupación, desde los orígenes de la humanidad hasta hoy, podríamos decir también, aunque en este caso con diversas perspectivas, correspondientes a diversas preocupaciones, sin que, hasta el momento, dispongamos de una teoría compleja que logre asentimiento universal.

**2.5.17.** Hasta aquí hemos estudiado el lenguaje desde un punto de vista teórico e interno, desligado de su medio de acción, la sociedad. En el capítulo siguiente nos ocuparemos del lenguaje en la sociedad, primero teóricamente, para terminar con un estudio taxonómico de sus manifestaciones.

---

[149] *Ibid.*, pp. 236-237.

CAPITULO *3*
# LENGUAJE Y SOCIEDAD

## 3.1. DEL INDIVIDUO AL GRUPO

Si en el capítulo anterior nos hemos ocupado de hechos que conciernen al individuo en sí, ahora, en cambio, pasamos a ocuparnos de aspectos lingüísticos que afectan al individuo también, pero ahora no aislado, sino en sus relaciones con otros individuos en una comunidad. Los problemas anteriores podían sintetizarse en varios puntos concretos, entre los que puede ser prudente destacar, como cuestiones filosóficas, los aspectos nouménico y fenoménico de la realidad, es decir, el tema de la existencia real del mundo exterior y de la percepción de ese mundo exterior, lo cual empalma con la pregunta, más cercana a la lingüística, de cómo configura cada hablante, cada individuo, en su interior, ese mundo exterior que percibe, y la respuesta, ya lingüística, de que el lenguaje es el instrumento estructurador de la concepción del mundo exterior, para finalizar con la observación de que existe una interacción entre lenguaje y pensamiento que se manifiesta en la relación, no definitivamente determinada, de categorías, o principios estructuradores, lingüísticas y mentales. Las distintas tesis y subtesis, algunas de las cuales quedan expuestas en páginas precedentes, se sitúan en los distintos vértices del gran poliedro en el que, metafóricamente, representamos las múltiples aristas de la discusión, sin que sea posible determinar una fórmula universalmente aceptable que solucione las crecientes complejidades que, a cada paso, se plantean.

3.1.1. Cuando el papel del individuo se diluye en el contexto social hasta el punto de que lo que interesa es lo colectivo, se puede llegar a formulaciones en las que queremos encontrar explicaciones que unan el carácter colectivo, por lo social, con un supuesto pensamiento colectivo, como en el caso de Marcel Mauss[150], para quien el lenguaje es un medio

---

[150] *Cf.* Hymes, *op. cit.,* p. 125: "language is but one of the means of expression of collective

de expresión, entre otros, puesto al servicio del pensamiento colectivo, pero medio de expresión del pensamiento colectivo del que ni siquiera se puede decir que es la expresión adecuada de ese pensamiento.

**3.1.2.** Este concepto de pensamiento colectivo, cuyas categorías no se expresan necesariamente por medio de categorías lingüísticas, y que sirve, en la sociología europea de principios de siglo xx, como la de Durkheim y el propio Mauss, para explicar fenómenos de simbolismo que la comunidad acepta sin preguntarse su explicación, e incluso sin plantearse siquiera la necesidad de hacerlo, este concepto, en suma, no ha superado todavía un cierto estado paradójicamente romántico, y puede permitirnos recorrer, una vez más, el camino a la inversa, hasta encontrarnos, una vez más también, con textos humboldtianos.

**3.1.3.** La transición entre el papel lingüístico del individuo y su situación social queda patente en von Humboldt, cuando establece distintas etapas en las que se coordinan la percepción del mundo exterior y el uso del lenguaje y su formación[151]. La percepción de los objetos es subjetiva; por ello, el objeto suscita en el cerebro de quien lo percibe una imagen: la palabra copia esta imagen, y no el objeto en sí (es innegable el kantismo del razonamiento). Puesto que la percepción, como decíamos, es subjetiva, el filósofo de Potsdam tiene que deducir, necesariamente, que se mezcla el subjetivismo en toda percepción objetiva y que, en ese elemento léxico o palabra, que es copia de la imagen de la realidad aprehendida, hay un elemento configurador individual, con lo que cada individuo dispone de una peculiar visión del mundo, conformada, en términos kantianos, por lo nouménico, lo fenoménico, y la aportación subjetiva en la aprehensión y denominación. Tenemos así que la palabra expresa lo que el individuo percibe de la realidad, indefectiblemente matizado por el hecho de que la realidad no se percibe en sí, y que esta transformación se precisa en cada caso por las notas individuales aportadas por la visión del mundo de cada hablante.

**3.1.4.** Esta situación individual se convierte en colectiva (con lo que tenemos un precedente, si bien remoto, de lo expuesto antes al hablar de Marcel Mauss), de modo que podemos decir que en el pensamiento colectivo actúa un elemento subjetivo, de tal modo que el subjetivismo actúa en el lenguaje de cada nación y cada nación tiene su peculiar visión del mundo. Es decir, la visión del mundo no es el lenguaje, ni el lenguaje es la visión del mundo. La concepción del mundo determina, también en

thought and not the adequate expression of that thought itself ". El trabajo de Marcel Mauss, "On Language and Primitive Forms of Classification" es apostilla amplia a la nota de A. Meillet incluida en la p. 124 del mismo libro citado, nota que lleva por título "The Feminine Gender in the Indo-European Languages".

[151] *Ueber die Versch.*, en *Wilhelm von Humboldts Werke*, t. 6, 1.ª p. Berlín (B. Behr's Verlag), 1907. pp. 179-180.

términos kantianos, la percepción y la actuación, pero la presentación de esa concepción del mundo se realiza por el lenguaje, éste es el medio principal a través del cual se presentan los objetos al hombre. Hay un círculo, como el propio Humboldt dice, en el que están incluidos el hablante, su nación y su lengua. La relación entre las partes del lenguaje, el lenguaje como conjunto, y la nación, es mutua y determinística, porque la realidad no se percibe como es, sino a través de los sentidos y la aprehensión individual, porque, para Humboldt, existe un espíritu superior al del individuo, que es el de la nación, a la cual corresponde el espíritu de la lengua, de tal modo que lenguaje, concepción del mundo, nación e individuo son inseparables y sólo se puede salir de ese círculo para entrar en otro, en el de otra lengua. La identidad entre lenguaje y espíritu del pueblo que lo habla es total, hasta el punto de poderse determinar (siempre según Humboldt) el patrimonio intelectual de un pueblo por su forma lingüística, y viceversa, proposición que hoy nos parece manifiestamente excesiva y que no se desorbita tanto si la colocamos en el contexto total de la obra humboldtina, en el que se convertiría en postura extrema. No hay que perder de vista que, en la concepción humboldtiana, la historia es un proceso espiritual, como corresponde al idealismo básico de su filosofía, y la nación es el encauzamiento de ese espíritu en una forma, espiritual por ello, caracterizada, a su vez, por un lenguaje determinado. La nación se individualiza así, frente a la totalidad, frente al resto de la humanidad, en suma, por su carácter de forma espiritual de esa misma humanidad a la que caracteriza un lenguaje concreto [152].

**3.1.5.** Hemos visto así que el lenguaje configura a una nación individualizándola, pero no olvidemos que nos movemos en un círculo, por lo que, inmediatamente después [153] nos dirá nuestro autor que ese lenguaje que individualiza a una nación debe su origen a la nación y, más concretamente, a un concepto vago que se denomina *fuerza nacional*. Si existe una lengua nacional es porque existe una fuerza nacional, y, viceversa, a esta última corresponde una lengua nacional. La circularidad del argumento es válida, para Humboldt, porque la lengua de los individuos y las naciones no es una elección, sino una imposición: el individuo tiene la facultad de lenguaje por su propia naturaleza, que le hace hablar; ningún hombre se plantea el hecho de hablar como un acto volitivo: todos los humanos que no tienen impedimento fisiológico, que no son mudos, hablan, lo que, obviamente, no significa que actualicen necesariamente esa capacidad; la actualización es volitiva, la capacidad necesaria, inherente a la naturaleza humana. El lenguaje participa de esa actividad creadora, dinámica, de la nación, como forma espiritual, pero sólo impropiamente se puede decir que sea creación

---

[152] *Ibid*, p. 125.
[153] *Ibid*, p. 127.

de la nación. La expresión lingüística de la percepción del mundo, en la que va incluida la apreciación subjetiva inherente, como acabamos de ver, a la percepción objetiva, es fuerza creadora trabada en esa forma espiritual humana que individualiza y, a su vez, ha de manifestarse como producto de esa actividad espiritual de la nación que constituye su historia, en la que se entrelazan las historias de ambos.

**3.1.6.** En un texto tomado de otra obra encontramos un resumen de lo anteriormente expuesto, ahora con palabras del autor[154]:

"El lenguaje resulta con toda seguridad de una necesidad interna del hombre, no hay nada casual ni voluntarista en él: un pueblo habla como piensa, piensa así, porque así habla y el hecho de que piense y hable así se fundamenta en su situación corporal y espiritual y se ha identificado con éstas. Sin embargo, el concepto general del espíritu humano y del pensamiento humano no es la base de las lenguas, sino que éstas vienen dadas por toda la individualidad viva y completa de los pueblos, que se puede estudiar en sus manifestaciones reales."

**3.1.7.** La tesis de Humboldt, aquí como en páginas anteriores, tiene ciertos puntos de difícil aceptación hoy, como esos conceptos puramente especulativos (Shaff diría 'místicos'), indefinibles y de claro abolengo romántico: 'fuerza nacional', 'espíritu' aplicado a todo lo que se percibe vagamente y no se puede explicar con términos precisos, y tantas otras cosas; pero tiene, sin embargo, la cualidad inapreciable de situarnos ante problemas que han seguido y siguen inquietando a los lingüistas posteriores, señalando caminos que no hemos abandonado, como la necesidad de explicar el papel del individuo y la sociedad, interrelacionados, en el fenómeno del lenguaje.

**3.1.8.** Para Edward Sapir, situado en un entorno cultural distinto y con preocupaciones concretas diferentes de las humboldtianas, las soluciones han de venir por caminos menos etéreos. Para él, el lenguaje refleja el ambiente según dos tipos de factores: medio físico y medio social[155]. En realidad, el medio físico se refleja en el lenguaje indirectamente, pues el medio social le es imprescindible: parece poder establecerse como factor común de esta escuela y las anteriores el hecho de que en la aprehensión del mundo exterior intervienen factores subjetivos que transforman la captación objetiva de la realidad, y que se pueden considerar socialmente, en lo que von Humboldt llamaba *nación* (con una gama amplia de connotaciones que no aceptarían hoy muchos estudiosos y de las que prescindimos), y Durkheim y Mauss *pensamiento colectivo,* que no son conceptos intercambiables ni mucho menos. Entre el medio físico y el lenguaje, coinciden Humboldt, Durkheim, Mauss y Sapir, están los factores sociales que influyen en el reflejo del primero

---

[154] *Von dem gramatischen Baue der Sprachen,* en *Gesammelten Schriften,* t. 6, 2.ª parte, Berlín, 1907, p. 344. Trad. de M. Bofill, en A. Schaff, *op. cit.,* p. 22, n. 6

[155] "Language and Environment", en *Selected Writings,* p. 90.

sobre el segundo. Además, es necesario tener en cuenta que el medio social es bifacial: hay una influencia social directamente ligada al medio físico, y una influencia social más independiente de éste. Como Sapir expone claramente que el ambiente físico y social de los hablantes de una lengua se expresa en el léxico (en el "patrimonio de palabras", textualmente), podemos indicar cómo en éste se incluyen los dos tipos de factores sociales: el relacionado con el medio físico, de mayor concreción, y el menos relacionado con el medio físico, de mayor abstracción.

**3.1.9.** En resumen, podemos fijar el acuerdo de que el lenguaje no es un calco de la realidad, sino la expresión de lo que de la misma aprehende el cerebro, aprehensión en la que no sólo interviene el subjetivismo del hablante, sino también la acción colectiva de la sociedad, en la que está incluido el lenguaje. Esta circularidad pone de relieve, una vez más, el doble carácter del lenguaje: como producto y como actividad que influye, junto a los restantes factores sociales, en su nueva aparición sincrónica como producto. En este hacerse y deshacerse del lenguaje se entretejen factores diacrónicos y diatópicos que transforman, disgregan y unifican las lenguas en el tiempo y en el espacio.

**3.1.10.** El individuo, por tanto, no percibe la realidad como si fuera una máquina, sino que tiene dos motivos de transformación, uno endógeno, su subjetivismo, otro exógeno, el ambiente, la propia sociedad. Cada sociedad tiene su propio sistema de aprehensión del mundo exterior, fijado en sus categorías. Al hablar de lo que seguía teniendo validez dentro de la hipótesis Sapir-Whorf, especialmente en la formulación más extrema de este último, llegábamos a ver que podía aceptarse la influencia de esta categorización del mundo real (expresada lingüísticamente en las categorías lingüísticas) en la categorización mental, pero que todo individuo podía cambiar de código (y por ello de categorización) sin que ello signifique, como pretendía Humboldt, que su concepción del mundo cambie. Con un ejemplo demasiado romo, podemos decir que el individuo (p. ej. el indio hopi) que designa en su lengua con una palabra lo que en inglés y en castellano son dos palabras y dos colores, no cambia su visión del mundo con el cambio de lengua, es decir, no ve un color en hopi y dos en inglés, sino que los rasgos que en inglés son distintivos entre dos matices de la gama no lo son en hopi, del mismo modo que no prestamos atención a una -e- abierta final de un hablante de castellano norteño y sí la prestamos cuando el hablante es andaluz, porque esa -e- abierta final del andaluz puede ser la marca de un plural o de una segunda persona verbal, en abertura compensatoria de la caída de la -s.

**3.1.11.** La postura moderada que tratamos de defender encuentra un nuevo punto de crítica en el argumento anterior: la argumentación es válida en un bilingüe inglés-hopi, o castellano-hopi, pero ¿qué sucede con los monolingües? Parece apuntarse como respuesta aceptable el hecho de que a dos distintas expresiones lingüísticas de la realidad pueden corresponder (no decimos 'tienen que corresponder') dos visiones distintas de la misma y dos conductas diversas. En este sentido, el hablante de hopi que aprende inglés ve de otra manera lo que antes era un solo color para él y ahora son dos colores en la nueva lengua, como nosotros no vemos del mismo modo un bosque si sabemos los nombres de los árboles que si no lo sabemos, ni nos resulta igual el armario del salón tras saber que la mitad es de haya y la mitad de sapelly, y haber observado las diferencias de vetas entre ambas maderas. Esta postura moderada se refuerza cuando nos encontramos con textos de una escuela que, en este punto, se podría considerar extremista, textos que reconocen la imposibilidad de demostrar que las variaciones culturales se produzcan paralelamente a las del lenguaje, y tengan que negar, por ello, su relación causal[156].

**3.1.12.** El lenguaje es uno de los sistemas culturales con posible influencia en la conducta; por ello no es de extrañar que sea en América, influida durante largo tiempo por la filosofía conductista, donde se presenta una doble consideración, la de quienes sostienen que el lenguaje, como parte del todo constituido por los hechos culturales, organizados en los restantes sistemas culturales, no es algo distinto de estos últimos (así Hoijer y Pike) y la de quienes separan estructuralmente lenguaje y conducta como muestra de una separación drástica inicial entre unidades verbales y no verbales (como, en Europa, Robins)[157].

**3.1.13.** Como resumen de esta postura moderada no dudamos en hacer nuestras las siguientes palabras de A. Schaff[158]:

"Se afirma que el lenguaje constituye como un producto especial la base social existente del pensamiento individual. El habla sólo es innata en el individuo humano como capacidad de aprender a hablar. Esto se halla relacionado con la estructura heredada del cerebro, el aparato vocal, etcétera. Pero el lenguaje como tal no es innato y no se desarrolla espontáneamente sin intervención de la comunidad lingüística social. Pero, puesto que... el pensamiento conceptual es imposible sin el lenguaje, en el proceso de la múltiple educación social el hombre no sólo aprende a hablar, sino también a pensar."

**3.1.14.** Interacción, doble aspecto del lenguaje, individuo y sociedad,

[156] Así Sapir, *ibid.*, p. 100: "Tal vez tengamos que admitir, a pesar nuestro, que, dejando a un lado el reflejo del medio ambiente en el patrimonio lingüístico de un lenguaje, éste no contenga nada que se pueda considerar directamente relacionado con el medio. Si esto es verdad, y hay motivos suficientes para suponer que ocurre así, debemos concluir que las variaciones culturales no se producen de modo paralelo a las variaciones lingüísticas y, en consecuencia, que no están situadas en una estrecha relación casual".

[157] *Cf.* Pike, en *Presentación del Lenguaje*, cit., p. 45.

[158] *Loc. cit.*, p. 246.

conducta, cultura y realidad, en lo fundamental, en su entraña misma, dejando olvidado el misticismo romántico, estas ideas nucleares de la lingüística de hoy habían sido ya expuestas en Europa por Herder y Humboldt: *nihil nouum...*

## 3.2. LAS COMUNIDADES LINGÜÍSTICAS

Puesto que el lenguaje, como sabemos, es un hecho social, lo relacionado con la actividad lingüística del individuo afectará a la vida de la comunidad. La relación entre el lenguaje y la sociedad, o sea, la presencia de elementos sociales tras el hecho lingüístico y la influencia del lenguaje en la sociedad, son materia de estudio de una ciencia, la sociolingüística, heredera de dos corrientes fundamentales de la ciencia del lenguaje, el método "palabras y cosas" y la dialectología [159]. La sociolingüística tiene en España un desarrollo acorde con la importancia que los estudios dialectales han tenido siempre en la Península Ibérica. Claro está que no todo ha sido fácil en la evolución de esta ciencia: ha sido necesario salvar la barrera de la crítica. En su *Curso de Lingüística General,* F. de Saussure separaba la lingüística interna de la lingüística externa y sentaba el principio de la inmanencia. Todas las escuelas que han seguido este postulado han prescindido, en principio, de estas consideraciones socioculturales. Incluso escuelas que se habían

[159] Acerca del método de "palabras y cosas" *cf.* Iorgu Iordan, *Lingüística Románica.* Madrid (Alcalá), 1967, pp. 103-128, y para la Geografía Lingüística, *ibid.,* cap. III, *passim,* ambos con importantes adiciones de Manuel Alvar. *Cf. et.* Karl Jaberg, *Geografía Lingüística,* trad. de A. Llorente y M. Alvar (Univ. de Granada), 1959, y Gerhard Rohlfs, *Lengua y Cultura,* con anotaciones de M. Alvar, Madrid (Alcalá), 1966. La bibliografía de Jaberg (1877-1958), junto con importantes observaciones, puede verse, recopilada por S. Heinimann, en *Vox Romanica,* 17, 1958; la de G. Rohlfs precede al cit. *Lengua y Cultura.* Véase también M. Alvar, *Estructuralismo, Geografía Lingüística y Dialectología Actual,* Madrid (Gredos), 1969, como libro teórico; su *Dialectología Española,* Madrid (C.S.I.C.), 1962, como repertorio bibliográfico, y sus trabajos concretos sobre problemas sociolingüísticos: *Estudios Canarios I.* Las Palmas (Cabildo Insular), 1968, y *Niveles Socioculturales en el Habla de Las Palmas de Gran Canaria.* Las Palmas (Cabildo Insular), 1972. Entre las compilaciones dedicadas a las aportaciones sociolingüísticas cabe destacar, por recoger trabajos clásicos fundamentales, la de Dell Hymes, *Language in Culture and Society,* a la que nos hemos referido a menudo en las páginas precedentes, así como los *Proceedings of the U. C. L. A. Sociolinguistics Conference, 1964,* ed. por W. Bright, La Haya (Mouton), 1966. También hay que destacar J. J. Gumperz y D. Hymes: *Directions in Sociolinguistics. The ethnography of communication.* N. York (...) (Holt, Rinehart & Winston), 1972, y Joshua A. Fishman: *The Sociology of Language: An Interdisciplinary Social Science Approach to Language in Society.* Rowley, Mass. (Newbury House Publ.), 1972. En castellano disponemos del librito de Oscar Uribe Villegas: *Sociolingüística. Una Introducción a su Estudio,* México (Univ. Autónoma), 1970, a la espera de la publicación de varios trabajos de Germán de Granda en volumen único, por ed. Cincel (Madrid). En la notas siguientes ampliaremos las remisiones con citas de trabajos de menor longitud, que no entidad, en muchos casos.

originado en trabajos etnográficos y dialectales[160], como el estructuralismo americano, conceden prioridad a los estudios de Fonología y análisis de constituyentes, relegando el resto. Como consecuencia, el lento fluir de estas investigaciones fue poco a poco deteniéndose, sin llegar nunca al completo estancamiento.

**3.2.1:** Esta era la situación desde el lado de la lingüística, sin que fueran mejor las cosas por el de la sociología o la etnología. Necesitadas estas ciencias últimas de una fundamentación científica y dedicadas afanosamente a encontrarla (tomando como modelo precisamente la lingüística, con la inmanencia dominante entonces en esta ciencia) nada favorecía las relaciones interdisciplinarias imprescindibles en el estudio lingüístico. Esta situación no habría de romperse hasta los primeros años 'cincuenta'[161]. La dialectología, por su parte, estaba anclada en su enfoque diacrónico novecentista, en el que ya había prestado excelentes servicios a la ciencia, pero en el que ya había recorrido un buen número de caminos. Se necesitaban savia nueva e inquietudes distintas. La geografía lingüística pareció aportar, durante unos años, especialmente fecundos en España, una solución; pero pronto se vio que, pese a su gran importancia, era necesario considerarla como transitoria y no definitiva. La realización de mapas lingüísticos permite ir agrupando fenómenos, aunque este tipo de representación, para una importante serie de lingüistas (Diego Catalán, entre los españoles) ofrece una serie de inconvenientes, motivados por la necesidad de recurrir a un complicado y largo código para la simbolización de muchos detalles en un mapa solo. Así, para competir con ventaja con las listas de palabras de la dialectología más tradicional, hay que multiplicar el número de mapas, complicando su manejo, para evitar el abigarrado apiñamiento de fenómenos en un solo mapa, lo que exige un gran esfuerzo para su interpretación directa[162]. Sin embargo, todas estas dificultades se han ido superando, en parte porque las ciencias no lingüísticas im-

[160] No olvidemos las importantes aportaciones de los antropólogos a la lingüística, cuando se ha entendido ésta con criterio amplio, sean testigos, en Inglaterra, el etnolingüista Malinowski, Radcliffe-Brown (éste poco interesado en lingüística), Hocart, Haddon, A. H. Gardiner, J. R. Firth (que desarrolla ideas de Malinowski y establece el principio central del contexto de situación, que ya ha quedado expuesto), Robins, Mc Intosh, Hill y Evans-Pritchard; en Francia, y a partir de F. de Saussure, Meillet, el sociólogo Durkheim, el antropólogo Mauss, Cohen, el noruego Sommerfelt, Benveniste, Haudricourt y Lévi-Strauss, o, en EE. UU., Pickering, Barton, Gallatin, Hale, Gibs, Gatschet, Whitney, Brinton, Powell, Henshaw, Dorsey, Mooney, Hewitt, Boas, Swanton, Dixon, Kroeber, Goddard, Sapir, Lowie, Radin, Mason, Harrington, hasta Bloomfield.

Mientras que en Inglaterra se consideraba la unidad de lengua y cultura como el producto de un acontecimiento o acción social, Francia y Estados Unidos preferían explicarla como producto cultural o herencia social, con lo que Inglaterra enfocaba el asunto fundamentalmente como actividad, y Francia y los EE. UU. como resultado.

[161] *Cf.* Lévi-Strauss, Jakobson, Voegelin y Sebeok (ed.): *Results of the Conference of Anthropologists and Linguist (I.J.A.L.,* Menoir 8), 1953.

[162] La aplicación de métodos electrónicos puede ser una importante ayuda en este campo,

plicadas (sociología y etnología especialmente) han establecido ya un núcleo de fundamentos que les permite lanzarse a trabajos interdisciplinarios y, en parte, porque la tradición dialectológica mantenía un importante grupo de cultivadores y un interés en sí misma que continuaba atrayendo adeptos. Debemos señalar que, hoy día, la Sociolingüística es una ciencia importante por el número de sus cultivadores y la importancia de sus trabajos, rompiéndose así la casi exclusiva preocupación por la lingüística interna que, como sabemos, caracterizó a los herederos de Saussure y se transmitió al estructuralismo norteamericano. Conviene destacar, en este como en otros casos, que la fidelidad a unos métodos que seguían demostrando su validez, aunque fueran 'viejos', característica de importantes lingüistas españoles, les ha permitido unirse a la vanguardia de este movimiento científico, lo que demuestra que mantener los lazos con ideas lingüísticas anteriores, cuando no es incuria, tiene un permanente valor para la ciencia.

**3.2.2.** Nuestro planteamiento en estas páginas estará dirigido a mostrar cómo a los distintos tipos de sociedad corresponden distintas clases de hechos de lenguaje. Para ello habremos de tener en cuenta, obviamente, las diferentes clases de agrupaciones, de sociedades humanas, tanto geográfica, diatópicamente, como social, diastráticamente, ya que, en efecto, hay diferencias lingüísticas entre distintas comunidades alejadas por la geografía, pero también las hay, y puede que más importantes, a veces, entre los distintos estamentos de la sociedad [163].

**3.2.3.** El primer problema al que se enfrenta una ciencia nueva o de nuevo planteamiento es la terminología. La de nuestra ciencia no podía ser una excepción, por lo que está sujeta a discusiones y precisiones que trataremos de reflejar, para ir situando al lector en los diferentes aspectos de nuestro estudio. Entramos ahora, como habíamos anunciado en el planteamiento de los primeros capítulos, en una nueva zona de este trabajo. En ella nos iremos acercando al concepto de la lengua como sistema, al estudio inmanente de la misma, una vez que hemos establecido que este tipo de estudios, importantes, imprescindibles incluso, no es el único medio, el único método de describir y, lo que es más importante, explicar la variopinta, multiforme y caleidoscópica realidad del hecho lingüístico. Es innegable que la discusión terminológica, aunque a veces encierra un nominalismo estéril, es una muestra clara de un desacuerdo que puede afectar a los

*cf.* Gordon R. Wood, *Sub-Regional Speech Variations in Vocabulary, Grammar, and Pronunciation.* Edwardsville (Southern Illinois University), 1967, y los dos trabajos del equipo de lingüística computacional del Centro de Cálculo de la Universidad de Madrid (C.C.U.M.). M. Ariza, I, del Campo, I. González, F. Marcos y M. T. Molina. *Cf.* "Mapa de la Península Ibérica" y "Atlas Lingüísticos Plurilingües con Ordenadores Electrónicos", ambos en el *Bol. C.C.U.M.* 23, 1973, pp. 1-11 y 12-15.

[163] Agradezco a mi admirado amigo Germán de Granda su imprescindible ayuda para la redacción de este párrafo, en el que se corrige y amplía lo expuesto en el tema 3 de las *Contestaciones Completas al temario del concurso-oposición de E.G.B.*, pp. 25-32.

mismos cimientos del edificio científico. En este sentido, podemos notar que Martinet ha señalado el carácter insuficiente y escaso de la noción usual de dialecto (que nosotros intentaremos precisar), vaguedad en la que coinciden Alarcos, Alvar, Lázaro y Weinreich[164], y que Borodina precisa, indicando que no admite generalizaciones, salvo de tipo extralingüístico.

**3.2.4.** En esta exposición iremos descendiendo, desde clasificaciones más amplias a tipos más reducidos, perdiendo en extensión lo que ganemos intensivamente. Para ello, trataremos de partir de una noción de *lengua,* no de un modo inmanente, como sistema de signos, sino de un modo que nos resulte más útil como enfoque y que será, por decirlo así, 'social'. Boris Cazacu[165] define la lengua como un medio general de intercomprensión de una sociedad dada que satisface todas las necesidades comunicativas. Es decir, si estamos utilizando un medio general de intercomprensión de nuestra comunidad que no requiera la sustitución por otro 'superior' para satisfacer las necesidades comunicativas estamos ante una lengua. Se llama *dialecto* a todo medio general de intercomprensión de una comunidad que no satisfaga todas las necesidades comunicativas. Así, frente al caso anterior, si estamos utilizando un medio general de intercomprensión de nuestra comunidad que, en algunos momentos, haya de ser sustituido por otro para satisfacer todas nuestras necesidades comunicativas, estamos ante un dialecto. La impresión de la definición radica en dos puntos: el primero es que no diferencia todo lo que puede agruparse en la categoría de no-lengua, el segundo, que no establece un criterio para fijar la intercomprensión. El viejo ejemplo que dice que, si dos individuos que emplean sus propios medios de intercomprensión, aparentemente distintos, a los veinte minutos de conversar juntos en un vagón de ferrocarril se entienden perfectamente es que hablan dialectos distintos y no lenguas distintas, es un medio ingenioso, pero harto insuficiente, de describir la solución.

**3.2.5.** Antes de ocuparnos de la diferencia de lengua y dialecto, sería conveniente precisar un término que nos hará falta para evitar confusiones: se trata de *lengua regional*. Diferenciamos una lengua regional de la lengua

---

[164] *Cf.* Martinet, "Dialect", en *Rom. Phil.,* 8, pp. 1-11; Borodina, "Sur la notion de dialecte...", *Orbis,* X, 1961, pp. 281-292, así como, en el tomo tercero de la misma revista, la "Contribution à l'étude de la notion de langue et de dialecte". Para Manuel Alvar, "Lengua y Dialecto", *Arbor,* 1970, *cf. Hispania* 54, 1971, p. 586 *a.;* de Manuel Alvar *cf.* "Hacia los conceptos de lengua, dialecto y habla", *N.R.F.H.* XV, 1961, pp. 51-60; de Uriel Weinreich: "Is a Structural Dialectology Possible?", en *Word,* 10, 1954, pp. 388-400; Giuseppe Francescato: "Structural Comparison, Dyasistems and Dialectology", *Z.R.P.h.,* LXXXI, 1966, esp. p. 486; C. Grassi, "Dialetto", en el *Grande Dizionario Enciclopedico,* Utet, VI, 1968, pp. 252-256; B. Migliorini: "Come e perchè un dialetto diventa lingua". en *II Tesaur.,* III, 1952, núms. 1-2; Pavle Ivic: "On the Structure of Dialectal Differentiation". *Word,* 18. 1962, pp. 33-53, y Fourquet, Voegelin, Harris en la bibliografía final, por no seguir alargando esta ya desmesurada lista.
[165] En su trabajo "Autour d'une controverse linguistique, langue ou dialecte", *Recueil d'Etudes Romanes,* Bucarest, 1959, pp. 13-29.

a que pertenece atendiendo a esta definición: la lengua regional es la lengua hablada por personas cultas, que la hablan con diferente 'acento' y con distintas modalidades de léxico, que suponen leves alteraciones. Así, la lengua inglesa se habla de modo distinto en Inglaterra, Estados Unidos, o Australia. Estas diferencias, entre personas cultas, se reducen a diferencias entre lenguas regionales, sin afectar a zonas lingüísticas más profundas. Un español culto y un peruano culto, por poner un ejemplo hispánico, hablan lenguas regionales diferentes, no dialectos distintos. Este concepto que acabamos de ver nos vendrá bien más adelante, cuando precisemos que las diferencias sociales pueden dar resultados distintos en la evolución de una lengua: es posible que las diferencias de cultura consecuentes a la pertenencia a una clase desfavorecida hagan que un peón del campo peruano y otro del campo de Castilla hablen dialectos distintos, y no lenguas distintas, ni tampoco lenguas regionales distintas, tan sólo, porque la diferenciación puede haber ido mucho más allá del 'acento' y algunos arcaísmos en el léxico del peruano.

**3.2.6.** Sabido esto, podemos establecer una serie de criterios para distinguir lengua de dialecto. Para ello, caracterizaremos el dialecto con cinco rasgos fundamentales:

1. El dialecto está subordinado a una lengua que facilita medios superiores de comunicación. El dialecto se ve así como algo incompleto, imperfecto, carente de suficientes recursos para todas las posibilidades comunicativas, pobre en relación con la lengua, a la que el hablante ha de recurrir, por fuerza, cuando le fallan los recursos dialectales. El dialecto se enriquece constantemente con elementos que ha de tomar de la lengua origen; cuando desarrolla su propia capacidad para proporcionarse esos elementos, sin tener que recurrir necesariamente a la lengua origen, se convierte en lengua. Así, el dialecto de Castilla, dependiente de la lengua latina, va tomando de ésta los elementos que necesita, hasta que, en una fecha difícil de precisar, pero alrededor del siglo x, empieza a formarse sus propias reglas, constituye su propio sistema y forma, por ello, una lengua distinta de la latina.

2. El hablante del dialecto se siente incluido en una comunidad que habla una lengua a la que pertenece el dialecto. El proceso durante el cual el hablante se va haciendo consciente de que lo que habla ya no es un dialecto, sino una nueva lengua, es también muy lento. Si decimos que alrededor del siglo x ya se puede pensar que el castellano es una lengua distinta del latín, hasta mediados del siglo XIII, cuando el infante Alfonso, que luego sería Alfonso X, decide que los documentos reales se escriban en castellano, no hay conciencia *oficial* de esta separación.

3. El hablante del dialecto fija su ideal de lengua en otro código, y no en el que maneja. El hablante de castellano se vuelve a la lengua origen, al latín, mientras tiene conciencia de que habla una variedad del

latín y no una lengua distinta. Buen ejemplo de ello nos dan los notarios o escribas de los documentos públicos, que, siempre que pueden, introducen el término latino en lugar del dialectal castellano, que se les escapa a veces, por descuido o ignorancia. El notario que prefiere el término latino al castellano está poniendo su ideal de lengua en el latín y no en el romance, porque tiene conciencia dialectal castellana y lingüística latina. Hoy día, en cambio, el notario de un documento público, o cualquier hablante preocupado por el idioma, no fija su ideal, su modelo, en el latín, sino en la lengua de los buenos autores castellanos, en las 'autoridades' del dioma.

4. En la ejemplificación estamos adoptando, en parte, el criterio de este cuarto argumento; se trata del criterio histórico genético de la escuela española, clásico en los trabajos de Alonso Zamora o Manuel Alvar, por ejemplo. Toda lengua que procede de otra pasa primero por una etapa dialectal. Estamos viendo en todos nuestros ejemplos que el castellano, antes de constituirse como lengua española, aparece como dialecto del latín, la lengua de la que procede.

5. El último de los criterios que vamos a manejar aquí es el de nivelación o normalización escasa. El dialecto ofrece muchas opciones y no se decide por ninguna. En la etapa dialectal del castellano, la O breve tónica del latín clásico, abierta del latín vulgar, diptonga en *WÉ, WÁ* o *WÓ*. Es típico de esta etapa dialectal el hecho de que el castellano mantenga los tres resultados. Más tarde, en el momento en que sus hablantes van pasando de la conciencia de dialecto a la de lengua, se impone, como solución única, la diptongación en *WÉ (puerta, cuesta*, p. ej.).

3.2.7. Tras todo ello podemos llegar a una sólida definición de dialecto que nos parece satisfactoria, la tomamos de Germán de Granda (comunicación personal) y dice así:

"Un dialecto es un sistema lingüístico de ámbito geográfico o cultural limitado, que no ha alcanzado, o ha perdido, autonomía y prestigio frente a otro sistema con el que constituye genéticamente un grupo, y está dominado por él (es decir, por este segundo sistema) cultural o políticamente, aceptándolo como lengua suprarregional".

3.2.8. Antes de hablar de clases inferiores al dialecto, nos referimos brevemente a la clasificación de V. Polak, en *Orbis,* en tres tipos: *lengua,* diferenciada de otras por su sistema gramatical, *lenguas especiales,* diferenciadas léxicamente (a esta clase pertenecerían las jergas, argot, hablas de delincuentes, y similares) y *dialectos,* diferenciados por su fonética. Este criterio, que no seguiremos, pero que conviene conocer, nos permite mostrar la complejidad terminológica y metodológica de estos estudios.

3.2.9. Volvamos a nuestro criterio inicial. La clase inferior al dialecto es el *subdialecto,* que Jozzef Végh define como "habla de un territorio más amplio que el de una comunidad, formador con otros, en estrecha relación, de un dialecto". Como entidad inferior, todavía, tendríamos el *habla (patois),* caracterizada por Manuel Alvar como fragmentación del dialecto en hablas locales de grupos restringidos hasta llegar a la dimensión mínima posible, la del individuo, con el término *idiolecto,* término introducido por B. Bloch y definido por Uriel Weinreich como "conjunto total de hábitos de un solo individuo en un tiempo dado". Esta clasificación minúscula ha sido discutida por algunos lingüistas, así, para Francescato, los límites entre idiolecto y dialecto son extralingüísticos [166].

**3.2.10.** Una serie de términos tratan de poner en relación estas clases distintas. Con *interdialecto* designamos un compromiso entre el dialecto y la lengua, una especie de lengua regional con variantes dialectales. El término *koiné,* por su parte, tiene dos acepciones; o bien se usa como una designación del intento de crear dentro del dialecto una variante de uso prestigioso, eliminando rasgos, o bien, según Fourquet, se emplea este término para designar una "variante lingüística de extensión generalizada y portadora de valores de tipo cultural". El segundo tipo correspondería al modelo helénico. Desde el idiolecto a la lengua podemos caminar también a través de la noción de *diasistema.* Lo que tienen en común los distintos idiolectos constituye una agrupación lingüística superior llamada *diasistema.* El término diasistema, precisamente por lo que tiene de lugar común, en el sentido matemático, es especialmente apto para designar todos los compromisos posibles entre las distintas clases estudiadas antes. El conjunto *lengua* está formado por varios diasistemas, constituidos, a su vez, por idiolectos [167].

**3.2.11.** Nos hemos ocupado, hasta aquí, de variantes horizontales, con un criterio fundamentalmente geográfico; pero hay también variantes verticales, es decir, sociales [168]. Podemos hablar en este sentido de *sociolecto,* habla de grupo. La diferenciación entre ambos tipos de variables nos llevaría a establecer, según Granda, un *geodiasistema,* o diasistema horizontal, y un *sociodiasistema,* o diasistema vertical. Las diferencias verticales pueden ser, como las horizontales, de varios tipos:

1. Tipo conectado con estratos socioculturales: la pérdida de las vocales átonas internas en el habla de Méjico está relacionada con las capas inferiores de la sociedad, mientras que los elementos sociales superiores conservan en grado también superior los timbres átonos. A veces el proceso no supone que sea la clase superior la que resulte conservadora, el yeísmo de zonas

---

[166] *Cf.* bibliografía en nota 164 *supra,* y, además, R.A. Hall. Jr.: "Idiolect and Linguistic Super-ego", en *Studia Linguistica,* V, pp. 21-27.

[167] *Cf.* nota 164 *supra,* y Andrei Avram: "Despre notiunea de diasistem si despre unele probleme ale descrierii aromânei", *S.C.L.,* XXIII, 1972, pp. 35-48.

[168] *Cf.* Roger W. Shuy: "A Selective Bibliography on Social Dialects", en *Linguistic Reporter* (Washington), 10-13, 1968, 1-3, *Vid. et.* W. Labov, "The Study of Language in its Social Context", *Studium Generale,* 23, 1970, pp. 30-87.

del gallego actual es un rasgo más propio de las clases elevadas o burguesas que de los campesinos.

2. Muy relacionado con el anterior está el problema del habla del grupo, de los segmentos sociales, que puede llegar, incluso, a diferenciaciones de lenguas: los funcionarios castellanos se resistían a emplear otra de las lenguas españolas cuando estaban destinados en una región bilingüe: así, el grupo social de los funcionarios se caracterizaba por el empleo exclusivo del castellano.

3. Otro tipo interesante de distinciones es el que puede establecerse entre el habla de hombres y mujeres. Entre tribus primitivas suele suceder que los hombres procedan de otro territorio y sean conquistadores del territorio de las mujeres. En algunos casos (como en las Pequeñas Antillas) las mujeres siguen hablando su lengua antigua entre sí, mientras que los hombres emplean la lengua conquistadora, que es la lengua común de hombres y mujeres, por otra parte.

4. La religión también es factor de diferenciación. Los habitantes de distintas comunidades religiosas de un mismo lugar pueden hablar tipos diferentes de la misma lengua, como los judíos y no judíos neoyorquinos, o los judíos y cristianos de Bagdad, hasta llegar a emplear lenguas distintas, como puede ser el yiddish, en el caso de los judíos, o el francés entre los católicos árabes de Oriente Medio.

5. También pueden diferenciarse los niveles lingüísticos entre generaciones diferentes: se trata de las lenguas de edad. Los viejos y los jóvenes no tienen un habla común, sino que, por razones extralingüísticas, como pueden ser las convenciones sociales, se altera el uso lingüístico deliberadamente.

**3.2.12.** El mundo de las relaciones entre lenguaje y sociedad, como se habrá podido apreciar incluso en esta distinción terminológica que ha sido nuestra exposición, es extraordinariamente rico y complejo. Bien merece la creciente atención que se le presta.

**3.2.13.** Por nuestra parte, pasamos a ocuparnos ahora de aspectos de lo que, desde Saussure, se llama preferentemente Lingüística, o sea, el estudio inmanente del hecho lingüístico, la consideración y definición de la lengua en sí, una vez que la hemos estudiado como instrumento de la sociedad, como sistema comunicativo, como expresión de las transformaciones que la sociedad sufre en la aprehensión individual y como facultad constitutiva y diferenciadora del hombre. Sin embargo, para que nuestro estudio no deje de ser humanístico, veremos cómo la descripción del hecho lingüístico, para convertirse en explicación completa, habrá de recurrir de nuevo a los factores culturales, en constante dinamismo por la dialéctica de las sociedades y los elementos individuales de éstas. Podríamos hablar así de la inmanencia y la trascendencia de nuestra ciencia.

CAPITULO 4

# LA LENGUA

## 4.1. LENGUAJE Y LENGUA

Terminada la exposición de los puntos más relacionados con la primera posibilidad de estudio del lenguaje, de la que hablábamos en 1.1., ahora podemos pasar a tratar los que están más relacionados con la segunda, es decir, la que otorga la primacía de la investigación a los aspectos sistemáticos, esquemáticos o de conjunto de reglas en cuanto sistema, según los distintos planteamientos teóricos, o sea, al modo como se construye la comunicación por medio del lenguaje, considerado hasta ahora, fundamentalmente, como fenómeno social. Al terminar el capítulo anterior veíamos que esta transición al tratamiento inmanente, pura y exclusivamente lingüístico, no es una postura real, sino metodológica, y que, para dar una visión que explique el fenómeno lingüístico, precisamos combinar esta metodología con los restantes elementos que, a través del individuo, configuran los aspectos sociales que caracterizan el estudio del hombre. No obstante, introducidos ahora en el tratamiento inmanente, una adecuada línea epistemológica puede exigirnos no mezclar en la metodología lo que la vida mezcla en la realidad. Por todo ello habremos de operar en un mundo conscientemente abstracto, en el que trataremos de movernos categorizándolo.

## 4.2. LA LENGUA COMO ORGANISMO

Para que la ruptura entre el tratamiento social, o sociológico, y el tratamiento lingüístico inmanente no sea demasiado abrupta, incluiremos aquí unas breves líneas acerca de la concepción para-biológica del lenguaje-lengua que, si bien más enlazada con dos problemas de los que no nos ocuparemos ahora (el cambio lingüístico y la tipología de las lenguas), nos sirve de puente entre nuestras dos orillas.

**4.2.1.** La influencia de las ciencias naturales en la segunda mitad del XIX, motivada especialmente por el darwinismo, se refleja en el naturalismo biológico de Augusto Schleicher (1821-1867). La consideración de la lengua como un organismo biológico que crece, vive, se reproduce y muere, dividido en dos períodos, desarrollo y decadencia, que se define como "pensamiento expresado mediante sonidos"[169], es el punto de partida de múltiples ideas que han fructificado en la lingüística, si bien, hoy, debemos rechazar el concepto de árbol genealógico, que implica que todas las lenguas son ramificaciones de un tronco común, lo cual, para la inmediata lingüística comparativa, supuso la obsesión del tronco común, traducida, en el caso más cercano, en la búsqueda de la lengua (indoeuropea) que fuera la madre de todas las demás, o en el postulado de una lengua protorrománica, intermedia entre el latín y las lenguas románicas, con lo que se supera en muy poco la teoría precedente del hebreo como lengua-madre universal, de tanta trascendencia en las épocas anteriores. La tesis del árbol genealógico, en su versión jafética, tiene especial interés en el desarrollo de la lingüística soviética, a partir de Marr, como es bien conocido[170]. Puesto que, junto a la definición del lenguaje como expresión del pensamiento, Schleicher tiene que proceder a la comparación de los sistemas lingüísticos, bien podemos situarlo en esta zona intermedia de exigencia de una sistematicidad, que llevará hasta Saussure, a través de los neogramáticos. Estas idas y venidas de las tortuosas sendas lingüísticas ofrecen estos curiosos contrastes: del mismo modo que un lingüista famoso en su tiempo por un estudio de las vocales indoeuropeas, comparatismo de alcurnia, es hoy considerado el fundador (o uno de los fundadores) de la lingüística teórica y sincrónica (es la paradoja de Saussure), en varias ocasiones más la teoría y la práctica se separan: entre muchos ejemplos y sin más valor que el de pura indicación, podemos hablar de un Leibniz teórico idealista, en la corriente del racionalismo, pero con una preocupación muy cercana a la de los empiristas en sus trabajos o párrafos sobre lenguas naturales; parece haber un constante intento de síntesis entre las dos principales tendencias de la lingüística, desde el abandono de la creencia en la analogía absoluta, en la antigua Grecia.

**4.2.2.** La transición apuntada en Schleicher aparece también como cons-

---

[169] *Cf.* Milka Ivic, *cit.*, cap. 8, *passim*, I. Iordan, *et. cit.*, pp. 9(n), 25, 25(n), 26, 52, 83(n), 84, y 501; W. Thomsen: *Historia de la Lingüística*, Barcelona (Labor), 1945, pp. 100-103; G. Mounin, *Historia de la Lingüística*, Madrid (Gredos), 1968, cap. 4, VI, y F. de Saussure, *Curso*, p. 42.

[170] *Cf.* nuestra *Aproximación*, 2.2.1.. También aparece en Schleicher una tipología lingüística elemental, con el establecimiento de tres tipos básicos: radicales (chino), aglutinantes (húngaro) y flexivas-amalgamantes (latín).

tituyente en dos lingüistas coetáneos: Johannes Schmidt (1843-1901), en la línea de la evolución de la lengua-organismo, pero ya no como ramificación, sino en lo que constituye la aportación original de este discípulo de Schleicher, la teoría de las ondas, cuyo abarque depende de circunstancias casuales, y Max Muller (1823-1900), quien, en cambio, no cree ya en el lenguaje como organismo autónomo vivo, sino como algo relacionado con el proceso del hablar, a través de la perfectividad del acto de habla: lo que se ha dicho no puede ser repetido, su repetición es un acto de habla diferente, una actuación distinta.

**4.2.3.** En esta transición al siglo xx vamos encontrando ya claros antecedentes de lo que nos ocupará a partir de ahora: lenguas como sistemas distintos comparables, evolución de las lenguas, que no permanecen idénticas, sino que tienen una historia y, frente a ello, la unicidad de cada empleo de la lengua en la concreción del uso de un hablante. Podemos ir viendo ahí elementos que cuajarán en dicotomías como sincronía-diacronía, lengua-habla, competencia-actuación (que no equivale a la anterior, como suele simplificarse a menudo), es decir, todo lo que será fundamental para el desarrollo lingüístico de nuestro siglo.

**4.2.4.** Este final premonitorio y fecundo del siglo xix puede cerrarse, en este párrafo, con una referencia a la figura de Hugo Schuchardt (1842-1928), quien añade a todo lo anterior el hecho de ser uno de los primeros que unieron la evolución de la lengua a la geografía, así como el haber señalado el papel de la creación individual en la evolución.

**4.2.5.** El lenguaje como sistema, como historia, como creación, evolución, o la geografía lingüística, con sus problemas de diasistemas e idiolectos, así como (según hemos visto) la sociolingüística, son aspectos metodológicos que ya están en germen. Nos hemos ocupado antes de algunos de ellos, ahora pasaremos a ocuparnos de otros.

## 4.3. LA LENGUA COMO SISTEMA

Hemos anunciado la definición de la lengua como sistema en varios lugares de las páginas precedentes. Podemos definir un sistema como un conjunto cuyos elementos tienen un valor constante o están sometidos a unas leyes que especifican las alteraciones que puede sufrir ese valor de los elementos en el conjunto [171]. Para uno de los fundadores de la fonología,

---

[171] Tiene indudable importancia el hecho de que el sistema sea un sistema bien definido o no-bien-definido. Decimos que un sistema está bien definido cuando lo podemos caracterizar completamente por medio de funciones determinísticas, que son funciones computables o que están especificadas explícitamente de modo que podamos probar su incomputabilidad. *Cf.* Hockett: *Language, Mathemathics and Linguistics*, 9, n (17), y F. Marcos. *Aproximación*, 2.1. La importancia de la distinción es manifiesta si pensamos que, para Hockett, la lengua

Sergei Karcevski[172], "un sistema lingüístico es un mecanismo que funciona para establecer una correspondencia entre el curso de la diferenciación en el dominio del pensamiento, por una parte, y por otra, en el del sonido: dos dominios exteriores a la lengua". Lo peculiar del sistema lingüístico sería, así, el hecho de servir de conector de dos realidades que, para los lingüistas inmanentes, son extralingüísticas: pensamiento y sonido. Si observamos la anterior definición y la comparamos con la que hemos ido exponiendo en páginas anteriores, incluso en este mismo capítulo, nos percataremos inmediatamente de que el desarrollo actual de la lingüística ha desbrozado un extenso territorio, cuya existencia había sido apenas sospechada en épocas anteriores, y sólo por figuras señeras.

**4.3.1.** La definición de la lengua como sistema conector de dos realidades extralingüísticas tiene plena vigencia, incluso en las teorías más modernas, posteriores a la gramática generativa de la teoría típica (ST); así, Lockwood[173] la define como el área que relaciona las correlaciones conceptuales y fónicas (pensamiento y sonido), atravesada por los fenómenos de codificación e interpretación *(encoding y decoding)* sistemáticamente, es "el código que relaciona correlaciones conceptuales y fónicas". La tesis, que ya habíamos visto en los poskantianos, del elemento subjetivo en la percepción objetiva, toma nueva forma en la consideración de que cada individuo posee un conocimiento del código que no es igual al de otro usuario del mismo, puesto que, en lo que se refiere a las correlaciones fónicas, la fisiología de los órganos articulatorios y acústicos difiere, aunque sea levemente, en cada caso, y, en lo que se refiere a las correlaciones conceptuales, las impresiones sensoriales relacionadas con cada concepto y el sistema cultural varían con cada individuo. El código está así sistematizado en cada individuo de modo que constituye su idiolecto, en el que se unen su capacidad de generación y de interpretación de frases correctas con las realizaciones efectivas de dichas frases. Cuando los códigos no son tan divergentes que excluyen la intercomprensión, los individuos participan de los elementos comunes, que constituyen la unidad superior o *diasistema,* y, decimos vulgarmente, "hablan la misma lengua"; cuando no hay elementos comunes o los que hay no bastan para la intercomprensión, decimos vulgarmente que "hablan distintas lenguas"[174].

no es un sistema bien definido, mientras que Chomsky opina lo contrario. Por *función* podemos entender, según los glosemáticos, toda dependencia establecida entre una clase y su elemento, o entre los elementos entre sí; *cf.* E. Alarcos, *Gramática Estructural,* p. 32. En este sentido, si la lengua es un sistema y se caracteriza, como tal, por sus valores y funciones, toda gramática que pretenda explicar la lengua ha de ser funcional.

[172] Citado por McLennan, en *El Problema del Aspecto Verbal,* p. 118.

[173] *Introduction to Stratificational Linguistics,* N. York (Harcourt Brace Jovanovich), 1972, 1.1.

[174] En cuanto a la relación del hablante y la lengua, entendemos que hay una correspondencia biunívoca, por lo que se deben evitar formulaciones tan categóricas y unilaterales como las

**4.3.2.** Sin que se pueda pretender, ni se pretenda que sus teorías hayan salido de la nada, parece difícil de discutir que el gran lingüista suizo Ferdinand de Saussure (1857-1913) fue la chispa que provocó la explosión de la lingüística como ciencia moderna. Sus predecesores fueron muchos e importantes, su labor como lingüista comparatista, en el campo indoeuropeo, a la que hacíamos mención hace poco, fue también de primera fila; nada tiene de extraño que sus teorías puedan apoyarse en precedentes no muy difíciles de encontrar; sin embargo, era necesario que apareciese un hombre genial para que se unificasen los esfuerzos dispersos en las diversas ramas de una ciencia que, como apuntábamos en 4.2., crecía viva y pujante. Que algunos puntos sean revisables, o que no aceptemos otros, no empece la consideración más alta de que es merecedor el profesor de Ginebra [175].

**4.3.3.** Dialécticamente, por lo que representa de posición antitética, el concepto de lengua de Saussure está emparentado con el comparatismo, cuya concepción de la lengua como cuarto reino de la naturaleza o esfera particular niega [176], y con la superación del concepto lengua-organismo

de Coseriu, en *Sincronía, Diacronía*, III, 1.1.: "la lengua,..., *no se impone* al hablante, sino que se le ofrece: el hablante *dispone* de ella para realizar su libertad expresiva".

[175] El libro de Ricardo Velilla: *Saussure y Chomsky*, Madrid (Cincel), 1974, es un útil compendio divulgador de ambos autores. Nosotros nos referiremos a Saussure a través del *Curso de Lingüística General*, trad. y prólogo de A. Alonso, Buenos Aires (Losada), que abreviaremos *Curso* (hay muchas ediciones). Sobre el *Curso* ha surgido una amplia bibliografía crítica, pues, como se sabe, el texto publicado no fue redactado por el ginebrino, sino por sus discípulos Bally y Séchehaye, a partir de cuadernos de apuntes y notas sueltas. La aparición de otros cuadernos y notas, los trabajos críticos, publicados, en gran parte, en la revista ginebrina: *Cahiers F. de Saussure*, nos han ido precisando el pensamiento del maestro, mucho más vacilante y menos esquemático y dogmático de lo que sus discípulos le hicieron parecer. Empero, no quisiéramos que esta última afirmación nuestra fuera tomada como una crítica. La labor de Bally y Séchehaye es digna de toda loa, y su deseo de precisar lo que su profesor dejó un tanto dúctil, muy natural en quienes tenían que ofrecer un texto escrito, máxime si tenemos en cuenta que ese texto, por ser póstumo, era definitivo. La búsqueda de las fuentes del *Curso* es un trabajo de indudable utilidad para los historiadores, pero no debe hacernos olvidar que el libro vivo, la obra revitalizadora de la lingüística, en Europa inicialmente, luego en escala mundial, es la que, en 1916, publicaron los discípulos del profesor de Ginebra. *Cf.* Robert Godel: "Cours de Linguistique Générale (1908-1909). Introduction", en *Cahiers F. de S.*, 15, 1957, pp. 3-103, cuya edición italiana hemos manejado: *Introduzione al 2.º Corso di Linguistica Generale (1908-1909)*, testo a cura di R. Godel; ed. e introducción de Raffaele Simone, Roma (Ubaldini), 1970 (citaremos *2.º Corso* y número de párrafo). Nos han sido muy útiles las notas de Tullio de Mauro, en su traducción italiana del *Curso: Corso di Linguistica Generale*, Bari (Laterza),1967 (cit. por la 2.ª ed. de la "Biblioteca Universale", 1972, que abreviaremos como *Corso*, y número de nota, o página, si se trata de introducción o texto). La gran obra de la crítica saussureana es el excelente libro, también de Robert Godel, *Les Sources Manuscrites du Cours de Linguistique Générale de F. de Saussure*, Ginebra (Droz), 2.ª ed. (que es la que hemos manejado), 1969 (citaremos *Sources* y párrafo). Para la relación de Saussure con la teoría anteriormente expuesta en el texto, véase, siquiera sea sucintamente, el prefacio de R. Simone al *2.º Corso*, especialmente 1. y ss. Para la visión saussureana sobre sus antecedentes *cf. Corso* 19 y ss.

[176] *Curso*, p. 43. *Cf. Corso* 26 y 37. Esta segunda nota precisa la posición crítica del

que realizaron los neogramáticos a partir del último cuarto del siglo XIX[177]. Sin embargo, pese a los errores que Saussure reconoce en comparatistas y neogramáticos, no olvidemos que uno de los postulados metodológicos que nuestro lingüista defiende[178] es la importancia que tiene conocer los errores de las teorías precedentes.

**4.3.4.** De los tres objetivos de la lingüística señalados por Saussure, dos están claramente influidos por doctrinas anteriores, mientras que el tercero es el nacimiento de la nueva ciencia. Así, el primer objetivo[179], la historia de la lengua y la determinación de la lengua madre, es comparatista, el segundo, la obtención de leyes generales que expliquen la constitución de la lengua, es neogramático, o puede emparentarse con los principios de esta escuela, mientras que el tercero, que la lingüística se deslinde y defina a sí misma, es el origen del estudio inmanente de la lengua, que ya Saussure ha distinguido del lenguaje, como hará más explícitamente luego[180]. La lengua, define, "es una totalidad en sí y un principio de clasificación"[181], que hay que diferenciar de lo que, para Whitney, es una institución social; pero la lengua tiene todavía, para Saussure, un carácter social, puesto que es "la parte social del lenguaje exterior al individuo", punto que se ve obligado a conceder para mantener la dicotomía lengua/habla[182]. Además, la lengua, fundamentalmente, es un hecho concreto, lo que favorece su estudio separado, que se puede definir como "un sistema de signos en el que sólo es esencial la unión del sentido y de la imagen acústica, y donde las dos partes del signo son igualmente psíquicas"[183]. Tenemos aquí, en brevísima síntesis, todo lo que hemos ido discutiendo

Saussure comparatista, que nosotros hemos tratado, en 4.2., con demasiada rapidez, al hablar de la "paradoja de Saussure".

[177] *Curso*, p. 45. *Corso* 37.

[178] *Curso*, p. 44. *Corso* 41.

[179] *Curso*, p. 46, *Corso* 42, *Sources* 105.

[180] *Curso*, p. 51. *Sources* 111, *Corso* 52, y la precisión de *Corso* 53 sobre la evolución de Saussure en este punto.

[181] *Curso*, p. 51, *Corso* 54.

[182] *Curso*, p. 58, *Sources* 112, *Corso* 63, 65, 67, 69 y 70. *Cf. et.* E. Coseriu, "Determinación y Entorno", en *Teoría del Lenguaje*, p. 282: "La distinción misma entre *lengua* y *habla* (Sprache-Rede) es anterior a Saussure. Se encuentra en G. von der Gabelentz, F. N. Fink y A. Marty. Y en el mismo H. Paul se presentan las distinciones, en parte análogas, entre *Gemeinsprache* y *Sprache* (que corresponde más bien a 'lenguaje') y entre lo 'usual' y lo 'ocasional'".

[183] *Curso*, pp. 58-59. De Mauro, *Corso* 63, nos dice, textualmente: "Il rimaneggiamento editoriale del testo ms 160 B Engler ha tolto nitidezza in CLG 25 alla definizione di *langue* e qui alla definizione di *parole*. Nel ms si legge: '*la langue* est un ensemble de conventions nécessaires adoptées par le corps social pour permettre l'usage de la faculté du langage chez les individus [définition]. La faculté du langage est un fait distinct de la langue, mais qui ne peut s'exercer sans elle. Par la *parole* on designe l'acte de l'individu réalisant sa faculté au moyen de la convention sociale qui est la langue [définition]. La definizione toglie ogni dubbio: è fuori strada chi, come Valin 1964.24, rimprovera a S. di non avere chiamato *discours* la parole...". *Vid. et.* 2.º *Corso*, pp. 31-33.

84

en páginas precedentes: la lengua es social, sistemática, conectora de dos realidades externas, sonido y pensamiento, concreta y psíquica, puesto que son psíquicos sus elementos. El carácter social de la lengua significa que es del conjunto, que cada individuo no puede poseerla, no que tengan que considerarse lingüísticos los factores sociales que hemos visto, en lingüistas anteriores, relacionados con el lenguaje. Así, los elementos externos al lenguaje, las *realia,* aunque puedan influir, de un modo que Saussure no determina bien, en los hechos lingüísticos, pertenecen a la lingüística externa, y no pueden considerarse objetos propios de una ciencia cuyo fin principal es su autodelimitación y definición.

**4.3.5.** La lengua obtiene su carácter sistemático de que cada uno de los elementos del sistema ocupa un lugar determinado por sí mismo y por su posición en relación con los restantes elementos del conjunto. A esto es a lo que llamamos *valor:* "la lengua es un sistema de puros valores que nada determina fuera del estado momentáneo de sus términos"[184]. El valor es, por tanto, relativo, lo que está plenamente de acuerdo con el carácter arbitrario de la relación entre los dos constituyentes de los elementos mínimos del sistema, es decir, significado y significante de los signos.


## 4.4. LENGUA Y HABLA. SISTEMA Y NORMA

En el párrafo anterior ya hemos aludido a la dicotomía lengua-habla[185], con la que Saussure separa lo social de lo individual, lo esencial de lo accesorio y accidental. La lengua es producto, el individuo ante ella es pasivo, el habla es actividad[186]. El habla es "un acto individual de voluntad

---

[184] *Curso,* p. 148, y cap. IV, *passim.* El término *valor* tiene cierta ambigüedad, pues también puede ser aplicado a la capacidad, que, en cada caso, tiene una palabra para emplearse en situaciones que corresponden básicamente a su significado. *Cf.* M. Ivić, *cit.,* p. 128. E, Coseriu, en *Sincronía, ...,* VII, 2.1., se lamenta de que Saussure no haya interpretado como *valor cultural* su *valor.* El lingüista ginebrino habla, además, del valor lingüístico considerado en su aspecto conceptual (conexiones y diferencias con los otros términos del sistema, por el sentido), pp. 194-199, y considerado en su aspecto material (conexiones y diferencias por lo que ahora llamamos imagen acústica, y que luego llamaremos, más propiamente, significante o expresión), pp. 199-203. *Cf.* amplias referencias en *Sources,* pp. 280-281.

[185] *Curso,* pp. 57 y ss, y p. 65. *Cf. et.* notas 182 y 183, *supra, Corso* 65, y Coseriu, *Sincronía...,* I, 3.2. En I.3.3.1., este último autor critica las equivalencias saussureanas (*Curso,* p. 172) *habla-diacronía* y *lengua-sincronía* porque, de esta manera, la lengua se reduce a un *estado de lengua.* No olvidemos que Coseriu, como veremos en el texto, distingue *lengua,* concepto histórico, de *sistema,* concepto lingüístico inmanente, con lo que incurre en algo ya superado por Saussure, *cf. Corso* 41.

[186] La pervivencia del pensamiento humboldtiano, como ya se ha señalado, p. ej., en el prólogo de A. Alonso, o en la introducción de C. P. Otero a los *Aspectos* de Chomsky (ed. Aguilar), no puede estar más clara.

y de inteligencia"[187] con dos aspectos: la relación del individuo con el sistema, puesto que el individuo ha de tomar del sistema lo que le sirva para expresarse, y el cómo ese individuo puede exteriorizar esa relación, una vez que ha sido establecida[188]. La dicotomía entre la lengua, como sistema de signos, y el habla, como realización que cada hablante individual hace del sistema, plantea una primera dificultad con la simple pregunta de a qué corresponde lo que del sistema realiza la comunidad de hablantes. Saussure[189] cree que lo realizado por la comunidad es el habla, definida como "la suma de todo lo que las gentes dicen", pero sin que en ella haya nada de colectivo, pues "sus manifestaciones son individuales y momentáneas". El habla de la comunidad es la suma de las hablas individuales de los miembros de la misma. Esta respuesta puede parecer insatisfactoria, y ello se agrava por el hecho de que la lengua, pese a su carácter concreto, establecido por Saussure, es inanalizable en sí misma, porque no puede realizarse en sí, sino que el individuo realiza algo de ella en el habla. En las discusiones teóricas es fácil llegar a los bizantinismos, y no cabe duda de que en este caso se ha extremado la nota. Todos estamos de acuerdo en que los conceptos de lengua y habla son complementarios; no obstante, al delimitar y precisar cada uno de ellos, queda un vacío intermedio que parece difícil de salvar. Por ello no han faltado lingüistas que quisieran cubrir este espacio bisagra entre habla y lengua con un tercer concepto[190], como hicieron en 1951 Hjelmslev y Lotz, con su propuesta de tripartición: *esquema, norma establecida* y *habla*. La más conocida de las tesis tripartitas es la de E. Coseriu, con su división en *sistema, norma* y *habla*. En esta concepción, adelantamos, la norma es como una moneda de dos caras, por un lado el sistema, por otro el habla; pero ninguna de ambas caras está completa en la moneda (o sea, que el símil no sirve).

**4.4.1.** El lingüista rumano, tras un concienzudo análisis de gran cantidad de doctrinas, inicia su propia participación en la discusión, tras cinco deducciones[191], que implican que sólo puede darse el lenguaje como actividad

---

[187] *Curso,* p. 57. *Cf.* nota 183, *supra.*

[188] Sobre la obligatoriedad del código *cf.* nuestra observación a Coseriu, en nota 174.

[189] *Curso,* p. 65. *Corso* 80 remite a *Corso* 63. *Cf.* n. 183, *supra.*

[190] *Cf.* O. Akhmanova y G. Mikael'an: *The Theory of Syntax in Modern Linguistics,* La Haya (Mouton), 1969, y la reseña de Rz. Adrados en *R.S.E.L.,* I, 1971, p. 194, así como E. Coseriu: "Sistema, Norma y Habla", en *Teoría del Lenguaje,* p. 11. Acerca de la tripartición en Hjelmslev *cf.* A. Llorente, *Teoría,* pp. 102-104. Según Llorente, p. 103, Hjelmslev acepta la definición de *norma* como *lengua común* de J. Vendryes (*El Lenguaje,* p. 323): "la forma lingüística ideal que se impone a todos los individuos de un mismo grupo social", sin que deba confundirse con la *corrección gramatical.* El público español dispone ahora de la bibliografía del lingüista danés, recogida en apéndice de la trad. española de un conjunto de artículos: Louis Hjelmslev, *Ensayos Lingüísticos,* Madrid (Gredos), 1972; *cf.* esp. "Lengua y Habla" (1943), pp. 90-106.

[191] *Teoría del Lenguaje,* p. 41.

lingüística, como *hablar*, que *lengua* y *habla* se intercondicionan y, al exigir la una a la otra, no pueden ser autónomas, y no se pueden separar con nitidez; por ello (y coincidimos con lo dicho hasta ahora y, especialmente, con este tercer punto) los lingüistas pueden divergir en las clasificaciones de la única realidad, el fenómeno lingüístico unitario. Deduce, a continuación, que las oposiciones se limitan, en su mayoría, a oponer lo *virtual* (lengua) a lo *actual* (habla), lo abstracto a lo concreto[192] y, por último, que el nombre de *lengua*, que se destina a muchas cosas distintas, debe ser precisado o eliminado. En esta última línea, se llega a la precisión que consiste en definir la *lengua*, en el sentido amplio del término, no sólo como *sistema funcional*, sino también como *realización formal*[193]. El término *lengua* no se usa ya en la nueva oposición, que se establece entre *sistema, norma* y *habla*. La diferencia fundamental entre los dos primeros radica en que el sistema es más amplio, ofrece un abanico de posibilidades, mientras que la norma es más imperativa. La distinción entre ambos términos queda establecida en otro texto[194]:

> La distinción entre *sistema* y *norma* puede asemejarse, hasta cierto punto, a la que, en la lingüística americana, se establece entre los *pattern* 'productivos', como el del plural inglés en -*s* y los 'fijados' o 'limitados', como el de *ox-oxen*. Sólo que, para nosotros, la norma no abarca solamente lo 'fosilizado', sino todo lo establecido y común en las realizaciones lingüísticas tradicionales, en tanto que el sistema abarca las 'posibilidades', las directrices y los límites funcionales de la realización, es decir, la técnica misma del hacer lingüístico. En el caso de *ox-oxen*, el hecho de norma no es la forma *oxen* como tal (que, en cuanto posibilidad funcional, no es menos sistemática que *oxes*), sino el hecho de que en este caso la realización tradicional es, precisamente, *oxen* y no *oxes*.

**4.4.2.** La norma, como realización normal del sistema, es lo que de este sistema realiza cada hablante individual, pero en una dimensión comunitaria, el "uso lingüístico de una comunidad"[195]. La relación entre los tres términos se establece porque el hablar incluye la norma, en la que se incluye el sistema. La inclusión está determinada por la abstracción, que elimina los elementos repetidos: la máxima inclusión *(sistema)* corresponde a la máxima abstracción. El *hablar* comprende los actos lingüísticos concretos, lo que efectivamente se registra empíricamente. La *norma* elimina lo repetitivo, lo inmediatamente concreto, lo individual, para dejar lo común a los

---

[192] Que la lengua sea concreta, como dice Saussure, no impide que, en la especulación metalingüística, la consideremos en abstracto, en relación con el habla, que es experimentable. En este sentido debe entenderse también lo que se dice en la nota a la p. 4 de la *Aproximación a la Gramática Española*, 2.ª ed. Véase lo que dice al respecto Coseriu, *op. cit.*, p. 57.

[193] Coseriu, *ibid.*, p. 68.

[194] *Sincronía...*, p. 138, nota 32 donde remite a E. Nida, *Linguistic Interludes*, p. 146.

[195] Coseriu, *Teoría*, p. 43.

hablantes; pero la norma supone una doble abstracción, en relación con el hablar elimina lo subjetivo, lo individual, en relación con el sistema elige una de las varias posibilidades que éste ofrece, hasta tal punto que sistema y norma coinciden cuando el sistema se limita a una posibilidad. El *sistema,* por su parte, es un segundo grado de abstracción, que deja sólo las formas y sus funciones, desprovistas de todo elemento extralingüístico, como puede ser lo consuetudinario; el sistema es un esquema de valores, una simple relación funcional de formas y sustancias, que puede llegar a un cuarto grado, al *esquema* de Hjelmslev, si se prescinde de la sustancia fónica, mantenida en la concepción de Coseriu. El *esquema* sería exclusivamente formal. Por último, lo que hemos llamado *hablar* coincide con el habla si la oposición se establece entre concreto y abstracto, pues, en ese caso, la *lengua* incluiría el sistema y la norma.

**4.4.3.** La tripartición de Coseriu esconde, en realidad, la carencia de un criterio para limitar las subdivisiones. En efecto, también se podría dar una cuádruple división (ya que su concepto de norma no puede ser unitario), puesto que él mismo reconoce que existen dos normas, la *norma individual* y la *norma social.* Esto nos lleva a otra solución de la dicotomía merced a otra dicotomía (la de *competencia* y *actuación*). Conviene advertir, rápidamente, que *competencia* no equivale a *lengua* ni *actuación* a *habla,* si bien hay mayor proximidad entre los dos últimos términos que entre los dos primeros. La competencia, como veremos, supone unas *reglas,* concepto fundamental que la diferencia del concepto de *lengua,* según Saussure, que se suele interpretar como una doble ordenación, paradigmática y sintagmática. La actuación, por su parte, al depender, en último término, de la competencia del hablante, tampoco puede, por definición, ser equivalente a habla, concepto que no supone una competencia previa, con las reglas inherentes a esta última. La dicotomía competencia-actuación, por su parte, se convierte en juego de cuatro elementos si hacemos intervenir otros dos factores: la estructura profunda y la estructura de superficie. Según Chomsky [196]:

"La competencia lingüística —lo que se llama 'saber una lengua'— consiste en un sistema abstracto que subyace al comportamiento, sistema constituido por el conjunto de reglas cuya interacción determina la forma y el sentido intrínseco de un número potencialmente infinito de oraciones."

**4.4.4.-** Esta capacidad a la que se designa como *competencia* se completa con la *actuación,* entendida como realización concreta, por cada individuo, de un hecho lingüístico, gracias, precisamente, a la competencia lingüística de ese mismo individuo. Insistiendo en lo que decíamos antes, aunque

---

[196] *El Lenguaje y el Entendimiento,* p. 119.

se haya establecido muchas veces al paralelismo actuación-habla, la actuación estaría más en la línea de un *acto de habla* que del habla, con lo que se evitan las complicaciones metateoréticas de la segunda opción. Lo que resulta indiscutible es la interacción entre actuación y competencia, en lo cual coinciden Chomsky y Bar-Hillel. El primero, en "La Naturaleza Formal del Lenguaje" [197], afirma que:

"Una teoría de la actuación (productiva o perceptiva) habrá de contar entre sus partes con una teoría de la competencia —la gramática generativa de la lengua en cuestión— que estará entre aquéllas claramente diferenciada. Pero hay muchos modos de construir modelos de actuación, según que sean unos u otros los modelos de la competencia en que se apoyen".

**4.4.5.** En cuanto a Bar-Hillel [198], afirma:

"Me inclino a creer que la construcción de gramáticas debe ir acompañada de la de modelos de producir y aprehender expresiones —es decir, con la terminología al uso, que la teoría de la competencia ha de desarrollarse al mismo tiempo, más o menos, que la de la actuación— puesto que, si una lengua ha sido caracterizada 'adecuadamente', puede ser probada seriamente sólo si tomamos también en consideración la actuación".

**4.4.6.** Afirmando la validez de la distinción entre *competencia* y *actuación*, Lockwood [199] cree que esta distinción, sin embargo, se ha aplicado mal. Para evitar que se considere dentro de la *competencia* la construcción de modelos sin parecido alguno con el sistema que cada hablante tiene en su cerebro, los estratificacionalistas proponen dos tipos de *actuación:* la *ideal*, que sería la que parte de un modelo de competencia, más las convenciones para su realización, y la *real (actual performance)*, que sumaría a la ideal la actuación de lo que, con términos de Frei, llamaríamos la "gramática de los errores". La *actuación ideal* sería así la capacidad operativa de la competencia, mientras que la *real* sería la plasmación concreta, incluyendo los errores que el individuo puede cometer al expresarse y que no se pueden explicar por la competencia, pues harían a ésta contradictoria. En esta pretensión, lo primero que observamos es su paralelismo con la tripartición de Coseriu, por lo que se le pueden poner las mismas objeciones: primero, desde el punto de vista metodológico, la dicotomía es un recurso metodológico de abstracción para explicar unos hechos complejos. Sólo quien quiere establece, en sus reglas del juego, una distancia insalvable entre lengua y habla, competencia y actuación, distinciones justificables epistemológicamente y que, por ello, pueden considerarse, convencionalmen-

---

[197] Incluido en la compilación de F. Gracia, *Presentación del Lenguaje*, p. 326.
[198] Reseña de *The Structure of Language*, en *Aspects*, traducimos nosotros.
[199] *Op. cit.* 1.4.

te, adecuadas. Por otra parte, la revisión de la *teoría típica (standard theory,* que abreviamos ST) se ocupa ya de estas desviaciones que todos los hablantes cometemos al actuar lingüísticamente. Además, el estudio completo de hasta dónde se puede encaminar la solución, por medio del par competencia-actuación, exige un planteamiento previo de la relación entre lengua y gramática.

## 4.5. LENGUA Y GRAMATICA

Aunque con este párrafo adelantamos algunos puntos que corresponderían más a la sección de *método* que a esta de 'concepto', ahora tenemos que pasar al estudio de los fenómenos lingüísticos tomando en consideración la ciencia que se ocupa de ellos, pues así consideraremos, en principio, a la Gramática, con una definición muy amplia, que no requiere precisiones ulteriores. No estará de más recordar, con Aldrete[200], que:

"lo principal de la lengua, ..., consiste en los vocablos, i en el variarse por sus tiempos, i casos, i en la trauazon con que entre si se juntan para hazer buen sentido, que llaman gramatica. Lo qual como es essencial, de que la lengua se compone, i forma, assi para que sea otra diuersa a de faltar una o ambas destas partes. Por esta causa, aunque en vna lengua se admitan algunos vocablos de otra, no por esso se muda, porque sus partes principales se conseruan".

**4.5.1.** La gramática, para Aldrete, tiene ya un valor funcional, explícito en esa 'trabazón' y en ese 'entre sí' del texto anterior. Nada tiene de extraño, si tenemos en cuenta que Aldrete es una de las grandes figuras de una época en la que los gramáticos españoles han de crear unas teorías que, a partir de su influencia posterior, especialmente de Port Royal, llegarán hasta la fundamentación teórica de buena parte de la ciencia contemporánea.

**4.5.2.** Realizaremos ahora nuestros planteamientos a partir de una de las prolongaciones (por la tortuosa vía de las influencias y los contagios) de esa doctrina racionalista, la gramática generativa, a partir de la siguiente afirmación de Noam Chomsky[201]:

Una persona que sabe una lengua específica dispone de una gramática que *genera* (esto es, caracteriza) el conjunto infinito de las posibles estructuras profundas, transpone estas últimas en las estructuras superficiales asociadas con ellas y determina la interpretación semántica y la interpretación fonética propias, respectivamente, de cada uno de esos objetos abstractos.

[200] Bernardo de Aldrete, *Del Origen y Principio de la lengua castellana o romance que oi se usa en España.* Roma (Carlo Vulliet), 1606, p. 190.
[201] *El Lenguaje y el Entendimiento,* p. 54.

**4.5.3.** Dejando, por el momento, de lado dos problemas importantes, como son, en primer lugar, la discusión sobre la importancia de la semántica para la estructura de superficie, y no sólo en la profunda, como rasgo que enfrenta la teoría típica (ST) a las ramificaciones de la semántica generativa, o, en segundo lugar, la posibilidad de que varias estructuras profundas tengan una sola representación semántica, o viceversa, nos detendremos a considerar, por el momento, que existe una correlación entre sonido y sentido, correlación infinita, que la gramática debe definir. Para tratarla partiremos de la teoría típica, es decir, la de *Aspectos de la Teoría de la Sintaxis,* 1965, con la previa advertencia de que creemos, de acuerdo con la tendencia general dominante hoy (Lyons, por ejemplo), que es necesario modificar algunos aspectos de esta teoría típica, si bien no se ve con claridad la mejor manera de hacerlo. Así pues [202], seguiremos la afirmación de que "la gramática de una lengua debe contener el sistema de las reglas que caracterizan las estructuras profundas y superficiales y la relación transformacional entre las mismas, y eso —si dicha gramática tiene que acomodar el aspecto creador del uso del lenguaje— a todo lo largo de su infinita extensión de estructuras profundas y superficiales emparejadas una a otra. Para usar la terminología empleada por Wilhelm von Humboldt en la década de 1830, el hablante hace un uso infinito de medios finitos. Su gramática debe, por consiguiente, contener un sistema de reglas finito que genere una pluralidad infinita de estructuras profundas y superficiales, adecuadamente relacionadas entre sí. Debe contener también determinadas reglas que establezcan la relación entre esas estructuras abstractas y ciertas representaciones del sonido y el sentido, representaciones que es de presumir que están constituidas por elementos pertenecientes a la fonética universal y a la semántica universal, respectivamente".

**4.5.4.** No hay duda de que, para una gran parte de la lingüística contemporánea, a partir de Chomsky [203], la gramática generativa es la que cumple mejor este ideal de explicación, y no de mera descripción, del hecho lingüístico. Pero no hay sólo una gramática generativa, como no hay sólo una gramática no-generativa. De un modo muy general, podemos decir que la gramática que intenta estudiar los fenómenos lingüísticos experimentables, con un criterio taxonómico o clasificador, es la gramática *descriptiva.* La gramática *normativa,* de la que algo dijimos en la introducción, es la que selecciona una norma y la impone a los hablantes, como hacen las gramáticas académicas, herederas del normativismo neoclásico (con un concepto de norma, no hace falta decirlo, muy distinto del de Coseriu). Dentro de las gramáticas descriptivas podemos tener muchos tipos, pues admiten tanto un enfoque centrado en la lengua como en el habla. De

---

[202] *Ibid.,* pp. 34-35.
[203] El pensamiento chomskyano ha de aparecer muy simplificado en este resumen.

las primeras forman parte las gramáticas estructurales y funcionales. Estas gramáticas, dicho sea de modo muy esquemático, tratan de establecer los rasgos fundamentales del sistema. Por ello, no parten, como decimos, de la realidad del habla, y rechazan la intuición del individuo, sino que enfocan la esquematización, la lengua, que corre el peligro de verse falseada (en doctrinas poco rigurosas, claro está, no en sólidas teorías como las de Hjelmslev y Harris) para hacer encajar las piezas. Dentro de esta tipología estructural se ha señalado una diferencia que puede tener un valor pedagógico: el adjetivo *estructural* puede reservarse para las de preferente orientación paradigmática, es decir, para las que tratan de establecer los esquemas más simples de la gramática, o descripción del sistema lingüístico. Es el tipo de gramática preferido por lingüistas descriptivos más o menos tradicionales o normativos, que sienten de pronto la imperiosa necesidad de dar un aparente barniz de 'cientifismo' a sus teorías. Las que portan el adjetivo *funcional,* en cambio, sin perder esa orientación paradigmática, la tienen también sintagmática: les interesa la relación que se establece entre los elementos del sintagma. En realidad, parece ser que la evolución de lo estructural a lo funcional es un requisito metodológico que se impone cuando la etapa estructural no ha sido una simple máscara.

**4.5.5.** En el estudio de las gramáticas, una de las pruebas más importantes a que podemos someterlas, por la aplicación de criterios matemáticos en su análisis, es la determinación de su capacidad generativa. Para este análisis podemos dividir las gramáticas en tres grupos, aunque luego, cuando hagamos una clasificación tipológica veremos que el grupo se amplía. Nuestros tres primeros tipos de las gramáticas generativas, según Chomsky, son:

De estados finitos.

Sintagmáticas o ahormacionales.

Generativas (término que se prefiere ahora porque no todo el mundo admite las reglas de transformación, por las que antes se llamaron transformacionales[204], o *transformativas,* término que prefiere Alarcos). Serían las generativas propias.

**4.5.6.** Podemos adelantar que, desde el punto de vista de la construcción de la gramática y sus reglas, el tipo más perfecto es el constituido por una gramática generativa consensible *(context sensitive),* con transformaciones cíclicas, posibilidad de recobrar lo borrado (recoverability of deletion) y capacidad filtrante. El conjunto de lenguas descrito por una gramática

---

[204] Para la evolución de la G.G. *cf.* F. Lázaro, "Sintaxis y Semántica", en *R.S.E.L.,* 4.1., 1974, pp. 61-85. La importancia de la G.G. ya había sido señalada por Lázaro, en "La Lingüística Norteamericana y los Estudios Literarios en la Ultima Década", *Rev. Occ.,* 81, 1969, pp. 319-347. *Vid. et.* J. Lyons: *Chomsky,* Barcelona (Grijalbo), 1974, esp. pp. 51-91.

como la anterior equivale al conjunto de lenguas descritas por una máquina Turing, es decir, al conjunto descrito por un sistema de reescritura sin restricciones. Sabemos, naturalmente, que hay dos tipos de capacidad generativa, la *fuerte* o la *débil,* que determinan una equivalencia fuerte o débil entre los distintos tipos de gramáticas. Decimos que dos gramáticas tienen equivalencia fuerte cuando generan el mismo tipo de descripciones estructurales correctas de una lengua, y que tienen equivalencia débil cuando generan el mismo tipo de frases. Hay una equivalencia débil entre el conjunto de lenguas descritas por una gramática transformacional (GT) inconsensible *(context free),* consensible, generado por una máquina Turing, o recursivamente enumerable o un sistema de reescritura sin restricciones. (Este breve resumen, que condensa algunos puntos tratados por Ruwet, p. ej., debe mucho al curso de Semántica de E. Bach, en la 3.ª Escuela de Verano de Lingüística Computacional, del Centro de Cálculo del C.N.R., en Pisa, 1974. Los errores que hubiere han de ser imputables, desde luego, al autor de estas páginas.)

**4.5.7.** Ahora podemos pasar a una breve referencia a los tres tipos de gramáticas enunciados antes.

**4.5.8.** Por medio de la GRAMATICA DE ESTADOS FINITOS generamos linealmente una lengua, que fragmentamos, en el análisis, en una serie de estados sucesivos, $E_1$, $E_2$, $E_3$, ... $E_n$. Podemos efectuar sustituciones de varios elementos de cada estado, pero la relación de un estado a otro es lineal e irreversible, no podemos volver atrás para intercalar nuevos elementos, una vez que hemos engendrado la frase en cuestión, o una parte de ella; la organización de la frase es jerárquica. Con una gramática de este tipo generamos un lenguaje que, de ser aplicado por una máquina, habría de serlo por una que no tuviera la posibilidad de retroceder. Se trata de un modelo de izquierda a derecha, que choca con dos objeciones fundamentales (Miller y otros): que así no se puede aprender una lengua, y que no se pueden producir o generar por él varios tipos de construcciones que admite la gramática de una lengua. En el ejemplo:

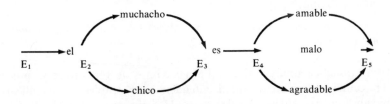

la descripción nos indica la posibilidad de sustituir un elemento (por ejemplo muchacho por chico, etc., amable por malo, agradable, etc.) siempre que las sustituciones funcionen en la misma columna, pero no va más allá, y no nos indica cómo se integran unas unidades en otras hasta llegar a la más sencilla. Podemos sustituir el contenido de las casillas, pero no podemos integrar unas casillas en otras, ni señalar relaciones de dependencia, sino de simple sucesión.

4.5.9. La GRAMATICA SINTAGMATICA puede señalar esas relaciones de dependencia, puesto que permite la integración en unidades progresivamente más simples, con lo que se puede realizar una representación arbórea, con los siguientes tipos:

recursiva
a la izquierda

recursiva
a la derecha

símbolos
autoenvolventes,
o de 'dependencias
encajonadas'

He aquí ejemplos de los tres tipos:

Recursiva a la izquierda:

> *Del salón en el oscuro ángulo*

Recursiva a la derecha:

> *En el ángulo oscuro del salón*

Autoenvolvente:

> *El hombre que pretende que, si Pedro quiere a María, es que está enfermo, es imbécil.*

Esta gramática sintagmática, como acabamos de ver, ofrece la novedad de ser recursiva. Por recursividad entendemos la propiedad de aplicar las reglas un número indefinido de veces. No obstante, tiene la limitación de principio (para no engendrar construcciones agramaticales y no ser contradictoria) de no poder aplicar las reglas más que a uno de los brazos de la representación o algoritmo. Además, integra las unidades a partir del enunciado, que no puede descomponer en unidades menores por no poder analizar los elementos terminales. Tampoco puede analizar los constituyentes discontinuos, del tipo

haber + verbo + -do

y le es imposible explicar la relación que existe entre *Juan come peras* y *las peras son comidas por Juan,* o las diferencias existentes entre *el pollo está preparado para comer,* según *el pollo* sea agente o paciente de *comer.* En apoyo de la gramática 'generativa' vamos a tomar el razonamiento de Ruwet [205], referido a la frase inglesa *the dog is barking* [206]. El inconveniente principal de una gramática sintagmática es que, a veces, puede dar varias descripciones para frases en las que no hay ambigüedad semántica. En el caso que nos ocupa, dice Ruwet, la frase puede recibir una triple descripción:

En efecto, una gramática sintagmática es, esencialmente, una gramática categorial; lo esencial de la descripción estructural es, para ella, asignar una determinada categoría a un morfema [207] o a una serie de morfemas. Luego, si queremos construir una gramática sintagmática inglesa relativamente simple, tenemos que asociar *barking* a tres categorías diferentes. En efecto, para explicar una frase como *barking dogs never bite* ('los perros ladradores no muerden'), hemos de tratar *barking* ('ladrador', pero también 'ladrando') como si fuera un adjetivo (cf. *black dogs never bite,* 'los perros negros no muerden'); también podemos tratar *barking* (que puede equivaler al infinitivo español 'ladrar') como sintagma nominal, si queremos construir *barking is dangerous* 'ladrar es peligroso') (cf. *the dog is dangerous,* 'el perro es peligroso'); y, por último, *is* + *bark* + *ing* es parte del paradigma verbal inglés, por lo que *barking* es, igualmente, parte del verbo.

Como la gramática sintagmática arranca de un análisis de constituyentes inmediatos, es decir, de una segmentación del enunciado hasta llegar a las unidades menores, tiene que dar a *barking* sus tres posibilidades, con una triple ambigüedad inevitable, que difícilmente puede aceptar una metodo-

[205] Nicolás Ruwet, *Introduction à la Grammaire Générative.* París (Plon), 2.ª ed., 1968, esp. pp. 385-388. Trad. española en ed. Gredos, Madrid, cf. III.6.32. Cf. et. Noam Chomsky, "Three Models for the Description of Language" (Institute of Radio Engineers) *Transactions on Information Theory* IT-2, p. 118, así como Kurt Wächtler: "Strukturelle Grammatik und Generative Grammatik: Zwei Entwicklungsphasen der deskriptiven Linguistik". en *Neueren Sprachen* (Marburgo), 1966, pp. 67-76, y G.A. Miller, E. Galanter y K.H. Pribram, "Planes para Hablar", en *Pres. del Lenguaje,* cit., pp. 249-272. Para la historia de nuestra ciencia interesa ver J. Sabrsula: "Transformations. Translations. Classes Potentielles Syntaxico-sémantiques», en *Tr. Ling. Prague,* 3, 1968, pp. 53-63, que hemos podido consultar en Madrid gracias a una amable indicación de Manuel Alvar Ezquerra. Nos parece imprescindible advertir aquí, por último, que, de momento, nuestra exposición es provisional, por lo que no entramos en la crítica de Rodríguez Adrados, *Lingüística Estructural,* I, pp. 415-435.

[206] "El perro ladra (ahora)", nos parece que está más en el sentido de la frase que la traducción "el perro está ladrando". No olvidemos que la construcción inglesa con -*ing* está mucho más gramaticalizada, en la conjugación, que las perífrasis con gerundio en español.

[207] Entendido en el sentido americano de unidad mínima provista de significado.

logía correcta. Para evitar la ambigüedad, tendría que recurrir a una serie de reglas seleccionadoras, con el inconveniente claro de tener que prever, en la construcción de la gramática, las reglas que aclaren los muchos casos particulares de uno u otro tipo.

**4.5.10.** La GRAMATICA GENERATIVA, en cambio, tomando como ejemplo la teoría típica (ST), puede analizar estas oraciones gracias a su doble sistema de reglas: las de generación de la base de la gramática y las de transformación. Por ello, genera, si está bien construida, sólo oraciones gramaticales, es decir, correctas y, al admitir las ambigüedades existentes en las oraciones como la última ejemplificada, puede dar dos o más descripciones, según las ambigüedades posibles, tanto si la ambigüedad es de superficie como si es profunda.

Estos dos últimos conceptos, el de estructura de superficie y el de estructura profunda, son los que habremos de poner en conexión con la dicotomía actuación-competencia para explicar la lengua, ya que las reglas gramaticales establecen una relación entre la estructura latente, o profunda, y la estructura superficial, o patente [208].

Se podría suponer que la estructura de superficie y la profunda fueran siempre idénticas. De hecho, podríamos caracterizar las teorías sintácticas que han surgido en la moderna lingüística estructural (taxonómica) como basadas en la afirmación de que las estructuras profundas y las de superficie son realmente idénticas. (...) La concepción central de la gramática transformacional es que, por regla general, son distintas, y que la estructura de superficie está determinada por la aplicación reiterada de ciertas operaciones formales llamadas 'transformaciones gramaticales' a objetos de tipo más elemental. Si esto es verdadero (como lo considero desde ahora), entonces el componente sintáctico debe engendrar estructuras de superficie y profundas, para cada frase, y debe establecer una correspondencia biunívoca entre ambas [209].

Pero estas estructuras profundas y superficiales son hechos que deben organizarse en función del individuo. Cuando éste habla, gracias a su *competencia* lingüística o dominio de la gramática que le permite engendrar esas frases, lo que hace es pasar de la estructura profunda a la de superficie una serie de elementos, gracias a una serie de reglas: de *generación* de la base de la gramática, y de *transformación* (seguimos en la ST, naturalmente). A la expresión de este hecho llamamos *actuación*. Los elementos lingüísticos se organizan en un doble plano, de la lengua y del individuo. En el plano de la lengua se organizan en una estructura profunda y una estructura

[208] "Latente" y "patente" son términos de C.P. Otero para traducir *deep structure* y *surface structure*. En la traducción de *performance* nos decidimos también por otro término de Otero, 'actuación', generalmente aceptado. En cuanto a *context sensitive* y *context free*, los términos que adoptamos, 'consensible' e 'inconsensible', proceden de Sánchez de Zavala, según creemos.

[209] N. Chomsky, *Aspects of the Theory of Syntax*, Cambridge (Mass.), M.I.T., 1965, pp. 16-17, traducimos nosotros.

de superficie, que sólo existe como patentización de una estructura profunda. En el plano del individuo hay una competencia, meramente teórica, que sólo nos es asequible gracias a la introspección, o gracias a su patentización por la actuación individual y concreta, siendo, por ello, irrepetible. Podemos repetir la estructura superficial patentizada por una actuación, pero no la actuación, que es un acto único. Todas las veces que digamos 'estoy cansado' realizaremos actuaciones distintas, pero la estructura, tanto superficial como profunda, no habrá variado.

La relación entre estructura profunda y competencia, que no es de igualdad, estriba en que la competencia lingüística permite al individuo manejar las estructuras (profundas y de superficie) de su lengua.

**4.5.11.** Integraremos todos estos elementos en el siguiente esquema:

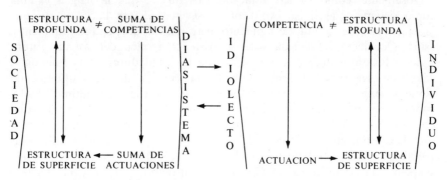

El conjunto de reglas gramaticales que emplea un individuo genera su *idiolecto,* que es siempre individual. Lo que tienen de común distintos idiolectos forma un *diasistema.* El conjunto *lengua* está formado por varios diasistemas, que a su vez están formados por idiolectos, como tuvimos ocasión de pormenorizar en 3.2.

**4.5.12.** El esquema anterior relaciona adquisiciones de la lingüística generativa y hechos y conceptos analizados por la sociolingüística; con ello, una vez más, nos permitimos insistir en la interacción de todas las facetas que presentan los hechos lingüísticos, necesaria para una explicación concreta, sin que ello obste, repetimos, para que se empleen distintos métodos parciales en su estudio. Naturalmente, si se admite la explicación propuesta en último lugar, con su doble juego de estructuras, profunda y de superficie, relacionadas por reglas bien definidas, y su referencia ineludible al individuo, en el juego, también doble, de competencia y actuación, habría que admitir también la importancia de la introspección que el individuo puede realizar sobre su competencia, en el análisis lingüístico, lo que no todos los lingüistas están dispuestos a hacer [210].

[210] *Cf.* Rz. Adrados, en repetidas ocasiones, por ejemplo, en *R.S.E.L.* I, 1971, p. 195,

## 4.6.  INTEGRACION DE SISTEMAS

Aunque hemos preferido retrasar la discusión de la dicotomía sincronía-diacronía a los capítulos de método, nos vemos obligados a tocar ahora algunos de sus aspectos, anticipadamente. Es cierto que, en general, podemos apoyar la afirmación de McLennan[211] de que Saussure descarta el *habla* del interés primordial de la lingüística, y aplica la consideración sistemática de la interrelación *(où tout se tient)* a la sincronía, considerando los cambios diacrónicos como procesos "espontáneos y fortuitos"[212], sin embargo, es en el *Curso* donde se afirma que "en cada instante el lenguaje implica a la vez un sistema establecido y una evolución"[213]. Esto ha de suponer, forzosamente, como ya ha destacado Coseriu[214], que la lengua cambia como sistema, que en su evolución es sistema que se hace, puesto que la lengua es sistema en todo momento, pero sistema que, en todo momento, está en evolución. En cada sistema existe el germen del sistema futuro y de la futura evolución, como señalaron los fundadores de la fonología: Jakobson, Karcevski y Trubetzkoy. La concepción de estos últimos, tal como se expresa, p. ej., en "La phonologie actuelle", del último citado, supone una crítica del modo de plantear Saussure la relación sincrónico-diacrónica. Es sintomático que esta posición no haya variado hasta hoy, y que Jakobson, en el que es, a la hora de ¶la primera redacción de estas páginas, su último trabajo publicado[215], afirme tajantemente que "por una coincidencia significativa, el Círculo Lingüístico de Praga y el genetista Jacob han definido el objeto de sus estudios como 'un sistema de sistemas'".

**4.6.1.**  La brecha abierta en el sistema por la crítica de los fonólogos deja paso a diversas sugerencias. En primer lugar, nos ocuparemos de una, en la que, de nuevo, reaparecen las viejas teorías humboldtianas, siempre vivas; nos referimos a la afirmación de Valverde sobre el aspecto del lenguaje

---

a propósito de la negación de la validez del criterio de los informantes en la valoración (evaluación) de la gramaticalidad de una oración generada por las reglas.

[211] *El problema del aspecto verbal,* p. 138.

[212] *Cf. et.* Coseriu, "Determinación y Entorno", p. 285.

[213] *Curso,* p. 50. *Corso* 41. Coseriu, en *Sincronía...,* I, 2.3.1., señala que "en la lengua hay interdependencia entre el 'ser' y el 'devenir'", para lo que remite a von Wartburg. *Problemas y Métodos de la Lingüística,* Madrid, 1951, pp. 13 y ss., 229 y ss., así como que "un estado de lengua es sincrónico pero no estático", para lo que remite a R. Jakobson, en *Results of the Conference of Anthropologists and Linguists,* suplemento del *I.J.A.L.,* XIX, 2, Baltimore, 1953, pp. 17-18.

[214] *Ibid.,* VII, 3.1.1.

[215] Nos referimos a su reseña de la obra de François Jacob, *The Logic of Life,* en *Linguistics,* 1979, que citamos según el *preprint* amablemente enviado por el maestro, p. 3: "Through a significant coincidence, the Prague Linguistic Circle and the geneticist Jacob have defined the object of their studies as 'a system of systems'".

cuando nos disponemos a utilizarlo [216]. Valverde, muy influido por la concepción del lenguaje como actividad, ve en el mismo, más la posibilidad que la determinación, del mismo modo que Coseriu, cuando, según hemos visto, señalaba que la norma suponía la elección de una de las varias posibilidades del sistema. La lengua sería así una serie de posibilidades de expresión, con lo que un primer sistema englobaría los sistemas futuros y, en la permanente actividad, habría sistemas previos y futuros implícitos en el momento presente. Esta línea humboldtiana aparece, como no podía ser menos, en la escuela lingüística española, según podemos observar en el texto de Diego Catalán que citamos [217]:

"Todo estudio sincrónico de una lengua obra sobre una abstracción muy artificial al tratar de reducir a un sistema de signos único lo que en cualquier hablante es una pugna entre varios sistemas simultáneos y a menudo incompatibles".

**4.6.2.** El plurisistematismo que se observa en este texto, con el que estamos de acuerdo [218], contrasta con otro tipo de plurisistematismo, tal cual se desprende del siguiente texto de Coseriu [219].

"Pero hay que subrayar que la *lengua funcional* no debe confundirse con la *lengua histórica* o *idioma* (como, por ejemplo, la lengua española, la lengua francesa, etcétera). Una lengua histórica puede abarcar no sólo varias normas, sino también varios sistemas. Así, por ejemplo, las realizaciones como [káθa] y [kása], por *caza,* son igualmente españolas, pero corresponden a dos sistemas diversos... El 'español' es, por lo tanto, un 'archisistema' dentro del cual quedan comprendidos varios sistemas funcionales."

**4.6.3.** Esta precisión, muy importante, nos parece innegable, sin que por ello ataque nuestras ideas sobre el plurisistematismo, que van en otro sentido, precisamente en el aludido arriba de que, en la lengua (y por ello en la posibilidad de ser actuado por cualquier hablante) coexisten varios sistemas. Esta postura supone, por nuestra parte, como por parte de lo que Diego Catalán llama "escuela lingüística española", la pretensión de explicar la lengua por el juego de la sincronía y la diacronía, pretensión pancrónica que puede apoyarse, también, en los últimos textos de Jakobson [220], donde se afirma la validez de la confluencia, en lingüística, de

[216] *Guillermo de Humboldt,* cit. p. 53.
[217] *La Escuela Lingüística Española y su Concepción del Lenguaje,* p. 32.
[218] *Cf. Aproximación* 2.2 y 3, *passim.*
[219] *Sincronía,* II, 3.1.4.
[220] En *Linguistics,* 1974, cit., p. 2 de la separata: "The necessary bond between such a teleological premise [la de reconocer la finalidad de los sistemas] on the one hand and a merger of diachrony with synchrony on the other remains valid in linguistics as well". Para el carácter teleológico de la Lingüística, *cf.* A. Llorente, *Teoría,* pp. 423 y siguientes.

sincronía y diacronía, y se proclama la "indisoluble interconexión" entre ambas.

**4.6.4.** La dimensión pancrónica y su viabilidad han sido sometidas a estudio por A. Llorente[221], quien cree en el carácter pancrónico de la lingüística general, superando la dicotomía saussureana, si bien admite la imposibilidad inmediata de tal lingüística general pancrónica, cuando aún no se ha logrado una descripción científica satisfactoria de las lenguas, con lo que se acoge a la opinión de André Martinet[222]. Por encima de todo, la interacción de múltiples sistemas en la lengua aparece cuando se examina el rendimiento funcional de las unidades que la constituyen. Por ello nos parece interesante incluir la opinión de uno de nuestros más destacados semitistas, Federico Corriente, quien llega al tema que ahora nos interesa a través del estudio del cambio de funciones en relación con morfos distintos como resultado del cambio diacrónico[223]. En efecto, en la evolución diacrónica puede ocurrir que la función que, en origen, era desempeñada por un único morfo, pase a ser desempeñada también por otro, y que éste, de co-morfo pase a morfo básico y que, incluso, llegue a suplir al primer morfo en todas sus funciones, como resultado de la economía del sistema, con lo que el cambio llega a su término. Corriente plantea luego la dificultad de determinar la elección discriminada entre morfos funcionales auténticos de la etapa anterior al cambio y morfemas sin función que aparecen antes de que el cambio llegue a su última etapa, y que pueden dar la impresión equivocada, al menos a primera vista, de un rendimiento funcional. Se decide por la conmutación como mejor método para realizar esta discriminación, planteándola de la siguiente manera: en un conjunto paradigmático, un miembro de este conjunto o serie flexiva (casual, temporal, modal) reemplaza a otro (la *-o* del dativo a la *-i* del genitivo, por ej.); puede ocurrir entonces que se produzca una variación gramatical entre los contenidos lógicos de ambas expresiones, en ese caso hay rendimiento funcional, o puede ocurrir que la conmutación origine una frase agramatical, o que no haya diferencia ninguna, en cuyo caso puede tratarse de que sea un conjunto secundario de morfos[224] o bien un sistema muerto, un legado del pasado que ya no tiene actividad, pero que sobrevive amparado en el carácter conservador y tradicionalista del lenguaje. Los sistemas muertos y los vivos se entrelazan sincrónicamente, hasta el punto de que, a menudo, una gran cantidad de hablantes recurren

---

[221] *Op. cit.*, esp. pp. 422, 438.

[222] *Lingua*, I, 1.

[223] "On the Functional Yield of Some Synthetic Devices in Arabic and Semitic Morphology", en *The Jewish Quarterly Rev.*, LXII, pp. 20-50, esp. 31 y ss. Agradezco a mi amigo J. M.ª Fórneas que haya llamado mi atención sobre este interesante trabajo.

[224] Así ocurría cuando el hablante latino tardío utilizaba los morfos de la 1.ª declinación, *dia-ae*, por los de la 5.ª, *dies-ei*.

al aprendizaje memorístico (inconsciente) de gran cantidad de fórmulas fijas que les permiten salvar su falta de habilidad para identificar formas y funciones (morfemas y logemas, más precisamente, en la terminología que aplica Corriente). Los hablantes, por su parte, se dedican también a la búsqueda de nuevas marcas funcionales que permitan superar lo que hay de seco y muerto en esas fórmulas fijas, restos de sistemas sin funcionalidad, con lo que se avecinan nuevas alteraciones del sistema, nuevos sistemas convirentes.

**4.6.5.** De este modo, los individuos van aportando numerosas variaciones, reliquias o premoniciones de caracteres funcionales que han sido o serán sistemáticos; la lengua se configura y desfigura simultáneamente, ofreciéndose al observador, una vez más, como ese círculo humboldtiano en el que del lenguaje-actividad surge el lenguaje-producto, para que éste, a su vez, en unión de otros factores, como sabemos, determine una nueva actividad lingüística, en una perenne actividad productora. La consideración de la lengua como sistema de sistemas vuelve a salvar tanto la antinomia lengua-habla, como la de sincronía y diacronía.

CAPITULO **5**

# EL SIGNO LINGÜISTICO

## 5.1. ELEMENTOS DEL SIGNO

En las páginas anteriores, y muy especialmente en el antecedente capítulo, hemos tenido que anticipar algo de lo que ahora desarrollaremos. En efecto, hemos definido la lengua como sistema de signos, y hemos hablado de que se ponen en relación el pensamiento y el sonido por medio del signo. Queda, pues, por adelantado, el carácter bifacial del signo, uno de cuyos elementos mirará hacia el pensamiento y otro hacia el sonido. Sin embargo, el signo no pone en relación un pensamiento con un sonido, sino un concepto con una imagen acústica o, si preferimos, manteniendo la distinción estoica y agustiniana, un *signatum* con un *signans,* un *significado* con un *significante* y, en términos glosemáticos, más generalizados hoy, un contenido con la expresión del mismo. La idea del carácter bifacial del signo estaba en la mentalidad de los primeros años de nuestro siglo, hasta el punto de que podemos quedar satisfechos de los gramáticos españoles coetáneos de Saussure, pues a uno de ellos, Eduardo Benot, en su *Gramática Filosófica,* corresponde el siguiente párrafo[225]:

"Un fenómeno es *signo* de otro cuando un ser inteligente percibe relación entre lo significante y lo significado".

**5.1.2.** Ni Saussure, ni Benot, por supuesto, inventaron este doble carácter, sino que era algo ya muy antiguo en la historia de la gramática, donde figuraba desde los gramáticos helénicos. He aquí cómo se exponen algunas de las ideas de éstos en la *Teoría de la Lengua* de A. Llorente[226]:

[225] 1.ª ed.,1910. Citamos por la segunda, 1921, p. 38.
[226] Páginas 60-61. Corregimos algunas erratas en los términos griegos.

"Los estoicos veían claramente que el significado (σημαινόμενον) del significante (σημαινον) no es ni la *idea psíquica* (φαντασìα λογιή) ni la cosa real (τυγχανον), sino lo que llamaban (λεκτόν); esto, traducido *dicibile* por los latinos, se distingue de la cosa real por el hecho de que la cosa real es σώματι όν mientras que el λεκτόν es ἄσωματον, es decir, que tiene una existencia puramente ideal. El τυγχάυου es una parte del mundo real; el λεκτόυ pertenece a la esfera ideal".

**5.1.3.** Así pues, a partir de la división del signo en significante y significado, los estoicos se enfrentaban con el problema del significado, especialmente en relación con el mundo real. Como luego veremos, este punto será también discutido después de Saussure. Ahora, por nuestra parte, nos contentaremos con la exposición de las ideas de éste, que serán ampliadas en los próximos párrafos con las críticas y discusiones de lingüistas posteriores.

**5.1.4.** La idea de signo, como es bien sabido, es central en el *Curso*. Se plantea sustancialmente en el capítulo I de los Principios Generales[227], pero ya se había hablado de ella, inicialmente, en el capítulo III de la Introducción[228], donde en la audición y la fonación (en el hablante y el oyente) se pueden distinguir, como señala Saussure, un *concepto* y una *imagen acústica* del mismo[229]. El paso del concepto a la imagen acústica es *activo* y *ejecutivo,* el de la imagen acústica al concepto *pasivo* y *receptivo*[230]. Lo dicho en estas páginas, a propósito del circuito del habla, queda ampliado

[227] Páginas 127 ss. *Corso* 128 para la concepción del sistema y los términos *significante* y *significado.* De Mauro critica a los editores del *Curso* la mezcla de la vieja terminología *(concepto* e *imagen acústica)* con la nueva, consecuencia de haber establecido Saussure (en su 3.er *Curso)* la radical arbitrariedad del signo. En *Corso* 129 se expone un punto que tendrá especial interés para lo que diremos en los dos próximos capítulos: la concepción de la lengua como nomenclatura, en Aristóteles y en la Gramática racionalista de Port Royal, rechazada por Saussure y por Hjelmslev, luego, y que es, a nuestro juicio, uno de los puntos de aproximación de las tesis racionalistas (analogistas en sentido restringido) a las anomalistas. Hoy día, tras el paso de Wittgenstein de defensor (en el. *Tractatus)* a contradictor (en las *Philosophische Untersuchungen),* la consideración de la lengua como "una lista de términos que corresponden a otras tantas cosas" (criticada en *Curso* 127) no parece sostenible en la gramática generativa, en la que esa nomenclatura sería, si acaso, sólo una parte del componente semántico (*vid.* nota 233, *infra).* *Corso* 130 ofrece importante ayuda bibliográfica y crítica. En el 2.º *Corso* se observa (pp. 35-44) cómo Saussure no había llegado aún a una formulación satisfactoria. Es posible (y en esta probabilidad coinciden los críticos) que Saussure, en el 3.er Curso, que sirve de base a la edición de esta parte en el *Curso* publicado, estuviera todavía buscando una fórmula rigurosa, y que las vacilaciones que se observan sean debidas, en parte al menos, a que, en su exposición, habría tratado de ser lo más pedagógico y asequible que pudiera. *Cf. et. Sources* 114-130 y 190 y ss.

[228] Páginas 54 y ss.

[229] Que se puede complicar con "la sensación acústica pura, la identificación de esa sensación con la imagen acústica latente, la imagen muscular de la fonación, etc.". *Ibid.,* página 55.

[230] *Ibid.,* 56. En *Corso* 61 se indica que hoy sabemos que el papel de la audición no es simplemente pasivo y receptivo, sino también de selección.

luego, como decimos, con un capítulo dedicado al signo, en el que lo anterior se precisa y concreta. Partimos, todavía, de los términos *imagen acústica* y *concepto*. Ambos tienen carácter psíquico; esto, fácil de ver en el concepto, requiere alguna explicación para la imagen acústica, que "no es el sonido material, cosa puramente física, sino su huella psíquica, la representación que de él nos da el testimonio de nuestros sentidos; esa imagen es sensorial, y si llegamos a llamarla "material" es solamente en este sentido y por oposición al otro término de la asociación, el concepto, generalmente más abstracto"[231].

**5.1.5.** Tras fijar el carácter biunívoco de la correspondencia entre concepto e imagen acústica, el lingüista ginebrino advierte la necesidad de precisar la terminología para evitar el error vulgar de confundir *signo* con *imagen acústica;* para ello propone el mantenimiento del término signo, referido al par, y la sustitución de *concepto* e *imagen acústica* por *significado* y *significante*[232].

**5.1.6.** El signo lingüístico, por lo tanto, se define como el par {significante, significado}, es decir, como un conjunto de dos elementos, caracterizado por dos principios: que la relación entre significante y significado, o sea, entre los dos elementos que integran el signo, es arbitraria, y que el significante tiene carácter lineal[233]. El carácter arbitrario del signo está motivado sociohistóricamente, ya que procede de una convención social mantenida a lo largo de la historia. La afirmación no es banal, pues remata una larga discusión, que se arrastraba, si bien muy debilitada, desde la Grecia clásica:

---

[231] *Ibid.,* 128. Bally y Séchehaye se creen obligados a precisar en nota: "El término de imagen acústica parecerá quizá demasiado estrecho, pues junto a la representación de los sonidos de una palabra está también la de su articulación, la imagen muscular del acto fonatorio. Pero para F. de Saussure la lengua es esencialmente un depósito, una cosa recibida de fuera (ver pág. 57). La imagen acústica es, por excelencia, la representación natural de la palabra en cuanto hecho de lengua virtual, fuera de toda realización por el habla. El aspecto motor puede, pues, quedar sobrentendido o, en todo caso, no ocupar más que un lugar subordinado con relación a la imagen acústica". *Cf.* nota 227, *supra*.

[232] *Ibid.,* 129, *Cf.* nota 227, *supra*.

[233] *Ibid.,* pp. 130-134. *Corso* 135, con referencias críticas; *vid. et. Corso* 136 y 137. En esta última nota, De Mauro estudia el problema de la arbitrariedad y la postura anomalista o convencionalista, aunque Saussure evita el término *convencional,* que sustituye por *inmotivado* o *arbitrario*. No parece observar de Mauro que la aproximación de los racionalistas a los anomalistas, por un lado, en este punto concreto, se debe a la necesidad de abandonar las primitivas tesis analogistas, de relación motivada entre nombre y cosa. El racionalismo pasa a una postura moderada de motivación secundaria del signo lingüístico. Saussure, dentro de una corriente filosófica no racionalista, como es el positivismo, trata de huir, por otro lado, de la convención, por lo que ésta pueda tener de relación con el concepto de lengua como nomenclatura. En *Corso* 138 puede verse bibliografía crítica. En nuestra exposición, lamentablemente, nos obliga la necesidad a caricaturizar estados de la filosofía y de la ciencia que requerirían muchas páginas y en los que, por otra parte, no seríamos bastante competentes. Sobre la arbitrariedad relativa *cf. Corso* 262.

el carácter anómalo o analógico de las lenguas. Frente a los defensores históricos de la analogía, que buscaban cierta relación lógica (motivación) entre la cosa y el nombre, F. de Saussure se inclina por la anomalía, tras habernos indicado que la relación que se debe buscar no es entre la cosa y el nombre, sino entre significado y significante, que se distinguen claramente de 'cosa' y 'nombre', a los que no son equivalentes. La adopción de la tesis anómala no supone, desde luego, ninguna innovación espectacular, ya que, como decimos, las tesis analógicas carecían de fuerza hacía ya mucho tiempo, por haberse producido, ya en Platón, un acercamiento del racionalismo a la postura de los anomalistas, limitándose la analogía a una motivación secundaria.

**5.1.7.** La arbitrariedad del signo, por otra parte, no supone la libre elección del significante por parte del hablante, sino que depende de la carencia de motivación de la relación entre sus elementos: lo arbitrario ha de entenderse como *inmotivado,* es decir, manteniendo los términos de la polémica, como no analógico, sino anómalo [234]. La naturaleza lineal del significante está relacionada con su carácter auditivo: ha de desarrollarse en la línea del tiempo, de forma encadenada.

**5.1.8.** Saussure insiste en la arbitrariedad del signo, ya que, para él, adquiere especial importancia por su relación con el tema de la inmutabilidad de la lengua. Lo importante de la elección arbitraria viene a ser que, una vez hecha, adquiere carácter definitivo: una vez que un signo pertenece a la lengua es inmutable, puesto que el individuo no puede cambiarlo y la masa está atada a la lengua [235]. El sistema, organismo complejo basado en la convención, se resiste a todo cambio, porque prevalece en él la inercia colectiva. Esto, claro está, no excluye la posibilidad de la evolución, pero siempre lenta y por mínimas alteraciones de los valores de los signos.

**5.1.9.** Este último concepto, el de *valor,* adquiere especial relieve si tenemos en cuenta que, como ya vimos en el capítulo anterior, es la alteración en el esquema de las relaciones de los signos en el interior del sistema lo que causa las variaciones de este último. Por ello, Saussure tiene que hablar, al mismo tiempo, de la mutabilidad e inmutabilidad del signo [236], es en la continuidad del signo donde radica el principio de alteración. El signo cambia porque la relación entre significante y significado se desplaza. "Esta evolución es fatal" [237], y tiene su origen precisamente en ser la lengua,

---

[234] Se puede mantener, de modo muy relativo, que ciertas onomatopeyas y exclamaciones presentan una relación motivada entre significante y significado; no obstante, aun concediendo el beneficio de la duda a muchas de ellas, "son de importancia secundaria, y su origen simbólico es en parte dudoso", *Curso* 133. *Cf.* nota anterior.

[235] *Curso,* 135 y ss. De Mauro *(Corso* 146) insiste en la importancia de este capítulo para terminar con la imagen de un Saussure rígidamente antihistórico.

[236] *Curso,* p. 140.

[237] *Ibid.,* p. 142.

necesaria y subsidiariamente, un sistema de valores. Caracterizan a estos últimos dos factores: el trueque y la comparación; de dos unidades absolutamente intercambiables decimos que tienen el mismo valor, pero hemos llegado a la determinación del intercambio tras varias comparaciones sucesivas[238]. La importancia del valor queda determinada, en su grado sumo, cuando se afirma de cualquier concepto (i.e. 'significado'), que "nada tiene de inicial, que no es más que un valor determinado por sus relaciones con los otros valores similares, y que, sin ellos, la significación no existiría"[239].

**5.1.10.** En resumen, para Saussure, con sus mismas palabras[240]:

*En la lengua no hay más que diferencias. Sólo hay diferencias sin términos positivos. La lengua no comporta ni ideas ni sonidos preexistentes al sistema lingüístico, sino solamente diferencias conceptuales y diferencias fónicas resultantes de ese sistema. Pero decir que en la lengua todo es negativo sólo es verdad en cuanto al significante y al significado tomados aparte: en cuanto al signo en su totalidad, nos hallamos ante una cosa positiva en su orden. Un sistema lingüístico es una serie de diferencias de sonidos combinados con una serie de diferencias de ideas. Aunque el significante y el significado, tomado cada uno aparte, sean puramente negativos y diferenciales, su combinación es un hecho positivo.*

## 5.2. COMENTARIOS Y PRECISIONES

Vamos a ocuparnos ahora de las repercusiones que la doctrina anteriormente expuesta, dentro de la teoría general del *Curso,* ha tenido, en relación con varios grupos de pensadores que se han manifestado acerca de las tesis sustentadas por el lingüista ginebrino.

**5.2.1.** En un primer grupo hemos de situar a quienes creen que falta un tercer elemento del signo, que debería ser añadido a los dos propuestos por Saussure: la referencia, realidad u objeto. Así lo han señalado, p. ej.,

[238] *Ibid.,* p. 196. Este principio, aparentemente tan simple, es punto de partida de toda la lingüística estructural, desde la tesis conmutativa fonológica, por el principio básico de la oposición, porque, como dirá Saussure, en la pág. 204, "dos signos que comportan cada uno un significado y un significante no son diferentes, sólo son distintos. Entre ellos no hay más que *oposición.* Todo el mecanismo del lenguaje ... se basa en oposiciones de este género y en las diferencias fónicas y conceptuales que implican", o en la pág. 205: "unidad y 'hecho de gramática' no son más que nombres diferentes para designar aspectos diversos de un mismo hecho general: el juego de oposiciones lingüísticas. *Cf. Corso* 244.

[239] *Curso,* p. 199; *Cf. Corso* 232.

[240] *Curso,* p. 203. Hay importantes problemas críticos, señalados por Godel, *Sources,* página 117, y recogidos en *Corso* 241.

E. Lerch[241] y E. Pichon[242]. Ullmann y, tras él, E. de Bustos[243] organizan los elementos del signo en una representación triangular, si bien utilizan el término *referente* para el objeto, la realidad, en lugar de referencia, que se emplea para el significado:

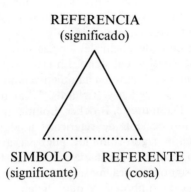

REFERENCIA
(significado)

SIMBOLO      REFERENTE
(significante)    (cosa)

Con el desarrollo de las asociaciones implícitas en esta representación triangular se completa el célebre triángulo referencial de Ogden y Richards[244], con la precisión de que la *referencia* no es el pensamiento, como en éste, sino el significado, acercando así la tesis de Ogden y Richards a la de Saussure.

**5.2.2.** Otro de los problemas que quedan abiertos tras Saussure es el de dónde situar la parte gramatical del signo[245]. Llorente cree que la respuesta no se puede encontrar en la interpretación literal del ginebrino, pero se inclina por situar ese aspecto gramatical en el significante, ya que considera lo gramatical como exclusivamente formal y ve en el significante la parte formal del signo o, mejor, la única posibilidad de manifestación de lo formal, a través del elemento material, lo que no quiere decir que la forma gramatical, en esta interpretación de Saussure, se confunda con

[241] "Von Wesen des sprachlichen Zeichens", *Acta Ling.*, I, 2. 1939. *Cf.* A. Llorente, *Teoría*, p. 61.
[242] "Sur le signe linguistique", *Acta Ling.* II, 1, 51-52. *Cf.* A. Llorente, *ibid. Vid. et.* la nota 70 de la *Contribución a la Historia de los conceptos gramaticales*, de Constantino García.
[243] *Cf.* E. de Bustos, "Anotaciones sobre el Campo Asociativo de la Palabra", en *Problemas y Principios del Estructuralismo Lingüístico* (C.S.I.C.), pp. 149-170, y "Algunas Consideraciones sobre la Palabra Compuesta como Signo Lingüístico", en *R.F.E.*, XLIX, 1966, pp. 255-274. *Cf. et. Aproximación*, 21.20., y el tema 6 de las *Contestaciones Completas*, esp. 54 y ss.
[244] *El significado del significado.* Buenos Aires (Paidós) 1954. 2.ª ed. 1964, p. 29, y S. Stebbing, *A Modern Introduction to Logic*, Londres, 1933.
[245] A. Llorente, *Teoría*, pp. 231 y ss.

el aspecto físico del signo lingüístico. Como este aspecto físico está relacionado con el significante, tenemos que considerar dos sub-elementos en éste: la imagen fonética y la imagen gramatical. Con ello entramos en la concepción de Hjelmslev, en sus *Principes de Grammaire Générale* [246].

**5.2.3.** En esta primera línea de sus trabajos, Hjelmslev considera, en resumen, que hay una equivalencia entre forma e imagen gramatical, definida como "todo lo que en el signo es directamente tangible excluyendo lo que tiene de puramente convencional" [247].

**5.2.4.** El pensamiento de Hjelmslev enlaza con el de Lerch y Pichon, ya citados, en la triple división del signo. En esta tesis de que al significante y al significado hay que unir la referencia objetiva coinciden ya gran cantidad de pensadores: además de Ogden y Richards, Ullmann y Bustos, citaremos a Husserl, Benveniste, Damourette, Bröcker, Lohmann, Weisgerber, Buyssens y Naert [248]. Tendremos ocasión de referirnos a algunos de ellos cuando hablemos de la relación signo-símbolo, pues ya aparece la tendencia a eliminar este segundo término, que había gozado hasta entonces del mismo o mayor favor que signo; recordemos, por ejemplo, que Sapir define la lengua como "sistema de símbolos" y que Ogden y Richards critican, por 'ingenua' la elección de Saussure (*cf. Corso* 140). Siguiendo con la exposición del pensamiento hjelmsleviano, de momento, pasaremos a su matización posterior, tal como aparece en los *Prolegómenos a una Teoría del Lenguaje* [249] y en *La Estructura Fundamental del lenguaje*. En los *Prolegómenos* se considera que la tesis de Saussure, aceptada y expuesta por Weisgerber [250], se diferencia de la tradicional en que, para ésta, el signo era expresión de un contenido exterior al propio signo, mientras que, para aquéllos, el signo es el todo

---

[246] Copenhague, 1928. *Cf.* Llorente, cit., p. 233: "Según Hjelmslev, el signo se compone de concepto idiomático, o significado, y de significante; pero el significante, a su vez, consta de dos elementos; imagen fónica e imagen gramatical; en el significante, dentro del significante, se encuentra todo lo que en el lenguaje puede ser comprobado por un método directo, mientras que la comprobación del significado, del concepto idiomático, no puede verificarse más que de una manera indirecta.

"El significante representa, según Hjelmslev, todo lo que en el signo lingüístico es directamente sensible o tangible. Pero de todo lo que en el signo es directamente sensible o tangible, es decir del significante, una parte es convencional o arbitraria, mientras que el resto es necesario, constante; y esa parte necesaria, constante, independiente de su complementaria (arbitraria y convencional y, por lo tanto, variable y mudable), esta parte ideal es, precisamente, la parte gramatical, la parte formal, parte o elemento superior al aspecto fonético, a la técnica material de su expresión, de la que es independiente, aunque no se puedan negar las relaciones existentes entre ambas".

[247] *Principes*, p. 116, cit. por A. Llorente, *Teoría*, 233.

[248] Llorente, *Ibid.*, 418, 432.

[249] Copenhague, 1943. Utilizamos la edición francesa, 1968, que contiene, además, "La structure fondamentale du langage", inédita hasta entonces, y que corresponde al texto, originariamente en inglés, de un curso dado por Hjelmslev en Edimburgo, al que se refiere en los *Ensayos*.

[250] *Cf. Prolégomènes*, cap. 13, *passim*.

formado por expresión y contenido, o sea que el contenido no es exterior al propio signo. Sin la presencia simultánea de expresión y contenido no puede darse la función propia del signo: la función semiótica. Al mismo tiempo, expresión y contenido se definen complementariamente: toda expresión lo es por ser expresión de un contenido y éste, por su parte, es contenido por ser contenido de una expresión, sin que ello signifique que contenido sea igual a *sentido:* puede haber un contenido desprovisto de sentido, vacío, pero no puede haber expresión sin contenido ni contenido sin expresión[251].

Expresión y contenido están integrados, cada uno, por una *forma* y una *sustancia;* si tenemos en cuenta el *sentido,* la relación vuelve a ser tripartita: *forma, sustancia* y *sentido,* donde el *sentido* ha venido a desempeñar el papel que antes ocupaba el *referente,* la cosa, con la ventaja de que el proceso es ahora interno, sin depender de la realidad exterior más que referencialmente, es decir, la realidad exterior es algo que no afecta en sí al signo, sino que lo afecta a través del sentido. Esta triple consideración se aplica generalmente a la relación arbitraria entre *forma del contenido* y *sentido,* el cual se transforma en *sustancia del contenido* gracias a la forma, que es independiente de él; pero, para salvar el principio metodológico de paralelismo total entre el plano de la expresión y el del contenido, puede hablarse también de un *sentido de la expresión*[252]. Para un objeto real, como árbol, tenemos una secuencia de sonidos [á r b o l] que es signo de la sustancia de la expresión, conformada según la forma de la expresión como [á + r + b + o + l] y no como, p. ej. [r + a + b + l + o]. Como ser real, *árbol* depende de la sustancia del contenido, ligada a una forma del contenido, donde se relaciona con otros dependientes de la sustancia: *bosque, madera,* etc., en lo que, con Saussure, llamamos *relación asociativa.* Esa sustancia del contenido está configurada por una *forma del contenido* y puede establecer dos tipos de relaciones más: la *paradigmática* (tipo *árbol - árboles - arbolito,* etc.) y la *sintagmática* (con los elementos que la precedan y la sigan en la linealidad del discurso, por ejemplo, en la oración "el campo mismo se hizo árbol en ti").

**5.2.5.** Podemos decir, por lo tanto, que la relación entre el signo y el objeto real, lo que constituye el *sentido* del signo, se ve luego estructurada, en el interior del signo, sin que pueda ser exterior a éste, en una expresión y un contenido, integrados por una forma y una sustancia.

**5.2.6.** La exégesis del *Curso* ha producido muchas páginas sobre el signo lingüístico, en las que no podemos detenernos ahora[253]. Sin embargo,

---

[251] *Ibid.,* p. 73.
[252] *Ibid.,* pp. 76 y 80.
[253] *Cf.* Kurt Baldinger, *Teoría Semántica.* Madrid (Alcalá), 1970; Klaus Heger, "Die methodologischen Voraussetzungen von Onomasiologie und begrifflicher Gliederung", en *Z. R. Ph.,* 80, 1964, 486-516; en francés: "Les bases méthodologiques de l'onomasiologie et du classement

no queremos dejar de lado, pese a todo, un interesante texto de Roman Jakobson, desconocido en español, según creemos: se trata de las "glosas lingüísticas al *Wortbegriff* de Goldstein"[254].

**5.2.7.** Tras una breve referencia a la definición saussureana, el lingüista ruso se remonta a los estoicos en quienes, como sabemos, el σεμέιον tenía también dos aspectos primordiales: σεμαίνου y σεμαίν μενου. Esta bifacialidad se mantiene en la adaptación agustiniana del modelo griego: *signum = signans + signatum* y, a través de los escolásticos, llega hasta hoy. El *signans* es perceptible y el *signatum* inteligible o, mejor, *traducible,* aceptando Jakobson la terminología de Charles Peirce. En esta terminología, precisamente, se hace insostenible la explicación del *Curso* mediante un círculo dividido por su diámetro horizontal, con un árbol dibujado en el semicírculo superior y la palabra *árbol* escrita en el inferior. Estrictamente, y seguimos en términos de Peirce, tanto el dibujo como la grafía son significantes distintos del único significado 'árbol', intercambiable con el sinónimo técnico *arbor,* la descripción *planta leñosa...* o con elementos de otros códigos como el alemán *Baum,* ing. *tree,* etc. La grafía sería, para Peirce, un *símbolo,* la representación gráfica un *icono:* la traducción de símbolo en icono y viceversa sólo es posible de modo aproximado. Todo signo está limitado por su contexto. Si, hasta aquí, la aportación de Jakobson ha consistido en distintas precisiones de lo que en el *Curso* estaba plasmado con una intención pedagógica, a partir de ahora, con el análisis de un fragmento de *Hambre,* de Knut Hamsum, nos hará asistir al aflorar de un significante que carece de significado, en un análisis en el que la maestría del crítico complementa la del novelista:

No está en la lengua, la he descubierto yo. "Kuboa". Tiene letras, como una palabra... Con los más singulares saltos en mi sucesión de ideas trato de explicar el significado de mi nueva palabra. No había ninguna razón para que significase Dios o el Tívoli; y, ¿quién ha dicho que debería significar una feria de ganado?... No, pensándolo otra vez, no era de ningún modo necesario que significase candado, o alba... Había llegado a formarme una opinión muy precisa sobre lo que no debía significar... ¡No!... es imposible dejar que signifique emigración o fábrica de tabaco.

**5.2.8.** Jakobson comenta la exacta observación de Hamsum de este modo:

par concepts", *Tra Li Li,* III, 1965, 7-32; y Paul Miclau, *Le signe linguistique,* París (Kliencksieck), 1970. Acerca de la clasificación de Reichenbach en signos *indiciales, icónicos* y *convencionales* o *arbitrarios cf.* Sánchez Ferlosio, en Varios (N.S.), pp. 338 y ss. así como la pág, 362. Puede verse un resumen de la discusión sobre la arbitrariedad del signo en Thomas V. Gamkrelidze, "The Problem of 'l'arbitraire du signe'", *Lg.,* 50, 1974, pp. 102-110, sobre el que nos detendremos luego. *Cf. et. Corso,* esp. 138 y 145.

[254] Que tomamos de la versión italiana, en *Il Farsi e il Disfarsi del Linguaggio,* Turín (Einaudi), 1971, pp. 121-128. No ha sido incluido en la versión española de *Lenguaje Infantil y Afasia.*

"En el momento en que una secuencia sonora se interpreta como un *signans* exige un *signatum* y, en cuanto la 'nueva palabra' pasa a pertenecer a una lengua dada, su significado tiene las máximas probabilidades de ser considerado como divergente por algún rasgo de los significados de otras palabras de la misma lengua"[255].

**5.2.9.** Jakobson cree que el *signatum* de *kuboa* es cero, pero que no puede decirse que *kuboa* sea un *signans* sin *signatum,* en lo que coincide con la necesidad, señalada por Hjelmslev, según veíamos antes, de que todo significante tenga un significado, aunque sea cero. Si nos encontramos ante una palabra cuyo significado desconocemos, p. ej. 'arlo', inmediatamente suponemos que significa algo distinto de las otras.

**5.2.10.** El punto de partida de la meditación de Jakobson ha sido un significante. Antes de cerrar esta exposición nos interesa ver algunas cuestiones suscitadas a propósito del significado, para cerrar el párrafo con una pregunta que había quedado abierta, referida a la arbitrariedad del signo.

**5.2.11.** Se puede interpretar el término *significado* de muchas maneras. Los antropólogos, como A. L. Kroeber[256] pueden distinguirlo de la apariencia sensorial (forma), el uso, o la función. De este modo pasa a significar algo así como "la connotación emocional subjetiva" de un fenómeno, en vez de su denotación semántica. Es decir, que 'significado' pasa a tener un valor amplio, ambiguo. En sentido similar se manifiesta Firth[257], quien lo define como "todo el complejo de funciones que puede tener una forma lingüística". Incluye la función fonética ("menor" para Firth), junto a las "mayores": léxica, morfológica y sintáctica, es decir, lo que él considera como gramática, más todo lo implicado en el contexto de situación, que es lo propiamente semántico.

**5.2.12.** La función de la locución completa, con un valor muy parecido al contexto situacional firthiano, aparece en A. G. Hatcher, también[258]. Esta autora distingue el "significado de las construcciones", entendido como significado oracional, que es el último fin del investigador, frente al "significado en sí", cuyo previo análisis es necesario antes de combinarlo con las reglas de construcción de las frases.

**5.2.13.** La dualidad que se plantea en exposiciones como la de A. G. Hatcher origina respuestas como la de Bertran Raphael, a partir de la tesis desarrollada por Ziff[259], y en relación, también, con afirmaciones

---

[255] *Ibid.,* p. 126.
[256] En el prólogo de la compilación de Dell Hymes, *Language in Culture and Society,* cit.
[257] *Ibid.,* p. 70 *b.*
[258] "Syntax and the Sentence", *Word,* 12, 1956, pp. 234-250, esp. p. 237.
[259] *Cf.* el texto de Raphael, en *Semantic Information Processing,* de Minsky, p. 38.

de Ullmann. La distinción que habíamos visto esbozada antes se perfila en Ziff, entre *significado (meaning)*, que es propio de las palabras, y *significación (significance)* que es propia de las expresiones (frases, oraciones). Por ello, si analizamos la significación de una oración debemos analizar el significado de las palabras que la integran.

**5.2.14.** Raphael nos añade importantes precisiones, en el sentido de que la distinción terminológica de Ziff es pobre, pues lo que entendemos por "significado" está integrado por "significado" y "significación" de Ziff. Recomienda por ello el mantenimiento de las distinciones de Ullmann, para quien el *sentido* es la referencia a un objeto o asociación representada por la palabra, mientras que la *palabra* es, a su vez, la unidad significativa más pequeña entre las que tienen un *contenido* aislado. Sólo cabe hablar de *significado* cuando se establece una relación entre el nombre y el sentido, o sea que no es preciso relacionar la palabra con el objeto, sino sólo con la representación mental del objeto. Las frases y oraciones, que relacionan lo que ya han simbolizado previamente las palabras, no tienen significado sino en lo que dependen del significado de las palabras. No tratamos de sumarnos a todo lo que dice Ullmann, pero nos parece interesante notarlo aquí.

**5.2.15.** Haas[260] difiere de algunos puntos anteriores, y también de Jakobson, en su diferencia de *significado* y *expresión*. Cree que la segunda puede observarse sin un significado, como si mirásemos a un bailarín y no viéramos su baile, mientras que no hay posibilidad de observar el significado sin la expresión. Los significados son los "usos de las expresiones", algo que incluye la expresión y va más allá de ella. Esta observación, que es, en cierto modo, cierta, es de tipo muy teórico en lo que concierne a la expresión. Es cierto que podemos llegar a un mero expresionismo, y que de hecho se ha llegado en ciertos movimientos literarios, pero no en la realidad mayoritaria de la lengua, donde se producen expresiones porque comportan significados.

**5.2.16.** Como hemos dicho, la exposición de problemas planteados por el signo puede llenar muchas páginas, por ello, ahora que hemos expuesto algunas ideas que nos parecen esenciales, vamos a cerrar este párrafo con una rápida exposición del otro problema fundamental, planteado por Saussure, el de la arbitrariedad del signo[261].

**5.2.17.** Ya sabemos que la distinción entre el carácter natural (φύσει) o convencional (θέσει) de la relación entre los dos elementos del signo

---

[260] En *Presentación del Lenguaje,* pp. 382 y 388.
[261] Expuesto según T.V. Gamkrelidze, citado en nota 253, para quien hay una solución ecléctica, si tenemos en cuenta, al mismo tiempo, la relación vertical entre significante y significado y la relación horizontal con otros signos de la lengua. *Cf. et.* E. Coseriu, "L'arbitraire du signe: zur Spätgeschichte eines aristotelischen Begriffes", en *Archiv für das Studium der Neueren Sprachen und Literaturen,* 204, pp. 81-112, y nuestra nota 233, *supra.*

arranca de los primeros filósofos, y que la línea racionalista, incluida en la corriente del carácter natural, en sus inicios, pasa, con su estricta formulación en Platón, a una teoría de síntesis, que podríamos llamar de motivación secundaria del signo, aunque esto es una definición bastante pobre. En el *Curso* estamos ante el desarrollo de una tesis convencional que, en el caso de Saussure, tiene un antecedente reconocido en el lingüista americano William Dwight Whitney (1827-1894). Ya hemos visto algunas de las objeciones planteadas a la teoría de Saussure, especialmente en lo concerniente a la sustitución del carácter bifacial del signo por uno trifacial. Lo que ahora nos interesa es cómo puede llegarse a una solución de la disputa entre partidarios de la arbitrariedad y defensores de la motivación.

**5.2.18.** El carácter arbitrario del signo ha sido también sometido a la crítica. Nos inclinamos a creer que hay aquí cierto bizantinismo, pues Saussure nunca negó, en el *Curso* al menos, la posibilidad de algún signo arbitrario y, sobre todo, de cierta motivación en algunos signos. A partir de las precisiones de Jespersen, Grammont, Séchehaye, Hjelmslev, Bühler, von Wartburg[262] podemos admitir hoy, con Rodríguez Adrados, p. ej.[263], la existencia de signos motivados, aunque, en principio, el signo sea arbitrario. Esta puede ser una de las muestras de la consistencia del racionalismo.

**5.2.19.** Gamkrelidze cree que, en el signo lingüístico, además de la relación 'vertical' (según el conocido esquema de Saussure) que se establece entre *signatum* y *signans,* hay también una relación 'horizontal' entre los significados (*signata*) y significantes (*signantia*) de los distintos signos, observación que ya había hecho Eugenio de Bustos (a quien Gamkrelidze no parece conocer) hace mucho tiempo[264], cuando hablaba de que un signo como el representado por 'calor' tenía relación, por su significado, con 'bochorno', 'estío', 'frío', etc., y por su significante con 'color', 'olor', etc. Estas relaciones se establecen entre un elemento de un signo y el elemento correlativo de otro signo, y no entre signo y signo, siendo, por ello, horizontales. El lingüista ruso, por su parte, cree que en esta relación horizontal es donde se producen las motivaciones, mientras que la relación vertical entre expresión y contenido es arbitraria y falta de motivación. Nos parece aceptable su postura que es, por otra parte, una muestra más del desconocimiento en que yacen interesantes aportaciones de lingüistas españoles, a quienes parece resultar difícil romper las barreras de la comunicación científica con el exterior, aunque, al mismo tiempo, sea satisfactorio constatar que la investigación de E. de Bustos iba bien encaminada.

---

[262] Llorente, *Teoría,* 418-419.
[263] *Lingüística Estructural,* I, pp. 28-32.
[264] *Cf.* nota 243, *supra.*

## 5.3. OTRAS PRECISIONES SOBRE LA ORGANIZACION DEL SIGNO

Jakobson y Halle, en *Fundamentos del Lenguaje*[265], indican los dos modos de organización del signo[266]: *combinación* y *selección*. Gracias a la combinación podemos decir que los signos del sistema están entrelazados: cada signo está incluido en unidades superiores (si forma parte de un contexto más amplio), y contiene unidades inferiores, hasta llegar a la unidad mínima. La suma de varias unidades lingüísticas forma una unidad superior. Este principio de combinación se completa con el de selección entre distintas alternativas, lo que ha de llevar implícita la posibilidad de sustituir una por otra, manteniendo ciertas semejanzas, pero añadiendo distinciones no previas. Es decir, que, en el funcionamiento del signo como tal signo, son posibles y realizables combinaciones y permutaciones.

5.3.1. Morris[267] llama *semiosis* a este proceso en el que el signo actúa como tal signo. Los tres (o cuatro) factores que están implicados en el proceso ya fueron señalados por los griegos: *vehículo* del signo, lo que actúa como signo; *designatum*, aquello a lo que el signo se refiere, e *interpretante*, el efecto que se produce en el intérprete, gracias al cual este último percibe algo como signo. El cuarto factor puede ser el propio intérprete[268]. Morris distingue entre el *denotatum* y el *designatum* de un signo: "el designatum de un signo es la clase de objetos a la que se aplica el signo, es decir, de los objetos que tienen las propiedades que el intérprete toma

---

[265] Cito por la 1.ª ed. inglesa, traducida en la segunda edición española, ed. Ayuso, Madrid, 1974, porque no he podido ver la segunda edición inglesa, que contiene modificaciones sustanciales, según ha tenido la amabilidad de advertirme el Prof. Jakobson. Como mi interés aquí era muy limitado y simplemente expositivo, me he contentado con el material que tenía a mano, sabiendo que las ampliaciones del nuevo texto inglés afectan a precisiones del texto, que son demasiado menudas para nuestro interés actual, aunque sean importantes en la consideración general del libro.

[266] *Ibid.*, p. 60.

[267] En F. Gracia, *Presen. del Lenguaje*, cit., p. 55.

[268] *Vid.* nota 30 para la dimensión pragmática, sintáctica y semántica de la semiosis. Para algunos, el *denotatum* de una expresión es el objeto nombrado o denotado por ella: "estrella matutina" y "estrella vespertina" tienen la misma denotación, pero distinto sentido: lo denotado es "Venus", pero no del mismo modo. En cualquier caso, parece necesario un concepto más estrecho de la denotación, pues R. Jakobson me advierte amablemente que, en mi ejemplo, que procede de Frege, él no diría que la denotación fuese la misma, ya que el contexto situacional que evoca en el hablante es muy distinto según se trate de vespertino o matutino. Es cierto que ha de hacerse cuidadosamente la distinción entre la denotación usual y la indirecta, así como el sentido usual y el indirecto. La denotación indirecta de una palabra es el sentido usual de la misma. La denotación usual es el valor veritativo, el sentido es el pensamiento que lo expresa. Para la discusión de la idea de que "el significado (o el 'uso' de una expresión) es su *denotación*", *cf.* Haas, en *Pres. del Lenguaje*, de F. Gracia, 385 y ss. *Vid. et.* Luis Hjelmslev. *Prolégomènes*, página 210, y en nuestro propio texto, a continuación, la distinción de Morris.

en cuenta a través de la presencia del vehículo del signo"[269]. Es decir, que el *designatum* no es la cosa, sino el tipo o la clase, donde pueden estar comprendidos muchos objetos. Todos los signos tienen un *designatum* pues siempre existe la clase a la que se aplican. El *denotatum*, en cambio, (siempre según Morris), sólo existe cuando lo que el signo refiere "existe realmente conforme a tal referencia"[270]; en consecuencia, no todo signo tiene un *denotatum*, si aceptamos la definición de Morris.

**5.3.2.** Un último concepto de Morris, que nos interesa aquí especialmente, puesto que se refiere a la capacidad combinatoria de los signos, a su posición en el sistema y, en consecuencia, a su capacidad comunicativa, es el de *consigno*[271], o signo cuyo significado es el mismo para el organismo que lo produce y para los restantes organismos estimulados por el organismo productor. En este sentido, "una lengua es un sistema de familias de consignos", pues lo importante de la transmisión lingüística es que el significado del signo sea el mismo para el receptor y el emisor[272].

**5.3.3.** A partir del *Curso* se ha ido elaborando lentamente la ciencia general de los signos que se preconizaba, de la que forma parte la Lingüística. Para esta ciencia, Semiótica o Semiología, es importante precisar el concepto de *signo*, frente a los de *símbolo* y *señal*. Signo y símbolo que, en principio, pudieron ser intercambiables (p. ej. en Sapir), pasan a delimitarse de modos distintos, según los lingüistas. Así, mientras que Benveniste[273] cree que la *señal* es un hecho físico ligado a otro, natural o convencionalmente, y el *símbolo* es un hecho cultural, otros autores establecen otras distinciones. No pretendemos poner de acuerdo tendencias absolutamente dispares (hay quien llama *signo* al par con relación motivada y quien llama *símbolo* a ese mismo par), puesto que la base de todo es una convención, sino que nos limitaremos a realizar una elección terminológica. Las discusiones sobre esta elección pueden tener carácter puramente nominalista.

**5.3.4.** En primer lugar tendríamos el *indicio*. Los indicios son "hechos inmediatamente perceptibles que nos hacen conocer algo sobre otro hecho que no es inmediatamente perceptible"[274]. Los indicios son la clase incluyente de las señales. La señal es concreta, contextualizable y voluntaria: el

---

[269] Morris, *op. cit.*, p. 57.
[270] *Ibid. Cf. et.* nota 268, *supra.*
[271] *Signs, Language and Behavior*, Prentice-Hall, N. York, 1946, p. 36.
[272] Hoy estamos en condiciones de medir la información contenida en un signo. La cantidad de información que éste contiene, en el proceso comunicativo, es su *entropía*, es decir, la "magnitud o característica del conjunto de probabilidades a las que se aplica" (F. Gracia, p. 78). La unidad de entropía es el *bit*, o dígito binario. Para F. Gracia (p. 86) "puede describirse aproximadamente como la incertidumbre relativa al estado en que se encuentra un sistema del que se conocen la totalidad de sus posibles estados y las posibilidades relativas de cada uno de ellos".
[273] *Problèmes de Linguistique Générale*, París (Gallimard), 1966, p. 27.
[274] L. J. Prieto, "La Sémiologie", p. 95. *Cf. Aproximación*, cap 21, *passim.*

cielo encapotado es indicio de la tormenta, mientras que la nube atravesada por un rayo, según el conocido dibujo meteorológico, tal como se puede contemplar en T.V.E., es una señal. El indicio existe por sí mismo, la señal sólo es señal cuando puede ser interpretada. A la señal, en un nivel superior de abstracción, corresponde otra entidad: el *significante* de esa señal. El encender una luz roja es una señal cuyo significante es la clase 'luz roja'. La misión de la señal es la transmisión de un *mensaje,* cuyo significado es la determinación de lo transmitido por la señal entre todas las posibilidades del sistema, o sea, la determinación de su clase. En nuestro ejemplo de la luz roja, podríamos decir que el mensaje es 'peligro' y el significado la delimitación de la clase 'peligro', es decir, la elección de 'peligro' entre todos los significados posibles en el sistema y la exclusión de todos los complementos de ese significado, es decir, de todo el 'no-peligro'. Al conjunto de significante y significado, NO de señal y mensaje, llaman *sema* algunos semiólogos. El *sema* es una unidad bifacial que, en algunos códigos, como el lingüístico y el matemático, según estos mismos semiólogos, se descompone en *signos,* unidades bifaciales menores que el sema, integrados por un subconjunto del significante del sema con su correspondiente subconjunto del significado del mismo sema. Los lingüistas, como hemos visto, llaman *signo* al par {significante, significado}, el *sema lingüístico* sería entonces el enunciado. La diferencia establecida por algunos semiólogos entre *sema* y *signo* puede quedar clara con un ejemplo matemático: sea *123,* del que decimos que es un *sema* cuyo significante es la grafía *123* (o la lectura *ciento veintitrés*) y su significado la clase: una centena, dos decenas y tres unidades. Si, de ese sema, tomamos ahora el factor *1-,* veremos que tiene un significante (la grafía *1,* o la lectura *ciento*) y un significado (pertenencia a la clase de las centenas), que son subconjuntos de los conjuntos 'significante' y 'significado' del sema, respectivamente. Podríamos decir que *1* es uno de los tres signos que integran el sema *123.* De este modo, podríamos analizar los otros dos signos del sema, es decir, *-2-* y *-3.*

5.3.5. En cuanto a *signo* y *símbolo,* nos inclinamos por la siguiente distinción, que, insistimos, tiene un carácter puramente convencional[275]:

La relación entre significante y significado es intrínseca, motivada, en el símbolo, y extrínseca, arbitraria, convencional, en el signo. (Lo que no excluye la motivación secundaria del signo.) El signo está sistematizado, relacionado con otros signos en el sistema, mientras que el símbolo es asistemático. En el momento en que el símbolo se introduce en un sistema, adquiere una función, deja de ser símbolo y se convierte en signo, porque la relación entre su significante y significado ya no es motivada, sino que se ve afectada por las relaciones con otros significantes y otros significados, relación *horizontal,* además de la *vertical,* según el conocido esquema

[275] Cf. *Aproximación,* 1.1.3.

116

del *Curso*. Dentro de un sistema, por tanto, tiene una importancia menor que la relación entre significante y significado sea originariamente motivada, lo importante es la relación con los otros signos del sistema, lo que venimos llamando relación horizontal entre signos como conjuntos y significantes y significados como elementos de ese conjunto.

## 5.4. EL SIGNO LINGÜISTICO Y EL SIGNO POETICO

Las páginas anteriores han estado dedicadas a la caracterización de los signos, a partir de la aprehensión de la lengua como un sistema que los incluye. Con ello hemos cerrado el ciclo iniciado en la consideración del fenómeno comunicativo específicamente humano al que hemos llamado lenguaje. En nuestra exposición hemos tratado de enfrentarnos objetivamente, dentro de lo posible, con unos temas conceptuales que parecen exigir este tratamiento. La necesidad de un estudio de los conceptos lingüísticos es previa al estudio de la literatura, mas entendemos que no hay posibilidad de planteamiento lingüístico completo si no considera asimismo la obra literaria, en la que las posibilidades del sistema se realizan con la prevalencia de la función estética del lenguaje. La literatura se nos ofrece como un instrumento cultural que es, simultáneamente, instrumento de lucha y reforma de la sociedad, generalmente por el camino de la comprensión y la razón, del conocimiento y la meditación acerca de lo que tomamos de otros hombres, en quienes la transmisión de nuestro pasado ha coincidido con una doble preocupación social y estética. Junto a la iniciación en las estructuras lingüísticas, el alumno abre los ojos al arte, y de nosotros ha de depender que su mirada se aparte aburrida de lo que le presentamos o se abra con interés ante el nuevo panorama que se le ofrece.

5.4.1. Han pasado los años en los que determinadas estructuras sociales favorecían los estudios literarios y la creación de literatura, incluidos entre las muestras de buen tono de la sociedad burguesa. La progresiva proletarización de los escritores, como muy bien ha señalado Fernando Lázaro Carreter[276] ha traído como consecuencia que se les mire con cierto recelo, en las mismas capas que antes recogían con escalofríos esteticistas sus más incomprendidos deliquios. Por otra parte, los alumnos, sometidos a los vaivenes de la sociedad de consumo, se prestan poco a la participación gratuita en el espectáculo profesoral. La literatura es hoy la víctima de las reformas extremistas de la revolución proletaria y el enemigo declarado de la enajenación capitalista y consumista, así como del conformismo burgués. El alumno, según su extracción social e inquietudes, se balancea entre ambas

---

[276] En su escalofriante artículo "El Lugar de la Literatura en la Educación", incluido en *El Comentario de Textos,* Madrid (Castalia), 1973.

tendencias, sin saber utilizar su razón entre el paternalismo y la demagogia, precisamente porque nunca se le ha enseñado a ejercitar esa cualidad racional.

**5.4.2.** En efecto, la lengua, cuyo estudio se concibe cada vez más científico y exacto, prepara a nuestros alumnos para un mejor uso de las posibilidades de expresión de su pensamiento, y ahora, al relacionarse con la literatura, en lectura o creación, es el pensamiento quien se muestra insatisfecho y desconoce hacia dónde le lleva su propia exigencia. La enseñanza de la lengua contribuye a la adquisición de una metodología, pero no llena los anhelos estéticos de quien la estudia. Se sitúa en el plano de lo útil, de lo imprescindiblemente concreto. La literatura, en cambio, se presta al libre discurrir de la imaginación, al ejercicio de la capacidad analítica y discursiva del estudioso, al desarrollo de la capacidad de juicio, al libre examen; en suma, abre las puertas de lo auténticamente humano.

**5.4.3.** En este humanismo que se despierta en el estudiante, la educación de la sensibilidad ha de correr pareja a la de la razón. Como ha dicho Baquero Goyanes[277]:

"La conquista de la sensibilidad literaria va acompañada de un contenido histórico crítico que, insertado en esa sensibilidad, se enriquece entonces y autentifica, al dejar de ser repertorio de nombres y fechas, y al convertirse, para el alumno, en manantial de experiencias y de posibilidades de goce estético."

**5.4.4.** No vamos a ocuparnos ahora de la enseñanza de la literatura, tema muy importante, pero ajeno a los objetivos de este libro; lo que nos interesa destacar, comentando a Mariano Baquero, es que el texto literario sirve de unión entre dos épocas: la moderna del lector (alumno, en nuestro caso) y la antigua (o anterior necesariamente) del autor. En esta relación entre el lector y el autor, además de los factores quasi-mecánicos, como presentación del libro y atractivo externo, hay otros de tipo cultural: conocimientos que el lector posee acerca de la obra, el autor y la época, y otros inherentes al propio texto: factores lingüísticos, estilísticos, de referencias a hechos concretos y olvidados, etc. Todo ello condiciona la relación que Dámaso Alonso ha llamado "expresivo - impresiva".

**5.4.5.** Desde el año de 1953, en el que Baquero publicó estas impresiones, hasta hoy, ha evolucionado notablemente el medio estudiantil. Frente a este párrafo de Baquero Goyanes[278]:

Sabido es que la sensibilidad literaria, siendo una en el fondo, se manifiesta de diferentes maneras. Hay temperamentos más sensibles para unos determinados géneros literarios que para otros. Al profesor de literatura incumbe saber conquistar para

[277] "La Educación de la Sensibilidad Literaria", *Rev. Educación,* IV, 1953, p. 1.
[278] *Ibid.,* nota a p. 3.

el goce de la novela o el teatro, al apasionado lector de poesía, o viceversa. Siempre habrá un último reducto inexpugnable de devoción hacia un género, que será preciso respetar. En todo caso, el conocimiento del matiz especial de la sensibilidad literaria del estudiante —fácilmente captable— permitirá una mejor orientación de ésta.

**5.4.6.** Frente a este párrafo, decimos, se puede poner éste, de Fernando Lázaro [279], mucho más pesimista acerca del medio, que no acerca del alumno y su capacidad humana de triunfar de las restricciones de un medio social solapadamente hostil a esta materia:

La literatura, considerada como simple sede de belleza, no posee fuerza penetrativa; menos, si se pretende como mera sucesión de hechos. Los alumnos no participan ya del sentimiento reverencial de la antigüedad, anejo a la cultura minoritaria burguesa. Por el contrario, en muchas ocasiones constituye un desvalor, y no hemos de asustarnos si un gran poeta clásico o moderno les resulta insufrible, y encuentran extraordinariamente hermosas las canciones de moda.

**5.4.7.** Hoy día es todo lo que está en cuestión; por ello es necesario arrancar de las raíces mismas en la explicación de los problemas. Es necesario, en otras palabras, dedicar mucho más tiempo y espacio a la exposición de los conceptos que a la de los métodos, porque si son los fundamentos los que se hunden, de nada nos servirá preservar la fachada, acabará por tierra cuando la base falle.

**5.4.8.** El enfrentamiento que se quiere provocar entre la Lengua y la Literatura, como objeto de estudio, que termina siempre en la postergación de una de las dos materias, según prevalezcan los criterios utilitarios o no, es el lugar donde debemos buscar los puntos comunes de ambas, que son muchos y fundamentales, puesto que las dos arrancan de presupuestos lingüísticos.

**5.4.9.** Al principio hemos definido la lengua como un sistema de signos. Hemos hablado del sistema, de la relación entre razonamiento y lenguaje, del sistema y del individuo, del individuo y la sociedad, y nos hemos detenido en la exposición del signo. En éste precisamente es donde encontramos la unión básica entre la lengua y la literatura. El signo es común. La penetración de la realidad a través de la capacidad selectiva aprehensora del signo es lo que las diferencia. El arranque de la diferenciación está en las distintas partes, en la distinta constitución del signo lingüístico y el signo poético.

**5.4.10.** Este punto ha sido tratado por Gustav Siebenmann [280], a quien seguimos. Siebenmann parte, a su vez, de la división de Hjelmslev en *expresión*

---

[279] En el artículo citado en nota 276, *supra*, pp. 23-24.
[280] "Sobre la musicalidad de la palabra poética", *Romanistisches Jahrbuch*, XX, 1969, pp. 304-321. *Cf. et. Aproximación*, 1.1.3.

y *contenido,* planos subdivididos a su vez en *forma* y *sustancia,* como sabemos.

**5.4.11.** El signo, precisando, se divide en *significante global,* que constituye el plano de la *expresión,* y *significado global* o plano del *contenido.* La *substancia* que constituye el significante global o expresión se subdivide en distintos elementos expresivos: sonidos, tono, acento, ritmo, etc. En todos estos elementos hay una parte de elementos muertos, o sustancia amorfa, que no interesan para la consideración final del signo lingüístico, y una serie de elementos que se asocian a algún contenido y que constituyen la *forma* de la expresión.

**5.4.12.** El contenido, por su parte, está también compuesto de elementos, que constituyen la sustancia del contenido o significado global. Estos elementos constitutivos de la sustancia del contenido son, p. ej., los conceptos, sentimientos, imágenes, etc., de todos los cuales hay unos elementos muertos, o sustancia amorfa del contenido, de los que también prescindimos, y una *forma,* gracias a la cual se hace comunicable. El signo lingüístico asociaría, pues, la forma del contenido con la de la expresión, relacionadas ambas con sus sustancias, y despreciaría esos elementos muertos o sustancia amorfa.

**5.4.13.** El signo poético se constituye, en cambio, por la asociación entre lo *percibido* y lo *enunciado,* entre la intuición del poeta y la sugestión del lector. El poeta trata de expresar lo inefable y el lector de entender lo no inteligible. Lo inefable y lo no inteligible no pueden alcanzar expresión lingüística unívoca precisamente porque corresponden a los elementos constitutivos de la sustancia amorfa del contenido y la expresión, respectivamente. La relación entre la forma de la expresión y la del contenido es arbitraria en el signo lingüístico, mientras que el poeta trata de motivarla en el poético. Para ello dispone de la posibilidad de dar una forma a la sustancia amorfa, o parte de ella. En la medida en que lo consiga habrá logrado un mayor o menor grado de expresividad. El hablante que usa el signo lingüístico busca establecer la comunicación a través de los elementos comunes del sistema semiótico, de la generalidad del sistema semiótico. Esto no satisface al poeta, que debe lograr una comunicación superior a la simplemente suficiente, por lo que ha de apelar a la unicidad del sistema semiótico. Por ello, para el poeta tiene un gran interés la sustancia fónica, que pinta o imita el mundo de los objetos[281], porque se mueve en el mundo de la imitación, conducente a la motivación del signo, mientras que al hablante ordinario le basta que el signo represente el mundo de los objetos, sin necesidad de imitarlo. Imitación frente a representación, motivación frente a arbitrariedad, éstos pueden ser los rasgos distintivos de los signos lingüístico y poético, pero son mucho más importantes los

---

[281] *Cf.* E. Alarcos Llorach, "Fonología Expresiva y Poesía". *Rev. de Letras,* Oviedo, 3, 1950, p. 196.

rasgos comunes, la identidad de forma de la expresión o forma del contenido en ambos signos. En realidad, el signo poético no es más que una potenciación del signo lingüístico que le sirve de base, tratando de sustituir la relación arbitraria entre expresión y contenido, entre significante y significado, por una relación motivada, y motivada precisamente gracias a la imitación, que permite al lector entender lo no inteligible y al autor expresar lo inefable [282].

**5.4.14.** Con este párrafo finalizamos la consideración aislada de una serie de conceptos y unidades básicas elementales. A partir de ahora trataremos de estudiar estos elementos lingüísticos dentro de un panorama global, en la historia, por tanto, mejor que aislados. Con ello tratamos de alcanzar un doble objetivo, importante en trabajos de introducción como el presente: la presentación del hecho aislado y su inserción en el correspondiente contexto cultural. Hacia esta segunda perspectiva se dirigen los capítulos próximos.

---

[282] *Vid. et.* A. Llorente, *Teoría,* esp. la cuarta parte, "Lenguaje, Poesía y Concepción del Mundo", pp. 371-401, y A. Alonso, *Materia y Forma en Poesía,* Madrid (Gredos), 3.ª edición, 1965, esp. pp. 51-86.

# CAPITULO 6

# CIENCIAS Y UNIDADES LINGÜISTICAS EN SU EVOLUCION

## 6.0. INTRODUCCION

Hasta aquí nos hemos ocupado de los problemas generales en un nivel general: el de la lengua. Ahora vamos a entrar en disquisiciones concretas relacionadas con aspectos más parciales. Podemos decir, con la terminología procedente del análisis del signo lingüístico por Hjelmslev, que ahora entraremos en problemas que afectan a cada uno de los cuatro elementos últimos del signo: forma de la expresión, sustancia de la expresión, forma del contenido y sustancia del contenido. Haremos nuestra exposición, necesariamente parcial y fragmentaria, acompasada a la historia, para ir, viendo cómo se van perfilando las distintas caras de nuestra ciencia a lo largo del tiempo.

**6.0.1.** Nuestra exposición presupone una ciencia unitaria que se ocupe de todos los hechos lingüísticos. La Lingüística (que tal sería el nombre generalmente aceptado para esta ciencia) podría ser una de las ciencias integradas en la ciencia de los signos, en sentido saussureano, que llamamos semiología o semiótica. Mas nosotros no enfocaremos los hechos lingüísticos desde el lado semiológico o semiótico, sino que nos concretaremos en el hecho lingüístico en sí, tendiendo a una caracterización inmanente de nuestra ciencia. Claro es que habrá que tener en cuenta que, en los distintos siglos, las ideas, no sólo sobre nuestra ciencia, sino sobre la ciencia en general, han variado; por ello algunos capítulos estarán más cerca que otros de esta pretensión de inmanencia. Como veremos, la preocupación por el lenguaje, presente desde los primeros momentos de las culturas, se orienta diversamente según el sentido posterior de esas culturas: así, en algunas, el tema del lenguaje irá ligado preferentemente al tema del hombre, mientras que en otras se ligará al de Dios, sin que falten ejemplos de búsqueda de una síntesis conciliadora. El hombre, como ser racional que se pregunta por sí mismo, se pregunta también por las manifestaciones, funciones y realizaciones de su ser, el lenguaje entre ellas.

**6.0.2.** Desde la antigüedad clásica, con la que iniciaremos nuestro estudio, hasta hoy, vamos a ir deteniéndonos, en un estudio necesariamente parcial, en algunos aspectos que nos parecen más interesantes. De ellos destacan la división de la ciencia del lenguaje, como análisis metodológico primordial, y la problemática de la división en lo que se puede llamar "partes de la oración", o sea, las categorías sintagmáticas. En los sucesivos apartados iremos haciendo mención especial de los tratadistas españoles que se hayan ocupado de algunos puntos, así como de lo que adquiera especial relevancia en contacto con inquietudes de este día y esta hora. Puesto que no podemos ofrecer aquí una historia detallada de la lingüística, queremos marcar una serie de puntos, como pautas con las que señalaremos lo que, a nuestro juicio, merece ampliación posterior.

**6.0.3.** Tras nuestra inquietud hay una razón metodológica: abrumados por el ingente peso de una bibliografía que nos sobrepasa por completo, los lingüistas contemporáneos nos debatimos para no ahogarnos en las corrientes encontradas de nuestra ciencia. Si esa es nuestra situación imagínese cuál no será la de todos aquellos que inician su andadura en estas cuestiones, como nuestros alumnos, que en este planteamiento desempeñan un papel relevante. Por ello nos ha parecido que podría valer la pena detenernos a buscar las aguas primitivas (aunque no diremos necesariamente puras) a las que han ido afluyendo intereses en conflicto, inquietudes diversas y soluciones parciales, o sólo muy remotamente bien encaminadas. Hay que evitar que, al final de cada cosecha, los senderos de la ciencia queden cubiertos y escondidos por las hojas del otoño.

**6.0.4.** Como, en el presente estadio cultural, es imposible partir de cero, puede ser conveniente que nuestros lectores tengan una idea clara de nuestro punto de partida, que puede muy bien situarse en las cuatro ciencias lingüísticas definidas por J. B. Carroll[283]:

Es conveniente considerar los códigos lingüísticos en cuatro aspectos distintos: *a)* su fonología, es decir, la especificación de las unidades sonoras (fonemas) que van a componer las palabras y las demás *formas* del lenguaje, *b)* su morfología, es decir, la enumeración de las palabras y demás formas significativas básicas (morfemas) del lenguaje y la especificación de los modos en que pueden modificarse estas formas cuando se las coloca en contextos diversos; *c)* su sintaxis, es decir, la especificación de las pautas según las cuales pueden disponerse las formas lingüísticas y de los modos en que pueden modificarse o transformarse estas pautas en diversos contextos,

---

[283] Según la traducción de F. Gracia del trabajo de Schiefelbusch, en *Pres. del Lenguaje,* 166-167, tomada de la p. 43, cap. III, del libro de R. L. Schiefelbusch, R. H. Copeland y J. O. Smith.

y *d)* su semántica, es decir, la especificación de los significados de las formas lingüísticas y de las pautas sintácticas respecto de los objetos, acontecimientos, procesos, atributos y relaciones que se dan en la experiencia humana.

**6.0.5.** En los párrafos posteriores veremos, además, referencias a la Fonética, la Lexicología, e incluso, tal vez, a la Lexicografía y la Retórica. Acerca del reparto de las ciencias lingüísticas, A. Rey, en la presentación de "La Sémantique"[284], cree que, en un estudio lingüístico descriptivo, ni la estilística (renacida en la semiótica, que engloba a la semántica), ni la lexicología, pueden convertirse en ciencias de esa lingüística descriptiva, a la que trascienden. Insiste en la debilidad metodológica y las incertidumbres epistemológicas de la Semántica. Las ciencias más fijadas, metodológicamente, serían la Fonología y la Sintaxis.

**6.0.6.** Veamos ahora qué nos dice, a propósito de estas y otras cuestiones, la historia de la Lingüística, en su perspectiva occidental.

## 6.1. LA ANTIGÜEDAD

Las primeras preocupaciones lingüísticas de la Antigüedad surgen en torno a la representación del habla, es decir, a la constitución del sistema de representación gráfica que, tras distintas etapas, llegará a ser el alfabeto. Sabemos muy poco, por desgracia, del nacimiento de la escritura y nada de lo que pensaban quienes inventaron los distintos sistemas. La escasez de datos nos obliga a pasar a una segunda etapa, en la que la problemática, que ya nos es conocida, se origina a partir de distintas problemáticas, según el enfoque de la relación del hombre:

*a)* consigo mismo: Grecia,
*b)* con Dios por medio de los textos: India y pueblos camitas y semitas,
*c)* con los otros hombres. Complementaria de las dos anteriores, en las que no puede dejar de aparecer, obviamente, pero descollante en algunas culturas, como la camítica de los egipcios faraónicos y la de los sumerios, con gran número de traducciones.

**6.1.1.** Prescindiremos del tercer grupo, que conocemos peor y del que, al parecer, hay que destacar, fundamentalmente, la preocupación por el léxico y el sistema de escritura en sí, para detenernos en los conocimientos lingüísticos de los dos pueblos indoeuropeos citados: indios y griegos.

**6.1.2.** La especulación gramatical india se basa en la necesidad de comentar los textos sagrados, escritos en la lengua 'perfecta' (esto es lo que significa

[284] En *Langue Française*, 4, 1969.

'sánscrito'). La necesidad del perfecto conocimiento de los textos queda de manifiesto si pensamos que una ceremonia religiosa podía quedar anulada por una incorrección gramatical o, incluso, articulatoria. La ciencia que, para los indios, se ocupa de la lengua, es llamada *vyākarana*, es decir, *análisis*. Los indios conciben, por tanto, la gramática como un procedimiento analítico, realizado con extraordinaria meticulosidad. Gracias a la gramática de Panini[285], sabemos que la tradición gramatical era ya muy antigua en el s. V o IV a. de J.C., fecha en que podemos situar la vida de este gramático de tan extraordinario interés.

**6.1.3.** La gramática sánscrita incluía una ciencia de los sonidos, cuyo centro era la sílaba, no el fonema, siendo, por ello, más fonética que fonológica, una morfología, con un detallado estudio de raíz y afijos, una sintaxis, reflejada incluso en el tipo más corriente de escritura, con *sandhi* o ligazón, y una semántica, con la peculiaridad de no basarse en la palabra, es decir, en la lexicología, en último término, sino en unidades superiores, como el grupo fónico (mejor que la oración).

**6.1.4.** Pese a la brevedad del resumen anterior salta a la vista la 'modernidad' de esta gramática que, en efecto, es responsable de buena parte de las innovaciones de Occidente, desde que un venturoso día del año de gracia de 1786 Sir William Jones, de la Compañía de las Indias Orientales, leyó en Calcuta, ante la Real Sociedad Asiática, su célebre ponencia sobre la relación genética del sánscrito, el latín, el griego y las lenguas germánicas. Es cierto que, hasta entonces, la influencia directa de la gramática sánscrita en los gramáticos europeos había sido nula, y ello a pesar de los contactos mantenidos por griegos e indostánicos, y a pesar del comercio posterior. Una vez más se repite la imagen de un mundo occidental perjudicado por el cierre ante Oriente, empobrecido por negarse a aceptar calidades que le resultan de difícil captación, como luego ocurrirá, y no es más que un ejemplo, con el cuarto de tono de la música[286].

[285] A lo largo de toda esta exposición estamos teniendo en cuenta (sin referencias concretas en cada caso, por tratarse de una visión general) las siguientes obras (por orden alfabético de autores): Jesús-Antonio Collado, *Historia de la Lingüística*, ed. Mangold (Madrid), 1973, O. Jespersen, *Language*, ed. George Allen & Unwin (Londres), 1922; M. Leroy, *Las grandes corrientes de la Lingüística*, ed. F.C.E. (México), 1969; A. Llorente, *Teoría*, pp. 241 y ss.; G. Mounin, *Historia de la Lingüística*, ed. Gredos (Madrid); 1968, y R. H. Robins, *A Short History of Linguistics*, ed. Longman's (Londres), 2.ª ed. 1969 (y la reseña de J. Fellmann, mejor que la de Mounin, en *Acta Ling.* XXIII, 1973, pp. 412-414). Sobre Panini, especialmente, *cf.* P. Kiparsky y J. F. Staal, "Syntactic and Semantic Relations in Panini", *Foundations of language*, 5, 1, 83-117, y B. A. van Nooten, "Pănini's Theory of Verbal Meaning", *ibid.*, pp. 242-55.

[286] En páginas posteriores volveremos sobre un interrogante abierto, la posible influencia de alguno de estos aspectos en la gramática del urdú, el persa, o el árabe, para su contacto posterior con algunos gramáticos occidentales (en los que se sumaría a la influencia de la gramática hebrea) como Francisco Sánchez de las Brozas (Sanctius), en quien es discutible la influencia semítica. Si, como parece, la deuda de los gramáticos árabes al mundo helenístico

**6.1.5.** Dentro de la etiqueta general del mundo greco-latino caben muchas tendencias distintas, que trataremos de reducir, en lo posible, a un somero esquema. La preocupación lingüística no se origina ahora por el comentario de un texto sagrado, sino como parte de la pregunta general acerca del hombre. La gramática surge ligada a la lógica y, por ello, a la filosofía. Por esta razón, frente al carácter formalista fundamental en la tradición sánscrita, la gramática griega y, tras ella, la occidental, hasta época moderna, ha prestado especial atención al contenido y a la relación entre las categorías lingüísticas y las mentales. De la tradición gramatical helénica procede todo lo que englobamos bajo la etiqueta de 'gramática tradicional'.

**6.1.6.** Mientras que la relación del estudio lingüístico con el alfabeto no parece grande en el mundo sánscrito, en Grecia, por el contrario, ya la palabra que designa la ocupación lingüística deriva de la que significa 'letra'. La gramática, para los griegos, es, etimológicamente, arte de las letras. Dividían este estudio en cuatro partes: la Prosodía trataba de los sonidos y lo significativo de las diferencias entre ellos, pero sin estudiar el campo de las oposiciones que hoy es característico de la Fonología. Venía a ser, por lo tanto, una especie de Fonética con algunos puntos de pre-Fonología; la Etimología se ocupaba del origen de las palabras, de la relación de los nombres y las cosas, es decir, la convención, motivación, analogía y anomalía, en la relación entre cosa y nombre, y la historia (muchas veces muy poco fiel) de las derivaciones. La Sintaxis trataba de la construcción de la oración y las clases de oraciones, es decir, la estructura superficial de las frases. No se trata, pues, de una sintaxis en el sentido actual, o estudio del componente sintáctico, con sus reglas, sino de una sintaxis quasi-morfológica; la Analogía, por último, está relacionada con nuestra Morfología, aunque no era lo mismo: se interesaba por las partes de la oración, es decir, por la caracterización formal y funcional de los distintos elementos oracionales. Por ello no puede pretenderse que los griegos distinguieran Morfología y Sintaxis, aunque tampoco pueda hablarse de una Morfosintaxis. Se trata aún de tentativas, vacilaciones, y, además, inquietudes secundarias, frente a un problema más importante para Grecia: el origen del lenguaje.

**6.1.7.** Mientras que en la gramática sánscrita se había llegado al establecimiento de una unidad exclusivamente lingüística, una unidad mínima dotada de significado, a la que podemos llamar *monema,* dividida en dos tipos: con significado léxico, o raíz (parecida a nuestro *lexema*) y con significado flexivo, gramatical, o desinencia (que podemos llamar *formante,* o *gramema,* pues *morfema,* que se puede emplear en Europa con este valor, se utiliza en América, y en algunas escuelas europeas, con valor muy próximo a *monema*),

es menor de lo que se creía, conviene exponer las posibles influencias en la creación de una gramática tan compleja y detallística como la árabe. *Cf.* H. Fleisch, *Traité de Philologie Arabe.* Beirut (Imprimerie Catholique), varios volúmenes previstos, de los que se ha publicado el primero.

los griegos tenían como unidades dos, procedentes del análisis de la lengua escrita, la letra y la palabra, con un criterio absolutamente material, de la posibilidad de escritura aislada.

**6.1.8.** Lo anterior resume el pensamiento griego en conjunto, con evidente pérdida de matices; dada su importancia, parece conveniente proceder a algún acercamiento parcial. La división de la gramática no se encuentra todavía en Platón ni en Aristóteles, aunque apunten en ellos algunas clasificaciones interesantes. Platón distingue nombre (ὄνομα) de verbo (ῥῆμα), es decir, sujeto y predicado lógicos. Más que de *partes de la oración* tendríamos que hablar de partes de la proposición lógica que enuncia un juicio: PS, predicado se da en sujeto, *Leónidas es hombre: la hombría se da en Leónidas;* esta notación se sigue conservando en la lógica actual. El predicado se define en función del sujeto. Aristóteles[287], que tampoco divide la gramática, distingue así:

"Las partes de toda suerte de habla son éstas: elemento, sílaba, conjunción, nombre, verbo, artículo, caso, palabra".

**6.1.9.** En esta mezcla de unidades varias, *elemento* viene a coincidir con 'letra', *sílaba* es la combinación de vocal y semivocal o muda, sin significación; *conjunción* es voz no significativa que une voces significativas. "*Artículo* es una voz no significativa, la cual muestra el principio o el fin, o la distinción de la palabra; v. g.: *Lo dicho, acerca de esto,* etcétera." El *nombre* es voz significativa sin tiempo, y compuesta de varios elementos que no mantienen su significación separados. El *verbo* es voz significativa con tiempo, también compuesta. El *caso* viene a ser la flexión nominal y verbal. En cuanto a la *palabra,* encontramos ya una definición: "es una voz compuesta significativa, de cuyas partes algunas significan por sí, mas no siempre con tiempo, porque no toda palabra se compone de nombres y verbos". Esta definición, que se amplía de modo confuso, parece indicar una concepción sintagmática de la palabra, e incluso una indeterminación entre palabra y frase, si no se trata, simplemente, de que el filósofo, al ir a definir la palabra, se dio cuenta de las dificultades de la definición. Es probable que pueda hablarse, dentro del nombre, de la distinción propiocomún-adjetivo.

**6.1.10.** De todas las 'partes' aristotélicas, podemos considerar que está claro el concepto de *nombre,* que ahora no corresponde sólo al sujeto lógico, sino a todo objeto, y el de *verbo,* que es el 'término de predicación'; todo verbo puede reducirse a ser + predicado. También queda relativamente claro el concepto de conjunción, mejor 'palabra de enlace' (σύνδεσμοι). En cuanto al artículo (ἄρθρον), ya hemos visto la nula claridad de su definición, a lo que hay que sumar la duda sobre su atribución a Aristóteles,

---

[287] *Poética,* trad. de José Goya y Muniain. Madrid (Espasa-Calpe), cap. III, 20.

pues sólo aparece en el texto de la Poética que hemos reproducido y en la Retórica [288]. Las cuatro partes no aparecerán con seguridad y constancia hasta los gramáticos estoicos, pertenecientes a la escuela fundada por Zenón, unos 300 años a. de J.C. Ya hemos visto que se debe a los estoicos la distinción entre las dos partes del signo. Robins señala que algunas de sus preocupaciones lingüísticas podrían arrancar del origen semítico de Zenón y su bilingüismo.

**6.1.11.** Los estoicos inauguran el período post-alejandrino, o helenístico. En él aparece la primera gramática propiamente dicha, en Occidente, la de Dionisio el Tracio (170-90 a. de J.C.), en la que aún no aparece la Sintaxis, que será admitida, en el s. II d. de J.C., por Apolonio Díscolo y su hijo Herodiano.

**6.1.12.** En Dionisio de Tracia, como en Aristarco (215-115 a. de J.C.), las partes de la oración son ya ocho: las cuatro que ya conocemos, nombre, verbo, palabras de enlace y artículo, más el adverbio (ἐπίρρημα), la preposición (πρόθεσις), el participio (μετοχή) y el pronombre (ἀντωνυμία). En cuanto al artículo, ya desde los estoicos se encuentra una distinción entre definidos (ὡρισμένα) e indefinidos (ἀοριστωδες); entre los primeros se incluyen los personales, en los segundos los relativos. El concepto de *adverbio* es, inicialmente, 'adición al predicado', pero es una especie de cajón de sastre. Tampoco queda muy clara la distinción entre *preposición* y *relacionantes,* que se interfieren continuamente. Apolonio Díscolo establece diecinueve tipos de relacionantes. El concepto de *pronombre* surge confundido, originariamente, con el de artículo; se distinguen los *deícticos* y los *anafóricos.* En lo que concierne a la *interjección,* los griegos no la consideraban parte de la oración, y la llamaban 'excluida del discurso' (ἄλογοι).

**6.1.13.** Tras todo lo anterior podemos resumir diciendo que en Platón, con precedente en Protágoras, vemos una muestra de clasificación lógica, criterio que aparecerá suavizado en Aristóteles; los estoicos tienen sistemas casuísticos de detalle, mientras que la etapa alejandrina es la de codificación y selección. Con ello podemos pasar a Roma.

**6.1.14.** Aunque los romanos no sean originales totalmente, su labor no es de transmisión indiscriminada de lo griego, sino que aprovechan los hallazgos helenísticos y, en algunas cuestiones, aportan principios originales. Precisamente conviene destacar la buena voluntad con la que aceptaron la cultura griega, frente a la oposición de los helenos a los extranjeros (bárbaros); como consecuencia lógica de ello, tenemos que considerar que los romanos vieron los aspectos positivos del conocimiento de varias lenguas,

---

[288] Steinthal niega que Aristóteles distinguiera el artículo. *Cf. Geschichte der Sprachwissenschaft bei den Griechen und Römern.* Berlín, 2.ª ed. 1890. Para los gramáticos griegos véase ahora A. Szabó: "Die Beschreibung der eigenen Sprache bei den Griechen", *Acta Ling.,* XXIII, 1973, pp. 327-353.

y no sólo del latín y del griego[289], aunque no aprovecharon las posibilidades de la comparación.

**6.1.15.** El tratado *De lingua latina*, de Varrón (116-27 a. de J.C.), primera muestra de la gramática latina, recoge influencias helenísticas, a la vez que muestra una interesante originalidad. Aunque la obra no se conserva completa, sabemos que dividía la gramática en *Etimología* (que todavía continuaba las interpretaciones de la etapa pueril), Analogía y Sintaxis. No se nos ha conservado la última, aunque, del contexto general de la gramática latina podemos deducir que, como en el caso de los gramáticos griegos, no es fácil admitir una clara separación de Morfología y Sintaxis, sin que podamos llegar tampoco a una Morfosintaxis.

**6.1.16.** En lo que concierne a las 'partes de la oración', Varrón muestra su originalidad. Las divide, con un criterio morfológico que Jespersen encontraría ingenioso, muchos siglos después, en cuatro grupos, según la inflexión de caso y tiempo:

*a)* palabras con caso (nombres)
*b)* palabras con tiempo (verbos)
*c)* palabras con caso y tiempo (participios)
*d)* palabras sin caso ni tiempo (adverbios y partículas).

**6.1.17.** Para suplir el inconveniente del uso polisémico de *verbum*, 'palabra' y 'verbo', utiliza para el segundo el término *verbum temporale,* que hará fortuna (*cf.* alemán *Zeitwort*, p. ej.).

**6.1.18.** En tan sucinto resumen como el nuestro no nos queda más remedio que agrupar a los restantes gramáticos latinos: Quintiliano (s. I después de J.C.), Aelio Donato (s. IV d. de J.C.) y, en la transición al Medievo, Prisciano (s. VI d. de J.C.).

**6.1.19.** Los romanos mantienen la división de la gramática, heredada de los griegos, en Prosodia, Etimología, Analogía y Sintaxis. La palabra sigue siendo, basada en el mismo criterio escrito, la unidad central. En cuanto a las 'partes de la oración', en relación con lo que hemos visto en los griegos, el primer problema surge porque el latín no tiene artículo. El término *articulus*, para traducir el ἄρθρον griego, se aplica con gran imprecisión en latín. Los gramáticos admiten un artículo *protáctico*, que va delante del nombre, se identifica con *hic-haec-hoc*, y es *nota generum*, frente al artículo *hipotáctico*, pospuesto, con función articuladora, y que correspondería a nuestro pronombre. Cuando optan por suprimir el artículo,

---

[289] El 'mito del políglota' se apoyó en Mitridates, rey del Ponto (120-63 a. de J.C.) quien, según Aulo Gelio, en sus *Noches Áticas,* libro de considerable influencia en el Renacimiento, hablaba veinte lenguas, todas las de su reino. De esta influencia renacentista, perceptible en el *Mithridates* de C. Gesser (1555), todavía quedaban huellas en 1806 y 1817, en el *Mithridates* de Adelung.

que, en el sentido latino, se incorpora a los pronombres, introducen la *interjección* entre las partes de la oración, para que no varíe el número de éstas. En cuanto al verbo, su análisis es más complejo, aunque confunden, p. ej., *voces* y *clases* de verbos. Distinguen verbos del género activo y pasivo (*dinámicos*) de verbos *neutros,* entre los que se sitúan los *estáticos* o de estado. El concepto de verbo activo, como activo que puede ponerse en pasiva, es decir, como transitivo (la acción rebasa los límites del verbo y se transfiere a otro objeto), se ha conservado hasta hoy.

**6.1.20.**   En resumen: entre los romanos no ha variado la división cuatripartita de la gramática, tampoco varía la consideración del papel central de la palabra. Hay una ligera alteración en las partes de la oración, que son ahora: nomen, verbum, participium, pronomen, adverbium, praepositio, interiectio y coniunctio. Con escasas variaciones, encontraremos estos postulados hasta hoy, en lo que se viene llamando 'gramática tradicional'.

## 6.2.  LA EDAD MEDIA

El acercamiento a la Edad Media nos demuestra, una vez más, que en este período se esconden importantes riquezas que sólo el prejuicio clásico mantiene ocultas. Ahora que es mayor nuestro conocimiento de esas épocas, que un romántico calificaría de 'brumosas', sabemos la importancia del movimiento científico en esta era oscura, no por carecer de cerebros que la iluminen, sino por las sombras que hemos proyectado sobre ella. Nosotros, una vez más, habremos de restringir nuestro interés a los aspectos más generales que nos ayuden a fijar un concepto de ciencia lingüística. Así, prescindiremos de aspectos indudablemente útiles, situados en la transición de la Antigüedad a la Edad Media, como el nacimiento del alfabeto ogámico para el celta (s. II), el rúnico para el germánico (s. IV), el gótico para esta lengua, creado por el obispo Wulfila (311-384) en su traducción al gótico de los Evangelios, el alfabeto de Mesrop (?) para el armenio (s. V) o los de Cirilo (827-869) y Metodio para el eslavo, escritura glagolítica primero y cirílica después, varios de los cuales se siguen usando o se han usado hasta hace poco. La creación de un alfabeto, como decíamos al principio de este capítulo, supone un estudio fonético e, incluso, fonemático, digno de ser tenido en cuenta, pero hemos de limitarnos a señalar, a partir de este hecho, que la preocupación por el sonido y sus clases continúa en la Edad Media. También prescindiremos de las aportaciones orientales a la gramática, con la excepción de una rápida referencia al mundo árabe. Que no nos ocupemos de estos puntos no implica un menosprecio de su importancia, sino sólo la consideración de que su influencia ha sido menor en las dos zonas a las que vamos restringiendo nuestro enfoque: la lingüística posterior a Saussure y la gramática española. Al margen de ambas, sin embargo, no podemos por menos que referirnos a la continuidad de la gramática griega en la escuela bizantina, uno de cuyos autores, Máximus Planudes (c. 1260-1310) estudió la categoría del caso, realizando un análisis semántico de los mismos del que habla Hjelmslev en su estudio sobre el tema[290].

**6.2.1.** La influencia árabe que se reconoce más fácilmente en Occidente es la ejercida por los traductores, pues, gracias a ellos, se ha conservado gran parte de la ciencia helénica y transmitido parte de la de Extremo Oriente, como todos sabemos. De la mano de la traducción va la lexicografía, por lo que no estará de más recordar aquí una larga tradición de glosarios y diccionarios del latín, las lenguas romances y otras, entre el s. IX y el XX. Sin embargo, se ha hablado poco de la influencia que pudo tener el sistema gramatical del árabe, y su presentación estructurada por los gramáticos, y ello a pesar de las diferencias ostensibles entre las gramáticas del árabe y las de las lenguas occidentales.

**6.2.2.** La preocupación por la lengua está unida, en los árabes, a dos temas: la lectura correcta del Alcorán, y la interpretación de la poesía, especialmente de la llamada 'preislámica'. El ser el árabe escrito una lengua sin correspondencia con ningún dialecto hace que la codificación gramatical tenga la finalidad inmediata de mantener la unificación de la lengua. La primera escuela gramatical árabe es la de Basora[291], fundada, al parecer, por Abū-l-Aswad al-Du'alī, y a la que pertenecieron el fonetista y lexicógrafo Jalīl b. A'ḥmad (m. 791/175) y el gramático mayor de todos los tiempos, el persa Sībawayh (m. 796/180), así como Abū 'Ubayda (m. 824/209), al-Aṣma'ī (m. 828/213). Abū 'Ubayd (m. 837/222), al-Mubarrad (m. 898/287), Ibn Durayd (m. 934/322), y otros. A esta escuela se opuso la de Kufa y, en el s. X, surgió la de Bagdad. Entre los gramáticos de Kufa tenemos a al-Kisā'ī (m. 805/189), al-Farrā' (m. 821/206), Ibn Sikkit (m. 857/243), Ṭa 'lab (m. 904/291), al-Anbārī (m. 939/327), entre otros, y de la de Bagdad cabe destacar a su fundador, Ibn Qutayba (m. 889/276). Como siempre, pasó muy poco tiempo para encontrar aclimatada en Al-Andalus la gramática árabe. El armenio Abū 'Alī al-Qālī (m. 957/346) y su discípulo al-Zubaydī (m. 989/380) son figuras señeras de la gramática árabe andalusí.

**6.2.3.** La unidad lingüística, para estos gramáticos, es la raíz, combinada con un necesario análisis fonético-fonológico que exige la distinción de las vocales y las consonantes. La grafía árabe no representa, por lo general,

---

[290] *Cf.* R. H. Robins, *op. cit.*, p. 39.
[291] *Cf.* F. Pareja, *Islamología*, Madrid (Razón y Fe), t. II, pp. 781 y ss.; G. Vajda, "Les lettres et les sons de la langue arabe d'après Abū Halim al-Rāzī", *Arabica*, VIII, 1961, pp. 113-130; Francesco Gabrieli, *La Letteratura Araba*, Florencia-Milán (Sansoni-Accademia), 1967, y Juan Vernet, *Literatura Árabe*, Barcelona (Labor), *s.a.*, pp. 96 y ss.

las vocales breves, aunque dispone de signos auxiliares, mociones, que se utilizan en el Alcorán y en otros textos cuya interpretación se quiera facilitar, como la poesía. De las partes de la oración, la que tiene mayor importancia es el verbo, ya que en la tercera persona del singular del perfectivo se presenta la forma radical base, generalmente, como tres consonantes (raíz trilítera) con tres vocales, p. ej. KaTaBa (lit. 'escribió'). Esta forma es la que sirve de encabezamiento en el diccionario. Por cambios del vocalismo de la raíz y adición de afijos se obtienen todas las formas verbales y nominales. Fuera de este sistema quedan las partículas, que incluyen los relacionantes. Nombre y verbo comparten el formante de género, y se distinguen porque el nombre tiene casos y el verbo personas. La simplicidad básica extraordinaria del árabe permite, sin embargo, la generación de un número elevado de formas que, teóricamente, pueden ser cientos a partir de una sola raíz. Si a ello añadimos la extraordinaria riqueza fonética del árabe (y las minuciosas descripciones articulatorias necesarias para unificar la recitación del Alcorán), así como el prodigioso desarrollo de su léxico en la poesía, con multiplicidad de sinónimos o de quasi-sinónimos, con levísimas diferencias de matiz, nos daremos cuenta de que es necesario explorar las relaciones de estos gramáticos con los del sánscrito, por un lado, y los occidentales, por otro, pues gran parte de sus métodos, teorías y clasificaciones son inexplicables a partir de la gramática helenística. El análisis del significante y la relación entre una forma y un significado son logros importantes de la gramática árabe.

**6.2.4.** En el mundo occidental, aunque van apareciendo las primeras gramáticas, muy rudimentarias, de lenguas no latinas (irlandés, p. ej.), el estudio gramatical significa, todavía, el estudio del latín. Dante, en el *Convivio*, aún considerará sinónimos 'latín clásico' y 'gramática'.

**6.2.5.** Los gramáticos medievales utilizan su ciencia en función de la lógica, y esta última como fundamentación de su metafísica, encaminada teológicamente. Con ello, la gramática, que para griegos y romanos, como veíamos, había sido ciencia humanística, pasa a formar parte del basamento de la Teología: las verdades de la gramática se pondrán en relación con los misterios teológicos, hasta parangonar las tres personas del verbo con las tres Divinas Personas.

**6.2.6.** En lo que respecta a la división de la gramática, tanto en el Imperio Bizantino como en Occidente, sigue en vigor la gramática de Dionisio de Tracia, y se mantiene la distinción de Prosodia, Etimología, Analogía y Sintaxis, que, con la sustitución de la Etimología por la Ortografía y la consideración crecientemente morfológica de la Analogía ha llegado hasta este mismo siglo. Junto a esta división tiene importancia la que se concretó, en el s. XII, en la obra de Alexander de Villa Dei: Orthographia, Etymologia, Dyasintastica y Prosodia, en la que la Etymologia era el estudio formal de las partes de la oración, la flexión y la formación de palabras, mientras que la Dyasintastica era la Sintaxis, en el sentido ya conocido de análisis del discurso[292], incluidas las partes de la oración en conjunto.

**6.2.7.** La Gramática, junto con la Lógica y la Retórica, eran las tres artes liberales que formaban el *triuium,* o primer grado de la enseñanza.

**6.2.8.** El primitivo valor de la etimología, como estudio del origen de las palabras, antes de pasar a su nuevo sentido morfológico, con los escolásticos, se ejemplifica en la magna obra del hispano-godo Isidoro de Sevilla (+ 636), conocida como *Isidori Hispalensis episcopi etymologiarum siue originum libri XX.* La etimología, de escaso o nulo valor científico, según nuestros criterios de hoy, sirve para transmitirnos un mundo cultural, el de la lejana Edad Media, y sirvió para hacer llegar a esa época parte, inevitablemente deturpada, de la cultura clásica. Además, las *Etimologías* son, aún, buena muestra de la tendencia analogista, pues buscan la motivación en la relación nombre-cosa. Veamos una:

"17.10.11  lactuca dicta est quod abundantia lactis exuberet, seu quia lacte nutrientes feminas implet... lactuca agrestis est quam sarraliam nominamus, quod dorsum eius in modum serrae est."

**6.2.9.** La riqueza y complejidad de las disquisiciones de los gramáticos medievales es tan grande, que difícilmente podremos resumir las tendencias principales. Lo primero que parece cierto, por lo que hemos visto hasta ahora, es que el cambio de contenido de la etimología coincide con la consideración arbitraria de la relación entre los dos elementos del signo, favorecida por los escolásticos. Por otra parte, la gramática medieval está inmersa en la gran discusión filosófica de la época, la de los universales, entre los dos realismos y el nominalismo[293]. Este problema quedaba planteado en el comentario de Boecio al neoplatónico Porfirio, y se le señalan tres soluciones:

**6.2.10.** El realismo extremo cree que los términos del lenguaje humano corresponden a universales reales, diferentes de los particulares. Para nosotros, esta tesis tiene menos interés que la del realismo moderado, para el que los términos del lenguaje existen como propiedades o caracteres de los particulares. Con estas definiciones tan simples es difícil precisar los autores que pertenecen a las distintas tendencias, si bien parece aceptable considerar a Duns Scoto en el realismo moderado que tiende hacia el

---

[292] Llorente, *Teoría,* 245.
[293] Debemos rechazar la excesiva simplificación de Leroy, en *Les Grands Courants de la Linguistique Moderne,* p. 7, pues su exposición es insuficiente, no basta con decir que los realistas creen que las palabras reflejan las ideas o que, para los nominalistas, los nombres se han dado arbitrariamente a las cosas.

realismo extremo, sin entrar en este último, y a Tomás de Aquino en el realismo moderado que tiende hacia la tercera escuela, el nominalismo[294]. Para esta última tendencia, representada por Guillermo de Ockham (siglo XIV), los términos del lenguaje humano no tienen valor fuera del mismo, son sólo términos generales o universales que usan los hablantes. La aportación de los nominalistas es muy importante, aparecen en ellos precedentes de la Semántica, como la interpretación significativa del concepto, que desarrolla aspectos previamente estudiados. Esta aparición de la Semántica, disciplina que no recibe este nombre hasta fines del XIX, como es bien conocido, ha de situarse, con todas las garantías, en el período medieval, donde origina tesis tan importantes como la de la *suposición.* En Petrus Hispanus, que llegó a ser Juan XXI (s. XIII), se distingue la *significatio,* relación entre signo o palabra y lo que ésta significa, de la *suppositio,* o aceptación de un concepto, por la relación significativa, en lugar de un objeto o clase. La *suppositio* puede ser *formal,* cuando tomamos la palabra por el referente: "Juan es mi vecino", o *material,* cuando tomamos la palabra por sí misma (es decir, en un metalenguaje): "Juan es un nombre propio". Obsérvese la modernidad de dos aspectos de la teoría: la distinción entre materia y forma, y la diferencia entre lengua y metalengua. El concepto de suposición adquiere importancia capital en el nominalismo ockhamiano[295], donde, frente a los tratadistas anteriores, como Guillermo de Shyreswood y Petrus Hispanus, que consideraban la suposición como "propiedad de los términos y de los términos arbitrarios, y de éstos en una situación extraproposicional o al menos proposicional, para Ockham la suposición:

Est proprietas conveniens termino (también y sobre todo al mental) sed nunquam nisi in propositione".

6.2.11. El significado, pues, no se considera aisladamente, sino que se habla del valor contextual que puede adquirir el empleo de un término, con su relación significativa, en una oración. Piénsese además en la importancia de esta afirmación, que encontraría abundantes defensores entre los lingüistas de hoy, puesto que quiere decir que la lingüística es la puerta del conocimiento.

6.2.12. La doble división anterior de la suposición se complica en una división triple: la *suposición personal* "es la plena actuación proposicional de la significación de un signo lingüístico, en cuanto que éste ocupa en la proposición el lugar de los singulares existentes como 'cosas en sí'"[296]. Puesto que Ockham rechaza el concepto de 'naturaleza', la referencia del signo *homo* en *omnis homo est animal* no se hace a algo común a ellos, sino a ellos-en-sí. La *suposición simple* se da cuando el signo lingüístico

---

[294] Así parece deducirse de lo expuesto por Teodoro de Andrés: *El Nominalismo de Guillermo de Ockham como Filosofía del Lenguaje.* Madrid (Gredos) 1969.

[295] *Ibid.,* pp. 230 y ss.

[296] *Ibid.,* p. 294.

reemplaza a otro signo lingüístico, no a la cosa, sino a la clase, es decir, a un signo lingüístico conceptual, como en *homo est species,* donde no se puede predicar de algún hombre que sea especie, sino sólo de la totalidad, que es la que constituye una especie, la humana. En la *suposición material* se emplea el signo lingüístico en lugar de otro signo lingüístico, pero no conceptual, sino arbitrario. Se trata de la significación metalingüística de un signo, como en *homo est nomen.*

**6.2.13.** De la extraordinaria riqueza de este período nos da idea, asimismo, el hecho de que, junto a la discusión entre realistas y nominalistas, se desarrolla la creencia en una estructura gramatical una, coherente y universal, inherente a todas las lenguas. Con este adelanto de lo que será, o querrá ser, la Gramática General, pasamos a otro tipo de problemas gramaticales. Lo que llamamos más propiamente Gramática, en el Medievo, está dominado por dos tendencias, la conservación de los conceptos de Prisciano, con una gramática orientada hacia los datos, con ejemplos tomados con libertad, y la construcción lingüística de los modistas, orientada hacia la teoría, con ejemplos fabricados, prefijados para aclarar la explicación.

**6.2.14.** Los *modistas,* llamados así a causa de la teoría de los *modi* que sostienen, parten de concepciones filosóficas dominantes, como la tesis de que la gramática es parte de la filosofía y sólo tiene interés por ésta, defendida en el s. XII por Petrus Helias (a quien se debe la definición de la Gramática como "ciencia o arte de escribir y hablar correctamente"), y aprovechan las distinciones adquiridas por la filosofía, como la de materia y forma, p. ej. en Miguel de Marbais, s. XIII. Robins[297] cree que la base filosófica de los modistas está en el realismo moderado, de tipo aristotélico-tomista. El tratado más importante de esta escuela es el *De modis significandi seu grammatica speculativa* de Tomás de Erfurt, s. XIV, atribuido durante mucho tiempo a Duns Scoto (+ 1309). T. de Erfurt llama Etymologia al estudio formal de las partes de la oración, y Syntaxis o Dyasintetica al estudio de las partes de la oración en el discurso[298].

**6.2.15.** La teoría de los modos parte de los *modi essendi,* o propiedades de las cosas. Estos *modi essendi* son aprehendidos por los *modi intelligendi activi,* gracias a los cuales se configuran en el entendimiento como modos pasivos, *modi intelligendi passivi* y se exteriorizan como *modi significandi activi,* que expresan las propiedades de las cosas por las *voces,* elemento material, divididas en *dictiones* y *partes orationis,* que son elementos formales. Los *modi significandi activi* comprenden los *modi significandi essentiales* y los *modi significandi accidentales:* los primeros son las categorías definidoras aristotélicas, los segundos los accidentes. Por último, los *modi significandi*

---

[297] *Op. cit.,* p. 87.
[298] Llorente, *op. cit.,* p. 247. La gramática de Erfurt está traducida al español: *Gramática Especulativa,* trad. de Luis Farré, Buenos Aires, 1947. *Vid.* p. 135.

*passivi* son las propiedades de las cosas, tal como las significan las palabras (dictiones). En el esquema:

Modi essendi

Modi intelligendi activi ⟶ Modi intelligendi passivi

Modi significandi activi ⟶ Modi significandi passivi

representamos a la derecha los tres modos que tienen diferencia formal, pero igualdad material, en su relación con las propiedades de las cosas: cómo son, cómo son aprehendidas y cómo son expresadas.

**6.2.16.** En resumen, podemos decir que los modistas sienten escaso interés por la prosodia, pero desarrollan, en cambio, lo que hoy conocemos como Morfología, Sintaxis y Semántica. En su estudio de las partes de la oración (nomen, verbum, participium, pronomen, y las indeclinables o no flexivas, adverbium, coniunctio, praepositio, interiectio) Tomás de Erfurt distingue nombre sustantivo y adjetivo, como ya había hecho P. Helias. Da una definición de preposición más exacta que las anteriores y rechaza la confusión de las preposiciones, formas libres, con los afijos, formas ligadas, distinción que no aparece todavía en lingüistas actuales[299]. En la Sintaxis hay grandes innovaciones, puesto que el *modus significandi* es, a menudo, un equivalente aproximado de la función sintáctica. Analizan la reacción, dependencia y transitividad. En Semántica, no sólo distinguen el significado en la lengua y en la metalengua, según la teoría de la suposición que hemos esbozado, sino que se adelantan, también, a teorías modernas, en el estudio de la necesidad de congruencia entre corrección sintáctica y semántica, con el estudio de la agramaticalidad de oraciones como *\*lapis amat filium.*

**6.2.17.** Todo lo que hemos dicho, que no es más que un extracto, nos permite, creemos, eliminar el calificativo de 'obscura' aplicado a esta época, a la que convendría llamar, mejor, *poco estudiada.* La necesidad de eliminar el adverbio en este último sintagma nos parece acuciante[300]

## 6.3. LOS SIGLOS DE ORO

A la luz de las corrientes más modernas no cabe duda de la propiedad de la denominación de este párrafo, porque ¿qué otro nombre podríamos dar a la época de Nebrija, Huarte, Sanctius, Correas y Descartes? El movi-

---

[299] *Cf.* B. Pottier, *Systématique des éléments de rélation,* pp. 198-202.

[300] No podemos detenernos en una figura de tanta importancia como Ramón Llull (1235-1315), aunque sí lo suficiente para indicar que su arte combinatoria, *Ars Magna,* pudo deber bien poco a Ibn Jaldún (1332-1406), como dice Mounin. Quien sí tiene una deuda importante con el mallorquín es Leibniz, directa e indirectamente.

miento científico se hace ya tan complejo que nuestro resumen habrá de limitarse al ámbito hispánico, con contadas incursiones en otros dominios lingüísticos [301].

**6.3.1.** Si hemos de buscar una gran innovación en esta época, la veremos, desde luego, en la preocupación por las lenguas vulgares, sin que ello signifique, ni mucho menos, el abandono del latín.

**6.3.2.** A menudo se repite que los gramáticos renacentistas hacen las gramáticas vulgares calcando los moldes latinos. Esto es cierto sólo en parte, puesto que veremos la aparición de innovaciones en un sentido o en otro. Lo que es cierto, y conviene no olvidar, es que la tradición gramatical es una de las más persistentes y una de las que más favorece, con citas y glosas, la persistencia de los argumentos de autoridad.

**6.3.3.** En nuestra selección de gramáticos españoles de la primera época de los siglos de oro (fines del xv y principios del xvi) corresponde el primer lugar a Elio Antonio de Nebrija (o Lebrixa), tanto por sus *Introductiones Latinae* (1480), como por su *Gramática Castellana* (1492) [302]. Hay que reducir un poco los ditirambos que le aplica Casares [303], pues ya sabemos que, ni la división de la Gramática en cuatro partes, ni la diferenciación de la Sintaxis son novedad. Nebrija, entre las dos divisiones medievales de la Gramática, se inclina por la de Analogía, Sintaxis, Prosodia y Ortografía. En cuanto a las partes de la oración, en las *Introductiones* mantiene las ocho latinas tradicionales, aunque en las glosas añade dos: *gerundia* y *supina*, mientras que en la *Gramática,* en lugar de las ocho latinas, distingue

[301] Además de las obras citadas en la nota 285, *vid.* L. Kukenheim, *Contribution à l'histoire de la grammaire italienne, espagnole et française à l'époque de la Renaissance.* Amsterdam, 1932; G. Brunelli, "F. Fortunio, primo grammatico italiano", *Atti e mem. della Società di Storia patria,* II, 1927; Ludovico Castelvetro, *Giunta fatta al Ragionamento degli articoli et de'Verbi di Messer Pietro Bembo,* en *Opere del Cardinale Pietro Bembo,* Venecia, 1739, II; J. Casares, "Nebrija y la gramática castellana", *Bol. R.A.E.,* 26, 1947, pp. 335-367; Constantino García, *Contribución a la Historia de los Conceptos Gramaticales. La aportación del Brocense.* Madrid, 1960; F. Lázaro Carreter, *Las Ideas Lingüísticas en España durante el siglo XVIII,* Madrid, 1949, pp. 25-40, 127-138. Para los problemas, importantes, que plantea la conquista de Granada (entre ellos el famosísimo de los plomos del Sacromonte), *cf.* el prólogo de A. Castro a la edición del *Quijote* (en la serie "Novelas y Cuentos" de ed. Magisterio Español), y el documentado trabajo de James T. Monroe, *Islam and the Arabs in Spanish Scholarship,* Leiden. 1970 (así como nuestras reseñas a estos dos últimos trabajos en *Rev. Occ.,* abril 1972 y julio 1972). Como ejemplo, tan *sui generis,* de gramática latina, hemos analizado la *Minerva* de Sanctius, en ejemplar de la biblioteca de la Universidad de Pisa, que corresponde a una edición de Amsterdam, 1664, con notas de Gaspar Scioppio; la primera edición de la *Minerva* es de 1587. En notas a los párrafos que se ocupan de ellas precisaremos las ediciones de gramáticas castellanas manejadas. Acerca del origen del castellano y las distintas teorías renacentistas, *cf.* Werner Bahner: *La Lingüística Española del Siglo de Oro.* Madrid (Ciencia Nueva), 1966.

[302] De la que vale la pena señalar la edición crítica de Pascual Galindo Romeo y Luis Ortiz Muñoz, Madrid, 1946, con reproducción del incunable en el segundo volumen.

[303] *Op. cit.,* 344-345.

diez, a las que llega tras agrupar en una adverbio e interjección, añadir gerundio y artículo y desdoblar el participio pasivo en dos: participio variable y *nombre participial infinito,* invariable, que es la forma participial de los tiempos compuestos. Hay algunas novedades en las teorías del gramático sevillano, como el estudio del artículo, en el que señala la distinción entre éste y el pronombre (*el, la, lo*) sintagmáticamente, la descripción de los sonidos y su relación con el latín, y un adelanto de la teoría de la elipsis, que luego aparecerá, mucho más desarrollada, en la *Minerva* de Sánchez de las Brozas, como tendremos ocasión de ver. Así, en el capítulo VII del libro IV de la *Gramática* (fol. g. iiii), entre las restantes figuras, nos habla de la elipsis:

"Eclipsi es defecto de alguna palabra necessaria para hinchir la sentencia: como diziendo buenos dias. falta el verbo que alli se puede entender & suplir: el cual es aiais. o vos de Dios. Esso mesmo se comete eclipsi: & falta el verbo en todos los sobre escriptos delas cartas mensajeras: donde se entiende sean dadas. tan bien falta el verbo en la primera copla del laberinto de Juan de Mena que comiença. Al mui prepotente don Juan el Segundo A el las rodillas hincadas por suelo. entiende se este verbo sean. & llamase eclipsi que quiere dezir desfallecimiento".

**6.3.4.** Sin embargo, el sevillano no fue consciente de las grandes posibilidades derivadas del estudio gramatical de esta figura, entrevista y no aprovechada desde los orígenes de la gramática occidental hasta 1587.

**6.3.5.** Hay otro punto en el que es también interesante la figura de Nebrija, cimiento de nuestra gramática, a pesar de los ataques de Juan de Valdés, en el *Diálogo de la Lengua* (*h.* 1535); se trata de la cuestión de la lengua de la enseñanza, que tanta importancia tendrá en el s. XVIII, como ha puesto de manifiesto F. Lázaro. Nebrija, inicialmente partidario de la enseñanza en latín, acaba traduciendo sus *Instituciones* al castellano, por especial empeño de la reina Católica[304]:

"Quiero agora confesar mi herror... Despues que comence a poner en hilo el mandamiento de V. Alteza, contentome tanto aquel Discurso, que ya me pesava haver publicado por dos veces una misma obra en diverso estilo, y no haver acertado desde el comienzo en esta forma de enseñar".

**6.3.6.** Si bien es grande la importancia de Nebrija como fundador de la gramática castellana, su influencia dominante se ejerció, sobre todo, en el ámbito de la gramática latina, de obligatoria enseñanza en las universidades, hasta el punto de que, a fines del XVI, una real orden declaraba su gramática latina texto único en éstas, y daba privilegio de impresión al

---

[304] *Vid.* Casares, *op. cit.,* p. 342, y F. Lázaro, *op. cit.,* p. 130, n. 11, quien remite a F. G. Olmedo, *Nebrija,* Madrid (ed. Nacional), 1942, p. 91.

Hospital General[305]. La pervivencia del *Antonio,* como fue conocido su libro, se vio favorecida por la incuria científica general y por la exclusividad concedida a la Compañía de Jesús para enseñar el latín en varias universidades, como Zaragoza y Valencia, con los comentarios de la gramática del sevillano en obras como la del P. Alvarez, S.I., por ejemplo[306].

**6.3.7.** Francisco Sánchez de las Brozas ha sido, probablemente, el gramático español más perjudicado por un predecesor. Toda su vida se vio obligado a sufrir las consecuencias académicas de la preferencia oficial por el *Antonio,* que debieron causarle enormes padecimientos morales. Debió sumarse a su postergación su condición de converso y la constante persecución inquisitorial que padeció. Tal vez se deba a esta circunstancia la falta de apoyo de los estudiantes salmantinos, por la que, a la muerte de León de Castro, no pudo conseguir la cátedra de prima de Salamanca. Sus reformas gramaticales, para las que contaba con el apoyo de otro gran converso, Fray Luis de León, tampoco tuvieron éxito y, por último, su fama, tras su muerte, ha sido muy superior en el extranjero[307].

**6.3.8.** El libro fundamental de Francisco Sánchez es la *Minerva sive de Causis Latinae linguae Commentarius,* que vio la luz en Salamanca en 1587, pero que ya había sido anunciada, desde 1562, en las *Verae brevesque Grammatices Latinae Institutiones*[308]. A diferencia de Escaligero, quien, en 1540, en su *De causis linguae latinae libri XIII,* dedicó una parte interesante a la Prosodia, Sanctius no toca los aspectos fonéticos[309], pese a mantener la tradicional división de la Gramática en cuatro partes: Ortografía, Prosodia, Etimología y Sintaxis, en las *Verae... Institutiones* y en el resumen unido a la *Minerva*[310]. Considera que la parte principal de la Gramática es la Sintaxis, que comprende el estudio de las partes de la oración. La Sintaxis de la *Minerva* es mucho más compleja que las anteriores, pues no se limita a ser expositiva de la *constructio,* sino que trata de ser explicativa, por lo que los generativistas cuentan a su autor entre los predecesores de sus estudios[311]. Esta preocupación por una gramática sintáctica (o sintáctico-morfológica), pese al mantenimiento de la división cuatripartita en algunas obras, como decimos, le lleva a eliminar dicha división desde el capítulo II de la *Minerva,* que lleva el expresivo título de "Grammaticam non diuidi in Historicen, & Methodicen: nec in Orthographiam, Prosodiam, Etymolo-

[305] Lázaro, *op. cit.* pp. 136-137.

[306] Para la situación de Nebrija en la historia de la lengua española, *cf.* la *H.ª de la Lengua* de R. Lapesa, 7.ª ed., pp. 192-194.

[307] Para todos estos datos *cf.* Constantino García, *op. cit.* pp. 26-31, y F. Lázaro, *op. cit.* p. 145.

[308] C. García, *op. cit.,* p. 26.

[309] *Ibid.,* p. 23.

[310] *Ibid.,* p. 60.

[311] *Vid.* Carlos Peregrín Otero, *Introducción a la lingüística transformacional,* México (Siglo XXI), p. 59.

giam, Syntaxin", lo que justifica anteponiendo la razón al argumento de autoridad. El Brocense es, por ello, el creador de una gramática racional, explicativa, y no es de extrañar que la lingüística actual vuelva sus ojos a la *Minerva*. Es también formalista constructivista: "Mihi perfectus, absolutusque Grammaticus est ille, qui in Ciceronis, vel Virgilij libris intelligit, quae dictio sit nomen, quae verbum, & caetera, quae ad solam Grammaticam spectant, etiam si sensus verborum non intelligat"[312]. Nada de extrañar tiene, por lo tanto, que considere la Sintaxis, no parte de la Gramática, sino fin de la misma[313]. Puesto que, según Cicerón, el arte no debe confundirse con su fin, la Gramática es "el arte de expresarse correctamente cuyo fin es la oración bien construida"[314]. Arte, en Sanctius, ha de entenderse como *disciplina,* es decir, ciencia adquirida por el discente, u objeto de estudio.

**6.3.9.** Para las partes de la oración, en principio, y tras negar la validez de las clasificaciones anteriores, arranca de las cinco partes de los estoicos, según Diógenes Laercio: *nomen, appellationem* (o sea, nombre propio y nombre común o apelativo), *verbum, coniunctionem,* & *articulum.* Rechaza la interjección y el pronombre[315], así como el participio, que se engloba con el nombre. El nombre propio y el apelativo se funden, con pronombre y participio, en la categoría *nombre,* frente al *verbo;* las partes invariables se agrupan como *partículas,* aunque se añaden precisiones muy interesantes: la preposición es partícula ligada al nombre, mientras que el adverbio es partícula ligada al verbo, y la conjunción tiene un valor amplio de nexo.

**6.3.10.** Uno de los aspectos más interesantes de nuestro autor es su teoría de la elipsis; revitalizada por el influjo de Port Royal, esta tesis se mantiene hasta principios de este siglo, sufre luego un eclipse en la época dominada por el estructuralismo taxonómico, para volver a aparecer pujante, últimamente, en la gramática generativa.

**6.3.11.** En el libro cuarto de la *Minerva* se define la elipsis como "defectus dictionis, vel dictionum ad legitimam constructionem", viéndose en la precisión de ampliar el concepto clásico que, a partir de Prisciano, consideraba la elipsis como construcción correspondiente a la aposiopesis retórica. La aportación del Brocense consiste en desarrollar teóricamente la construcción de oraciones faltas de un elemento de los considerados necesarios, tradicionalmente: nombre o verbo, y cómo ese elemento está

---

[312] *Minerva,* p. 6.

[313] *Ibid.* "Alij vero diuidunt Grammaticam in litteram, syllabam, dictionem, & orationem; siue quod idem est, in orthographiam, prosodiam, etymologiam, & syntaxim. Sed oratio siue syntaxis est finis grammaticae; ergo igitur non pars illius".

[314] Traduzco *congruens* como 'bien construido', puesto que entiendo que su sentido es el de 'conforme', es decir, 'conforme a las reglas del arte', arte gramatical, en este caso. *Ibid.* p. 7.

[315] *Ibid.,* p. 9, todavía en el cap. II. *Cf.* C. García, cit., p. 70.

incluido en otro de los presentes en la oración. Cuando se dice, p. ej., *poenitet,* se entiende *poena poenitet.*

**6.3.12.** La doctrina culmina con tres máximas generales:

1. Los elementos de la oración son nombre y verbo. Si no aparece el verbo está sobrentendido. (Hoy diríamos, si el verbo no está patente, en la estructura de superficie, es que hay una regla de transformación que lo ha borrado en el paso de la estructura profunda.)

2. Todo verbo tiene su nominativo, expreso o elíptico. (Es decir, en la estructura profunda siempre está presente el sujeto.)

3. Si hay presente un adjetivo, hay un sustantivo, expreso o elíptico, al que ese adjetivo modifica. (O sea, en la estructura profunda, todo adjetivo supone un sustantivo.)

**6.3.13.** La importancia de estas tres reglas, que volveremos a mencionar al hablar de Port-Royal, es innegable. Todavía hoy pueden considerarse básicas para corrientes vivas de nuestra lingüística.

**6.3.14.** Pocos autores hay que cueste tanto abandonar como el extremeño Sanctius, pero nos hemos propuesto, deliberadamente, poner límites a este panorama. Además, el Brocense cuenta con el excelente libro de Constantino García, y no es aventurado suponer que, en breve, veremos otros trabajos sobre autor tan singular. Como resumen, podemos destacar algunos rasgos de su pensamiento, considerados desde nuestras preocupaciones de hoy:

**6.3.15.** No le bastan, en primer lugar, los argumentos tradicionales, sino que se impone el trabajo de repensar lo dicho sobre la gramática. En esta tarea, descubre que la Sintaxis es la parte central de su estudio, puesto que es el fin de la gramática, llamada arte, pero entendida como disciplina científica. El estudio de la Sintaxis es, primordialmente, formal y funcional, en el que la comprensión del significado desempeña un papel secundario. En el tratamiento de la Sintaxis se observa una clara diferenciación entre el sintagma nominal y el sintagma verbal, entre los términos de cada uno de ellos, desde el punto de vista funcional: primario, secundario y terciario, que diría Jespersen, así como una clara conciencia del valor intersintagmático de la conjunción.

**6.3.16.** En esta triple división sanctiana, en nombre, verbo y partículas, se ha querido ver una influencia árabe. Constantino García[316] interpreta esta afirmación de modo rígido y se pregunta por qué no hablar de una influencia hebrea. En realidad, cuando se habla de influencia árabe equivale a influencia semítica general, pues los gramáticos hebreos, en su descripción de esta lengua semítica, siguen los moldes de la gramática árabe. En el caso de existir, esta influencia no debe buscarse en aspectos tan generales como la triple división que acabamos de comentar, sino en la concepción

---

[316] *Op. cit.,* p. 82.

misma de la gramática. Para ello, como venimos diciendo a lo largo de este capítulo, sería necesario establecer previamente las relaciones de los gramáticos árabes con los griegos (a través de las versiones siriacas y armenias de gramáticos helenistas) y con los indios. La coincidencia en la preocupación formal y funcional, así como el relegar la significación a un segundo plano, son datos mucho más importantes que la división en nombre, verbo y partículas[317]. Cuando, en páginas inmediatas, nos ocupemos de la *Gramática* de Port Royal, tendremos ocasión de señalar otro de los puntos en los que la influencia del Brocense es manifiesta, la aplicación de su concepción racional de la gramática a la gramática universal.

**6.3.17.** En cuanto a la influencia de nuestro autor[318], ya hemos indicado que, en la enseñanza del latín, fue casi nula en España, por desgracia para nuestra cultura latina, mientras que, en Europa, desbancó a Nebrija y ocupó, durante muchos años, el primer lugar entre los textos gramaticales latinos. Mayor que su influencia como gramático latino ha sido su influencia como gramático, simplemente. En la Gramática General ocupa un lugar de honor, como antecedente de los italianos, hasta Vico e, incluso, Croce, y de los franceses de Port Royal, especialmente Lancelot. En Inglaterra, en el s. XVIII, ejerció una apreciable influencia a través del *Hermes* de Harris, quien conoció la *Minerva* gracias a la recomendación de su hijo, y se sirvió de ella, como tendremos ocasión de ver. En España, si bien apenas influyó en la enseñanza del latín, como hemos dicho, disfrutó de mejor suerte entre los gramáticos castellanos, y así habremos de señalarlo.

**6.3.18.** Las páginas dedicadas a Nebrija y el Brocense nos han permitido hablar de problemas generales de la gramática mientras entrábamos en la gramática española. En este último tema insistiremos a continuación, ocupándonos de varios gramáticos españoles de los siglos XVI y XVII. Veremos así la *Gramática Castellana* de Cristobal de Villalón, Amberes, 1558, la *Gramática de la Lengua Vulgar de España,* anónima, Lovaina, 1559, las *Instituciones de la Gramática Española* de Bartolomé Jiménez Patón, sin año ni lugar, pero de 1614, como la *Ortografía,* y el *Arte de la Lengua*

[317] Es sintomático que un profundo conocedor de la relación entre Morfología y Sintaxis, como A. Llorente (*Teoría,* p. 249, nota), insista también en esta relación, en la concepción gramatical, con "los lingüistas arábigos, que tenían un concepto más idiomático, más lingüístico, de las manifestaciones del lenguaje que los gramáticos griegos, latinos y escolásticos". Robins, *op. cit.,* pp. 96-97, se ocupa de los gramáticos hebreos en relación con los árabes y con el estudio trilingüe característico del Renacimiento. Sanctius pudo conocer el *De Rudimentis Hebraicis* de J. Reuchlin, Pforzheim, 1506, quien había llamado la atención sobre el triple sistema de los gramáticos hebreos: nombre, verbo y partículas, o la gramática de N. Clénard, 1529. Acerca de las relaciones de los gramáticos hebreos y árabes y los estudios comparados de estas dos lenguas, en Al-Andalus, *cf.* H. Hirschfeld, *Literary History of Hebrew Grammarians and Lexicographers,* Londres, 1926, y P. Wechter, *Ibn Barun's Arabic Works on Hebrew Grammar and Lexicography.* Filadelfia, 1964.

[318] *Cf.* Lázaro, *Ideas,* p. 145, y C. García, *Contribución,* p. 30.

*Española Castellana* de Gonzalo Correas, manuscrito de 1625. Cerraremos
el breve examen de los tratadistas españoles con breves referencias a cuestiones de la lengua escrita, por lo que pueda interesarnos en relación con
la fonología, por un lado, y la lectura, por otro: Juan de Iciar, Jiménez
Patón y Correas serán los autores elegidos.

**6.3.19.** El lector echará de menos varios nombres insignes, sobre los
que destacan probablemente Cascales y Aldrete. Nuestro interés, voluntariamente reducido a cuestiones básicas: partes de la gramática y de la oración,
ha tenido que imponer esta limitación. De otros muchos autores, con curiosas
noticias, se ocupó el conde de la Viñaza, en su *Biblioteca,* de la que hablaremos
al estudiar el siglo XIX. De Aldrete se ocupa nuestro compañero Lidio
Nieto, quien está publicando en el C.S.I.C. su edición y estudio.

**6.3.20.** Pasemos, pues, a la Gramática de Villalón[319], que, aunque
no parece ir muy de acuerdo con las *Instituciones* de Nebrija, basa la
gramática, como éste, en la norma, entendida como autoridad de los sabios,
aunque sin especificar quiénes sean éstos. Se separa de Nebrija, como Sánchez,
al prescindir de la Prosodia, con lo que las partes de la gramática se
reducen a Ortografía, Morfología y Sintaxis. No obstante, aunque Constantino García interprete así lo que el licenciado Villalón dice en los preliminares
de la obra, en realidad su división puede considerarse más morfosintáctica,
pues una parte trata del nombre, otra del verbo, y otra de la Sintaxis,
que se sigue entendiendo como *constructio,* de lo que colegimos que su
morfología se apoya en la consideración, cada vez más frecuente, del sintagma
nominal y el sintagma verbal, como constituyentes inmediatos de la oración.

**6.3.21.** En cuanto a las partes de esta última, en las primeras líneas
del capítulo primero las divide en nombre, verbo y palabras indeclinables
(que llama *artículos*) para luego emplear la clasificación tradicional y hablar
de adverbios, preposiciones, conjunciones e interjecciones, aunque, pese a
haber llamado 'artículos' a las partículas, no se ocupa del *artículo,* en
el sentido actual del término. En la *Ortografía,* por último, se ocupa de
la descripción de algunos sonidos cuando habla de su representación, aunque
de modo confuso[320].

**6.3.22.** La *Gramática de la Lengua Vulgar de España*[321] es importante
por varios motivos: por las noticias sobre pronunciación[322], por los comentarios acerca del nombre de nuestra lengua, de lo que nos ocuparemos en

---

[319] Edición facsimilar y estudio de Constantino García, Madrid (C.S.I.C.), 1971.

[320] Para otras cuestiones, así como para el tratamiento de otra figura de la que no
podemos ocuparnos, *cf.* Arturo Farinelli: *Dos excéntricos: Cristóbal de Villalón.—El Dr. Juan
Huarte,* Madrid (C.S.I.C.), Anejo RFE, XXIV, 1936.

[321] Edición facsimilar y estudio de Rafael de Balbín y Antonio Roldán. Madrid (C.S.I.C.),
1966.

[322] Las noticias sobre pronunciación, tomadas de nuestros gramáticos y otros testimonios
de las distintas épocas, han sido magníficamente tratadas por Amado Alonso, en *De la
pronunciación medieval a la moderna en español,* publicada por ed. Gredos, en Madrid, gracias

su lugar, y por el entusiasmo personal de su desconocido autor. Sobre este último punto, poco añaden Balbín y Roldán al editarla, sólo negar la atribución a Francisco Villalobos. En el contenido distinguiremos dos partes: la primera se ocupa de las lenguas de España (vascuence, árabe, catalán y la lengua 'vulgar', es decir, 'común', salvando así la necesidad de usar 'castellano' o 'español'), tema de donde puede deducirse que el autor era aragonés o catalán, indicio reforzado por la *Ortografía,* donde se presta especial atención a las sibilantes (letras 'culebrinas'), dentro de la minuciosa descripción de los sonidos; la segunda parte es la propiamente gramatical.

**6.3.23.** De su división podemos deducir que clasificaba las partes de la Gramática en Ortografía, Etimología, Sintaxis y Prosodia, aunque no trata de las dos últimas, que deja "al uso común, dedo se aprenderan mejor i mas facilmente". Puesto que entiende la Etimología, además de como estudio del origen de las palabras, de lo que no trata como flexión, sólo se ocupa de las partes flexivas de la oración, que él llama partes declinables: artículo, nombre, verbo, en cuya exposición está muy cerca de Nebrija.

**6.3.24.** Poseemos una buena edición, con extenso estudio preliminar, de las *Instituciones de la Gramática Española* de Bartolomé Jiménez Patón [323]. Más que el libro en sí, lo que nos interesa hoy es la existencia de una escuela de gramáticos manchego-jiennenses, con centro en la cátedra de gramática del Maestro Jz. Patón, en Villanueva de los Infantes, con su *Mercurius Trimegistus* (1621) como texto de retórica, y con importantes cátedras en Ciudad Real, Albacete y Jaén (Ubeda y Baeza). Las *Instituciones* no son un tratado, sino un bosquejo, reducido y conciso para que resalten sus nuevos puntos de vista. No son una gramática completa, sino sólo la exposición de una parte de ella: la Etimología, con este relativo valor de Morfología que le damos, es decir, el estudio paradigmático de las partes de la oración, que, para el autor, son cinco: nombre, verbo, preposición, adverbio y conjunción. Aunque el gramático pretenda separarse del Brocense y afirme que, según éste, son seis, lo cierto es que se repite lo de nombre, verbo y partículas, en el fondo, pues luego se ve que la preposición se une al nombre, el adverbio al verbo, y las oraciones, "que constan de las quatro cosas dichas" se unen entre sí mediante la conjunción. Nos encontramos en las puertas de las dos clases de frases o sintagmas: nominal y verbal, más los nexos, como vimos en la *Minerva.*

**6.3.25.** No podemos evitar, al ocuparnos de este autor, dedicar unas

a los generosos desvelos de Rafael Lapesa y María Josefa Canellada de Zamora. En este libro excepcional se encontrarán abundantes informaciones sobre temas que aquí no podemos tratar.

[323] Junto con el *Epítome de la Ortografía Latina y Castellana.* Edición y estudio de Antonio Quilis y Juan Manuel Rozas. Madrid (C.S.I.C.), 1965.

palabras a su desafortunada intervención en el debate de los orígenes de la lengua española, donde sigue a Madera en la tesis del origen autónomo del castellano, anterior al latín, y que sería nada menos que una de las setenta y dos lenguas que nacieron en la torre de Babel; tesis sustentada, como se sabe, en el descubrimiento de los plomos del Sacromonte, donde, en castellano, se fingían textos del primer siglo de la evangelización que favorecían el sincretismo cristiano islámico, textos forjados por Alonso del Castillo y Juan de Luna para evitar la persecución de los moriscos y que proporcionaron un argumento 'de peso' a los defensores de la autonomía lingüística española. Estos plomos pudieron poner en peligro grave a las cabezas sensatas, como Aldrete, defensores del origen latino del castellano [324].

**6.3.26.** La última de las gramáticas de nuestro Siglo de Oro que estudiaremos es el *Arte* de Gonzalo Correas, cuya edición por Emilio Alarcos García, en 1954, ha servido de modelo a las ediciones de otros gramáticos de la época [325].

**6.3.27.** Correas coincide con los gramáticos anteriores (es, en general, el espíritu de la época) en el punto de partida pedagógico. La gramática es un auxiliar imprescindible, una puerta de entrada a las demás ciencias, incluyendo el latín y el griego, ya que nuestro autor es partidario de que la enseñanza gramatical se inicie en la lengua castellana.

**6.3.28.** En sus obras gramaticales adopta la cuádruple división de la Gramática que ya hemos repetido: Ortografía, Prosodia, Etimología y Sintaxis. Su carácter de fonetista, casi de fonólogo, se echa de ver en las reformas ortográficas, de las que habremos de ocuparnos. En el resto de la doctrina, aunque presume de no aceptar el argumento de autoridad, no es un gran innovador, aunque para él tiene cierta importancia el uso, rasgo en el que coincide con Jiménez Patón, hasta el punto de inclinarse por la lengua de "la xente de mediana i menor talla" como norma lingüística, por defender el uso tradicional.

**6.3.29.** La nobleza del castellano le inclina, por desgracia, a defender la disparatada tesis de su origen autónomo, por lo que se une así a las huestes del doctor Gregorio López Madera y otros desnortados eruditos. A estas cuestiones, que muy bien pudiera haberse ahorrado, pues en nada acrecientan su merecida fama, dedica las primeras páginas del *Arte,* tras las que habla de la Ortografía, primera parte de la Gramática, como ya hemos dicho, tema predilecto de sus escritos y que muestra su concepción clara de una unidad que llama 'letra' y que está muy cerca de nuestro 'fonema'. Dentro de la Ortografía viene el tratado de las sílabas, desde

---

[324] Véase el prólogo de Américo Castro a la edición del Quijote en "Novelas y Cuentos", citado, y Emilio Alarcos García: "Una teoría acerca del origen del castellano", *Bol. R.A.E.,* XXI, 1934, pp. 209-228.

[325] Madrid (C.S.I.C.), 1954, *Vid. et.* E. Alarcos García, "Datos para la biografía de Gonzalo Correas", en *Bol. R.A.E.,* VI, 1919, pp. 524-511, y VII, 192 O, pp. 47-81 y 198-233.

el folio 35 v. al 40 r. En cuanto a la Prosodia, tan relacionada con el problema silábico, nuestro autor cree (fol. 58 r.) que es más parte del Arte Poética que de la Gramática. También domina en Correas la consideración sanctiana de que la Sintaxis es el fin de la Gramática. Por ello da una definición de oración que es de tipo sintáctico: "la rrazon i sentido ò habla conzertada que se haze con nonbre i verbo de un mesmo numero i persona, el nonbre en nominativo, i el verbo en cadenzia ò persona finita, no infinitivo, i se adorna con la particula si quiere, i con otros casos destas partes, i con ellas mesmas rrepetidas. Las partes forzosas desta orazion son el nonbre i el verbo. La particula es azesoria" (fol. 58 v.). También en él aparece, como vemos, el análisis de la oración en lo que llamaríamos sintagma nominal y verbal. La triple división de las partes de la oración coincide, en el fondo, con el Brocense y Jiménez Patón, y no ha de extrañar en un catedrático de hebreo. Él mismo se encarga de aclarárnoslo (fol. 59 r.):

"todos los vocablos son en tres maneras, i se dividen en tres partes ò montones, i se rreduzen à estos tres xeneros dichos nonbre, verbo, i particula, como está llano i asentado en Hebreo, Caldeo i Aravigo, i en todas las lenguas Orientales i de Africa, i todas las del mundo convienen en esto; i era ansi claro i asentado antiguamente en Griego i Latin como lo rrefiere Iuan Issak en su Arte Hebreà del otro Rrabino que dize en el Libro que escrivió contra el Rrei Cosdroas, que antes en Griego, i Latin no avia mas de tres partes de orazion".

**6.3.30.** Todas las otras partes se reducen a éstas: las que tienen singular y plural, así como casos en otras lenguas, son nombres, por lo que abarca esta categoría el pronombre y el participio; las que, además de singular y plural, tienen personas y tiempos son verbos, y las invariables (adverbio, conjunción, preposición e interjección) partículas. El *artículo,* que no había aparecido hasta ahora, figura, en el folio 60 v., entre los morfemas nominales. La gran novedad en este apartado, casi medio siglo antes de los gramáticos de Port Royal, es la oposición *el/un.* A este segundo llama *indefinito* (folio 61 v.):

"si dixesemos *dame un libro, un rrei, un leon, una rraposa,* se entiende uno qualquiera sin determinazion zierta: lo mesmo si no se pusiese articulo, ni el indefinito *un, una*".

**6.3.31.** A partir del folio 131 r., se ocupa, específicamente, de la Sintaxis, entendida, según es costumbre, como construcción: concordancias y formación de sintagmas y oraciones. La bipartición sintagmática queda clara en los capítulos distintos que dedica a la construcción del nombre y del verbo, a los que añade el de construcción de las partículas, muy breve, que no queda bien encajada en el texto y que, al mismo autor, le parece reiterativa.

**6.3.32.** El resto del libro está dedicado a figuras, métrica, y la comparación final del latín y el castellano, con ventaja para este último.

**6.3.33.** Si hubiéramos de reducir a un lugar común lo que hemos ido exponiendo, veríamos cómo se va perfilando, poco a poco, la fundamentación sintáctica de la gramática, y cómo se reduce la oración a sus dos constituyentes básicos, sintagma nominal y sintagma verbal. La Morfología contiene abundantes elementos sintácticos, sin que se produzca la mezcla teórica en una Morfosintaxis. En este sentido, nuestros gramáticos nos dan una útil lección metodológica: aunque Morfología y Sintaxis tengan un límite borroso y confuso, como es lógico, si tenemos en cuenta la unicidad del hecho lingüístico, es posible mantener la separación convencionalmente, como criterio científico, para el mejor despiece y estudio. La razón está en la posibilidad de estudiar paradigmáticamente las relaciones de esas partes básicas de la oración con sus propios constituyentes, llamados, con terminología lógica, *accidentes,* pero que, en algunos gramáticos, como Correas, son concebidos como auténticos *morfemas,* frente al estudio sintagmático, en combinación lineal, de esas partes estudiadas previamente en su paradigma. La distinción entre Morfología y Sintaxis es mucho más metodológica que lingüística.

**6.3.34.** Para terminar este breve recorrido por los gramáticos españoles hemos de adentrarnos ahora en una cuestión de cierta importancia: la *ortografía,* en sus dos sentidos. En efecto, en el Siglo de Oro, por 'Ortografía', además del sentido actual, podía entenderse también la llamada *Ortografía Práctica,* que corresponde a lo que hoy llamamos *caligrafía.* No podemos sustraernos al atractivo de esta ortografía práctica, por lo que intercalaremos una breve referencia al primero de estos tratados, el de Juan de Yciar, impreso por Bartolomé de Nájera en Zaragoza, en 1548 [326]. La *Recopilacion Subtilissima intitulada Orthographia Pratica* no sólo nos interesa aquí por la importancia que tiene el desarrollo de la escritura, tras la creación de la imprenta, hasta el surgimiento de las llamadas letras nacionales, sino por otros problemas, especialmente didácticos. En cuanto a las letras nacionales, no está de más recordar la bastarda española, mejor llamada aragonesa, según nuestro autor, hasta que, en el xix, pasó a la denominación general de "letra inglesa", salvo en el uso de los tipógrafos y en la lengua inglesa, donde se llama *itálica* (*italics*), por su atribuido origen italiano. En cuanto al aspecto didáctico, lo que vamos a resaltar aquí es la preocupación de Juan de Yciar por un problema pedagógico tan interesante como la simultaneidad del aprendizaje de lectura y escritura, sobre el que nos dirá (B ij):

[326] Editado por el Ministerio de Educación y Ciencia, en edición facsimilar al cuidado de Editorial Gredos, Madrid, 1973, con introducción de Justo García Morales.

147

"E assi concluiria yo teniendo por mejor en este genero de nouicios [de tiernos años] que se anteponga el leer no desuiando dela comun costumbre de enseñar. Pero si nuestro principiante acordare algo tarde, y començare a frequentar la escuela mas combidado de su propio juyzio y voluntad, que compellido por el parescer, o ruego de otro. No dudare yo de ponelle juntamente la cartilla y peñola enlas manos, para que conoscida la figura y oydo el nombre de cada letra sepa tambien su delineación y traça".

**6.3.35.** Tras considerar que lo normal es aprender a leer de niño se inclina por la previa enseñanza de la lectura, dejando, excepcionalmente, la enseñanza simultánea para los casos excepcionales en que el aprendizaje es más tardío. Un "compendio de ciertas reglas y auisos muy vtiles para el maestro que enseña a leer", que viene luego, es muestra clara de su preocupación. Mucho más se podría decir de ese curioso libro, en el que las recetas para hacer tinta se mezclan con preciosos grabados de caracteres muy diversos, incluidos los hebreos, tan necesarios en esta época de cultura trilingüe y comentarios bíblicos, pero dejamos al curioso lector el placer de acudir a la obra completa, accesible hoy, por fortuna.

**6.3.36.** La preocupación por la ortografía, entendida como recta ordenación de las letras del alfabeto y los signos de puntuación, se manifiesta en esta época en todas las gramáticas, con raras excepciones, con lo que se continúa una tradición medieval, y en algunos tratados específicos sobre esta parte de la gramática, de los que comentaremos dos: el *Epítome de la Ortografía Latina y Española,* de Bartolomé Jiménez Patón, Baeza, por Pedro de la Cuesta, 1614[327], y la *Ortografía Kastellana, nueva i perfeta* del Maestro Correas, Salamanca, en casa de Jacinto Tabernier, 1630[328]. La primera, mucho menos revolucionaria, nos proporciona, sin embargo, importantes noticias sobre la evolución fonética en el Siglo de Oro, sabiamente aprovechadas por Amado Alonso. Es lástima que la impresión, como nos dice el maestro Patón en nota previa, haya sido descuidada e inconstante. La de Correas, por su parte, es una auténtica innovación, y supone un detenido estudio al que podemos llamar fonológico, pues le lleva a asignar una grafía para cada fonema, llegando incluso a proponer algunas grafías nuevas para mejor representar ciertas clases de sonidos, como $/\hat{c}/$ $/\underset{\sim}{n}/$ $/\bar{r}/$ $/\underset{\cdot}{l}/$ y $/d/$ y a suprimir grafías tradicionales como (ç) (j) (q) e (y), así como la (s) alta. Su reforma, que hubiese supuesto un cambio en todas las imprentas del país, no podía prosperar, y no prosperó, pese al esfuerzo tipográfico de Jacinto Tabernier, impresor salmantino, que se atrevió a la impresión, con todas sus novedades.

---

[327] *Vid.* nota 323, *supra.*
[328] Edición facsimilar, no venal, Espasa-Calpe, Madrid, 1971, de la que poseo un ejemplar por gentileza de Tomás A. García García. Pocos años antes de estos libros se publicó la

**6.3.37.** Aunque sea de este modo, tan breve, lo anteriormente expuesto nos da idea de una preocupación por la descripción del hecho lingüístico. del signo lingüístico, incluso; la minuciosidad interpretativa y expositiva aumenta hasta llegar a una notable precisión en determinados casos, mérito no pequeño para la ciencia de esta época[329].

**6.3.38.** Además de la parte que le cupo en las secciones de Prosodia y Ortografía de las gramáticas, la Fonética se desarrolla espectacularmente en esta época, acompañando el progreso de la Anatomía. Sería injusto cerrar esta visión de la gramática en España sin referirnos a una obra de singular importancia: la *Reduction de las Letras y Arte para enseñar a hablar a los mudos,* de Juan Pablo Bonet, que editó Francisco Abarca de Angulo en Madrid, en 1620. La obra de Bonet no es una fonética descriptiva, sino práctica; por ello, en varias ocasiones, tras haber hablado de un sonido determinado, prescinde de algunos matices porque lo que le importa es que el mudo hable, aunque sea imperfectamente[330].

**6.3.39.** Las teorías expuestas hasta ahora, con sus importantes mejoras y novedades, son el desarrollo, a veces bastante pasivo, de una tradición que se remonta a la Antigüedad. Las figuras más novedosas, como el Brocense, no ejercerán su influjo hasta la segunda etapa de la Historia de la Lingüística, fundamentalmente racionalista. Frente a la etapa primera, que hemos tratado de resumir en este capítulo, con su preocupación por el origen del lenguaje (que perdurará) y la relación con el latín, generalmente dominadora, la nueva etapa tendrá una más amplia preocupación por las categorías y por los procesos mentales subyacentes a la actuación lingüística. El pensamiento racionalista, al que dedicaremos las próximas páginas, tras siglos de discusiones vuelve hoy al primer plano de la ciencia, aunque esto no significa que no haya evolucionado.

*Ortografía Castellana* de Mateo Alemán, en 1609, de la que hay edición de José Rojas Garcidueñas, con estudio de Tomás Navarro Tomás, por El Colegio de México, 1950.

[329] Una historia completa de la lingüística española en esta época debe exponer la evolución de la Lexicografía, arte o ciencia de indudable antigüedad en la Península Ibérica, en la que podemos remontarnos a las *Glosas,* en el siglo X. En la *Nomina* del *Diccionario Histórico* de la R.A.E. se incluyen veintiocho títulos de diccionario y vocabulario de esta época, incluyendo el *Vocabulario Castellano Mexicano* de Fray A. Molina, 1571.

[330] La referencia a este libro (estudiado por Fray Justo Pérez de Urbel, *cf.* bibliografía), que hemos consultado en la biblioteca de la Real Academia Española (26-V-34), es buena ocasión para agradecer, una vez más, a la docta casa las facilidades concedidas para la consulta de sus fondos bibliográficos, archivos y ficheros. También quiero expresar aquí un piadoso recuerdo en memoria de D. Carlos Clavería, maestro ejemplar, y de Angel Guillén, compañero inolvidable.

CAPITULO 7
# DESDE EL PENSAMIENTO RACIONALISTA

## 7.1. PORT-ROYAL

Francia es uno de los países románicos que más ha tardado en hacer oficial la lengua de su literatura y sus ciudadanos. Hasta 1510, reinando Luis XII, no se introdujo el francés en los tribunales de justicia y hasta 1539, por la famosa disposición de Villers-Cotterets, no se convierte *de iure* en lengua administrativa oficial. La gramática francesa, de nacimiento tardío y ligada a la enseñanza del francés a los extranjeros, especialmente los ingleses, cuenta, sin embargo, desde el principio, con importantes manifestaciones, que conducirán a una de las gramáticas más influyentes de todos los tiempos, la *Grammaire Générale et Raisonnée* de Lancelot y Arnauld, o de Port-Royal.

**7.1.1.** Esta gramática no fue un fruto espontáneo e imprevisible, sino la culminación de una serie de obras, entre las que debe incluirse la *Minerva* del Brocense, y el justo resultado de una etapa de inquietudes filosóficas acerca de la actividad racional. Antes de la *Grammaire* hubo, por tanto, una corriente gramatical y otra filosófica a las que habremos de dedicar unas líneas.

**7.1.2.** La transición entre la gramática medieval y la moderna, que en España se llama Francisco Sánchez de las Brozas, se llama en Francia Pierre de la Ramée (Petrus Ramus). Más que gramático, y gramático importante, Ramus fue un luchador de la independencia intelectual. Nacido h. 1515, fue asesinado en la de San Bartolomé, 1572[331]. Se opuso a Aristóteles y al escolasticismo medieval aristotélico, por lo que se enfrentó con los

---

[331] *Cf.* F. P. Graves, *Peter Ramus and the Educational Reformation of the sixteenth Century,* Nueva York, 1912.

modistas. Basó la enseñanza gramatical en un criterio normativo apoyado en las grandes figuras literarias, por lo que se le puede considerar precursor del 'buen gusto' del clasicismo francés y de su espíritu selectivo. Prestó atención especial a la Fonética, basó la clasificación de las partes de la oración (las ocho de Prisciano) en el número, y no en el caso, con lo que el esquema de su morfología latina servía para la francesa, aunque siguió siendo medieval en su sintaxis, basada en la concordancia y la rección [332].

**7.1.3.** Si abandonamos por un momento la gramática de la época para pasarnos a su filosofía, nos encontraremos con una de esas figuras que superan las pobres ataduras nacionales para ser patrimonio de toda la humanidad, Renato Descartes, natural de La Haya de Turena, nacido en 1596 y muerto en Estocolmo, en 1650, tras una azarosa vida, en la que la búsqueda de la verdad se mezcla con todo tipo de experiencias. Si se nos permitiera resumir en una sola idea el origen de su preocupación filosófica diríamos que ésta parte del problema de la posibilidad de distinción entre verdad y falsedad. Se trata de la duda absoluta, que exige un replanteamiento *ab initio,* con la razón como auxiliar, sin que ello implique el abandono de sus creencias cristianas. Hay en Descartes, como corresponde a un gran pensador, afirmaciones de importancia general que permiten remontar hasta él muchas corrientes de pensamiento y, concretando, de lingüística. Aunque la concepción cartesiana de Chomsky, como se le ha observado, sea parcial e interesada [333], no podemos dudar de una coincidencia metodológica extraordinariamente importante: para la gramática generativa, la introspección permite al individuo el estudio de la lengua por su propia *competencia* lingüística; para Descartes la introspección permite solucionar la duda inicial y sentar el primer postulado de su Filosofía del Método:

Mientras quería pensar de este modo que todo era falso, era necesario que yo, que lo pensaba, fuese algo, y dándome cuenta de que esta verdad: *pienso, luego existo* era tan firme y tan segura que todas las más extravagantes supersticiones de los escépticos no eran capaces de conmoverla, juzgué que podía recibirla sin escrúpulo como el primer principio de la filosofía que yo buscaba [334].

**7.1.4.** Desde nuestro autor hasta la filosofía de la gramática generativa se tiende un cordón umbilical por el que circulan nociones nutricias como la de la introspección, según acabamos de decir, o la necesidad de formalizar la lógica para que la intuición no quede en pura imaginación. Hay un

[332] Robins, *op cit.,* 102 y ss. (Tras haber redactado estos capítulos ha aparecido una traducción de este libro, en ed. Paraninfo de Madrid.)

[333] Noam Chomsky, *Lingüística Cartesiana,* trad. de E. Wulff, Madrid (Gredos), 1969 (original inglés de 1966). Para la relación de Descartes y Chomsky, *cf. et* A. Deaño en *Rev. Occ.,* agosto-septiembre 1972.

[334] *Discurso del Método,* IV, 3.

Descartes matemático que puede servir de modelo ideal a los matemáticos que construyen modelos lingüísticos. Otra importante concepción cartesiana es la de las ideas innatas, que no hay que entender, como a menudo se entiende, como algo distinto de la capacidad de pensar, sino como "datos de conciencia" que no se originan por el mundo exterior, por los objetos, ni por la voluntad del individuo. Las 'ideas innatas' del pensador francés llegan hasta nosotros por la vía de las 'verdades de razón' de Leibniz, empalman con los *aprioris* y están siempre presentes en discusiones filosóficas de singular importancia para los lingüistas, como las de la forma interior y las formas simbólicas que hemos tenido ocasión de comentar con cierto detenimiento.

**7.1.5.** Descartes, aunque sólo fuera metodológicamente, separó la razón de la fe, consiguiendo, a continuación, construir un cuerpo coherente de doctrina a partir de la sola razón. Aunque no le hayan faltado precedentes desde los orígenes del pensamiento occidental, las circunstancias particulares de su época hicieron que su influencia pudiera extenderse y universalizarse.

**7.1.6.** Los breves párrafos dedicados a Ramus y Descartes habrán permitido al lector percatarse de que la gramática de Port-Royal, crítica e innovadora, no fue sino un avance más en la línea de pensamiento renovador basado en la razón. Con nuestra simplificación no quisiéramos hacer creer, tampoco, en una importancia desmesurada y desproporcionada de estos dos autores. La huella medieval en Descartes no es despreciable, mientras que la corriente racionalista, por su parte, influía en la gramática antes de la publicación del *Discurso del Método* (1637), muy posterior al *De causis linguae latinae libri tredecim* (1540) de J. C. Escalígero, y a la *Minerva* del Brocense (1587), en los que ya se aprecia una base racionalista que influyó en gran cantidad de gramáticos precartesianos. Las ideas del de La Haye encontraron un terreno bien abonado, en el que crecieron y se multiplicaron, a pesar de las objeciones crecientes, que acabaron con la obra cartesiana en el *Indice* de libros prohibidos por Roma. Puede que convenga señalar, incluso, que uno de los dos autores de Port-Royal, Arnauld, objetó varios puntos de la filosofía de Descartes[335].

**7.1.7.** La primera edición de la *Grammaire Générale et Raisonnée*[336] fue impresa en París, Chez Pierre Le Petit, Imprimeur et Libraire ordinaire du Roy, ruë S. Iacques, à la Croix d'Or, M.DC.LX. La segunda edición

---

[335] Teorías como la de la introspección, por otra parte, podían verse favorecidas por otros movimientos de la época, como los de tipo espiritual. Carlos Vossler, en su libro *Jean Racine* (citamos por la 2.ª ed. en la colección Austral de Espasa-Calpe), tras hablar de los restos de religiosidad medieval en las penitencias de los jansenistas de Port Royal, precisa: "La significación del movimiento jansenista hay que buscarla, no obstante, menos en esa renuncia violenta a las cosas sensibles, que en el retorno a sí mismo" (p. 34).

[336] *Vid.* Roland Donzé, *La Gramática General y Razonada de Port Royal*. Buenos Aires (Eubeda), 1970.

(1664), agrega el capítulo de los verbos impersonales. La tercera y definitiva (1676) corrige y modifica algunos puntos[337]. Conocemos bastante bien el pensamiento y la evolución de sus dos autores.

**7.1.8.** Claude Lancelot fue, además de conocido helenista, autor de métodos para la enseñanza del latín, el griego, el italiano y el español. En el terreno de su formación lingüística hay que destacar su profundo conocimiento del Brocense y de dos de los gramáticos en quienes más se aprecia la influencia de este último: Scioppius y Vossius, influencia que confiesa paladinamente, en la quinta edición del *Método* para aprender el latín, en 1656. También es patente en su obra la importancia de otro gramático que hemos contado antes entre sus predecesores, Petrus Ramus, mencionado elogiosamente en el *Método* de griego, en 1655.

**7.1.9.** El segundo de los autores, Antoine Arnauld, era lógico, autor, junto con Pierre Nicole, de una *Lógica* importante, publicada en 1662, dos años después de la *Gramática*. Pese al prefacio, en el que Lancelot le atribuye casi todas las ideas de la obra, su contribución hubo de ser menor. Su influencia, de todos modos, fue decisiva en la orientación del libro, marcada por la relación de pensamiento y lenguaje, importante para un lógico, y por la mayor preocupación por los conceptos y la relación entre concepto y forma lingüística que por estas últimas.

**7.1.10.** A pesar de sus muchas novedades, la división de la gramática sigue siendo la tradicional: ortografía, prosodia, analogía (o etimología) y sintaxis. En lo que hace referencia al segundo de los temas en que nos hemos ido deteniendo a lo largo de esta breve exposición, la clasificación de las partes de la oración, nos encontramos con una división novedosa, en dos clases. A la primera de éstas pertenecen las que significan el objeto del pensamiento: nombre, artículo, pronombre, participio, preposición y adverbio. En la segunda se incluyen las que significan según la forma del pensamiento: verbo, conjunción e interjección. La novedad, relativa, es la división en nueve partes, en lugar de las ocho tradicionales, además del criterio de clasificación. Si pensamos que las partes del primer grupo expresan un objeto concebido independientemente del espíritu que lo piensa, podemos trazar la línea de su influjo hasta la definición del sustantivo en la *Gramática Castellana* de Amado Alonso y Pedro Henríquez-Ureña: "Sustantivos son las palabras con que designamos los 'objetos' pensándolos con conceptos independientes"[338].

**7.1.11.** Entre las puntualizaciones de temas específicos, conviene destacar la inclusión de *un* como artículo, y la división de esta parte de la oración en *definido* e *indefinido,* que es la auténtica novedad, pues ya se ha visto

---

[337] *Ibid.,* nota 8.
[338] Segundo curso, capítulo II, lección V.

que, treinta y cinco años antes, Correas oponía *el* y *un*[339]. A partir de su inclusión en la obra de Port-Royal, sin embargo, empezó a pasar a las gramáticas.

**7.1.12.** Tampoco es novedad la inclusión de la oración gramatical como proposición, expresión de un juicio lógico, desarrollo de una tesis tan vieja como la lingüística occidental. Todavía mantienen unidas las relaciones sintácticas a las partes de la oración, por lo que su sintaxis no puede ser, propiamente, una teoría de las relaciones. Más interesante es el estudio de las proposiciones complejas, donde se ha señalado un precedente de la teoría transformacional: una oración compuesta, como *Dios invisible ha creado el mundo visible,* es expresión de tres juicios:

1) *Dios es invisible.*
2) *Dios ha creado el mundo.*
3) *El mundo es visible.*

**7.1.13.** Pasemos ahora a la consideración de los aspectos fundamentales de esta gramática que han ejercido una influencia especial o que siguen estando vigentes.

**7.1.14.** En su teoría del signo[340] consideran en éste dos cosas:

La primera lo que son ellos por su naturaleza; es decir, en tanto que sonidos y caracteres.

La segunda, su significación; es decir, la manera como los hombres se sirven de ellos para significar sus pensamientos.

En ello vemos la continuidad de esta bifacialidad del signo que, desde los estoicos, culminará en Ferdinand de Saussure, como venimos repitiendo.

**7.1.15.** algunas de las aportaciones fundamentales de la Gramática de Port-Royal pueden esquematizarse así:

—Utiliza un método rigurosamente científico, dentro de la Epistemología de su época: el método demostrativo, que supone la autocrítica de toda afirmación, para lo que recurre a la argumentación lógica.

—Señala principios comunes a todas las lenguas:

1) No hay nominativo sin verbo;
2) ni verbo sin nominativo;
3) ni adjetivo sin sustantivo;
4) el genitivo es regido por el nombre, no por el verbo;

---

[339] En francés lo había hecho J. Palsgrave, en su *Esclarcissement de la Langue Françoyse* de 1530.

[340] 3.ª ed., p. 5.

5) la determinación del régimen tras los verbos es más cuestión de uso que de relación específica[341].

—Desarrolla, también a partir de la *Minerva,* la teoría de la elipsis, necesaria para los tres primeros principios comunes, procedentes del libro de Sanctius, como sabemos.

—Distingue la gramática general de la particular, y ambas de la gramática del uso, que conduce al concepto normativo de la gramática. Por eso, al tratar de aplicar reglas de validez general en la gramática particular del francés y encontrarse con que el uso autoriza construcciones que escapan a las reglas, señala estas excepciones y advierte que no se pueden reducir todos los ejemplos a una norma.

En resumen: si algo no se puede decir de esta gramática es que está "superlativamente superada".

**7.1.16.** La influencia de la *Gramática General y Razonada,* por sus propios méritos y por los de sus predecesores, ha sido tal que es imposible resumirla en un párrafo; en el resto de este capítulo nos veremos obligados a referirnos a ella en ocasiones que darán buena prueba de la extensión de su influjo.

## 7.2. HACIA EL SIGLO XVIII

El siglo XVIII supone un cambio en el enfoque de la humanidad sobre sí misma. Por ello puede resultar interesante intercalar aquí algunas nociones de síntesis, que podrán centrarse en la discusión entre dos pensadores que vivieron en el siglo XVII casi toda su vida, pero que ejercieron su mayor influencia a partir del siglo de la Ilustración: Locke y Leibniz. Puesto que sus estudios sobre el lenguaje están interrelacionados, habremos de ocuparnos de ellos conjuntamente.

**7.2.1.** John Locke nació en Wrington, Inglaterra, en 1632. Por estudios y razones políticas hubo de ausentarse de su patria. Concentró sus escritos en temas religiosos, filosóficos y educativos. Murió en Oates, tras su regreso a la patria, en 1704.

**7.2.2.** Gottfried Wilhelm Leibniz nació en Leipzig, en 1646. Viajó mucho y trabajó en campos tan diversos como el cálculo infinitesimal (que descubrió poco después que Newton, sin previa noticia de éste) y la historia. Murió en Hannover, en 1716.

**7.2.3.** El primero de estos autores representa la corriente empirista, el segundo la racionalista, lo que no significa la total ausencia de puntos

---

[341] *Vid.* Donzé, *op. cit.,* p. 19. Los tres primeros principios, los menos discutibles, están tomados del Brocense, como señalamos.

comunes. Las obras que discutiremos aquí son las que tratan con mayor detalle problemas lingüísticos[342].

**7.2.4.** El *Essay concerning human understanding (Ensayo sobre el entendimiento humano)* de Locke fue escrito en 1687 y publicado en 1690. Los *Nouveaux essais sur l'entendement humain* de Leibniz, escritos en 1704, no fueron publicados hasta 1765.

**7.2.5.** Hay un punto de partida relativamente común: la relación arbitraria entre el significante y el significado (en términos de Saussure). A partir de ahí empieza una serie de importantes divergencias, que no se plantean por primera vez, sino que resultan de la necesaria síntesis del pensamiento anterior. Locke, p. ej., niega la existencia de ideas innatas: se ha hecho famosa la comparación de la mente del niño con una tabla rasa en la que la experiencia va dejando impresiones sucesivas, en conformidad con Aristóteles. Leibniz, en quien es patente la influencia platónica, cree en estas ideas innatas, en estas impresiones de conceptos y principios que están ya en el hombre y que la experiencia despierta; para evitar los errores que en las aprehensión de la esencia de las cosas causaría la materia, tenemos esta representación innata de las esencias, como verdades primitivas de la razón. En consecuencia, la noción de *idea* varía en ambos autores. Locke es partidario de que es un resultado de la percepción, o puede ser objeto de la percepción, la *idea,* cree, precisa la previa experiencia para formarse en nuestro entendimiento, porque las ideas son representaciones sensibles. Por ello, se puede llegar a un concepto dualista de la relación entre lenguaje y pensamiento. En la mente las ideas funcionan atomísticamente, asociando fragmentos de la experiencia que obtiene por medio de la abstracción. El proceso del conocimiento exige, previamente, una experiencia mediante la cual la mente configura los conceptos gracias a la aprehensión de lo perceptible. La mente elabora sobre estas ideas en el proceso cognoscitivo, estableciendo correspondencias que han de ser de *identidad, relación, coéxistencia* y *existencia.* Como las ideas de nuestra mente proceden de la impresión dejada por la aprehensión de los objetos en la experiencia, existe una relación entre la realidad y el concepto. En este punto Locke se aparta del nominalismo, con el que está relacionado en otras cuestiones, como su creencia en que el lenguaje no tiene influencia constitutiva en el proceso racional. A medida que avanza la historia de la Filosofía aumenta la dificultad para poner etiquetas, que acaban no significando nada. Locke

---

[342] *Vid.,* para la bibliografía de Leibniz, la *Historia de la Filosofía* de Johannes Hirschberger, trad. de Luis Martínez Gómez, Barcelona (Herder), 1965, t. II, p. 48, y para la de Locke, *ibid.,* pp. 82-83. Sobre la influencia de Locke en España, con importantes notas bibliográficas, *cf.* Manuel Mourelle-Lema, *La Teoría Lingüística en la España del siglo XIX,* parte primera, capítulos I y II. Sobre ambos filósofos, *cf.* Fernando Lázaro, *Ideas,* cit., pp. 34-36, 40 y 115, así como Carlos-Peregrín Otero, *Introducción,* esp. 1.6, 1.7, y pp. 64, 66, 71, 115, 184-188, 262-263, entre otras.

es un filósofo eminentemente moderado, tanto en su realismo como en lo que, aparentemente, sería contradictorio, su nominalismo. Esto último puede observarse en el tratamiento de algunos temas, como el de la sustancia, en la que no cree, mientras que el realismo moderado y crítico predomina en otros puntos, como la representación mental del mundo objetivo, según hemos visto. Aunque no se puede hablar, en su caso, de que el proceso racionalizador carezca de importancia, su gnoseología se apoya antes en la intuición que en la demostración. Y esta intuición es mucho menos "racional" (valga la expresión) que la que habíamos visto en Descartes.

**7.2.6.** La huella de este último es mucho mayor en el filósofo alemán que en el británico, por el contrario. Leibniz arranca también, como veíamos, de la arbitrariedad del signo; sin embargo, hay dos diferencias esenciales en el tema que nos ocupa: Leibniz parte de la existencia de ideas innatas y cree que el lenguaje es imprescindible para el proceso racional, puesto que es elemento constitutivo del mismo, al darse una total interdependencia del pensamiento y el lenguaje. Otra diferencia importante radica en la valoración de la experiencia: para Locke la experiencia era la puerta de las ideas, pues sin la previa etapa empírica no podían éstas formarse en la mente. Para Leibniz, por el contrario, podemos utilizar los datos de la experiencia gracias a que poseemos en nuestra mente las ideas innatas que nos permiten estructurar "racionalmente" ese mundo exterior. Las ideas innatas, sin embargo, y aquí conviene precisar para no caer en un error comúnmente extendido, no son los conceptos mismos, sino una facultad activa de configuración mental de lo aprendido. Notemos que es la misma posibilidad que hemos visto en von Humboldt de que se produzca la relación circular entre actividad y producto. La crítica que Leibniz hace del empirismo es la misma que los generativistas pueden hacer al estructuralismo taxonómico: la experiencia permite acumular gran número de datos, sin que nunca se llegue a la totalidad. La razón, en cambio, permite establecer reglas de necesidad y validez universales, superando así el particularismo empírico. En cierto modo, se plantea así la lucha entre el método deductivo (racional) y el inductivo (empírico). La preferencia por el método deductivo, propia de las matemáticas y la gramática generativa, no supone la negación del método inductivo, epistemológicamente válido, sino el reconocimiento de un fallo inicial de éste, defecto constitutivo enunciado así por Bertrand Russell[343]:

El principio inductivo, no obstante, es igualmente incapaz de ser *probado* recurriendo a la experiencia. Es posible que la experiencia confirme el principio inductivo en relación con los casos que han sido ya examinados; pero en lo que se refiere a los casos no examinados, sólo el principio inductivo puede justificar una inferencia de lo que ha sido examinado a lo que no lo ha sido todavía. Todos los argumentos

---

[343] *Los problemas de la Filosofía,* Barcelona (Labor), 1970, p. 65.

que, sobre la base de la experiencia, se refieren al futuro o a las partes no experimentadas del pasado o del presente, suponen el principio de la inducción, de tal modo que no podemos usar jamás la experiencia para demostrar el principio inductivo sin incurrir en una petición de principio.

**7.2.7.** Si tuvieramos que encuadrar ahora lo anteriormente dicho, en el resto de este apartado, en una teoría de las ideas sobre el lenguaje que abarcara lo anterior y nos preparara para lo que veremos en páginas sucesivas, podríamos elaborar un esquema paralelo. Antes de hacerlo, y aunque parezca puntualización innecesaria, nos parece prudente advertir que sabemos los riesgos implícitos en todo esquematismo y esperamos por ello la comprensión del lector. Además, en las relaciones que vamos a establecer entre los pensadores que citamos a continuación tendremos en cuenta aquellos aspectos de su pensamiento que se relacionan con la lingüística, no la totalidad. Así pues, podemos agrupar, por sus concomitancias en nuestro tema, corrientes y pensadores más o menos alejados en otros campos. No se trata, por tanto, de establecer dos columnas relativamente paralelas de la filosofía, sino dos corrientes, convergentes y divergentes sucesivamente, de la teoría del lenguaje.

**7.2.8.** En el origen de la filosofía occidental, que es también el de su lingüística, encontramos el punto de partida de estas dos corrientes en la oposición entre el origen anómalo o analógico del lenguaje. Esta primera oposición pasará de absoluta a relativa, a medida que la tesis analogista total, preconizadora de una relación íntima entre la palabra y la cosa, se convierta en analogista relativa, tesis racionalista, innatista, partidaria del estudio de la relación entre la palabra y la cosa, en principio, pero sin la motivación absoluta de los primeros polemistas. La tesis anómala encuentra unos campeones importantes en los estoicos, de donde la tomará la Edad Media, en las tesis de los nominalistas. A través de Bacon se realiza el entronque con el mundo moderno, en el que, por medio de Locke, llega al positivismo y descriptivismo, en donde se originan el *Curso de Lingüística General,* por un lado, y las escuelas de gramática histórica por otro, ejemplo claro de la relativa heterogeneidad que puede existir en el seno de cada corriente. Saussure está a un paso del estructuralismo taxonómico; quizá el rasgo más importante de esta última corriente, en relación con las inquietudes actuales, sea su rechazo del innatismo, pues, como hemos indicado y volveremos a ver, el concepto de la arbitrariedad del signo es algo que pasó en época temprana a la segunda corriente. Podemos llamar corriente *empirista* a la primera y *racionalista* a la segunda. Esta última sale del concepto de *analogía,* como sabemos, defendido en principio por los alejandrinos. Ya en esta etapa, según indicábamos, la analogía ha dejado de entenderse en su primer burdo sentido de relación directa del objeto con su nombre y ha pasado a ser una creencia en la relación entre los elementos conceptuales, es decir, en una motivación relativa o secundaria del signo. Esta idea, que supone una cierta síntesis de las dos corrientes, aparece con bastante claridad en Varrón, en la Edad Media está presente en los modistas, cuya separación de los nominalistas en la relación palabra-objeto parece clara. En la transición al mundo moderno la encontramos en el Brocense, de donde pasa a Descartes y Port-Royal. En el terreno más especulativo, desde Descartes, la corriente del racionalismo, a través de Leibniz, como acabamos de estudiar, tiene matices nuevos en Kant y allí enlaza, como vimos en los primeros capítulos, con Herder, Humboldt y Cassirer, hasta llegar, por la vía de la capacidad generativa, a la gramática chomskiana [344].

7.2.9.   Ya hemos advertido que las líneas de la derivación no son puras ni simples. Del mismo modo que hemos ido de Descartes a Chomsky, podemos sacar otra derivación del pensamiento cartesiano, a través de la síntesis con Locke que supone el pensamiento de Condillac, más discípulo del primero que del segundo [345]. Es la rama que, a través de Beauzée, empalma con buena parte de la gramática española decimonónica, como Bello, en América, y Salvá, en España [346], o, en los albores del siglo XX, con Eduardo Benot, para llegar, vivificada por la fenomenología de Husserl, hasta Amado Alonso.

7.2.10.   En lo anterior puede haber un excesivo atrevimiento sintético, y hay una gran falta de matices. Sin embargo, hemos emprendido este retorno histórico con el objeto de sacar algún hilo en claro de la entretejida maraña de la lingüística actual, no de desenredar la madeja entera, tarea quizá superior a todas las fuerzas y muy por encima de las nuestras. No hemos esperado al final del capítulo para hacerlo porque, al no poder tratar en toda su complejidad los tres siglos últimos, son los hilos obtenidos en esta síntesis los que nos guiarán en el inminente laberinto [347].

[344] Entre esta corriente racionalista y la empirista, entre Cassirer y Saussure, si se quiere, habría que colocar a Coseriu, algunos de cuyos puntos de vista son aceptados, alternativamente, por una u otra tendencia. Conviene hacer, a la vista de lo expuesto, algunas precisiones. El que en la base de esta teoría pongamos el concepto de *analogía* no significa que los pensadores posteriores a Varrón crean, como los anteriores, en la relación entre el nombre y la cosa, sino que comparten, en mayor o menor grado, una serie de ideas. Así, el Brocense es anomalista, en términos pre-varrónicos, pero analogista en términos post-varrónicos, puesto que cree en una estructuración lógica del lenguaje y en una correspondencia entre el lenguaje, el pensamiento y el mundo exterior, así como en la correspondencia entre lenguaje y realidad, según Platón, en el primer idioma, en la lengua madre común, por lo que resulta excesivo llamarle sólo anomalista, como hace Lázaro en *Ideas*, p. 27. Otro importante pensador racionalista, Harris, es analogista en el pleno sentido del término, aunque se acerca a los empiristas en otras cuestiones, como veremos en 7.3. Todo ello nos hace insistir en el excesivo esquematismo y la simplicidad de nuestro esbozo.

[345] De modo diverso a lo que dice Lázaro, en *Ideas,* p. 36. Téngase en cuenta que no consideramos a Condillac en sí, sino su influjo en la gramática racionalista.

[346] Quien, significativamente, editó las *Opera Omnia* de Sánchez de las Brozas.

[347] De ningún modo defendemos el método adoptado ahora, ni absoluta ni relativamente;

## 7.3. JAMES HARRIS

Las tesis empíricas de Locke se encontraron en Inglaterra con algunas oposiciones. La más importante, probablemente, fue la de los "platónicos de Cambridge", con quienes se relaciona nuestro autor, en el cual, además de la huella de esta formación, se da un influjo importante de Aristóteles, por lo que se le puede adscribir a un realismo moderado[348]. Se une a los racionalistas, con quienes lo situamos, por su concepción de una gramática general y la teoría del conocimiento que la sustenta.

**7.3.1.** El *Hermes or a philosophical enquiry concerning language and universal grammar,* 1751, nos presenta problemas de interés. Cree Harris, su autor, que las lenguas individuales distintas de cada comunidad de hablantes tienen peculiaridades específicas, son particulares, lo que no impide la existencia de principios comunes, que justifican la búsqueda de una gramática general. En la búsqueda de estos principios parte de una distinción que se puede retrotraer hasta Aristóteles: entre *materia* y *forma.* Las unidades lingüísticas serían, entonces, el *sonido,* que pertenece a la materia, y que es sólo materia, la *palabra,* unidad mínima, y la *oración,* que pertenecen a la forma. Al eliminar lo material, como algo que atañe exclusivamente al significante, corresponde a lo formal tanto la significación gramatical, con todo lo funcional, como la significación léxica. En su definición de palabra como "sonido significativo que no se puede dividir en partes significativas por sí mismas", observamos la coincidencia de los significados, pues la definición está presidida, en Harris, por el criterio formal, aspecto funcionalista de su gramática que se aclara en su división de las palabras, clases de palabras o partes de la oración, realizada con un criterio funcional, absoluto en algunos puntos. Puesto que, en su estudio, corresponde a la forma lo que algunos gramáticos actuales llamarían *forma, función* y *significación* gramaticales, hay que pensar, como hace Llorente[349], que no se justifica en él una diferencia entre Morfología y Sintaxis.

**7.3.2.** En lo que concierne a las partes de la oración, hay dos partes

es una manera, entre otras muchas, de ir salvando las dificultades de un resumen, que, como en este caso, se presentan al querer ofrecer, simultáneamente, algunos puntos de meditación, y no un simple panorama histórico, sin que por ello neguemos la importancia de obras de este último tipo.

[348] Para la situación de la enseñanza gramatical en Inglaterra en época de Harris, *cf.* H. A. Gleason, Jr. *Linguistics and English Grammar,* Nueva York-Londres (Holt, Rinehart & Winston), 1965, capítulo IV. Sobre las teorías gramaticales desarrolladas en el *Hermes,* *vid.* Llorente, *Teoría,* pp. 248-251. *Vid. et.* Robins, *Short History,* pp. 153-159. Más que a partir del original, la influencia del *Hermes* se ha producido por medio de la versión francesa: *Hermès, ou Recherches philosophiques sur la grammaire universelles.* Trad. y adiciones de Fr. Thurot. Impr. de la République, París, Messidor, año IV (1795), cuyas primeras páginas son, tal vez, la primera historia de la gramática.

[349] *Teoría,* pp. 250-251.

*principales:* Sustantivos, definidos lógicamente y que incluyen nombre y pronombre, y *Atributivos,* en dos órdenes. Al primer orden de atributivos corresponden verbos, participios y adjetivos (diferenciados por su condición de modificadores de los sustantivos); el segundo orden corresponde a los atributivos de otros atributivos, o sea, a los adverbios. La clasificación, como verá el lector, corresponde a la de palabras de rango primario, secundario y terciario de Otto Jespersen, casi dos siglos después. Tras esas dos partes principales tenemos dos *accesorios:* los *definitivos,* que abarcan artículos y algunos pronombres, como los personales, son los que se construyen con una palabra[350], mientras que las *conjunciones,* donde se incluyen conjunciones y preposiciones, se construyen con dos palabras[351].

**7.3.3.** Harris, que puede quedar adscrito a la corriente racionalista, nos muestra con bastante claridad cómo se pueden establecer puntos de contacto entre las dos corrientes principales que resumíamos en el apartado anterior. Su creencia en las ideas innatas y su concepción de la existencia de ideas generales comunes a toda la humanidad, así como su uso de la distinción *materia* y *forma,* lo sitúan con los racionalistas, frente a los empiristas; no es por ello extraño que Herder alabara su obra[352], que puede considerarse precedente relativo de von Humboldt y unión entre éste y Sánchez de las Brozas, gracias al conocimiento de la *Minerva* que tuvo Harris, por intervención y afortunada idea de su hijo. Este pre-humboldtismo es bastante claro en algunos puntos del *Hermes,* como las relaciones que en él se establecen entre lenguaje e historia de los pueblos. Otros aspectos del autor inglés no son tan claramente racionalistas, y se puede apreciar en ellos cierto compromiso con un empirismo moderado. En su concepción de los universales, en su creencia en ideas generales, y en la relación de las palabras, de los términos, con las ideas, dentro del realismo moderado, se une a Condillac, y también a Herder. Precisamente es éste uno de los puntos en que el vacilante sensualista francés se manifiesta seguidor de Locke, aunque, de cualquier modo, este último no es aquí muy empirista. Los empiristas extremos posteriores, como Berkeley y Hume, por ejemplo, sólo hablarán de palabras generales, no de ideas, se referirán a los términos sólo, no a los conceptos, con una actitud más nominalista. Pese a esta aproximación relativa, el distanciamiento es mayor en algunos puntos, en los que Harris llega casi al extremo de la corriente analogista de la que arranca el racionalismo, como en su afirmación de que existe una 'cierta analogía' entre la palabra y objeto, llevada incluso al postulado de que así el sol parece exigir el masculino y la luna el femenino, por ejemplo, hecho absolutamente falso y que en él procede de un conocimiento imperfecto de los hechos lingüísticos, como le fue reprochado con dureza.

---

[350] El artículo con el sustantivo, los personales con el verbo.
[351] Puesto que sirven de nexo entre regente y regido.
[352] *Vid.* Robins, *op. cit.,* p. 155.

**7.3.4.** Con nuestro autor estamos en las mismas puertas de especulaciones que nos inquietan todavía hoy. Su criterio formal y su clasificación funcional entran en lo que hoy llamaríamos tratamiento gramatical de los datos lingüísticos, mientras que su amplia perspectiva filosófica y su búsqueda de afirmaciones cuya validez se extienda más allá de las lenguas particulares lo sitúan en una línea de fundamentación teórica que supera el formalismo huero. Tras él podríamos pasar inmediatamente a los aspectos del siglo XIX que preparan la lingüística actual, pero antes vamos a detenernos en algunas observaciones sobre la situación española.

## 7.4. ASPECTOS DEL SIGLO XVIII EN ESPAÑA

Nuestra labor de síntesis se ve favorecida, en este punto concreto, por la existencia del libro de Fernando Lázaro sobre las ideas lingüísticas en España durante el siglo XVIII, al que ya hemos tenido ocasión de referirnos. Nuestra misión se limitará a reseñar este libro completando algunos aspectos y ampliando otros, para actualizar sus perspectivas. Aquí prescindimos, de momento, del problema del nombre de nuestra lengua, que encontrará su lugar adecuado más adelante.

**7.4.1.** La iniciación del trabajo de Fernando Lázaro consiste en el planteamiento de los problemas previos, de las soluciones heredadas por el siglo XVIII. Nosotros también nos hemos visto obligados a este planteamiento, en lo que antecede de este capítulo y del anterior, y resulta confortante constatar que también para Lázaro ocupa un lugar primordial la polémica entre Heráclito (analogista) y Demócrito (anomalista) que, para nosotros, es el doble eje sobre el que gira la historia de la lingüística. Destaca Lázaro, y esto es importante, la pervivencia y arraigo hispánicos de la tesis analogista (que él llama 'platónica'), aunque, como ya hemos dicho, no podamos estar de acuerdo con alguna de sus afirmaciones, como el situar al Brocense entre los anomalistas (p. 27). Una vez más, y no será la última, habremos de insistir en que la polémica analogía/anomalía no se sitúa, desde sus primeros tiempos, en el problema inicial de la relación motivada o inmotivada (respectivamente) de la palabra y el objeto, del nombre y la cosa; los restos de discusión sobre este punto carecen de la importancia que tiene la otra polémica, la de los empiristas (en la línea anomalista) y los racionalistas (en la analogista). También hemos de repetir la advertencia de que entre empirismo y racionalismo se tienden frecuentemente puentes (como veremos especialmente en el XIX español) que sirven para complicar en la realidad lo que en el esquema hemos de presentar como excesivamente simple. Sánchez de las Brozas es un gramático racionalista, y esto es lo principal, es secundario que piense luego (como casi todos los gramáticos desde la misma Grecia)[353] que

---

[353] *Cf.* Lázaro, *Ideas,* p. 34, al hablar de Leibniz, y nota 344, *supra.*

la relación entre cosa y nombre es arbitraria. Esta precisión es ociosa en la metalingüística, pues se caería en un nominalismo inútil, pero muy importante en la epistemología, pues permite ver con cierta claridad las líneas metodológicas que nos llevan hasta la gramática generativa. Nuestra diferencia con Lázaro radica precisamente en el hecho de que él estudia los tratadistas previos desde el punto de vista de la relación 'signo-significado' y nosotros de 'empirismo-racionalismo'.

**7.4.2.** El panorama cultural de la España del xviii presenta dos alternativas: tradición e innovación. Lázaro destaca la paradoja "de este siglo condenado fatalmente a depender de Francia y a odiarla" (p. 42). En un rápido esquema, más justificado en esta ocasión, pues dependemos de un texto nítido, destacaremos los puntos más importantes de las nuevas posturas.

**7.4.3.** Feijoo es el hombre que, en un ejemplo digno de ser imitado, trata de conservar los valores auténticos del pasado (que no siempre coinciden con los 'auténticos valores') sin cerrarse a la innovación necesaria, y sin que 'necesario' tenga que convertirse en sinónimo de 'necesidad extrema'. En él tenemos otra muestra de que el enfoque de Lázaro no coincide con el que ahora nos interesa, porque Feijoo, que sería anomalista en lo que concierne a la directa relación nombre/cosa, es racionalista, por lo que, en nuestra teoría, habremos de situarlo en la corriente analogista, es decir, en la línea de los postulados que coinciden con los analogistas en todo, salvo en lo que dejó de ser pertinente desde el principio.

**7.4.4.** El P. Martín Sarmiento es, en cambio, muestra de otro enfoque: basa el origen del lenguaje en la onomatopeya, por lo que defiende la relación motivada entre una cosa y un nombre, resultando así analogista extremo. Coincide con Feijoo en un punto que se opone al empirismo, aunque no sea común a todos los racionalistas: el origen divino del lenguaje. Lázaro vuelve a ocuparse más tarde (pp. 96 y ss.) de este ilustre pensador, al tratar de la lengua primitiva. No anduvo muy acertado en este punto nuestro buen fraile, pues, en sus *Memorias,* consideró el hebreo como primera lengua. En cambio, y de nuevo vemos la difícil vacilación de los eruditos dieciochescos, en su trabajo sobre el *Origen y formación de las lenguas bárbaras,* ya no afirma "que todas las lenguas del mundo sean dialectos de la sola hebrea". La ingeniosa idea que soluciona el grave problema bíblico-babélico es que Dios hizo a los constructores, no sólo sordos, como se había dicho ya antes, sino también mudos. De esta aguda manera se solucionaban muchos problemas: el lenguaje (hasta Babel) tiene origen divino, y la relación entre palabra y cosa es analógica, desde Babel es de origen humano (salvo en los descendientes de Sem, vía Abraham), y la relación palabra-cosa es convencional, o, al menos, pues este punto no nos parece claro, sólo secundariamente motivada.

**7.4.5.** Un último punto de Sarmiento al que hemos de referirnos es su aportación al problema de la lengua universal, de tanta importancia en el XVIII (y en el XX), en el que también se distingue por su originalidad. En vez de buscar una lengua universal se reduce a una *lengua general* (Lázaro pp. 117 ss.) referida a las cosas creadas, no a los artificios del hombre. Se limita, pues, a una nomenclatura. El desarrollo de esta idea ya no es original, limitándose a seguir al P. Atanasio Kircher, en la lengua escrita, mientras que en la hablada establece una sencilla tabla de sonidos y cifras, como en varios de los proyectos precedentes.

**7.4.6.** El autor de los *Orígenes de la Lengua Española*[354], don Gregorio Mayans (1737), es una de las figuras más conocidas de su siglo. Cree que el lenguaje es de origen divino, pero se transformó y deformó por "la injuria del tiempo". El autor valenciano fue consciente de la necesidad de explicar convencionalmente las lenguas actuales, pero no supo expresar, dentro de su racionalismo, la superación de estos puntos anomalistas, de tan fácil integración en la corriente *analógico-racionalista*. También intervino nuestro autor, como el título mismo de su obra hace suponer, en la polémica del idioma primitivo. Cree en una lengua única primitiva, pero no responde a la cuestión de la variedad de las lenguas tras la confusión. Pese a que, en sus afirmaciones, se lanza a tesis que no han resultado ciertas, le cabe el mérito indudable de haber hecho afirmaciones que pueden considerarse precursoras de la gramática comparada.

**7.4.7.** Andrés Piquer (1711-1772), tío de Forner, es una figura que hoy podemos conocer mucho mejor que cuando Lázaro escribía su libro, gracias a la edición de su *Epistolario*[355]. En su *Lógica Moderna* (1747), simplemente *Lógica* en la segunda edición (1771), se puede prescindir ya del origen divino del lenguaje. La relación convencional entre palabra y objeto (en lo que también coinciden Locke y Leibniz) es algo admitido en la base.

**7.4.8.** Piquer, en quien se observa la influencia de Port-Royal (gramática latina y lógica), tiene una intención racionalista: el pensamiento debe expresarse por términos propios que eviten equivocidad y confusión: el ideal sería una lengua universal, basada en la lógica.

---

[354] *Orígenes de la Lengua Española, compuestos por varios autores, recogidos por D. Gregorio Mayans y Siscar,* Madrid (Juan de Zúñiga), 1737, t. I, 9 hs. preliminares + 219 pp.; t. II, 342 pp., 2 de anteportada y portada y blanca al final. No olvidemos que este libro fue criticado por el *Diario de los Literatos de España,* entre otras cosas, porque "no quiso detenerse en reflexionar sobre si la lengua de nuestro primer padre Adán fue inspirada por Dios".

[355] *Cf.* C.-P. Otero, *Introducción,* p. 63, donde se refiere al lenguaje como "invento puramente humano", por la facultad dada por Dios y perfectible por la Razón, así como a la consideración de la Gramática como parte de la Filosofía. El epistolario Mayáns-Piquer, que también contiene cartas de Piquer a otros médicos, ha sido publicado, con notas y estudio preliminar de V. Peset, en la sección I, "Correspondencia de don Gregorio Mayáns con el doctor Andrés Piquer", pp. 1-189 del *Epistolario,* I. *Mayáns y los Médicos,* ed. Valencia, Publicaciones del Ayuntamiento de Oliva.

**7.4.9.** Juan Pablo Forner, ejemplo vivo de la contradicción española, pese a su abierta oposición al pensamiento francés, no escapa al racionalismo dominante: es convencionalista o anomalista extremo, admite el origen divino del lenguaje, pero se manifiesta como extremo racionalista al considerar la lengua 'corteza' o 'cáscara' del pensamiento y cerca del empirismo de Locke y la postura puente, ambigua, de Condillac, más empirista, quizá, en la práctica de la lengua y su aprendizaje como imitación.

**7.4.10.** Lázaro define à Jovellanos (p. 62) con estas palabras: "Ante todo, es un racional: nada cuenta ante el filo de su razón omnipotente". En el tratamiento del autor del XVIII nos ofrece el profesor del XX, de paso, un testimonio claro de la relación entre empirismo y nominalismo; en cambio, no parece clara la postura de Lázaro respecto a Locke, o el empirismo en general, cuando dice que Jovellanos cree en una innata facultad de lenguaje y pretende relacionar esta creencia con el empirismo, con lo que no podemos estar de acuerdo. Jovellanos es otro hombre puente; sus ideas religiosas han de acercarle a un racionalismo más como lo entendemos hoy que como, probablemente, se entendía en su tiempo [356] (puede que San Agustín no sea ajeno a ello), mientras que su observación científica, con la importancia de la experiencia y los sentidos (junto a la reflexión) como fuentes de conocimiento lo acercan a los empiristas. Lázaro, siguiendo a Menéndez y Pelayo y C. González, señala la influencia de los autores empiristas en Jovellanos, a lo que nosotros añadiremos una advertencia precisa, de tipo terminológico: cuando Lázaro dice 'racional' no ha de entenderse 'racionalista'.

**7.4.11.** No podemos detenernos en todos los autores citados por Lázaro. Sólo podemos señalar la postura convencional de Arteaga, antes de pasar a Hervás y Panduro [357], quien es justamente considerado uno de los predecesores de la lingüística comparada y una de las mentes lingüísticas más importantes de su siglo. Cree en el origen divino del lenguaje, explica la confusión de lenguas por la maldición de Babel, es convencionalista, por otro lado, como buen aristotélico, y es, quizás, el más cercano al empirismo, al negar la dependencia del lenguaje de una facultad innata. Muchos son los méritos de Hervás que Lázaro (pp. 100-112) destaca y precisa, frente a exageraciones arbitrarias; nosotros citaremos tres:

—La base para comparar las lenguas no es sólo el léxico.
—Niega que las lenguas hayan de provenir de una sola lengua primitiva.
—Valora el elemento fónico del lenguaje.

---

[356] Una de las diferencias que podemos señalar entre el racionalismo, tal como se entendía en el XVIII, y tal como lo entendemos hoy, es que, durante mucho tiempo, se ha pretendido limitar la tesis racionalista a un mero principio racional del lenguaje, separando del racionalismo la tesis del origen divino.

[357] *Cf.* Otero, *Introducción*, p. 64.

**7.4.12.** Hasta aquí, en resumen, hemos estudiado los principales autores de este siglo, señalando los problemas que destacan entre sus preocupaciones:

1. La relación entre cosa y nombre.
2. El origen del lenguaje.
3. El idioma primitivo.
4. La lengua universal.

**7.4.13.** Para terminar, habremos de contentarnos con una somerísima referencia a otros problemas que Lázaro discute: el avance del español como lengua docente, frente al latín, la creación de la Real Academia Española, la contienda de neologismo y purismo, y el problema de la denominación de nuestra lengua, castellano o español, tema del que habremos de ocuparnos más ampliamente.

**7.4.14.** Para finalizar este párrafo debemos referirnos a las gramáticas del siglo XVIII[358].

**7.4.15.** Conviene indicar, como explicación de la relativa escasez y valía de las gramáticas castellanas, que, al ser el latín la lengua de la enseñanza, el estudio del castellano no se veía tan necesario como hoy. Así, la *Gramática de la lengua castellana* de Martínez Gayoso (1743) está enfocada, todavía, como estudio que facilita el del latín, y esto por poner sólo un ejemplo.

**7.4.16.** El *Arte de Romance Castellano* (1769) del P. Benito de San Pedro, prologado por Mayans, supone un avance importante. Se incorporan doctrinas sancionadas por Port-Royal, como la del artículo indefinido (que ya estaba presente, en cierto modo, en Correas, como sabemos), la gramática no se enseña ya en función del latín, sino para codificar el castellano y, además, hay una influencia reconocida de la *Minerva* sanctiana.

**7.4.17.** La historia de las gramáticas de la Academia es de un gran interés. El descubrimiento, por nuestro antiguo alumno Ramón Sarmiento, en tesis doctoral dirigida por F. Lázaro, de los documentos de redacción de la gramática, supone un importante avance, que no podemos adelantar en estas páginas, en las que habremos de contentarnos con indicar algo de lo más importante.

**7.4.18.** La *Gramática* académica fue un estudio que se preparó con una atención exquisita. Una comisión se encargó de redactar el proyecto, que luego fue sometido al pleno. Una y otra vez, observando las anotaciones marginales y comparando los datos del legajo de la Gramática con el texto publicado, notamos cómo las fuerzas reaccionarias coartaron toda novedad, impidiendo su triunfo. Cuando, en 1771, se publica la *Gramática Castellana* de la Real Academia Española, con la vieja pretensión de que el estudio de la lengua castellana es necesaria introducción para el más

---

[358] *Cf.* Lázaro, *Ideas,* pp. 175 y ss.

rápido aprendizaje de la latina, muy pocos podían suponer el extraordinario caudal de lecturas y los amplios conocimientos que habían ofrecido los gramáticos de la comisión, en ofertas desdeñadas (hemos de decirlo con pesar, pero los legajos no dejan lugar a dudas) por la opinión de la Junta. De este modo, una vez más, se ofrece la errónea impresión del tradicionalismo académico, porque la disciplina ha acallado la voz de la innovación. Considerando lo dicho, pocas innovaciones podemos esperar de los dos puntos que revisamos: partes de la Gramática y partes de la oración. El XVIII, en general, nos sigue ofreciendo Ortografía u Ortología, Etimología, Morfología o Analogía, Sintaxis y Prosodia. Sí inicia la *Gramática* académica una tradición, la de las nueve partes de la oración, en la que más tarde sustituirá el participio, que era considerado parte de la oración, en la 1.ª edición, siguiendo a Nebrija, por el adjetivo.

**7.4.19.** El fin de siglo, con las figuras asturianas dc Jovellanos y Juan Antonio González Valdés, marca la entrada de la gramática castellana en una preocupación cultural europeizante, a tono con la corriente racionalista, no sólo en varios de los puntos comunes, que se han ido presentando, en las tesis analogistas de varios de los autores estudiados, como hemos tratado de señalar, sino en una preocupación didáctica, de otro tipo. Es más, este nuevo racionalismo, cuyo modelo es Condillac, se encuentra en una posición de síntesis entre Locke y Leibniz. En el siglo siguiente veremos la culminación genial de estos postulados en un gramático incomparable, don Andrés Bello.

**7.4.20.** Hasta aquí nos ha llevado el resumen del importante libro de Lázaro, completado con los nuevos datos de la gramática académica generosamente ofrecidos por R. Sarmiento, puntos de vista de C. P. Otero, y la revisión de Feijoo, Jovellanos, Piquer y Mayans, así como la obra, siempre útil, del conde de la Viñaza, de la que nos ocuparemos al estudiar el siglo XIX. Puesto que, como confesamos y se puede comprobar fácilmente, dependemos de *Las Ideas Lingüísticas en España durante el siglo XVIII,* tal vez no sobre un párrafo de puntualización:

**7.4.21.** El excelente libro de Lázaro es, naturalmente, hijo de su época. En 1947 se estaba muy lejos de pensar que la gramática lógica era algo cuya superación no se había logrado, y que reviviría pujante unos años después. Estamos seguros de que, pese a la crítica moderada del racionalismo que el texto presenta, su autor (uno de los más claros expositores del generativismo en la España actual) habría moderado aún más, si no cambiado, varias afirmaciones, fácilmente esperables en plena época de dominio del empirismo historicista y del positivismo del *Curso de Lingüística General.* A la vista de lo que hoy sabemos y estudiamos, y sin que ello pueda desmerecer el valor de la clara exposición de Lázaro-Carreter, es posible y deseable reinterpretar algunos de los datos de este libro magistral, pues parece claro que el Fernando Lázaro de 1974[359] no suscribiría todas las afirmaciones del de 1947. Por fortuna para nuestra ciencia, no ha habido aquí orgullosos encasillamientos.

## 7.5. LA LINGÜÍSTICA ESPAÑOLA EN EL SIGLO XIX

A medida que nos acercamos a nuestros días, como ya hemos observado, resulta más difícil resumir de modo suficiente el panorama de la lingüística. Al no caber las justificaciones, conformémonos con pedir la benevolencia del lector y tratar de atinar en nuestro intento.

**7.5.1.** Esquematizaremos el siglo XIX en torno a tres núcleos ideológicos principales: la continuidad de las ideas y los problemas del siglo anterior, que no iban a terminar por el mero hecho de haber cerrado el calendario de 1800 y empezado el de 1801, y que ocupan, básicamente, el primer cuarto del siglo; en segundo lugar, se desarrolla, en España y en América, una gramática peculiar, con influencia de Condillac, según precisaremos, y que se centra en los nombres de Gómez Hermosilla, Salvá y Bello; en tercer lugar tenemos la gramática histórica y comparada, de importación germánica, principalmente, que se prolonga hasta el siglo XX, cuyos primeros años pueden tratarse en este apartado, en torno a los nombres de Milá, la Viñaza, Alemany y los sanscritistas, dejando la continuidad del XX para el próximo capítulo[360].

**7.5.2.** Al repasar la bibliografía del primer tercio del siglo XIX[361] es fácil caer en la cuenta de que las preocupaciones lingüísticas de la época pueden reducirse a dos, o, en todo caso, a tres: el problema de la lengua primitiva de España, y el gramatical propiamente dicho, que admite una subdivisión en cuestiones pedagógicas y temas de gramática general.

**7.5.3.** El tema de la lengua primitiva tiene dos polos de desigual importancia, el vasco y al árabe. La *Apología de la Lengua Bascongada* de don

---

[359] *Vid.* "Sintaxis y Semántica", en *R.S.E.L.* 4, 1974, 61-85.

[360] También la bibliografía se hace cada vez más compleja, por lo que, para las cuestiones generales, remitimos a la bibliografía básica, a partir de la cual puede irse ampliando. Así, *vid.* M. Mourelle-Lema, *La Teoría Lingüística en la España del siglo XIX,* Madrid (Prensa Española), 1968, e Iorgu Iordan, *Lingüística Románica,* cit., pp. 8-140. En las pp. 1-8 de esta última obra se resume, con esquematismo extremo, lo anterior al XIX, con valiosas referencias a la situación española en las adiciones de M. Alvar. Ademas de estos libros y de los citados al empezar los capítulos históricos de éste, no podemos olvidar el célebre de H. Pedersen (1924), reeditado en su versión inglesa, *Linguistic Science in the 19th Century,* Cambridge, Mass., desde 1931.

[361] Siguiendo, fundamentalmente, los índices de Mourelle-Lema, cit., y la *Biblioteca Histórica de la Filología Castellana* de D. Cipriano Muñoz y Manzano, conde de la Viñaza (desde ahora *B. H.* Viñaza).

Pablo Pedro de Astarloa[362], ingeniosa argumentación sobre la antigüedad del eusquera, encontró una rápida respuesta en la *Censura Crítica* de un supuesto "cura de Montuenga" tras quien (y con el anagrama D.J.A.C., fácilmente descifrable) se encontraba un importante arabista, don José Antonio Conde[363]. La crítica de Conde, por su parte, no quedó sin respuesta, ya que encontró réplica en la p. 52 del t. III, 1805, de la *Minerva ó el Revisor general,* según informa la Viñaza[364].

**7.5.4.** La discusión sobre los elementos no latinos del castellano había de conducir, indefectiblemente, al examen de los de origen oriental. El canónigo de S. Isidro el Real y Director de la Academia de la Historia, don Francisco Martínez Marina, se encargó de señalarlo[365]. Su *Ensayo* tuvo dos efectos importantes en la ciencia española: dirigir la atención al estudio de los arabismos, lo que habría de conducir a la reforma de la historiografía española para dar su lugar a lo semítico, y señalar que el lugar de estos elementos orientales era secundario en comparación con la fundamental base latina. Pese a todo, aún en 1806 encontramos un autor, y no de escasa trascendencia, que defiende que el vasco es la lengua primitiva de España y base de la castellana: se trata del Contador Principal de Rentas reales, don Juan Bautista Erro y Azpiroz[366], cuyo *Alfabeto...* fue parcialmente traducido al inglés[367].

**7.5.5.** Del mismo modo que la preocupación por los elementos orientales empezó a ejercer su influjo sobre la concepción de la realidad histórica de España[368], el tema eusquera atrajo la atención de un investigador cuya importancia hemos tratado de resaltar al ocuparnos de la forma interior:

[362] *Apología de la lengua Bascongada, o ensayo crítico-filosófico de su perfección y antigüedad sobre todas las que se conocen: en respuesta a los reparos propuestos en el Diccionario geográfico-histórico de España, tomo segundo, palabra Navarra.* Madrid (Gerónimo Ortega), 1803, XXIV + 452 pp.

[363] *Censura crítica de la pretendida excelencia y antigüedad del bascuence,* por D. J. A. C., cura de Montuenga. Madrid, Imprenta Real, 1804, 85 pp.

[364] Quien da más noticias sobre Astarloa, *cf.,* año 1803, epígrafes 30.

[365] En su *Ensayo histórico-crítico sobre el origen y progresos de las lenguas, señaladamente del romance castellano. —Catálogo de algunas voces castellanas puramente arábigas, ó derivadas de la lengua griega y de los idiomas orientales, pero introducidas en España por los árabes.* 63-VIII-85 pp., + 1 de erratas, incluido en las *Memorias de la Real Academia de la Historia,* t. IV, Madrid, imprenta de Sancha, año de 1805.

[366] En su *Alfabeto de la lengua primitiva de España y explicación de sus más antiguos monumentos de inscripciones y medallas.* Madrid, 300 pp., con láminas.

[367] *The alphabet of the primitive language of Spain, and a philosophical examination of the antiquity and civilization of the basque people: an extract from the works of Don Juan Bautista de Erro.* Boston (Press of Isaac R. Butts, 1829). Tomamos este dato de Mourelle-Lema, p. 394.

[368] Véase el *Discurso de acción de gracias leído en la Real Acàdemia Española por don José Musso y Valiente, al tiempo de tomar posesión de la plaza de Honorario el 2 de agosto de 1827,* en *Memorias* de la R. \ E., III, Madrid, 1871, pp. 106-112, donde se aprecia la influencia de los hechos políticos en la evolución de las lenguas y se señala que "á pesar

nos referimos a Guillermo de Humboldt[369], a partir del cual aparecerá una vigorosa hipótesis vasco-ibérica que, si bien parece no ser exacta en sus últimos fundamentos, ha ejercido una saludable influencia en la gramática histórica española.

**7.5.6.** En el primero de los apartados en que podemos dividir lo puramente gramatical, es decir, en la enseñanza de la gramática, cabe destacar, con una base cronológica, al menos, que continúa la boga de la *Gramática castellana dirigida a las escuelas* de José Pablo Ballot y Torres[370], que conoce varias ediciones a lo largo del siglo, así como la tradición de las gramáticas vinculadas a establecimientos de enseñanza de órdenes religiosas, como la edición de los *Elementos de Gramática Castellana,* del P. Agustín Díaz de San Julián, corregida y aumentada por don Ramón Valle, para los escolapios[371]. De todos modos, no falta, incluso en fecha tan tardía como 1841, la concepción de la gramática castellana como vía para el aprendizaje de la latina[372]. Los gramáticos de este período no son pocos: podemos citar los nombres de Lorenzo de Alemany, autor de un voluminoso tratado reimpreso más de veinte veces en la primera mitad del siglo, la *Gramática* anónima de 1818, año en que publicó sus *Elementos* Juan Manuel Calleja, y varias más, que culminan en 1826 con el *Arte* de Gómez de Hermosilla, y en 1830 con la *Gramática* de Salvá, autores de los que habremos de ocuparnos luego[372].

**7.5.7.** Esta línea de pedagogía gramatical tiene aspectos que son continuación de enfoques muy tradicionales, como el ortográfico[373], o de preocupaciones dieciochescas, como el galicismo, en lucha ejemplificada en el *Centinela* de Capmany[374], que continúa las publicaciones que tan importante autor había iniciado en el siglo precedente.

**7.5.8.** Para terminar el resumen de la actividad de este primer período, en lo concerniente a la enseñanza gramatical, no estará de más que señalemos

del odio inveterado y tenaz por tantos motivos sostenido entre castellanos y moros, diríamos que llegaron aquellos á pensar y hablar á la manera arábiga...", *cf. B. H.* Viñaza, 1827, epígrafe 36.

[369] En 1817, en el apéndice del *Mithridates* de Adelung y Vater, t. IV, pp. 275-360: *Ueber die cantabrische oder baskische Sprache,* y en 1821, en *Prüfung der Untersuchungen über die Urbervohner Hispaniens vermittelst der baskischen Sprache,* en Berlín, obra que, según creemos, el conde de la Viñaza sólo conoció gracias a la traducción francesa de 1866, obra de Marrasx, con prólogo y notas.

[370] Barcelona (J. F. Piferrer), 1796, 12 + 216 pp.

[371] Madrid (Imp. Real), 1829.

[372] Mourelle Lema recoge en su bibliografía los datos de estos libros, entre otros.

[373] Piénsese, p. ej., en el libro de Torcuato Torío de la Riva: *Arte de escribir por reglas y con muestras, según la doctrina de los mejores autores antiguos y modernos, estrangeros y nacionales, acompañado de unos principios de Aritmética, Gramática y Ortografía Castellana, Urbanidad y varios sistemas para la formación y enseñanza de los principales caracteres que se usan en Europa,* cuya 2.ª ed. imprimió la viuda de Ibarra en 1802.

[374] *Centinela contra franceses,* Madrid (Fuentenebro), 1808. Dato tomado de Mourelle-Lema.

la preocupación de los problemas de aprendizaje del castellano en las regiones no castellanohablantes [375], o dialectales [376], así como la enseñanza a extranjeros [377].

**7.5.9.** Como puente entre las corrientes de filosofía lingüística que hemos estudiado antes de este apartado y lo que será la línea gramatical central del siglo tenemos la creciente preocupación por lo que se denomina, de modo harto amplio, 'gramática general'.

**7.5.10.** Ya en los primeros años del siglo nos encontramos con una voz que se levanta en nombre de la gramática general, si bien combinada con la aplicación a una lengua: la materna. Este es el tema de un artículo de José Miguel Alea, en 1803 [378], muestra temprana y poco concreta de una preocupación que, andando el siglo, llevará en 1874 a la *Gramática General* de Jaime Balmes, más en la línea de la Filosofía del Lenguaje que de la Gramática General, en nuestro sentir de hoy. Esta fundamentación lógica, que tanta importancia tendrá en los grandes autores que veremos a continuación, influye en la gramática latina, además de la castellana, como testimonia la edición de Madrid, 1821, de la *Nueva Gramática Latina, escrita con sencillez filosófica* de Luis de Mata y Araujo. Esta gramática general que, como hemos dicho, se prolonga a lo largo del siglo hasta la culminación que, dentro de sus presupuestos, supone la obra de Balmes, produce una serie de obras, en cuyos títulos tenemos índices representativos de los buenos deseos de sus autores, más que de logros efectivos; como botón de muestra daremos dos de ellos, que nos servirán, bien a nuestro pesar, para abandonar este aspecto peculiar del pasado siglo, en el que no podemos detenernos más. El primero de ellos es el titulado *Elementos de Gramática General con relación a las Lenguas Orales, o sea, exposición*

[375] *Vid.*, p. ej., Jaime Costa del Vall: *Nuevo método de gramática castellana, seguida de un prontuario de las voces más usuales en catalán y castellano,* del que Mourelle-Lema cita una 3.ª ed. en Barcelona (Vda. de Agustín Roca), 1830. *Vid.* F. Vallverdú, *Ensayos sobre Bilingüismo,* esp. pp. 32 y ss.

[376] *Cf.,* en fecha tardía, pero como premonitor del diccionario de Borao, el *Ensayo de un diccionario aragonés castellano,* de Mariano Peralta, Zaragoza (Imp. Real), 1836, XIX + 47 pp.

[377] En 1827 imprimió en Belfast José Borrás (o Barrás), según Mourelle-Lema, sus *Verdaderos principios de la lengua castellana.* Antes, en 1824, se habían publicado en Londres dos obras, en inglés, dirigidas más inmediatamente a la enseñanza a anglohablantes: Mr. Fernández es el autor de *A synoptic table of the Spanish grammar, and of all difficulties which the Spanish Language can present,* mientras que a G. Galindo corresponde *The Spanish wordbook; or, First step to the Spanish language; on the plan of the 'French word-book'.*

[378] "De la necesidad de estudiar los principios del lenguaje, expuestos en una gramática general, y aplicada a la lengua materna", en *Variedades de Ciencias, Literatura y Artes. Obra periódica.* Madrid, Oficina de don Benito García, 1803, t. I, n.º 11, pp. 101-117. *Cf.* Mourelle-Lema, pp. 69 y ss., donde se expone el calco de las ideas de Condillac por Alea, con la "insistencia de la conexión entre *idea* y *signo*", así como la íntima relación entre lenguaje y pensamiento.

*de los principios que deben servir de base al estudio de las lenguas*[379], de Francisco Lacueva; el segundo, la *Gramática General* de Isaac Núñez de Arenas[380]. Esta teoría entronca con una de las inquietudes características del siglo, la de la lengua universal, que, según Pedro Mata[381], "es hija legítima y forzosa de la gramática general".

7.5.11. La segunda de las secciones en que podemos dividir el siglo podría iniciarse entre 1826 y 1835, fecha de las ediciones de dos obras escritas por el primero de los gramáticos de la época del que hemos de ocuparnos con algún detalle[382]. José Gómez Hermosilla, en efecto, es una de las figuras gramaticales de su siglo y autor, al mismo tiempo, que nos sirve de puente entre las teorías de 'gramática general' de las que acabamos de ocuparnos, y la construcción, por Salvá y Bello, de una nueva gramática española. Antes de entrar en su tema, sin embargo, puede no estar de más señalar la entrada de ideas lógico-gramaticales francesas en España.

7.5.12. Mourelle-Lema[383] apunta la precedencia cronológica de la versión castellana, 1822, de la *Gramática General* de Destutt de Tracy[384], si bien las ideas del senador francés ya eran conocidas[385]. Con las oportunas salvedades, habría que considerar que la concepción de la Gramática (ciencia de los signos) como parte de la Ideología (ciencia de las ideas) está en cierto paralelismo con la Lingüística y la Semiótica en nuestros días. Esta corriente francesa se mueve en la línea racionalista, pero en un racionalismo matizado por la influencia de Locke y precisado por el sensismo de Condillac. Los elementos que se combinan son la relación del lenguaje y el pensamiento, la estructura lógica del lenguaje, la razón como principio estructurador, por un lado, la sensación junto a la reflexión, según Locke, por otro, los principios cartesianos de la Gramática de Port-Royal y el predominio de la sensación, según Condillac, finalmente. El principio empirista de que

[379] Madrid, Impr. J. Espinosa, 1832.

[380] Madrid, Impr. José María Alonso, 1847. Mourelle-Lema (p. 403) nos informa de que era el t. II de un *Curso completo de Filosofía.*

[381] Cit. por Mourelle-Lema, p. 130. A la lengua universal dedica este autor sus capítulos V y VI, en los que da cuenta del ambiente propicio, de la ayuda oficial, las personalidades interesadas, y los autores o divulgadores de proyectos, como Sotos Ochando, el citado Pedro Mata, Lope Gisbert, director del *Boletín de la Sociedad de la Lengua Universal,* y P. Lorrio, autor con él de un *Manual de Lengua Universal,* con antología y ejercicios, que vio la luz en Madrid, 1862; Pedro Martínez López, Sinibaldo de Mas y algunos otros.

[382] *El Arte de Hablar en Prosa y Verso* se imprimió, en dos tomos, en la Imprenta Real de Madrid, en 1826; los *Principios de Gramática General,* de la misma imprenta y lugar, aparecieron en 1835.

[383] *Op. cit.,* p. 283.

[384] Trad. de Juan Angel Caamaño, Madrid, en la imprenta de José del Collado.

[385] Como testimonio, p. ej., la introducción de Juan Manuel Calleja a sus *Elementos de Gramática Castellana,* 1818. *Vid.* Mourelle-Lema, pp. 49 y ss.

los sentidos son la fuente del conocimiento, la única puerta del intelecto al mundo, se combina con las facultades racionales innatas, en un compromiso que llega a la afirmación de que hay "un lenguaje innato, aunque no haya ideas de esta especie"[386] y que se entiende en su justo valor si se piensa en las palabras como molde de las ideas, a las que, en cierto modo, preceden, como afirma en varios lugares el filósofo sensualista.

**7.5.13.** La nómina foránea a la que es deudora la gramática española decimonónica es extensa, abarca nombres como Locke, Condillac y Destutt, ya citados, así como Wolff, Pestalozzi, D'Alambert, Diderot, Voltaire, Rousseau, Du Quesnay, Beauzée, Bonnot, Sicard, el orientalista Silvestre de Sacy, Guirault Duvivier, y tantos otros, que simbolizan uno de los momentos más abiertos a la ciencia transpirenaica de la vida española. La lista de los autores españoles influidos por las tesis racionalistas habría de incluir, dialécticamente, a lo más granado de la época: rápidamente podemos citar a Felipe Monlau, Rey y Heredia, el mismo Balmes, Jonama, y un largo etcétera.

**7.5.14.** En el momento de truncadas esperanzas liberales por la Ominosa Década, escribe su *Gramática General* Gómez Hermosilla. Es casi una premonición del futuro español de ambos movimientos, y no por falta de cabezas pensantes. Acerca de este libro dice Mourelle-Lema[387] que "es la única obra de este género producida en el mundo hispánico que merece llevar el título de Gramática general, o filosófica, o racionalista o lógica". Manteniendo el concepto de gramática, tan importante, como conjunto de reglas, disiente de la opinión dominante, advirtiendo que lo de 'general' no ha de entenderse como 'de aplicación a todas las lenguas', sino como tratado *científico* teórico "sobre el lenguaje hablado"[388]. Acerca de uno de los problemas que hemos destacado para tratarlo en estos capítulos, el de las partes de la oración, nuestro autor tiene en cuenta un criterio lógico-objetivo semántico, es decir, cree que las formas gramaticales pueden clasificarse sólo por el significado, por las ideas que representan. He aquí, brevísimamente, su clasificación[389], en la que, como observará el lector, quedan excluidas las interjecciones:

1.º Palabras que significan seres corpóreos y, por extensión, los espirituales y los abstractos: nombres (sustantivos y adjetivos), pronombres personales y artículos (incluye los otros pronombres, como palabras que indican cosa, no persona).

[386] Mourelle-Lema, p. 47.
[387] *Ibid.*, p. 300.
[388] *Ibid.*, pp. 300-335, con amplia exposición de las tesis de Gómez Hermosilla y sus seguidores inmediatos.
[389] *Ibid.*, pp. 304 y ss.

2.º Palabras que significan los movimientos de los cuerpos y, por traslación, las operaciones de los espíritus: verbos [390].

3.º Palabras que significan simples relaciones: preposiciones y conjunciones.

**7.5.15.** Hétenos, pues, de nuevo, en nombre, verbo y partículas, como tantas otras veces. Como es lógico, no todas las definiciones subsidiarias de esta primera clasificación pueden resultar igualmente aceptables. El pensamiento de estos gramáticos lógico-semánticos es como una fuente que surgiese al final de una acequia abandonada hace tiempo: la fuente tiene varios caños, pero el agua no surge con la misma fuerza y limpidez por todos ellos; los lodos acumulados obstruyen unos, haciendo difícil el discurrir del líquido, tapan otros, que permanecen mudos, si bien no pueden impedir la eclosión de los que, por salir por el camino más recto, han barrido todos los obstáculos. Los errores e imprecisiones de la época son los lodos que taponan el franco brotar de cada caño, mientras que la corriente espumeante y activa de la razón mantiene expeditas las vías principales. Tal vez hoy, cuando una nueva lógica va terminando con los lodos contradictorios del pasado, podamos acercarnos a las fuentes auténticas de la gramática general (y perdónesenos el exceso de lirismo).

**7.5.16.** Al ocuparnos del genial Andrés Bello tendremos que hablar del verbo y del problema de la nomenclatura de los tiempos verbales, tan difíciles de etiquetar significativamente. Gómez Hermosilla trata de hacerlo, sin éxito, siguiendo a Silvestre de Sacy, por quien también será influido Bello [391]. Es muy importante la distinción, que Bello no recoge, entre pretérito próximo (*he cantado*) y remoto (*canté*), basada en el aspecto imperfectivo del primero y perfectivo del segundo. Con acierto observa algo que casi nunca ha sido señalado por los gramáticos posteriores, pese a haber sido incluido en la gramática académica en 1854 [392], cual es el hecho de que la forma 'presente de *haber* + participio' no supone que la acción haya terminado (y si a veces lo supone no es por el aspecto, sino por el modo de acción verbal). Así, dentro de su teoría, se explica perfectamente que:

*los indios han atacado el fuerte*

no supone que el ataque haya terminado, aunque en

*los indios atacaron el fuerte*
*el ataque ha terminado*

[390] Pero no admite la extrema reducción de los verbos a *ser* + *adjetivo*. *Cf*. especialmente *Principios*, pp. 26 y ss., y Mourelle-Lema, p. 305, nota 16.

[391] *Cf*. Amado Alonso, "Introducción a los estudios gramaticales de Andrés Bello", en la ed. de la *Gramática* en el 125 aniversario de la primera, pp. LIII y ss.

[392] *Vid*., sin embargo, Juan M. Lope Blanch, "Sobre el uso del pretérito en el español de México", en *Studia Philologica* (ed. Gredos, Madrid), II, pp. 373-385 y *Aproximación*, 13.2.

sí haya terminado, en efecto, en una oportunidad expresado por el aspecto perfectivo del pretérito y en otra por el modo de acción del verbo *terminar,* que es perfectivo. Lástima que este punto, en el que Gómez Hermosilla se acerca a Condillac, no fuera seguido por Bello, pese a haberlo aceptado, en parte, Salvá, y luego la Academia, como hemos dicho.

**7.5.17.** Los *Principios de Gramática General* tuvieron una importante corte de continuadores; de ellos pueden destacarse Noboa, en 1839, Luis de Mata y Araujo, en 1842, y Juan José Arbolí, en 1844[393]. Su influjo más importante, sin embargo, por la calidad de los influidos, fue el ejercido sobre Jaime Balmes, como hemos indicado antes, y sobre Vicente Salvá, especialmente importante para nuestros limitados objetivos actuales.

**7.5.18.** El valenciano Vicente Salvá (1786-1849) es uno de los muchos símbolos de la ciencia española liberal e itinerante que labra en su propia desgracia, pese a todo, un futuro prometedor para el hispanismo mundial; porque, ¿acaso son ajenos al interés por lo hispánico establecimientos como la 'Spanish and Classical Library' que don Vicente Salvá, emigrado en la Década, abrió en la típica Regent Street? ¿El traslado de la librería a París, en 1830, no habría de contribuir al interés por lo español? Por nuestro mal, nuestros emigrados no han sido, hasta épocas muy recientes, sino médicos, científicos, historiadores, filólogos... Consecuencia de ello es que en París se publicase la *Gramática de la Lengua Castellana según ahora se habla,* en 1830, que tendría una edición, en Valencia, en 1834, aunque era un libro elaborado y concebido en Inglaterra, entre 1824 y 1830, fecha de traslado al continente[394]. Situado entre Gómez Hermosilla y Bello, Salvá está mucho más cerca de este último en su preocupación concreta por la lengua castellana y por el concepto de la norma lingüística según el uso de las personas cultas. El mismo Bello reconoce su deuda con el valenciano[395].

En cuanto a los auxilios de que he procurado aprovecharme, debo citar especialmente las obras de la Academia española y la gramática de don Vicente Salvá. He mirado esta última como el depósito más copioso de los modos de decir castellanos; como un libro que ninguno de los que aspiran a hablar y escribir correctamente nuestra lengua nativa debe dispensarse de leer y consultar a menudo.

**7.5.19.** Salvá y Bello están unidos, también, en su rechazar la gramática filosófica: la gramática debe ser descriptiva, más que interpretativa, creen. Sin embargo, y especialmente en el caso del venezolano, esta postura es más de palabra que de hechos, pues muchas páginas de la obra de Bello

---

[393] Entre otros, recogidos por Mourelle-Lema, cap. III, 1, pp. 327-335.

[394] Mourelle-Lema *op. cit.,* nota 20, p. 359, nos advierte que Salvá, en la "advertencia prefijada a la segunda edición", París, 1835, dice que la *Gramática* había sido publicada "a fines de 1831", frente a 1830, fecha impresa en el libro.

[395] *Gramática,* p. 8 del prólogo.

son importantes consideraciones teóricas explicativas, más que simple descripción o amontonamiento casuístico.

**7.5.20.** A Gómez Hermosilla se debe, precisamente, la creciente introducción de puntos teóricos en la *Gramática* de Salvá, al incluir éste las notas, apostillas y comentarios enviados por aquél. Como no podía ser menos, la mayor influencia de esta preocupación teórica se plasma en el estudio del verbo, donde se admite la división de los gramáticos racionalistas en *tiempos absolutos y relativos.* Sin embargo, la distinción entre *he cantado* y *canté* va difuminándose en el mismo sentido que tendrá después en Bello, es decir, proyección hacia el presente (*antepresente*) en el primer caso, consideración en sí, en el pasado, absoluta (*pretérito*), en el segundo.

**7.5.21.** La *Gramática* de Salvá tuvo enorme aceptación, salvo una figura discrepante, Pedro Martínez López, ejemplo de la crítica personal despiadada que practican quienes, no siendo capaces de creación original, sólo buscan los defectos que, indudablemente, ha de ofrecer cualquier obra humana. Desgraciadamente, esta crítica logró algún éxito, por lo que parece conveniente citarla.

**7.5.22.** Una de las más importantes influencias de la *Gramática* de don Vicente fue la ejercida sobre el eje gramatical de su siglo, la *Gramática de la Lengua Castellana Destinada al Uso de los Americanos,* original de Andrés Bello [396]. Tras las casi noventa páginas del prólogo de Amado Alonso [397] y las finas observaciones de A. Rosenblat [398], apenas podemos aspirar a una caracterización apresurada de la importante figura que estudiamos. Bello, que considera que "el habla de un pueblo es un sistema artificial de signos" [399], cree que la gramática es una teoría aplicable a cada sistema individual, a cada lengua. Sin negar la posibilidad de una gramática universal, relega ésta a una especie de lógica, una teoría de las leyes del pensamiento, no una teoría del lenguaje, pues "se ha errado no poco en filosofía suponiendo a la lengua un trasunto fiel del pensamiento" [400]. Bello supera, dialécticamente, a Salvá en la estructuración de los hechos de la lengua, lo que le arrastra, paradójicamente, a teorizar, como apuntábamos arriba, aunque él insista en que "no se crea que trato de especulaciones metafísicas" o en que "la filosofía de la gramática la reduciría yo a representar el

---

[396] Citaremos por la edición del 125 aniversario, Caracas, 1972. La primera edición se publicó en Santiago de Chile, en abril de 1847. No vamos a ocuparnos de las gramáticas académicas decimonónicas, sobre las que trabaja, como dijimos en el capítulo anterior, Ramón Sarmiento. Véase la nota de este último, en prensa en el *Bol. R. A. E.* (quizás aparezca con fecha 1974): "Inventario de documentos gramaticales de los siglos XVII y XVIII", importante notificación de hallazgos, cuyas primicias agradecemos.

[397] Hasta la LXXXVI, en la edición que seguimos.

[398] "El pensamiento gramatical de Bello", conferencia editada en Caracas, 1961, y antes en *Cult. Univ.,* 1949, números 11-12, pp. 5-16, con el mismo título.

[399] *Gramática,* p. 5.

[400] *Ibid.,* p. 7.

uso bajo las fórmulas más comprensivas y simples. Fundar estas fórmulas en otros procederes intelectuales que los que real y verdaderamente guían al uso, es un lujo que la gramática no ha menester"[401].

**7.5.23.** El criterio de estructuración válido para nuestro gramático es el funcional. Así, clasifica las partes de la oración, "atendiendo... a los varios oficios de las palabras en el razonamiento"[402], en Sustantivo, Adjetivo, Verbo, Adverbio, Preposición, Conjunción, Interjección, de las cuales, Sustantivo y Adjetivo se incluyen en la clase Nombre. Quedan excluidos los *artículos* y los *pronombres*[403], los primeros se reducen a los adjetivos[404], los segundos son nombres[405] y pueden dividirse en substantivos y adjetivos[406]; lo fundamental de los pronombres es ser "nombres que significan primera, segunda o tercera persona, ya expresen esta sola idea, ya la asocien con otra"[407].

**7.5.24.** Amado Alonso, en su "Introducción a los Estudios Gramaticales de Andrés Bello"[408], destaca la importancia de esta gramática como superadora de los estrechos límites de la entonces naciente Gramática Histórica y de la entonces triunfante Gramática General, en el sentido de gramática lógico-racionalista. Algunas afirmaciones del lingüista español pueden parecer excesivas al lector de hoy, incluso con un enfoque plenamente generativo. Así, cuando, en la p. XXVII, se habla del posible influjo de Guillermo de Humboldt en Bello, a través de las conversaciones de éste con Alejandro de Humboldt, hermano de aquél, durante la estancia en Caracas del gran naturalista, Amado Alonso se deja llevar de su entusiasmo idealista y proclama que "Humboldt, con su genial descubrimiento de la forma interior del lenguaje (*Innere Sprachform*), es quien dio una repulsa científica definitiva a los gramáticos logicistas, mostrando que cada lengua impone al pensamiento sus leyes formales y estructurales privativas, sólo lejana y esquemáticamen-

---

[401] *Ibid.*, p. 9.

[402] *Ibid.*, cap. II. 34.

[403] Niceto Alcalá-Zamora, en la observación al número 34, *Partes de la Oración* (páginas 51-53 de su edición de la *Gramática* de Bello, Buenos Aires, Sopena, 7.ª ed. 1964), afirma que, pese a la relación histórica del artículo y el pronombre con los sustantivos y adjetivos, pueden (y deben) diferenciarse sincrónicamente, y añade: "En definitiva Bello lo reconoce así, dedicando estudio especial en sus capítulos a los artículos y a los pronombres".

[404] *Vid.* c. XIV: "El *la* es por consiguiente un demostrativo como *aquella* y *esta,* pero que demuestra o señala de un modo más vago, no expresando mayor o menor distancia. Este demostrativo, llamado ARTÍCULO DEFINIDO, es adjetivo, y tiene diferentes terminaciones para los varios géneros y números". Insiste en su nota V a este capítulo, con argumentos históricos, pero también recurriendo a los gramáticos lógicos: "'N'oubliez pas que *le* et *il* sont la même chose' dice Destutt de Tracy *(Grammaire,* chap. 3, § 8)". En el caso del *indefinido* (n.º 190), su aproximación a los adjetivos queda aún más clara para Bello.

[405] *Vid.* cap. XIII.

[406] *Vid.* nota IV, al final del capítulo citado.

[407] *Ibid.*, n.º 229.

[408] *Esp.* pp. XIX-XXXVIII.

te conectadas con la lógica". El crítico parece desarrollar aquí una de las caras del poliedro humboldtiano que menos han resistido la erosión del tiempo, y es natural: se trata del von Humboldt romántico, precursor del idealismo, preocupado por el espíritu de los pueblos y su influjo en la lengua y la literatura, del precursor de Vossler y del propio Amado Alonso, en suma. No decimos esto, como una censura, ni mucho menos; en sus coordenadas históricas, Vossler y Amado Alonso, como toda la corriente idealista, ofrecen soluciones, y plantean nuevos problemas; su ciencia está llena de inquietud, de vida, en consecuencia. Pero no se enfoca así en nuestros días la historia del pensamiento, sin prejuzgar que el cambio de enfoque haya de comportar mayores rendimientos, aunque así se desee. Es más, por nuestra parte, sentimos la atracción de la corriente idealista, pero sin la necesidad de que sea un idealismo romántico; en este sentido, dentro de los intereses de estos capítulos históricos, el enfoque tiende a dar luz sobre la peculiar posición de cada autor entre las corrientes de racionalismo y empirismo. En varios lugares de los capítulos anteriores hemos incluido a von Humboldt en la corriente racionalista, en lo que parecen coincidir los tratadistas del tema; este racionalismo no nos interesa en función del romanticismo, sino como fundamento de teorías científicas, frente al empirismo. Hace poco, al referirnos, una vez más, a la figura de Condillac, insistíamos en su papel de puente, pero en el valor primariamente racionalista de la gramática lógica, según exigen sus postulados teóricos; ahora es el momento de ir situando la corriente gramatical española entre ambas tendencias.

7.5.25. Lo que hemos ido viendo en nuestro rápido avance por este siglo nos permite delinear los dos grandes trazos: el racionalismo de los gramáticos lógicos, en una herencia condillaciana matizada de empirismo, acrecentado por el directo influjo de Locke, y la tendencia hacia un empirismo positivista, por oposición dialéctica al racionalismo, en un Salvá; a esta segunda línea habría que sumar los balbuceos de la iniciada gramática histórica.

7.5.26. Empirismo y Racionalismo se van a oponer, como han caracterizado Vossler y Croce, como Positivismo e Idealismo. La importancia crucial de este hecho en las ciencias del lenguaje en España queda clara si pensamos que todas estas ciencias se irán escalonando entre ambos polos: la estilística será la más idealista, la gramática histórica la más positivista. La especial posición de equilibrio de la Lingüística en nuestro país nace de que sus cultivadores (Menéndez Pidal, Américo Castro, Dámaso y Amado Alonso, Rafael Lapesa, y sus discípulos) han brillado en la exacta ponderación del dato histórico, positivamente contrastado, y en la fina apreciación del matiz estilístico, punto este último que adquiere especial valor si meditamos en la calidad de la prosa científica de nuestros maestros, que puede ser considerada en sí misma como obra literaria. Cuando, por nuevo imperativo de los tiempos, el centro de gravedad se ha desplazado, con la gramática estructural, hacia el positivismo, ha encontrado apoyo en la conjunción de estructuralismo y gramática histórica que testimonia la Fonología Diacrónica de Emilio Alarcos, mientras que al introducirse, en el pendular juego dialéctico, la gramática generativa, con su carga racionalista, se ha presentado bajo el amparo de otro gramático de cuño histórico y de conocida vocación de estudioso de las ideas lingüísticas y la estilística, o bien, entre los ultra-atlánticos, en una aplicación a la lingüística románica, en su versión hispánica, con el estudio de la revolucionaria evolución del romance ibérico. Es, si se quiere, una simplificación, pero no puede montarse la tienda sin plantar el mástil.

7.5.27. Para concluir esta referencia a Bello, vamos a referirnos a las conclusiones de una tesis doctoral, la de Francisco Abad, sobre el autor venezolano[409], tesis en la que se plantean dos cuestiones primordiales, el sentido de que un autor poligráfico escribiese una gramática, y los valores de la misma que permanecen, es decir, cómo debe entenderse, lo más exactamente posible, que Bello es un "agudo precursor". A la primera cuestión se puede responder que redactar distintos proyectos de *Código Civil,* el *Derecho de Gentes* o la *Gramática Castellana* eran para Bello —según F. Abad— tareas absolutamente paralelas; se trataba, en definitiva, de forjar un proceso de racionalización progresiva a partir de la subjetividad del individuo. La racionalidad individual se hacía así supuesto de la colectiva. El papel que cumple la lengua en esta situación es decisivo, pues es —en el pensamiento de Bello— garantía de comercio material e intelectual-moral entre pueblos y entre tiempos históricos, y disciplina propedéutica para cualquier clase de estudios.

7.5.28. El universo de las cosas, de las lecturas, de los fenómenos (y seguimos en la primera cuestión) es cognoscible gracias a la legalidad interna que lo preside; la lingüística tiene en común con cualquier entidad su organizarse sobre recurrencias, sistematicidades y leyes: los estudios gramaticales tienen como su objeto formal propio clasificarlas y precisarlas. En estos enunciados podríamos sintetizar —según cree F. Abad— la última coherencia de las doctrinas de Andrés Bello, en lo que concierne a la lógica y a la lingüística. Pero a nuestro autor se le aparecía el fundamento de la vida comunitaria como ordenación también legal, al mismo tiempo que sus estudios le llevaban a indagar en la trama legal de lo real, y por eso concibe su gramática con un sentido cívico de mejora responsable de la marcha organizada de la comunidad histórica paralelo al que le lleva a redactar el corpus legislativo de la nación chilena.

---

[409] Tesis doctoral que obtuvo las máximas calificaciones en la Universidad Autónoma de Madrid. Realizada bajo la dirección de don Fernando Lázaro Carreter, lleva por título: *Estudio sobre el proyecto gramatical de Andrés Bello.* Agradezco a su autor las informaciones que me ha facilitado y sus precisiones sobre los aspectos de Bello que considera fundamentales.

**7.5.29.** En lo que concierne a la segunda cuestión, la precursoriedad de Bello, Francisco Abad cree que Bello nos ofrece muchos de los puntos de vista de la investigación actual. Como es lógico, las diferencias debidas al progreso de nuestro saber son importantes. Bello, cuando alude a un hecho, puede coincidir con nosotros en la identidad de lo aludido o denotado, pero las mismas aserciones, en marcos teóricos diversos, *implican* y *connotan*, subraya la tesis que exponemos, heterogéneamente. Su estudio, sin embargo, no es ocioso: sus aseveraciones e intuiciones, concluye el autor citado, pueden hoy rendir excelentísimos frutos, una vez formalizadas atendiendo a los supuestos de la investigación actual.

**7.5.30.** Nuestras sucintas referencias a la lingüística española terminarán, en lo que concierne a este siglo XIX, con unas noticias de gramática histórica. Esta gramática, en nuestro caso, se inserta en la tradición de la filología románica, en la vía de la gramática comparada.

**7.5.31.** Si bien es cierto que el comparatismo científico, en el sentido moderno del término, se inició en 1786, con la célebre conferencia de Sir William Jones sobre el sánscrito en relación con otras lenguas indoeuropeas, a la que ya nos referimos en el capítulo anterior, su desarrollo es decimonónico. Aquél sería el antecedente de la línea en que brillaron Franz Bopp (1791-1867), Rasmus Rask (1787-1832) y Jacob Grimm (1785-1863), para el comparatismo en general, o el germánico, y Friedrich Diez (1794-1876), Wilhelm Meyer-Lübke (1861-1936) y Ramón Menéndez Pidal (1869-1968). Si pretendemos buscar antecedentes a la romanística, podemos encontrarlos en épocas más remotas de lo que comúnmente se piensa. En general, se señalan los trabajos de François Raynouard[410] como precursores en cierto modo científicos, aunque basados en una tesis errónea, de la filología románica. Sin embargo, podríamos decir que, o bien importa la tesis central, y habría que remontarse a Dante, o bien se podría buscar un precedente comparatista más lejano, como, p. ej., Antonio Bastero[411], defensor de que la poesía italiana del *dolce stil nuovo* procede de la provenzal catalana,

---

[410] Por ejemplo, el primero de los seis tomos de su *Choix des poésies originales des troubadours*, París, 1816-21, primera gramática del antiguo provenzal, y de cualquier lengua románica primitiva, basada en textos, con el título de *Grammaire de la langue romane*, 1816, o su *Lexique roman ou dictionnaire de la langue des troubadours comparée avec les autres langues de l'Europe latine*, también en seis tomos, París, 1838-44. La tesis que defiende Raynouard, que no era nueva, es que entre el latín vulgar y las lenguas románicas hubo una lengua intermedia que él cree fue el provenzal, al que, por eso, llama *roman*. Es la vieja tesis de Dante, pero ya han pasado los tiempos en los que se podían hacer ciertas afirmaciones. A. W. von Schlegel, en su obra *Observations sur la langue et la litérature prevençales*, París, 1818, tiene bastante con unas líneas para rechazarla.

[411] *La Crusca Provenzale, ovvero, le voci, frasi, forme e maniere di dire, che la gentilissima, e celebre Lingua Toscana ha preso dalla Provenzale; arricchite, e illustrate, e difese con motivi, con autorità, e con esempj.* (...) Opera di Don Antonio Bastero (...), Roma (Antonio de' Rossi), 1724.

o de que entre el latín vulgar y otras lenguas románicas hay que situar, cronológicamente, un idioma intermedio: el provenzal.

**7.5.32.** En el caso de España, si prescindimos de obras como las de Aldrete y Mayans, o de la cáfila de publicaciones sobre el vasco como primera lengua hispánica, o el español como lengua hablada en Babel, la lingüística comparada es ampliamente tributaria del exterior, no adquiriendo verdadera importancia sus realizaciones, por lo general, hasta las obras de Menéndez Pidal y el Centro de Estudios Históricos, en el siglo xx. Para fijar la evolución de esta corriente, antes de las figuras destacables del Conde de la Viñaza[412], Alemany, y Milá Fontanals, no estará de más que dediquemos unas líneas a una panorámica.

**7.5.33.** A finales del siglo xviii, don Martín Fernández de Navarrete, al tomar posesión de su plaza en la Real Academia Española, el 29 de marzo de 1792, tituló su discurso: "Sobre la formación ·y· progresos del idioma castellano"[413]. Las preocupaciones sobre los orígenes remotos, características de los períodos anteriores, se van transformando, lentamente, a partir de la introducción de los estudios comparatistas, entre los que podemos destacar la atención que se prestó al sánscrito, lengua que tuvo, en 1856, una cátedra en la Universidad Central de Madrid[414]; Manuel de Assas fue el primer encargado de impartir estas enseñanzas. Pese a todo, la "patria de Hervás y Panduro y el Padre Sarmiento"[415] seguía, en 1879, sin incorporarse a la nueva lingüística, como, todavía más tarde, en 1880, subraya D. Antonio Sánchez Moguel[416]. Poco había, en efecto, aunque había algo: en el limitado 'haber' debemos citar los dos volúmenes del *Diccionario de Etimologías de la Lengua Castellana* de Ramón Cabrera († 1833), Madrid, 1837[417], o el *Diccionario Etimológico de la Lengua Castellana,* que tiene carácter de ensayo y se editó en Madrid, 1856, "precedido de unos rudimentos de etimología"[418], y del que es autor Pedro Felipe Monlau, a quien se deben unas *Breves consideraciones acerca del idioma válaco o romance oriental*

---

[412] Quien conoció y criticó (en su *Filología Castellana,* cit.) la tesis del provenzal como lengua intermedia, al ocuparse de la *Grammaire comparée des langues de l'Europe latine, dans leurs rapports avec la Langue des troubadours.* Par M. Raynouard (...) París (Firmin Didot), 1821.

[413] *Memorias* de la R. A. E., III, Madrid, 1871, pp. 230-241.

[414] *Cf.* Mourelle-Lema, *op. cit.,* pp. 155 y ss.

[415] En palabras de Gumersindo Laverde, cit. por el repetido autor de la nota anterior, *ibid.,* p. 162.

[416] "España y la Filología, principalmente neo-latina". Carta al excelentísimo señor don José de Cárdenas, director general de Instrucción Pública. En *Revista Contemporánea,* t. XXV, enero-febrero 1880, pp. 188-205. Citado por Mourelle-Lema, *ibid.,* p. 163.

[417] Sobre los diccionarios y glosarios de interés para la etimología, *cf.* la bibliografía de Joan Corominas: *Diccionario Crítico Etimológico de la Lengua Castellana.* Madrid (Gredos).

[418] Homero Serís, *Bibliografía,* 12.681; sobre Monlau, *cf.* Mourelle-Lema, *op. cit.,* pp. 164 y ss.

*comparado con el castellano y demás romances occidentales*[419], donde se alude a la situación de estos estudios en Europa y, con todo detalle, a la obra de Bopp. Un año después, a fines de 1869, Francisco de Paula Canalejas, también ante la Academia, presenta el estado de la lingüística contemporánea en Europa, demostrando un profundo conocimiento de una amplia bibliografía. Lo que nos llama poderosamente la atención de su discurso es que en éste apunta una defensa de lo que hoy llamaríamos geografía lingüística o dialectología, así como un psicologismo que se sitúa en la línea empirista y lo aleja de las concepciones lingüísticas racionalistas y, concretamente, de von Humboldt, a quien cita para discrepar. La nueva corriente científica o, mejor, esta corriente científica ahora adoptada, sigue la tesis de Max Müller, quien "coloca la ciencia del lenguaje entre las llamadas *ciencias naturales,* las cuales tratan de las obras de Dios, frente a las *históricas* que lo hacen de las obras del hombre"[420]. Los nombres de Francisco García Ayuso y Vicente Tinajero Martínez pueden quedar aquí, sin otro comentario[421].

7.5.34. El conde de la Viñaza, en su nunca bien ponderada *Biblioteca Histórica de la Filología Castellana,* es quien nos ofrecerá, a punto de terminar el siglo, en 1893, un primer intento, estructurado y moderno, de gramática histórica castellana, siguiendo a Diez. En ella se apunta ya a nuestro siglo, por su concepción y su precisión, a pesar de algunas deficiencias explicables. Este tratadito, incluido en el voluminoso cuerpo de la obra, tiene el precioso valor de servirnos de prueba del progreso realizado, muy lentamente, a lo largo del siglo[422]. Estas *Notas* están más cerca de la *Gramática Histórica* de Menéndez Pidal que el estudio de Amador de los Ríos: *Sobre los orígenes y formación de las lenguas romances* pueda estarlo de los *Orígenes del Español.*

7.5.35. Antes de ocuparnos de la figura señera de fin de siglo, don Manuel Milá i Fontanals, debemos decir unas palabras sobre un lingüista no suficientemente estudiado, a pesar de haberse dedicado a estudios importantes: don José Alemany y Bolufer[423], a quien también podríamos incluir en los inicios del siglo xx, pues es, sin duda, investigador de la época

[419] Discurso leído ante la Academia, el, 5 de marzo de 1868, Madrid (Rivadeneyra), 1868, y *Memorias,* IV, 1873. Mourelle-Lema, *ibid.,* p. 165, recoge, en nota 17, las obras de lingüística comparada mencionadas por autores españoles antes del discurso de Monlau.

[420] Mourelle-Lema, *op. cit.,* pp 179-180.

[421] *Vid.,* p. ej., Carlos-Peregrín Otero, *Introducción,* cit., p. 68.

[422] Se trata de las *Notas para la formación de una gramática histórica de la lengua castellana según el método e investigaciones de Federico Diez,* incluidas tras las detalladas referencias bibliográficas de la gramática de éste y su versión francesa, en el epígrafe correspondiente a los años 1836-42.

[423] Véase la respuesta de don Francisco A. Commelerán al discurso de ingreso de Alemany en la Academia, 14 de marzo de 1909, en *Discursos leídos en las recepciones públicas de la R. A. E.,* serie tercera, I, pp. 278 y ss.

de transición; tradujo del sánscrito obras importantes para la literatura española, como el *Hitopadeza* o el *Panchatantra,* es autor de un *Estudio elemental de Gramática Histórica de la Lengua Castellana,* editado en Madrid, ya en el nuevo siglo, en 1902, y del estudio sobre el orden de las palabras, tema de su ingreso en la R.A.E. No es ya una figura vacilante entre corrientes científicas dispares, sino un decidido miembro de la corriente lingüística histórica, que tan sazonados frutos había de dar en suelo ibérico.

**7.5.36.** Don Manuel Milá i Fontanals (1818-1884) escribió y trabajó en esta segunda mitad del siglo, en el que contribuyó de modo decisivo al avance de la lingüística y literatura, además de su papel en la superación de la situación diglósica en Cataluña, estudiado por investigadores como Francesc Vallverdú y del que no vamos a ocuparnos aquí. Dámaso Alonso ha hablado[424] del estado de la filología española al iniciarse el último tercio del siglo XIX; en él brilla con la luz de una nueva ciencia, con una nueva metodología, el libro de 1874: *De la poesía heroico-popular castellana.* "Libro europeo" lo llama Dámaso, y europeo por la bibliografía, por el rigor y por la técnica, "algo enteramente nuevo"[425]. Milá había emprendido este camino mucho antes. En 1853 había publicado en Barcelona sus *Estudios sobre los orígenes y formación de las lenguas romances y especialmente de la provenzal,* en los que demuestra desconocer buena parte de la bibliografía comparatista poco antes publicada[426], especialmente la alemana. Sin embargo, entre 1853 y 1874, los avances realizados por el profesor barcelonés le permitieron ponerse al día en información y métodos, con lo que ha podido preparar la eclosión de una nueva escuela. Discípulo de Milá será Menéndez y Pelayo, y de éste Menéndez Pidal. Toda una tradición de minuciosa, de rigurosa exactitud se monta sobre el ejemplo de una puesta al día exigente, realizada paso a paso, entre 1853 y 1874.

**7.5.37.** Para terminar este capítulo nada más que una referencia a los estudios dialectales, pues, para no desequilibrar la exposición hemos de prescindir, bien a nuestro pesar, del estudio de la bibliografía lingüística sobre las otras lenguas hispánicas. A medida que avanza el siglo van apareciendo estudios y diccionarios de los dialectos hispánicos. Esta evolución, que aporta sus problemas y sus métodos, y va incorporando otros, es uno de los elementos responsables de que la lingüística histórica española se haya librado de la estrecha rigidez de los neogramáticos, para quienes la lengua está ligada a los hablantes y no es, por ello, autónoma, no debe investigarse comparativamente en busca del más lejano antepasado común (aspecto que podríamos seguir aceptando hoy, con ciertas salvedades y exceptuadas algunas escuelas) y que, además, señalan como base metodoló-

---

[424] En "Menéndez Pidal y la cultura española", *Rev. Univ.* de Madrid, 1969, XVIII, 69, pp. 7-18.

[425] *Ibid.,* p. 7.

[426] *Cf.* Mourelle-Lema, *op. cit.,* pp. 186-191.

gica primaria la existencia de dos principios que explican el cambio: las leyes fonéticas y la analogía. Las leyes no admiten excepciones, son mecánicas, la analogía, segundo principio, que podía ser el escape de la excepción, tuvo un papel metodológicamente limitado. Estas tesis, que supusieron un importante avance metodológico, sin ser totalmente satisfactorias, encontraron sus oponentes entre los indoeuropeístas, y entre los nacientes dialectólogos[427]. Como método relacionado con los de estos últimos y de especial importancia en España, destaca el de "palabras y cosas"[428], para el que se pueden mencionar, como adelantados, los nombres de Sarmiento y Jovellanos. Lengua y cultura se entrelazan en estos estudios de un modo que ha sido particularmente grato a la escuela española. Para no terminar sin citar algunos nombres de estudiosos del XIX preocupados por temas regionales y dialectales, mencionaremos a José Caveda y Gumersindo Laverde, junto con las disputas sobre el fuero de Avilés[429], el *Diccionario de voces aragonesas* de Borao, de 1859, y los trabajos de Milá sobre la lengua catalana, en relación con el provenzal, del que la cree "variedad", o de Juan A. Saco Arce y Juan Cuveiro Piñol sobre el gallego, entre otros estudios citados con mayor amplitud por Mourelle-Lema[430].

**7.5.38.** A lo largo de estas páginas hemos asistido a un lento proceso, a la constitución de una gramática con base racionalista, la incorporación a ella de elementos empiristas, el conflicto entre la gramática como conjunto de reglas o como suma de datos, y el abandono progresivo y nunca total de la tesis racionalista para, ya mediado el siglo XIX, instaurar una corriente empirista, que dominará durante un siglo, hasta los nuevos planteamientos racionalistas de la gramática generativa y las disensiones dentro de ésta. Pero este tema requiere un capítulo nuevo.

---

[427] Para todos estos problemas *cf.* I. Iordan, *Lingüística Románica,* pp. 27-61, especialmente.
[428] *Ibid.,* ampliación de Manuel Alvar, pp. 105 y ss.
[429] Mourelle-Lema, cap. III, *passim.*
[430] *Ibidem.*

CAPITULO 8

# CONCEPTOS Y METODOS DE LA LINGÜISTICA DEL SIGLO XX

## 8.1. LIMITES DE ESTE CAPITULO

Los últimos capítulos nos han ido mostrando cómo puede parecer cada vez más complicado, a nuestros ojos, el panorama de la lingüística. Nuestra materia, como una costa baja y pedregosa, va recibiendo en cada marea minúsculas aportaciones del mar del pensamiento humano, hasta convertirse en una anchurosa playa. Hasta ahora la hemos contemplado sobre el montículo del tiempo, ahora, en cambio, carecemos de ese auxiliar y debemos analizar lo que está tan inmediato a nosotros que puede presentársenos sin contrastes, sin relieves, o sin colores. La tarea sería totalmente superior a nuestras fuerzas, si no contásemos con la valiosa ayuda de los tratadistas que se han ocupado de las nuevas corrientes de la lingüística, nombres como los de Hockett, Ivic, Jakobson, Lepschy, Leroy o Malmberg, fuera de nuestras fronteras, o Carmen Bobes y Francisco Rodríguez Adrados[431], intrapuertos, son cimientos resistentes sobre los que se puede edificar.

**8.1.1.** En cualquier caso, sería pretensión inasequible la que tratase de compendiar en unas páginas ese desarrollo contemporáneo de la lingüística, tan difícilmente enfocable. Por ello creemos justificada la necesidad de establecer unos límites para este capítulo. Estos límites se suman a los de extensión, que los improbables lectores, en frase de Borges, habrán de comprender. Las lindes de nuestro comentario dependen de la misión

---

[431] María del Carmen Bobes Naves, en su libro *La Semiótica como Teoría Lingüística*, Madrid (Gredos), 1973, expone con claridad las corrientes lógicas, semánticas y semióticas de los últimos años, tras unos capítulos introductorios; Rodríguez Adrados, en su *Lingüística Estructural*, citada, expone también, de modo parcial, considerándolos como *notación*, algunos aspectos de las teorías lingüísticas más modernas. Ofrece interés, desde el punto de vista filosófico, el trabajo de Juan Cuatrecasas: *Lenguaje, Semántica y Campo Simbólico*, Buenos

fundamental de estas páginas, que es doble: de exposición y de método; por ello, hemos de dar satisfacción, en la medida de nuestras fuerzas, a dos necesidades: la de ofrecer un panorama de las corrientes lingüísticas de nuestro siglo, especialmente de aquellas que, por su novedad, no se encuentran en los manuales citados, y la de discutir, con el máximo respeto, las distintas metodologías que cada nueva ola aporta. En este segundo aspecto, nuestras páginas, pese a estar encuadradas en la sección conceptual de esta obra, pudieran estarlo en la metodológica, pues la discusión de conceptos irá pareja a la de métodos en lo que sigue. Otro límite, que claramente se infiere de lo dicho al tratar los siglos anteriores, es el de procurar que lo expuesto se vea reflejado en la lingüística española, en mayor o menor grado, entendiendo lo de 'española' en el amplio sentido que incluye lo iberoamericano, aunque sin pretensión alguna de exhaustividad. Con esto justificamos la inclusión de corrientes que no son descollantes en el panorama mundial, pero que son fundamentales en la concepción lingüística de los hispanohablantes. Por último, sin que ello signifique que ocupen el último lugar en nuestro interés, dedicaremos unas líneas a la lingüística diacrónica y la gramática tradicional, de feliz vida en nuestro suelo.

8.1.2. Ya que, en capítulos anteriores, nos hemos ocupado de presentar las ideas de Ferdinand de Saussure, contenidas en el *Curso de Lingüística General,* al ocuparnos del signo, del valor o de otros temas relacionados con la bipartición lengua/habla, y teniendo también en cuenta que volveremos sobre conceptos fundamentales de este autor, arrancaremos ahora del *Curso,* tras· el cual la ciencia del lenguaje tiende a polarizarse en uno de los focos de las dicotomías saussureanas[432]: los focos elegidos suelen ser la lengua y la sincronía[433], el estudio de la lengua en una etapa de su evolución, prescindiendo de etapas anteriores o siguientes, frente al estudio de la lengua en su evolución, en su historia. La nueva lingüística, en consecuencia, polarizada en torno a la lengua y la sincronía, tiende a rechazar, implícita o explícitamente, la teoría apoyada en el habla y la historia, que había caracterizado a bastantes escuelas anteriores, especialmente en la corriente empirista. Esto no significa, ni mucho menos, que se pierdan las escuelas que parten

Aires (Paidós), 1972. La evolución vertiginosa de la Lingüística hacía necesaria la aparición de un trabajo que subrayase los elementos comunes. Disponemos ahora, en forma de libro, de la última versión de la preocupación de Roman Jakobson por el tema, en el librito titulado *Main Trends in the Science of Language,* N. York, Harper & Row, 1974, cuyo envío agradezco al sabio profesor, así como la indicación de que será incluido en una selección de obras de Jakobson que publicará Editorial Gredos de Madrid.

[432] *Cf.* Giulio C. Lepschy, *La Lingüística Estructural,* cap. II, con amplia bibliografía saussureana en notas, y R. Jakobson, *Main Trends,* pp. 20 y ss. Este último insiste en el paralelismo de las dicotomías y la distinción *zazyk/reč'* (lengua/habla) de Baudouin de Courtenay, en 1870.

[433] A este último punto habremos de dedicar un capítulo, como ya hemos dicho.

del habla en sus estudios[434], como las de Dialectología, algunas de Estilística, o la Filología, ni en Europa ni en América; lo que sucede es que aumentan incomparablemente las discusiones teóricas de las otras escuelas, las que pueden agruparse, como nos dice Lepschy, en el lema común de *estructuralismo*[435]. No obstante, el fenómeno estructural no se presenta necesariamente ligado a las tesis saussureanas, como señalaremos al ocuparnos del Círculo de Praga, donde son sólo un ingrediente, o en América, donde Leonard Bloomfield construye independientemente las bases del estructuralismo norteamericano.

**8.1.3.** Uno de los rasgos teóricos más importantes es la progresiva sustitución de los métodos inductivos por los deductivos, lo que supone un lento avance, una vez más, hacia el racionalismo. Se puede establecer un paralelo entre las alteraciones teóricas que experimenta la lingüística y las de la física, las matemáticas o la astronomía; la evolución tiende a no crear teorías sólo a partir de hechos observados, sino a establecer unos postulados y tratar de comprobar la teoría formada a partir de ellos. Como las ciencias avanzan hacia un más allá (en griego *meta*), nos hallamos ante la Metamatemática, la Metalingüística y la Metateorética, en suma. Estamos, al parecer, en una etapa de fundamentación teórica de la ciencia, adquieren especial interés, por ello, los aspectos terminológicos y epistemológicos de cualquier estudio científico.

**8.1.4.** En nuestra ciencia (que ya no es del lenguaje, sino de la lengua), lo primero que interesa delimitar es el término *gramática,* que puede ser entendido de muchas maneras distintas[436].

**8.1.5.** El concepto de gramática como "conjunto de reglas que permiten distinguir entre uso correcto y uso incorrecto" está en la base de la *normativa.* No ha tenido, en principio, validez científica, pero está ahora sujeto a revisión, ya que el valor de la corrección es importante para la gramática generativa, aunque con otros criterios. Es obvio señalar que este tipo de gramática (p. ej., la tradicional) es básicamente inductivo, apoyado en el habla, normativo y de intención pedagógica.

**8.1.6.** El paso al estructuralismo está señalado por la gramática *taxonómica* o de rasgos, que clasifica los rasgos que diferencian una frase de otra. Estos rasgos son, entre otros, la entonación, el orden de palabras, las funciones, la formación de palabras, etc. También esta gramática tiene

---

[434] Alguna de ellas se pregunta por su posible adaptación a los nuevos métodos, *cf.* Uriel Weinreich, "Is a Structural Dialectology Possible?", y M. Alvar, *Estructuralismo, Geografía Lingüística y Dialectología Actual,* cit. *Vid. et.* R. Jakobson, *Main Trends,* p. 23.

[435] En su obra acerca de la lingüística estructural, párr. 8 de la Introducción. G. Lepschy distingue dos acepciones de *lingüística estructural:* una, restringida, que se restringe aún más, hasta limitarse a la lingüística americana postbloomfieldiana, correspondiente al estructuralismo taxonómico, y otra amplia, en la que se incluiría la gramática generativa, y que se caracteriza por insistir en "el carácter explícito, riguroso y formalizado de las proposiciones de la lingüística".

[436] *Vid.* Stockwell *et. al.: The Grammatical Structures of English and Spanish,* pp. 1-16.

interés pedagógico, pues, aunque no explica las causas de las variaciones gramaticales, clasifica y estudia con detalle las distintas formas.

**8.1.7.** La gramática *tagmémica,* como variante más importante de las gramáticas sustitutivas, es una teoría que se basa en la sustitución posible de unas formas por otras en frases construidas. No obstante, no debemos pensar que sea una lingüística del habla, ya que su interés fundamental es encontrar y describir las estructuras básicas de la lengua. Su más importante cultivador es Pike, autor de una obra monumental sobre el tema.

**8.1.8.** La gramática de *estados finitos,* o *probabilística,* se apoya también en la posible sustitución de unidades, pero no para el establecimiento de estructuras básicas, sino para determinar las posibilidades estadísticas de sustitución y aplicar las probabilidades a la descripción del sistema.

**8.1.9.** Mayor interés ofrece el tipo de gramática que denominamos generalmente 'estructuralismo americano'. Se trata de una gramática estructural, sintagmática, que trata de estudiar los constituyentes inmediatos, hasta llegar a las unidades mínimas, los *morfemas. Morfema,* en sentido americano, sería la mínima unidad gramatical, tanto si es una forma libre o exenta, como una forma ligada, es decir, que necesita apoyarse en otra para realizarse. Así, en inglés, *be* es una forma libre, pero *-ing* es una forma ligada (marca el gerundio). La forma ligada puede realizarse apoyada en una forma libre, como en *being* 'siendo', o en otra forma ligada.

**8.1.10.** El primer tipo de gramática *transformacional* se definía (según Stockwell) como "conjunto de reglas sintagmáticas para derivar oraciones enunciativas afirmativas simples, combinando con un conjunto de reglas transformacionales que modifican las oraciones derivadas por el conjunto de reglas sintagmáticas". Es el tipo de gramática que permite transformaciones iniciales, como *Juan viene* ⇒ *¿viene Juan?*

**8.1.11.** A partir de este tipo de gramática transformacional se han ido sucediendo las gramáticas generativas, como tendremos ocasión de ver. Una de las definiciones de esta gramática, la de McCawley, dice así: "es una gramática explícita que no recurre a la *faculté de langage* del lector, sino que trata de incorporar el mecanismo de esa facultad en un sistema de reglas que relaciona señales e interpretaciones semánticas de esas señales".

**8.1.12.** Con todo lo anterior pretendemos ir situando al lector ante el panorama, pero no con una visión exhaustiva: hay otros tipos de gramáticas, si bien pensamos que son, en último término, reducibles a uno de los grupos anteriores.

**8.1.13.** En principio, como decíamos, los movimientos gramaticales actuales se engloban en el estructuralismo, o parten de él. El término 'estructura', que en matemática se define simplemente como 'un conjunto con una operación', ha recibido más de cien definiciones distintas. Quizá sea especialmente aceptable, por su relación con la definición matemática, la que recoge Ofelia

Kovacci[437]: "un conjunto finito de elementos solidarios entre sí y con el conjunto; la existencia de cada uno es función de la existencia de los demás y del todo (depende de ellos), y a la inversa, las relaciones constantes (= formales) entre los elementos determinan la estructura. La existencia de estructura implica la coexistencia de los elementos, o sea: sincronía".

**8.1.14.** Por supuesto, no se trata de que se publicara el *Curso* y naciera el estructuralismo. Es necesario hacer un poco de historia, aplicada a las distintas escuelas, y ver cómo se van integrando los principios estructurales. Como América y Europa siguen, en principio, líneas distintas, aunque con contactos, separaremos inicialmente ambas corrientes.

## 8.2. EN EUROPA

Donde pudo ejercerse inmediatamente la influencia saussureana fue, claro está, en Ginebra. La primera muestra de esa influencia aparece con la publicación del *Curso*. El pensamiento de cada uno de los ginebrinos, sin embargo, no parece ser muy coherente con el de los otros. Lepschy[438] señala cómo Bally se aleja del maestro. En efecto, si bien la Estilística de este autor es el ejemplo que se considera característico de la Estilística de la lengua (opción saussureana de la dicotomía), la tesis de libros como *El Lenguaje y la Vida*[439] desarrolla aspectos que aparecen en el *Curso* de modo lateral (no nos atrevemos a decir marginales, pero no son centrales, desde luego), separados de la concepción inmanente del lenguaje que parece dominar la lingüística estructural, corriente a la que Bally no podría ser adscrito fácilmente. Albert Séchehaye y Henri Frei son los otros dos nombres que se pueden colocar a continuación de Saussure. Los dos desarrollaron líneas del pensamiento saussureano, pero, coinciden los tratadistas, con peculiaridades diferenciadoras. La influencia ginebrina en la lingüística española, gracias a las traducciones de Amado Alonso, ha sido, como en toda Europa (y países de relación cultural con Europa como los suramericanos), básica, si bien la Estilística ha permanecido un tanto al margen, por estar constituida, de modo coherente, en torno a la estilística del habla de Dámaso Alonso. Sería imposible señalar nombres: las nociones básicas del *Curso*, es decir, el concepto de lengua como sistema de signos, la bifacialidad de éstos, la importancia de la concepción inmanente del lenguaje (si bien no en exclusiva, hagamos la salvedad), o el concepto de valor, aparecen en todos los lingüistas españoles.

**8.2.1.** La primera gran escuela del siglo XX agrupada en torno de un programa coherente, es el Círculo Lingüístico de Praga. Aunque es cierto

---

[437] En *Tendencias Actuales de la Gramática,* 2.ª ed., p. 15.
[438] *Op. cit.,* cap. I, párr. 5.
[439] En versión de Amado Alonso, Buenos Aires (Losada).

que el Círculo se mueve en una línea que podríamos llamar postsaussurea-na [440], no se origina sólo en el pensamiento del ginebrino, sino que, como ha señalado Jakobson, hay que sumar al influjo de Saussure el de Baudouin de Courtenay y el de Fortunatov (1848-1914), creador de la llamada "Escuela de Moscú". Generalmente se suele decir que Roman Jakobson estuvo entre los fundadores del Círculo, lo cual es inexacto, si bien se adhirió al mismo poco después. Los fundadores fueron, en 1926, V. Mathesius, B. Havránek, J. Mukařovský, B. Trnka, J. Vachek y M. Weingart, entre otros [441]. A ellos se sumaron otros muchos lingüistas, entre los que debemos señalar los rusos, el citado R. Jakobson, S. Karcevskii y N. S. Trubetzkoy. Los tres últimos, como autores de importantes tesis presentadas en 1928 al primero de los congresos de lingüística, el de La Haya [442], tuvieron un papel importante en la redacción de las nueve tesis del Círculo praguense, que fue-ron presentadas al primer Congreso de Filología Eslava, en 1929, y que son conocidas como las tesis de 1929 [443]. La repercusión de estas tesis, que se diri-gían al campo lingüístico en general, y al eslavista en particular, ha sido inme-diata y duradera. He aquí un resumen de las ideas principales de las mismas:

**8.2.2.** La afirmación, en la primera tesis, de que "la lengua es un sistema de medios de expresión apropiados para un fin" subraya uno de los rasgos que diferencian el estructuralismo praguense del americano o el de Copenhague, que no ponen en un lugar primordial el principio de la finalidad de la lengua. El estructuralismo praguense también se diferencia

[440] *Cf.* Lepschy, *op. cit.,* cap. III, donde precisa esta afirmación, B. Trnka (y otros) *El Círculo de Praga,* ed. de Joan Argenté, Barcelona (Anagrama), 1971; J. Vachek, con la colabo-ración de J. Dubský, *Dictionnaire de Linguistique de l'Ecole de Prague,* Utrecht-Anvers, 1960, 2.ª ed. 1966, y también de J. Vachek, *A Prague-School Reader in Linguistics,* Bloomington (Indiana Univ. Press), 1964. Es importante lo que afirma Jakobson *(Main Trends,* pp. 11 y ss.), para quien las tesis de los jóvenes lingüistas checos, alemanes y rusos no encontraron obstáculo de tipo lógi-co, sino, en todo caso, metodológico. Es sintomático que, como también dijo Jakobson, en 1929 *(ibid.,* p. 11): "Las actividades del Círculo Lingüístico de Praga no son obra de un grupo aislado, sino que están estrechamente ligadas a las corrientes contemporáneas de la lingüística de Occiden-te y de Rusia".

[441] Lepschy, *op. cit.,* cap. III, pár. 1. En las notas de este capítulo dispone el lector de abundante información bibliográfica y de finas precisiones conceptuales.

[442] La más importante fue la *Proposition 22.* Toman como unidad básica el fonema, mínima parte del significante que no puede ser dividida en unidades menores sucesivas. La diferencia entre /t/ y /s/ permite diferenciar /pata/ de /pasa/ y /mesa/ de /meta/. El fonema es un haz de rasgos pertinentes o relevantes, aunque está unido al significado para la delimitación de su valor como unidad lingüística, lo cual constituye una diferencia clara entre la fonología praguense y la generativa, p. ej. Para la evolución de la concepción del fonema en Jakobson, *cf.* sus *Ensayos de Lingüística General,* y, en colaboración con M. Halle, sus *Fundamentos del lenguaje.* Hay precisiones interesantes, en relación con los conceptos de la fonología generati-va, en un revelador artículo del lingüista praguense: "The Role of Phonic Elements in Speech Perception", *Z. für Phonetik, Sprachwiss. und Komm.* (Berlín), 21, 1968, pp. 9-20.

[443] El lector hispanohablante puede leerlas en la compilación de Joan Argenté, *El Círculo de Praga,* cit. pp. 30 y ss.

de los otros en la importancia que se concede a la diacronía, junto a la sincronía [444], la lengua es un sistema funcional, desde cualquiera de las dos perspectivas. En esto se opone explícitamente a la Escuela de Ginebra. La apertura de miras en este campo favorece también la metodología sincrónica, que puede beneficiarse de la comparativa.

**8.2.3.** Para el estudio de un sistema lingüístico particular, dicen, hay que investigar, en la fonética, lo articulatorio junto a lo acústico, al mismo tiempo que es necesario determinar si el sonido es hecho físico o hecho funcional, lo que permitirá diferenciar *fonética* de *fonología*. La Lingüística se completará, además, con dos ciencias de la representación funcional del significado: Morfología y Sintaxis, que serán distintas, como distintos son los ámbitos de la palabra y de la oración. No hay que olvidar tampoco la triple división de las funciones del lenguaje de Karl Bühler, tan ligado a esta escuela, que también son diferenciadoras respecto del estructuralismo americano. Por este motivo, el estudio de la lengua literaria tiene también lugar aquí, como demuestra, magníficamente, la obra de Roman Jakobson.

**8.2.4.** Las tesis de Praga se caracterizan por su amplitud, que se extiende a problemas de historia de la lengua, transcripción, geografía lingüística, léxico, antropología, etnología y sociología. La huella praguense en todo el mundo, favorecida por la marcha de Jakobson a Estados Unidos y la fundación de la llamada Escuela de Harvard, se mantiene fresca. En España, como hemos dicho al hablar de Saussure, es general. Sin embargo, aquí podemos añadir algunas precisiones; esta generalidad comprende los conceptos fundamentales como de 'fonema', cuyo valor se delimita contrastivamente, por oposición (otro concepto muy rentable) con los otros fonemas de la lengua, según una serie de reglas establecidas por Trubetzkoy en sus *Principios de Fonología*. Los fonemas que presentan determinados rasgos comunes se unen en *correlaciones*. Los términos *oposición, fonema, rasgo distintivo, correlación, neutralización* (pérdida de valor de las diferencias establecidas por los rasgos distintivos), entre otros, son aportaciones fundamentales de la fonología a la lingüística contemporánea, a las que es deudor especialmente el estructuralismo. La influencia global, sin embargo, no termina ahí, el concepto básico de rendimiento funcional, la autonomía de la palabra y la metodología sintagmática también arrancan de Praga o se refuerzan a partir de ella.

**8.2.5.** El influjo directo y particular de Praga en el mundo lingüístico que habla español ha tenido dos vías: por un lado ha influido en un gran lingüista argentino, Luis J. Prieto, por otra, en una serie de autores españoles que mencionaremos a continuación. El influjo en Prieto se ha realizado de un modo muy peculiar, ya que ha sido por medio de la traducción de los *Principios de Fonología* de Trubetzkoy, que él revisó

---

[444] *Cf.* R. Jakobson: "Principios de Fonología Histórica", en *El Círculo de Praga,* cit., pp. 104-129.

y prologó, para una edición prevista en Buenos Aires. Esta traducción, que suponía una revisión del texto original y de la versión francesa de Cantineau, la generalmente usada, no pudo ser publicada hasta mucho más tarde[445], por razones del todo ajenas a la lingüística, al profesor Prieto y a la editorial bonaerense. El influjo ejercido fue, por ello, limitadísimo, pero es necesario considerarlo para comprender la evolución de Prieto, sobre la que volveremos más adelante.

**8.2.6.** En la lingüística española, de modo concreto, además del influjo general ya señalado, las tesis praguenses han sido más fructíferas en el campo de la filología clásica que en el de la románica. Entre los autores del primero de estos campos citaremos a Mariner, Michelena, Rz. Adrados, o Ruipérez[446], con la importante anotación de que estos notables estudiosos no se han limitado a adaptar las tesis praguenses al análisis del latín o del griego, sino que han ofrecido aportaciones interesantes al de las lenguas peninsulares, románicas o no, a la lingüística indoeuropea, o a la lingüística general. La influencia praguense, no es necesario decirlo, no es la única aceptada por estos filólogos y lingüistas, sino que a ella se han ido sumando otras corrientes posteriores, como la glosemática y la lingüística funcional. En el campo románico, la figura destacada es la de Emilio Alarcos, de quien puede decirse, como de los cuatro autores antes citados, que ha ido sumando otras influencias a la de Praga, perceptible en su *Fonología Española* y en los trabajos que la prepararon[447], incluida esa preocupación por la fonología diacrónica que acabará adquiriendo forma como segunda parte del libro. Las influencias que se añaden a esta primera son la de Luis Hjelmslev y la Glosemática, fundamental en el desarrollo teórico del profesor de Oviedo, y la de la corriente funcional. La primera de ellas se manifiesta de modo total en la *Gramática Estructural*, como se reconoce desde el título del libro; la segunda, sumada a la primera, que es constante en el pensamiento de Alarcos, está también presente, desde el título, en sus *Estudios de Gramática Funcional*[448].

**8.2.7.** Estrechamente relacionada con este círculo está la lingüística funcional, que veremos en dos vertientes: la inglesa, unida al pensamiento de Firth y desarrollada por Halliday, y la más ligada, incluso vitalmente, al Círculo de Praga, que aquí representaremos en cuatro nombres: Roman Jakobson, que sirve de puente, André Martinet, Luis Prieto y Lucien Tesnière.

---

[445] Exactamente hasta 1973, fecha en la que ha sido publicada en Madrid (ed. Cincel).

[446] *Cf.* en la bibliografía final.

[447] *Idem.*

[448] La lenta vinculación de la lingüística española con el estructuralismo, de modo más profundo que la simple asimilación de partes de su metodología, ha producido algunos trabajos de conjunto, entre los que se puede citar el publicado por el C.S.I.C., con el título de *Problemas y Principios del Estructuralismo Lingüístico,* Madrid, 1967. El *Diccionario de Términos Filológicos* de Fernando Lázaro Carreter ha recogido, desde su primera edición, la terminología praguense, entre otras.

El primero de ellos, obligado a abandonar Europa por la persecución nazi, transplantó a América buena parte de las preocupaciones europeas. El pequeño mercante que, a través de un Atlántico Norte totalmente minado, trasladó a Roman Jakobson, junto con Ernst Cassirer, a Norteamérica, transportaba, simbólicamente, las bases de las ideas lingüísticas que hoy preocupan y que hemos tratado de exponer, aunque imperfectamente, en los primeros capítulos de este libro. La institución docente que los acogió, la École Libre des Hautes Études, de Nueva York, donde también enseñaba Américo Castro, tiene derecho a recibir el agradecimiento de quienes piensen que la ciencia está más allá de todas las fronteras. La obra de Jakobson es demasiado amplia para que pretendamos dar aquí ni siquiera una idea somera de ella[449], pues abarca todo el terreno que un investigador de temas del lenguaje y zonas anejas puede imaginar: métrica, poética, problemas enlazados con la medicina y la pedagogía (en sus celebérrimos trabajos sobre la afasia, p. ej.), y estudios pura o inmanentemente lingüísticos. Por las circunstancias que rodean su azarosa vida, ha podido estar en contacto con los movimientos lingüísticos más activos del siglo. Se forma en la Escuela de Moscú, en la que, agrupados en torno a Fortunatov, participan importantes lingüistas, a quienes añadiremos ahora el nombre de Alexander Belić, considerado en la lingüística soviética como el creador de la sintagmática; pasa a formar parte del Círculo de Praga al poco tiempo de haberse fundado éste y le da una impronta muy personal. En este ambiente se desarrolla con toda felicidad, dada su coincidencia de ideas con las tesis del Círculo en lo que éstas tienen de esenciales, como el hecho de que el lenguaje incluya las dos manifestaciones de la personalidad humana, la intelectual y la emocional, la diferencia entre lenguaje hablado y escrito, y el interés fundamental por la sincronía sin olvidar la diacronía, en la que se considera la historia del lenguaje como evolución de todo el sistema. Su obligado traslado a Estados Unidos no supuso un corte en su actividad, sino que la enriqueció, enriqueciendo también la lingüística americana. Baste decir que Chomsky y Halle se cuentan entre sus discípulos.

**8.2.8.** Dos conferencias de Jakobson en Madrid nos han permitido reanudar la relación con el maestro y, gracias a su amabilidad, ofrecer un panorama de sus intereses actuales en algunos puntos. Los reproducimos a continuación con la advertencia, necesaria, de que lo que decimos ahora es nuestro resumen y nuestra interpretación, y que cualquier error o malentendido sólo a nosotros será imputable[450].

---

[449] *Cf.* la bibliografía incluida en *For Roman Jakobson,* La Haya (Mouton), completa hasta 1956. *Vid. et.* el Prefacio y los apéndices de Nicolás Ruwet a su versión francesa de escritos de Jakobson titulada *Essais de Linguistique Générale,* París (ed. de Minuit), 1963, y la bibliografía general sobre el tema, ya citada.

[450] Desearíamos que esta nota fuera la explícita expresión de nuestro agradecimiento al profesor Jakobson por su extremada condescendencia y amabilidad. En cuanto a las conferen-

**8.2.9.** Los últimos años han conocido, de la mano del maestro ruso, un renacer de la Retórica y la Poética, basado en la estrecha relación entre el habla y la poesía, pues esta última es un hecho tan universal como el lenguaje. La poesía añade al lenguaje un elemento nuevo, la música, como música vocálica, aparecida antes de la música instrumental, que surge unida a la danza. Jakobson, que se apoya en el interés de los poetas de todas las épocas por la poética (hecho especialmente observable en el XIX, con Poe, Hopkins y Mallarmé, p. ej.), protesta contra la declaración de que el lenguaje poético no concierne al lingüista, hasta el punto de señalar que la gramática tiene un importante papel poético, en varias dimensiones: para realizar una oposición *(cor amat, lingua clamat,* en S. Agustín), evitar rimas fáciles (como las de las formas verbales entre sí), y otras. La poesía, como es sabido, se apoya en el paralelismo, sea fonético (acento, sílaba), o gramatical. Hay, además, una significación gramatical distinta de la léxica: la idea de plural, por ejemplo, es gramatical, aunque los medios léxicos que la expresen varíen o puedan variar con las lenguas[451].

**8.2.10.** Este amplio concepto de la poética y su relación con la lingüística, su inclusión lingüística, mejor, aparece en España representado en la obra retórica de Fernando Lázaro, en quien apuntan, por citar sólo dos muestras, preocupaciones de tipo métrico, en sentido muy amplio del término[452], o sobre la lengua literaria en general[453].

**8.2.11.** Volviendo a Jakobson, la concepción lingüística que se define en su obra, y que se concreta en puntualizaciones metodológicas que nunca escasean en ella, supone una interacción de tradición e innovación en la ciencia del lenguaje. Este fenómeno no es nuevo, sino que aparece en otras etapas de la historia; así, la obra del Brocense, por citar un ejemplo grato a Jakobson, recoge elementos que remontan a la tradición retórica medieval. Los dos polos entre los cuales oscila la lengua son la elipticidad y la

cias de Madrid (21 y 22 de mayo de 1974), puede verse una referencia a las mismas en *RSEL,* 4/2, 1974, por Francisco Abad Nebot. Queremos aclarar que en nuestras referencias a ellas no emplearemos nunca las comillas, ni siquiera en los casos en los que hemos recogido directamente el texto que se cita, por entender que una conferencia no es un texto escrito, sino que, por improvisaciones del hablante o desvíos de la atención del oyente plantea dificultades de comunicación. No queremos dejar de señalar, para corroborar estas palabras, nuestro rechazo a una pretendida entrevista con el autor de este libro, publicada en Madrid, en el diario *Arriba* correspondiente al 27 de octubre de 1974, triste prueba de los riesgos inimaginables de la palabra hablada.

[451] Hay lenguas amerindias que carecen de forma de plural, pero pueden expresarlo por medio de lo que llamaríamos un adverbio, una forma especial, en todo caso.

[452] Como en "La Poética del Arte Mayor Castellano", *Studia Hispanica in honorem R. Lapesa,* I, pp. 343-378, donde, en su nota 1, dice: "recuérdese la tesis segunda de Tynianov-Jakobson [1928]...".

[453] Así en su trabajo "Consideraciones sobre la Lengua Literaria", en *Doce Ensayos sobre el Lenguaje,* Madrid, 1974, pp. 35-48, y antes en *Bol. Informativo de la Fundación* [March], Madrid, 21, 1973, pp. 457-467.

explicitud. Entre ambos, como entre dos antinomias, lo fundamental es encontrar un método que no sólo los aclare, sino que logre una síntesis dialéctica entre los dos. Este método es el estructural, en sentido amplio. Es también importante que no crea en la separación entre sincronía y diacronía, así como su negativa a admitir un formalismo total, imposible porque la lengua empieza a partir de una sustancia sonora y en el lenguaje no hay rasgos que no sean pertinentes. En cuanto a la significación, como tema de actualidad, su postura es también neta: la significación pide dos aproximaciones: valor intrínseco y significación conceptual. Para él, por último, la referencia, en cuanto significación contextual, es un problema propio de los lingüistas.

**8.2.12.** André Martinet, de quien nos ocupamos en segundo lugar, destaca entre los lingüistas funcionales, para nuestros propósitos, por su gran influencia en España [454]. Para este lingüista en el lenguaje luchan dos tendencias, la comunicabilidad y el mínimo esfuerzo; el lenguaje cambia, pero los cambios fonéticos no ocurren sin razón, siempre están condicionados; en la base estructural del cambio está el llamado campo de dispersión del fonema, que éste cubre con sus realizaciones posibles: entre los campos hay márgenes de seguridad que, al estrecharse, permiten contactos y trasvases de campo a campo, lo que provoca la coordinada evolución de todo el sistema, puesto que no hay cambio aislado. Junto a la importancia de las tesis de Martinet relativas a la diacronía, destaca su concepción de la doble articulación del lenguaje, fundamental como método de análisis del enunciado [455]:

· La primera articulación del lenguaje es aquella con arreglo a la cual todo hecho de experiencia que se vaya a transmitir, toda necesidad que se desee hacer conocer a otra persona, se analiza en una sucesión de unidades, dotadas cada una de una forma vocal y de un sentido... La primera articulación es la manera según la cual se dispone la experiencia común a todos los miembros de una comunidad lingüística determinada... Cada una de estas unidades de la primera articulación presenta, ..., un sentido y una forma vocal (o fónica). Pero no puede ser analizada en unidades sucesivas más pequeñas dotadas de sentido. El conjunto *cabeza* quiere decir 'cabeza' y no podemos atribuir a *ca-* a *-be-* ni a *-za,* sentidos distintos cuya suma sea equivalente a *cabeza.* Pero la forma vocal es analizable en una sucesión de unidades, cada una

[454] Ya en 1957, la Universidad de La Laguna editó una importante *Miscelánea-Homenaje* a él dedicada, recopilada por Diego Catalán. Es curioso señalar que su gran obra diacrónica, *Economía de los Cambios Fonéticos,* muy divulgada en España, no ha sido traducida hasta fecha reciente, apareciendo en español, por tanto, mucho después que sus obras sincrónicas *Elementos de Lingüística General, La Lingüística Funcional* y *La Lingüística Sincrónica* (editorial Gredos). Cf. et. *La fonología como fonética funcional,* Buenos Aires (R. Alonso), 1972, con el importante prólogo de Luis J. Prieto: "¿Qué es la lingüística funcional?".
[455] *Elementos de Lingüística General,* versión de Julio Calonge, Madrid (Gredos), 1965, párrafos 1-8.

de las cuales contribuye a distinguir *cabeza* de otras unidades como *cabete, majeza* o *careza.* A esto es a lo que se designará como segunda articulación del lenguaje.

**8.2.13.** Más adelante, precisa las unidades lingüísticas de base:

Las unidades que ofrece la primera articulación con su significado y su significante, son signos, mejor dicho, signos mínimos, pues ninguno de ellos podría ser analizado en una sucesión de signos. No existe un término universalmente admitido para designar estas unidades. Emplearemos aquí el de *monema.*

**8.2.14.** Parece evidente la inspiración de Martinet en el término americano de *morfema,* al que hemos aludido y del que volvemos a ocuparnos; luego, llama *lexemas* "a los monemas cuyo lugar está en el léxico y no en la gramática" y *morfemas* a los que "aparecen en las gramáticas". Tanto el lexema como el morfema están dotados de sentido, como ejemplo podemos poner *como* (de *comer)* donde el lexema es *com-* y el morfema *-o.*

**8.2.15.** Esta delimitación, aparentemente tan sencilla, plantea dificultades cuando se aplica, puesto que es necesario delimitar los morfemas correspondientes a las distintas categorías, tarea no siempre fácil, como vamos a ver a propósito del género, por ejemplo:

**8.2.16.** El español conoce tres géneros: masculino, femenino y neutro, si bien este último es de rendimiento funcional asimétrico respecto de los otros dos; como la oposición no se realiza en el mismo plano entre los tres, prescindiremos del neutro, que aquí no nos concierne de modo tan inmediato. Podemos afirmar, con la generalidad de los gramáticos españoles, que cualquier sustantivo castellano es masculino o femenino, hasta aquí no hay dificultad; ésta surge cuando tratamos de determinar los indicadores del género, con tres soluciones;

*a)*   El género está incluido en el lexema del sustantivo.
*b)*   El artículo es el morfema indicador del género.
*c)*   Hay unos morfemas de género que se unen al lexema para completar la palabra realizada.

**8.2.17.** Las tres soluciones, como todos sabemos, tienen argumentos a favor; la solución *a)* se apoya en que el rendimiento funcional de las oposiciones *gat-o / gat-a* es inferior al de *hombre/mujer, toro/vaca;* la *b)* tiene innegable razón al afirmar que el artículo (y la concordancia con el adjetivo) son los medios para saber si un sustantivo es masculino o femenino, ante casos como *la mano, el monarca, el candil* y tantos otros, incluyendo los del tipo *a);* la solución *c),* que es la que se apoya en la gramática tradicional y la lingüística diacrónica, ha encontrado una defensa de tipo estructural en Antonio Roldán[456], para quien, en español, hay tres morfemas de género: -o, -a, -e, con cuatro tipos morfemáticos, ya que el tipo -e tiene a menudo, en singular, una forma-∅. El masculino es el término no marcado de "una oposición privativa simple, es decir, constituida en torno a una sola noción básica o rasgo distinto: 'sexo'"[457].

**8.2.18.** Según esto, la teoría más extendida afirma que si el elemento vocálico final de un sustantivo no varía al cambiar el género del mismo, o no cabe variación del género, ha de considerarse parte del lexema: así en *casa,* que no se opone por el género a *caso,* sino que es un sustantivo femenino terminado en *-a,* esa *-a,* dicen, no sería morfema de femenino, pese a coincidir con la *-a* de *gata,* que sí lo es, puesto que si se sustituye por *-o* tenemos *gato,* es decir, el masculino correspondiente. Tendríamos así dos tipos de lexemas de sustantivos, cuando éstos terminan en vocal:

*a)* Lexemas que incorporan la vocal final, tipo *casa, caso, aceite.*
*b)* Lexemas que no incorporan la vocal final, que puede ser considerada morfema de género, puesto que es indicadora de oposiciones de este tipo: *gato/gata, perro/perra* e, incluso, *pariente/parienta.*

**8.2.19.** Esta tesis, generalmente aceptada, tropieza con un inconveniente: cuando añadimos al lexema (tipo *a* o *b*) un formante facultativo, un sufijo apreciativo, por ejemplo, el comportamiento es el mismo:

$$casa + \text{-}it\text{-} > casita$$
$$gata + \text{-}it\text{-} > gatita$$

es decir, que el apreciativo se añade tras el último elemento consonántico del lexema. Esta dificultad lleva a algunos tratadistas, como, p. ej., Bernard Pottier, a un doble concepto de *lexema,* amplio o restringido: el tipo amplio abarcaría, en el ejemplo de *casita,* hasta la vocal final, es decir, *casit-;* el tipo restringido, en cambio, se limitaría a *cas-*[458]. Se trata de una solución baciyélmica que no puede resultar igualmente convincente para todos, pero que nos indica las complejidades metodológicas que plantea de hecho la nueva terminología. A la solución se puede objetar, además, que introduce

---

[456] *Vid.* "Notas para el estudio del sustantivo", en *Problemas y Principios del Estructuralismo Lingüístico,* Madrid (C.S.I.C.), 1967, pp. 71-87, esp. pp. 83 y ss.

[457] *Ibid.,* p. 84.

[458] El concepto restringido de lexema y la aclaración de este punto pueden tener interés en relación con el párrafo 10.1 de la *Aproximación,* donde el ejemplo *casa* ha dado lugar a diversas interpretaciones. Con lo anteriormente expuesto pretendemos apoyar nuestra tesis de que tal vez no sea necesario que exista una oposición real de terminaciones en cada palabra para hablar de morfema, sino que basta con que esa oposición tenga valor paradigmático en el sistema lingüístico de que se trate. Aunque *Cas-A* no se oponga a *Cas-O* como *Gat-A* a *Gat-O,* la oposición -A/-O, pese a sus neutralizaciones, es indicadora de género en español *(cf.* Roldán *supra),* por lo que ni -A ni -O pertenecerían al lexema, según esta posibilidad de análisis.

conjuntamente elementos formales y de contenido, frente a análisis en uno solo de los niveles como los realizados por la Glosemática, para la que "*canto* (acción de cantar) y *canto* (guijarro), por muy diferente que sea su contenido, son un sólo plerema, pues únicamente hay una expresión" (según Alarcos en su *Gramática Estructural*, p. 52).

**8.2.20.** Luis Prieto, a quien ya hemos aludido al hablar del Círculo de Praga, puede considerarse, al menos en una cierta etapa de su carrera, como lingüista funcional. En el prólogo a la traducción de los *Principios de Fonología* de Trubetzkoy nos expone sus puntos de vista sobre esta corriente.

**8.2.21.** La preocupación lingüística de Prieto le va llevando, poco a poco, pero de un modo muy claro en sus últimos trabajos, a situar lo lingüístico dentro del campo más amplio de la teoría del conocimiento, entendida como conocimiento de la realidad fenoménica: la teoría del conocimiento, aplicada al objeto percibido, como sucede en Prieto, no al objeto en sí, ha de llevar a la gnoseología, no a la metafísica. Por todo ello resulta primordial que el arranque praguense de su línea de acción científica se justifique con la marca de las diferencias, no con base de las identidades. El concepto de estructura está ligado al de *clase*. La teoría del conocimiento es una teoría de relaciones entre las clases, por lo que se define, necesariamente, como funcional. Sin embargo, en Prieto esta preocupación trasciende el ámbito fonológico originario para lanzarse a la constitución de una teoría general del signo, o de una semiología[459], que contribuye a la constitución de una noología o tratado de la mente, entendida como un humanismo integral, lo que implica, naturalmente, la proyección política (social) del individuo. Como muestra de estas ideas son importantes algunas precisiones conceptuales, como la que se desprende de su negativa de la necesidad de tener en cuenta el significado en la fonología:

Si aún hoy hay sin embargo fonólogos que piensan que el recurso al significado es necesario para determinar los fonemas de una lengua, es porque parten de una falsa concepción del objeto de su disciplina: el resultado a que apunta el trabajo teórico de una ciencia del hombre no es, como en una ciencia de la naturaleza, el de establecer clases de objetos materiales, sino el de explicar clases de objetos materiales que la ciencia del hombre de que se trata encuentra ya establecidas[460]

**8.2.22.** La obra de Prieto, progresivamente diferenciada de la de Martinet, con quien se había iniciado[461], es una muestra peculiar de la evolución de un lingüista a partir de una corriente muy precisa. Como, además de

---

[459] Que, en líneas generales, hemos querido exponer en el capítulo vigésimo primero de nuestra *Aproximación a la Gramática Española*.
[460] Prólogo a la edición española de los *Principios de Fonología*, p. XXIV.
[461] Esta separación no ha dependido de Prieto. *Cf.* la p. XXVII del prólogo citado en la nota anterior.

tratarse de un pensador original, se trata de un lingüista del mundo iberoamericano, nos ha parecido doblemente interesante traerlo a estas páginas.

**8.2.23.** El cuarto lingüista que se puede colocar en esta línea estructural funcional, según Jakobson [462], es el eslavista francés Lucien Tesnière [463], cuya notación gráfica y su método de análisis sintagmático se han relacionado con los inicios de la gramática transformacional [464].

**8.2.24.** Tesnière considera la frase como un conjunto organizado constituido por palabras. Las palabras se relacionan de modo que un término es el *regente* y otro el *subordinado,* es decir, jerárquicamente. Cuando un regente rige uno o varios subordinados se constituye un *nudo,* que ata, por decirlo así, un *haz.* Los distintos nudos se escalonan en un complejo sistema de dependencias que culmina en el 'nudo de nudos' o *nudo central.* "Toda la sintaxis estructural reposa en las relaciones existentes entre el orden estructural y el orden linear" [465], su sintaxis relaciona, por tanto, paradigma y sintagma, pero no sólo sistemáticamente, sino, por sus referencias a la cadena hablada, de modo que exista relación entre el código y el mensaje (entre la competencia y la actuación, en paralelismo terminológico de Jakobson, que no supone igualdad conceptual [466]).

**8.2.25.** Nuestro autor se une, por otro lado, en la fundamentación filosófica de su teoría, a la lingüística humboldtiana, convirtiéndose así en un posible puente entre el empirismo moderado de ciertos tipos de estructuralismo y el racionalismo que subyace a la lingüística transformacional. Esta afirmación nuestra puede apoyarse en textos como el que sigue:

"El esquema estructural y el esquema semántico constituyen..., frente a la forma exterior de la frase, una auténtica *forma interior*" [467].

**8.2.26.** Distingue con claridad Morfología, Sintaxis y Semántica; esta última es *extrínseca* a la Gramática, y sólo debe relacionarse con la Psicología y la Lógica [468].

**8.2.27.** Uno de sus conceptos fundamentales, entre los que mayor influencia han tenido, es el de *traslación,* que consiste en pasar una "palabra llena" (es decir, que no sea un simple útil gramatical) de una categoría

---

[462] *Main Trends,* p. 16.

[463] Cuya obra principal, para nuestro objeto, son sus *Éléments de Syntaxe Structurale.* Prefacio de Jean Fourquet, París (Kliencksieck), 2.ª ed. (reimp.) 1969.

[464] *Vid.* Jan Sabrsula, "Transformations, Translations, 'Classes Potentielles Syntaxico-sémantiques'", en *Travaux Ling. Prague,* 3, 1968, pp. 53-63. Agradecemos a Manuel Alvar Ezquerra su valiosa información sobre la localización de este número de los *Travaux* en Madrid.

[465] Tesnière, *op cit.,* 6.1.

[466] *Main Trends,* p. 20.

[467] *Op. cit.,* 15.3.

[468] *Ibid.,* 20.18.

gramatical a otra (toda la tercera parte, desde el capítulo 151, está dedicada a la traslación). Hay tres tipos principales de traslación, la de *primer grado,* entre elementos del mismo plano sintáctico, es decir, entre elementos de la frase simple (cap. 164) o clases de palabras: la preposición *de* convierte (traslada) al sustantivo *papel* de la clase de regente (como en *el papel de arroz)* a la de regido (como en *el tigre de papel);* la traslación de *segundo grado* hace que un nudo se subordine a otro (por medio de una conjunción subordinante; por ejemplo, *vas al cine* se subordina a *iré contigo* por el *traslativo* o *trasladador (translatif) si: si vas al cine iré contigo).* El tercer tipo de traslación es la *formal* (cap. 166), en la que no se transfiere el contenido sintáctico de una palabra, sino su *forma* exterior. Esta traslación se produce cuando predomina la función metalingüística, como en

> ¡Soria fría, *Soria pura,*
> *cabeza de Extremadura,*
> con su castillo guerrero
> arruinado, sobre el Duero;
> con sus murallas roídas
> y sus casas denegridas!

donde el poeta juega con el lema *Soria pura, cabeza de Extremadura* de la heráldica soriana.

**8.2.28.** Estos *Elementos de Sintaxis Estructural* marcan una importante evolución de la lingüística europea, en la que puede profundizarse con el aprovechamiento de los nuevos hallazgos de la lingüística.

**8.2.29.** Las tesis funcionales han tenido repercusiones notables en nuestra materia, además de conservar su vigencia durante un tiempo que, en nuestro siglo, se puede llamar largo. Una de sus repercusiones más modernas e interesantes ha sido la llamada *semántica funcional,* con nombres como Baldinger, Coseriu o Heger. Antes de ocuparnos de ella, sin embargo, vamos a hacerlo, con la imprescindible brevedad, de un lingüista en el que las notas de originalidad e independencia se dan con toda la fuerza posible en este siglo interdependiente; nos referimos, claro está, a Gustave Guillaume[469]. Se diferencia este lingüista de la corriente dominante en la base psicológica de su teoría. Además del importante peso de sus tesis en algunos lingüistas franceses, y francocanadienses, en especial, Guillaume ha influido en el estudio de dos partes de la oración: el artículo y el verbo, sin que ello reste importancia a sus otros estudios. En estos años en los que la paz empieza a hacerse sobre sus teorías y estamos en mejor disposición para juzgar su, extensa obra (antes mal conocida, por si no bastara con el retraimiento del autor) conviene que indiquemos las aportaciones que nos parecen más importantes, dentro de esta obra.

---

[469] Cuya obra se está reimprimiendo, al cuidado de Roch Valin, en coediciones de Les Presses de l'Université Laval (Quebec) con editoriales francesas.

**8.2.30.** Valin[470] señala que el descubrimiento más importante, dentro de esta teoría, es el de la *cronogénesis,* es decir, en qué momento temporal se sitúa una acción. A partir de ello se presentan dos distinciones importantes, la de *actual* frente a *virtual* y la de lo *presupuesto* frente a lo *planteado* recientemente, oposiciones que llegan a la cumbre del sistema conceptual de Guillaume en la pareja *inmanencia/trascendencia;* la primera supone la consecución del ser, mientras que en la segunda el ser no ha sido adquirido todavía. En el caso del tiempo, p. ej., el inmanente es el que se va, el trascendente, en cambio, es el tiempo que viene. Todo lo que ha alcanzado el ser reside en éste y con él huye. Existir es huir[471].

**8.2.31.** Los conceptos de *inmanencia* y *trascendencia,* fundamentales en la lingüística guillaumiana, proceden de Antoine Meillet[472], a quien tanto debe Guillaume. Este, que no es muy saussureano, se sirve de esta idea y de la concepción de la lengua como sistema[473] para defender su tesis del plurisistematismo lingüístico: la lengua es un sistema de dos niveles, que se representa como una serie de círculos concéntricos que, desde la periferia de continente universal, sin contenido sustancial, se van acercando al centro, lo que supone la sistematización cada vez más compleja y específica. La lengua, para él, es un sistema de sistemas en el que juegan la trascendencia del que se va y la inmanencia del que llega, hasta hacer que la lengua pueda ser considerada sólo como un sistema iterativo[474].

**8.2.32.** La originalidad del pensamiento guillaumiano, además de residir en su figura casi solitaria, resulta de su labor de puente entre un lingüista tan interesante como Antoine Meillet, y el estructuralismo postsaussureano. En esta última posición, y muy ligado a la lingüística funcional, especialmente en la versión semántica de que hemos de ocuparnos, según queda anunciado, descuella otro lingüista francés, interesante para la lingüística española, sobre parte de la cual influye, por haberse dedicado a ella, y por ser autor de varias introducciones breves, con terminología estructural detallada[475]. Pottier, que une a su formación sincrónica de corte francés su formación histórica del grupo aragonés, trata, en sus publicaciones sobre el español, de encontrar una relación estructurable entre la sincronía y la diacronía, en torno a los tres aspectos del estudio de una lengua que le parecen ejes de estructuración: *forma, función* y *significación.* Esta última como significación gramatical, no léxica, de acuerdo con lo dicho sobre el estructuralismo. Para aclarar este punto diremos que, según él, todo elemento

[470] En la introducción de *Langage et Science du Langage,* p. 12.
[471] En el libro citado en nota anterior, p. 49, nota 11.
[472] *Vid.* p. 222, *op. cit.* La figura de A. Meillet es considerada como fundamental por los grandes lingüistas, como R. Jakobson, en *Main Trends.*
[473] Que también aparece en Meillet, insiste Guillaume, antes que el *Curso. Ibid. Cf. et.* R. Jakobson, *op. cit.*
[474] *Cf.* "La Langue est-elle un Système", *op. cit.,* pp. 220-240.
[475] *Vid.* bibliografía final.

gramatical, que es un signo, tiene significante y significado; el segundo puede ser *funcional* o *sintáctico* (pertenencia a una categoría gramatical, con un determinado papel o función, para desempeñarlo en cualquier enunciado), o *semántico* (pertenencia a una clase conceptual). La evolución de Pottier, como la de los tres semantistas funcionales aludidos antes consiste en una creciente preocupación por este segundo significado y las posibilidades de su estudio científico. Y es que, en efecto, lo fundamental para este autor es la construcción de una metodología lo suficientemente explícita como para sentar sobre ella las bases de una crítica lingüística[476].

**8.2.33.** Hemos traído a colación el nombre de Pottier, a pesar de situarse en una corriente lingüística menor dentro de la panorámica amplia de la ciencia, por dos razones; la primera es el lógico agradecimiento que se debe a los hispanistas, la segunda, su influencia en España, por vía oral y escrita. La oral, nada desdeñable, se ha ejercido a través de la colaboración con Manuel Alvar y Antonio Quilis[477] y la participación en cursos y conferencias en España, así como en Francia. Esta influencia se combina con la escrita en uno de los libros más claramente relacionados con esta corriente: la *Lingüística Española* de Vidal Lamíquiz[478].

**8.2.34.** El nombre de Bernard Pottier puede unirse, por último, a los de los tres autores citados, Baldinger, Coseriu y Heger, entre los defensores (con muy diversos matices) de la semántica funcional. Veamos algunos puntos de ella.

**8.2.35.** En el signo lingüístico, como sabemos, se combinan un significante y un significado. Este último, en el plano del contenido, puede analizarse, por abstracción, en sus diferentes 'significaciones', a las que llaman *sememas*, los cuales, a su vez, se componen de *semas* o rasgos mínimos distintivos correspondientes a distintas clases conceptuales. El estudio del significado puede ser *semasiológico* (del semema al sema) u *onomasiológico* (del sema al semema). Dentro de esta denominación común caben bastantes diferencias, especialmente de matiz, p. ej., Coseriu niega la posibilidad de estudio estructural de la terminología científica, que no pertenece a la lengua, sino a la metalengua.

**8.2.36.** El análisis de la *estructura lexemática,* o estructura de las relaciones de una lengua, puede desarrollarse sobre dos ramas, *estructura paradigmática* y la *sintagmática.* Las estructuras de la primera se relacionan con la elección, las de la segunda con la combinación. Las paradigmáticas pueden

---

[476] Así se afirma, p. ej., en la *Introduction à l'Etude linguistique de l'Espagnol,* París (ed. Hispanoamericanas), 1972, p. 90.

[477] Al segundo de éstos se debe la traducción de la *Gramática del Español,* del original francés ampliado, para ed. Alcalá de Madrid.

[478] Pese a ciertas discrepancias claras en algunos puntos, no hay por qué negar una influencia conceptual de Pottier en ciertos aspectos de nuestra *Aproximación a la Gramática Española,* dentro de la modestia de esta última obra.

ser *primarias* (no necesitan otros términos para su definición: *azul*) y *secundarias* (necesitan otros términos para su definición: *azulenco* presupone *azul*). Dentro de esta semántica cabe, por tanto, el estudio de la formación de palabras, que se ocupen, desde el punto de vista del contenido, de las estructuras paradigmáticas secundarias.

**8.2.37.** Las estructuras primarias son dos: *campo* y *clase.* El *campo* es el paradigma léxico por excelencia, dependiente de un hecho conocido, a saber, que hay unidades de lengua que se oponen unas a otras por diferencias semánticas mínimas; estas unidades dividen una zona continua de sustancia semántica en zonas más pequeñas. El valor de un campo es el *archilexema,* cuya actualización no es necesaria, así, a los lexemas "frío", "caliente", "tibio", corresponde un archilexema "poseedor de una temperatura cualquiera", que no se realiza o actualiza en un término preciso. La *clase,* en cambio, es una unidad de lengua determinada por un rasgo distintivo que funciona en una serie completa de campos, dentro de una categoría verbal, p. ej., el sustantivo. La unidad de clase es el *clasema.* En torno a las clases podemos preguntarnos si lo son de la realidad o de los lexemas, en este segundo caso pertenecerían a un nivel metalingüístico en vez de al lingüístico. En favor de este segundo hecho está que los rasgos que distinguen las clases y sus elementos no son rasgos léxicos, sino gramaticales.

**8.2.38.** El segundo tipo de estructuras, la sintagmática, es una estructura combinatoria. Dentro de ella se determinan fenómenos de afinidad, selección e implicación (del tipo X Y, en vez de la relación de dependencia de tipo paradigmático), como las que obligan a construcciones como *soldado veterano* y no permiten *muro veterano,* o *beber* (un líquido), o finalmente, exigen un contexto determinado, como *azur,* que sólo puede emplearse en heráldica[479].

**8.2.39.** En el *Círculo de Copenhague,* del que hablaremos a continuación, vemos la concreción de dos postulados que se desprenden del *Curso:* que la lengua es forma, no sustancia, y que la lengua es una estructura superior a los individuos, y no la suma de las hablas de éstos. A fines de los años treinta el Círculo de Copenhague se ofrece como presentador de unas teorías que caracterizan a la escuela danesa como más formalistas, esquemática y rígida que la de Praga. Dos nombres son especialmente importantes para nosotros: Viggo Bröndal y Luis Hjelmslev. El primero distingue netamente Morfología de Sintaxis, y utiliza criterios exclusivamente morfológicos para la determinación de las partes de la oración, que se convierten así en categorías morfológicas, aunque se proyecten luego, sintagmáticamente, como partes del discurso o partes de la oración, conjunción que las convierte

---

[479] Para la semántica y la evolución de la lingüística en relación con ella en la transición al 60, cf. José Roca Pons: "Noticia sobre los estudios semánticos publicados en los últimos años", *Archivum* (Oviedo), XIII, 1963, pp. 18-30.

en categorías lingüísticas, según afirmación del mismo Bröndal, en 1928[480]. Los hechos lingüísticos, para nuestro autor, son medios a través de los cuales se manifiestan las categorías primarias de la lógica. Esto influye en su intento de solución filosófica de los problemas lingüísticos[481], como se ve en su clasificación de las partes de la oración: substantivos, indicadores de sustancia; adverbios, indicadores de cualidad; numerales, de cantidad; preposiciones, de relación; verbos, mixtos, de relación y cualidad. Los cuatro primeros conceptos lógicos son fundamentales en la estructura de todas las lenguas.

**8.2.40.** Antes de ocuparnos del segundo de los lingüistas daneses citados, parece conveniente decir algo acerca de otro danés, lingüista independiente éste, y autor en inglés, sobre todo. Se trata de Otto Jespersen[482], cuya influencia en Hjelmslev es importante, según parece.

**8.2.41.** Jespersen divide las combinaciones de elementos lingüísticos en el discurso en dos tipos: una combinación del tipo *un perro muy ladrador* se llama *junción.* Los elementos de ésta se escalonan en tres rangos: el término primario es *un perro,* lo modifica *ladrador,* término secundario en la junción, o *adjunto,* modificado a su vez por *muy,* término terciario en la junción o *subjunto.* Si hubiese más modificadores en un rango inferior se llamarían *sub-subjuntos,* etc. Una combinación del tipo *el perro ladra furiosamente* se llama *nexo.* Sus elementos también se escalonan en tres rangos: el término primario es *el perro,* el secundario o *adnexo, ladra,* y el terciario o *subnexo, furiosamente;* los de rango inferior serían *sub-subnexos,* etc. Notemos que el sustantivo es el término primario en la junción y el nexo. Además Jespersen añade: "Conviene advertir que *el perro* es primario no sólo cuando es sujeto, como en *el perro ladra,* sino también cuando es objeto de un verbo, como en *veo el perro,* o de una preposición, como en *corre tras el perro*".

**8.2.42.** El método de análisis sintáctico obtenido por la aplicación del sistema clasificatorio de Jespersen ofrece, como todos hemos comprobado alguna vez, innegable utilidad en la enseñanza del análisis gramatical, y es excelente punto de partida para ulteriores disquisiciones.

**8.2.43.** Las ideas lingüísticas de Luis Hjelmslev han tenido una especial repercusión en España. Factor decisivo en ello ha sido la *Gramática Estructural,* precisamente según el modelo de Copenhague, de Emilio Alarcos, una de las obras más importantes de la lingüística española.

**8.2.44.** Dentro de la concepción del Círculo, el punto de partida está en un principio derivado del *Curso:* la consideración inmanente de la lengua, lo que supone el estudio de la lengua en sí misma. En palabras de Emilio Alarcos, la gramática estructural, en sentido estricto, es una "disciplina

---

[480] En la edición danesa de *Les parties du discours,* conocida por la versión francesa de Pierre Naert, Copenhague (Einar Munksgaard), 1948.

[481] Según M. Ivić, *op. cit.,* p. 175.

[482] *Vid.* Emiliano C. M. F. Alvarado, en *Thesaurus* (BICC) XI, 1955-56, pp. 93-123.

sincrónica que trata de explicar el funcionamiento y la estructura de los sistemas lingüísticos"[483].

**8.2.45.** A partir del *signo,* tenemos la doble división de éste, que ya conocemos, en *expresión* y *contenido,* a cada uno de los cuales corresponden una *forma* y una *sustancia.* La Fonética se encarga del estudio de la relación entre forma y sustancia de la expresión; de la misma relación, pero en el plano del contenido, se ocupa la Semántica. La Gramática, concebida por Hjelmslev como disciplina integral, sin diferenciación de Morfología y Sintaxis, es el estudio puramente formal, sin interferencias de la sustancia. En nuestro resumen, trataremos de seguir de cerca la exposición de Alarcos, a la que siempre remitimos, en última instancia, así como a los *Prolegómenos* del propio Hjelmslev.

**8.2.46.** Esta gramática es estructural y funcional. Por función entiende las dependencias que se establecen entre clase y elemento o elementos entre sí. Clase y elemento, en cuanto términos de una función, son *funtivos.* Un funtivo que no es, a su vez, función, es una *magnitud.* Hay función entre el acusativo y el ablativo, luego estos dos son funtivos de esa función (caso), pero el acusativo solo, o el ablativo solo, no son funciones, y por ello son magnitudes, es decir, funtivos que no son a su vez funciones.

**8.2.47.** Del estudio de la lengua, entendida como sistema, se ocupa la Glosemática. El sistema lingüístico se ofrece como un paradigma con dos planos: el de la expresión y el del contenido. El plano del contenido es el plano pleremático o lleno; sus unidades son los *plerematemas,* divididos en dos especies: constituyentes y exponentes. El plano de la expresión es el plano cenemático o vacío; sus unidades son los *cenematemas,* también divididos en constituyentes y exponentes.

**Plano pleremático:**

Los exponentes o *morfemas* se dividen en *extensos* (que, por lo general, caracterizan una frase) e *intensos* (caracterizan una unidad menor que la frase). Aproximadamente podríamos decir que los morfemas intensos son los morfemas nominales (caso, género) y los extensos los verbales (aspecto, persona...)[484].

Los constituyentes o *pleremas* pueden ser *centrales* (raíces) o *marginales* (derivativos).

**Plano cenemático:**

Los exponentes o *prosodemas* pueden ser *extensos* (*prosodemas* de la entonación o modulación, también llamados *sintonemas*),. e *intensos* (los varios tipos de acento).

---

[483] *Gramática Estructural,* p. 15.

[484] *Cf.* José S. Lasso de la Vega, "El Problema de las Clases Casuales a la Luz del Estructuralismo", en *Problemas y Principios,* cit., pp. 97-121.

Los constituyentes o *cenemas* pueden ser *centrales* (cenemas, es decir, fonemas, vocálicos) y *marginales* (consonánticos).

**8.2.48.** La cenemática coincide con la fonología, mientras que la pleremática es "el estudio del plano del contenido, el estudio de la "forma" del contenido de la lengua"[485]. Hará la descripción de las magnitudes y funciones que, por el análisis, "aparecen en el plano pleremático"[486]. Ambos planos son paralelos, todo fenómeno cenemático se corresponde con un fenómeno pleremático y viceversa[487].

**8.2.49.** A menudo se habla de este tipo de gramática estructural como paradigmática, frente a la funcional, sintagmática. Se trata, es obvio, de una simplificación, si bien se trata de una simplificación explicable en la base de la teoría. En efecto, para esta gramática, el sistema, el paradigma, es algo previo al sintagma, al decurso. Decurso y sistema están interrelacionados: "el decurso determina al sistema, o sea, el sistema es una constante que hace de premisa del decurso"[488].

**8.2.50.** Esta rápida exposición del estructuralismo danés es la última dedicada a las escuelas que han tenido mayor influencia en la lingüística española. No obstante, no daremos por concluido este párrafo sin habernos ocupado antes de una lingüística que tiene una importancia considerable, y creciente, como es la inglesa, por poca influencia que haya tenido en nuestro país. Antes de ello puede venir bien una recapitulación sobre lo que han significado para la lingüística española las corrientes arriba expuestas.

**8.2.51.** Aunque sería excesivo hablar de un entusiasmo inicial de los lingüistas españoles por el estructuralismo, un repaso a las páginas precedentes nos mostraría con claridad cómo se han ido instaurando sus principios en las obras escritas en nuestro suelo; vale la pena señalar, porque tal vez sea significativo, su mayor influencia en algunos autores, especialmente de orientación filológica clásica, como Mariner, Rodríguez Adrados y Ruipérez, a los que conviene unir el vasquista Michelena, en estrecha relación con Martinet. La representación del estructuralismo no puede estar completa sin el nombre de un romanista: Emilio Alarcos. No faltan nombres, como se ve, pero tras ello hay algo más importante, y es la presencia, aunque sea parcial, del estructuralismo en todas las facetas y todos los autores hispánicos, que, con mayor comodidad, sin que sea excepcional, se puede

---

[485] Cuando superponemos, como aquí, términos de la Glosemática a otros términos empleados por otras escuelas, no queremos decir que la correspondencia sea total; se trata, simplemente, de facilitar las referencias a los sistemas usuales, según se hace habitualmente.

[486] *Gram. Est.*, p. 47.

[487] Para un detenido análisis de las tesis de Hjelmslev, en sus *Principios de Gramática General*, previos a la Glosemática, *cf.* Llorente, *Teoría*, pp. 17-172.

[488] *Gram. Est.*, p. 34. No parece bien terminar esta exposición de la escuela danesa sin mencionar a un lingüista que ha aplicado estos métodos de análisis a nuestra lengua. Se trata de Knud Togeby, estudioso del modo, aspecto y tiempo del verbo español.

observar en las dos publicaciones conjuntas que han dado muestra de esta tendencia, los *Problemas y Principios del Estructuralismo Lingüístico,* editados por el *C.S.I.C.,* y la *Miscelánea Homenaje a André Martinet,* editada por la Universidad de La Laguna. Hay, es innecesario decirlo, muchos huecos en esta exposición, que no pretende ninguna exhaustividad. Quede muy claro, en consecuencia, que lo que pretendemos es indicar el contacto existente entre nuestra lingüística y la del exterior, aunque la primordial preocupación en España fuese todavía la lingüística histórica, en la que se desarrollaba una importantísima labor, de primera fila mundial, que no hay que olvidar ni, mucho menos, despreciar. Nuestros lingüistas, faltos de medios y posibilidades, tuvieron que conformarse con asistir al fenómeno estructural, inicialmente, como espectadores, pero pudieron incorporarse a este movimiento en número suficiente y con bastante autoridad como para no pasar desapercibidos. Claro está que no todos se adhirieron al mismo tiempo ni con la misma intensidad, y la razón es clara: los nuevos métodos no tenían las mismas ofertas para todos los campos de la investigación lingüística, el análisis sintáctico obtenía más de ellos que la geografía lingüística; lo importante y significativo es, insistimos, que a pesar de este atractivo, tan distinto, los especialistas españoles en los distintos campos conocieran la nueva metodología y pudieran utilizarla, en lo que creyeran indicado.

**8.2.52.** En América, especialmente en el Río de la Plata, la corriente estructural ha ofrecido también frutos importantes. Circunstancias extralingüísticas, como las enseñanzas de Coseriu en Montevideo, han podido contribuir a ello. Aunque nuestra información sobre Hispanoamérica es menor, señalaremos, junto a lingüistas de amplia producción, como Demetrio Gazdaru, el importante papel que en la introducción del estructuralismo en la enseñanza (primaria y secundaria) tiene Mabel V. Manacorda de Rosetti, o el de M.ª Hortensia P. M. de Lacau en el análisis literario, así como la labor de historia y exposición de Ofelia Kovacci, nombres de los que hablaremos con más calma al tratar cuestiones de método[489]. La figura de José Pedro Rona, como pensador original e investigador de temas de lingüística española y general, no puede faltar en estas páginas que, por supuesto, no pretenden recoger todos los nombres que en ellas podían estar, con los más justos títulos, como J. M. Lope Blanch y tantos otros.

**8.2.53.** Tras esta apretada referencia, y como final de este párrafo consagrado a Europa, nos ocuparemos de esa escuela especial dentro del abigarrado panorama europeo, y que se caracteriza por tener los ojos más en América que en Europa, tendencia que su fundador quiso llamar *Atlántica,* que hoy se conoce como *firthiana* o *neofirthiana* y, en sus últimas muestras, como teoría *sistémica.*

**8.2.54.** En J. R. Firth el punto de partida está en la consideración

---

[489] Para su obra escrita, *cf.* nuestra bibliografía final.

especial de la Fonética. Aunque la Gramática se divida en Fonética, Morfología, Sintaxis, Léxico y, tal vez, Semántica, la Fonética se entrelaza con estas ciencias gramaticales hasta tal punto que se llega a afirmar la imposibilidad de todo estudio sintáctico que no lleve aparejado el de la entonación, por dar un ejemplo[490].

**8.2.55.** Según esta escuela, inicialmente, la finalidad del investigador, en la Gramática Descriptiva, es delimitar e identificar las unidades; para ello utiliza dos métodos: la sustitución y el sentimiento de las unidades del hablante nativo. Combina así un método estructural con la intuición, si bien no debemos interpretar la segunda con un criterio idealista, sino en la línea que conducirá al concepto generativo de competencia lingüística del hablante[491]. En cuanto al significado, acepta su estudio como parte de la Gramática, siempre que tenga algún aspecto funcional, es decir, siempre que se puedan determinar funciones significativas. El concepto de *función,* unido al de *forma,* es fundamental: cada función se define por el uso de una forma lingüística en relación con un contexto. El significado, por su parte, es un conjunto de relaciones contextuales; se ofrece como un conjunto total de funciones de una forma.

**8.2.56.** La lingüística firthiana es una lingüística contextual, pero además es una lingüística integradora: no puede haber semántica sin morfología y tampoco morfología sin fonética[492], y ya hemos visto cómo la fonética se va agregando al estudio de las distintas partes de la gramática. Insistiendo en la noción de contexto, que se considera núcleo epistemológico de esta escuela, caracterizaremos rápidamente sus rasgos principales; tras señalar que el *contexto situacional* se define como el resultado de relacionar las categorías que mencionamos a continuación[493]:

*a)*   Rasgos relevantes de los participantes (tanto acción no verbal como verbal).

*b)*   Objetos relevantes.

*c)*   El efecto de la acción verbal.

**8.2.57.** Como resumen de la primera fase de esta corriente, o sea, del pensamiento de su fundador, J. R. Firth, diríamos que la lingüística firthiana se inicia con un criterio formal, no nocional, basado en Morfología y Sintaxis, que se distinguen, más el Léxico. Sobre estas tres partes se

---

[490] *Cf.* J. R. Firth, *Papers in Linguistics. 1934-1951.* Oxford Univ. Press, 1957. Citamos por la reimpresión de 1958, pp. 5-6.

[491] Esta precisión no quiere decir que neguemos lo que de idealista pueda haber en la idea de competencia lingüística, sino, tan sólo, que necesitamos separar la intuición asistemática y espontánea de la capacidad del hablante para reconocer como correctas o incorrectas las oraciones de su lengua.

[492] *Op. cit.,* p. 23.

[493] Resumimos aquí este punto, que ya ha sido tratado en los primeros capítulos de esta obra.

superpone el tejido fonético. Este criterio inicial y fundamental se va completando con precisiones importantes, como el interés que muestra por las condiciones sociales de uso de una lengua, especialización, selección y aprendizaje, así como los delicados aspectos de la coexistencia lingüística. Metodológicamente, se manifiesta como no saussureana en la negación de toda dicotomía, como cuerpo y alma, lenguaje y pensamiento, significante y significado.

**8.2.58.** Como ejemplo actual de teoría de la escuela firthiana tomaremos la *teoría sistémica* de M. A. K. Halliday[494]. Este autor continúa dando especial importancia a la fonética, hasta el punto de contraponerla a la suma de las otras partes de la gramática, que vendrían a constituir la lingüística, concebida como organización. El lenguaje se estructura en tres niveles: *situación, forma* y *sustancia,* relacionadas por el *contexto* y la *fonología.* Lo propiamente lingüístico es la *forma,* que se define como relación de los dos niveles no lingüísticos, el situacional y el sustancial. Forma y situación están relacionadas por el contexto; forma y sustancia por la fonología. Si volvemos ahora a la primera distinción entre fonética y lingüística veremos que a la fonética corresponde la sustancia, a la lingüística la forma.

**8.2.59.** Esta teoría lingüística recibe también el nombre de *teoría de escalas y categorías,* porque estos son los dos aspectos constitutivos de ella. Las *escalas* relacionan categorías y datos[495]. Las *categorías* son de cuatro tipos: *unidad* (como oración, construcción, sintagma, palabra y morfema) *estructura* o *combinación* (como el orden, aunque con salvedades) *clase* o *grupo* (dividida en primaria o secundaria y que abarca elementos que operan en la unidad superior[496]) y el *sistema,* categoría electiva dentro de una clase, como, p. ej., en la clase "grupo verbal" intervienen los sistemas de voz, tiempo, aspecto, etc.

**8.2.60.** Las *escalas,* que, como hemos dicho, relacionan los datos del enunciado con las categorías previamente expuestas, son de tres tipos: *grado* (escala de jerarquías de relaciones constantes y graduales, es decir, escala que ordena una taxonomía), *exponencia* (expone qué datos concretos corresponden a una categoría, que es abstracta, p. ej., cuál es la realización concreta de una oración, señalando los exponentes que pueden configurarla y que habrán de ser elementos léxicos concretos pertenecientes a las clases *grupo nominal* y *grupo verbal,* como "el perro", "el niño", "come", "juega", etcétera), y *delicadeza* o *matiz,* con la que se expresan las diferencias de detalle

---

[494] Expuesta en una serie de artículos, a partir de 1961, fecha de publicación, en *Word,* 17, pp. 241-92, de "Cathegories of the Theory of Grammar".

[495] Véase la exposición de esta teoría en O. Kovacci: *Tendencias Actuales de la Gramática,* 8.2.

[496] La oración, que no opera en ninguna unidad superior, no es una clase, lo es, en cambio, el grupo nominal, que opera en la oración.

por medio de las cuales diferenciamos, p. ej., diversas clases de complementos (al aplicar la escala de matiz a la categoría "estructura").

**8.2.61.** La gramática, que trabaja con "sistema cerrado", es decir, elementos limitados, se distingue del léxico, que no lo hace así. Aunque todo sistema es cerrado, y el léxico, si lo consideramos en un momento determinado de la sincronía, también lo es; sin embargo, la nota diferenciadora es la facilidad que presenta el léxico para ampliar el número de elementos en él contenidos, mucho mayor que la de la gramática.

**8.2.62.** Un lingüista inglés de obra importante para el desarrollo de la lingüística es Stephen Ullmann, autor de importantes estudios de Semántica general y francesa y que ha influido en el concepto del signo lingüístico y la relación de éste con la palabra, como se observa con claridad en los trabajos de Eugenio de Bustos, traductor, además de la *Semántica Francesa* del autor inglés [497].

**8.2.63.** Al terminar este apartado somos conscientes de dos objeciones importantes: la ausencia de nombres representativos de la lingüística en Europa o el escaso espacio que se les concede, y la falta total de exposición de corrientes importantes, como toda la lingüística oriental o eslava. La validez de las dos críticas es indiscutible y lo poco que podemos decir en nuestro favor no convencerá al lector que busque más amplias referencias. Insistiremos en ello, sin embargo: estos capítulos históricos no están tomados por sí mismos, sino como elementos que ayuden a completar el concepto y la metodología de la lengua española. La exclusión de lingüistas como Rosetti, por no citar más que un ejemplo, o la de tantos otros, no es porque voluntariamente se quiera dejar fuera un nombre, sino porque ya, en las reglas de nuestro propio juego, queda establecido que no pueden aparecer todos. Algo parecido ocurre con la lingüística soviética; su importancia en la lingüística española (otra de las reglas de nuestro juego) es muy pequeña, por ello no la incluimos ahora. Tendremos que citarla, aunque sea al paso, al hablar de la gramática generativa, puesto que existe una importante escuela de generativistas soviéticos, aunque sean mucho menos divulgados en España que Chomsky y sus discípulos. También cabe en esta crítica la exclusión de la Semiología o la Semiótica, en las que la influencia soviética en España es mayor, y tendremos que oponer la misma respuesta: la de haber determinado, como otra de las reglas del juego, que nos interesaría más la concepción más estricta de lo gramatical: partes de la gramática y de la oración, la categorización en suma, o la situación de las corrientes entre empirismo y racionalismo. Aunque no tenemos demasiada confianza en que los buscadores de defectos de un libro se conformen con estos argumentos, creemos necesario exponerlos al lector de buena voluntad que es a quien este libro (como todos los libros) se dirige.

[497] *Cf.* la bibliografía final.

**8.2.64.** Y dicho esto, pasemos a exponer otro aspecto parcial de la historia de la lingüística, cambiando de continente.

## 8.3. EN AMERICA

El salto de Europa a América no es sólo cuestión de kilómetros. Las mentalidades se hallan, a veces, más lejos que las ciudades, y lo mismo sucede con las inquietudes, científicas o no. Muchas veces se ha dicho, y siempre conviene repetirlo, que la lingüística americana fue inicialmente descriptiva y nació como respuesta a la necesidad inmediata y práctica de estudiar las lenguas de los amerindios, nombre con el que se designa a los indígenas norteamericanos[498]. Por ello aparece, desde sus cimientos, ligada a la etnología, y en su raíz hallamos el prestigioso nombre de un etnólogo, Franz Boas, acerca de cuya importancia como iniciador de temas (que siguen debatiéndose hoy) hablamos cuando hubimos de ocuparnos de la hipótesis Sapir-Whorf.

**8.3.1.** Los datos lingüísticos para cuya descripción se fueron elaborando las teorías que culminaron en Sapir, Bloomfield, y sus seguidores, fueron datos procedentes de textos orales de lenguas muy diversas de las indoeuropeas; este último tipo de lenguas había proporcionado, en cambio, los textos escritos de cuya descripción por comparatistas neogramáticos y sucesores fue naciendo la lingüística de Europa. Mientras esta última obtenía unidades de unas gramáticas elaboradas antes (incluso muy elaboradas y mucho antes, como la de Panini), los americanos obtenían sus unidades de las locuciones· de individuos entrevistados y establecían, en los primeros capítulos de sus estudios, los métodos científicos de obtención de las unidades lingüísticas. Este sistema era de tipo inductivo y duraría, aproximadamente, hasta los años cincuenta.

**8.3.2.** El gran patriarca de esta escuela, Franz Boas, estableció el postulado metodológico diciendo que la descripción de una lengua no debe hacerse a partir de las categorías de otra, sino que hay que inducir las categorías del texto. El *corpus* sobre el que se trabaja es uno de los conceptos básicos

---

[498] Acerca de la lingüística americana, en sus distintos períodos, además de la bibliografía general citada, *cf.*: R. A. Hall, Jr., "American Linguistics 1925-1950", *Arch. Ling.* 3, 1951, pp. 101-125 y 4, 1952, pp. 1-16 (hay versión española: *Lingüística Norteamericana 1925-50,* Buenos Aires, Fac. de Filosofía y Letras, Univ. de B. Aires, *Cuadernos de Lingüística,* 2, 1960); J. B. Carroll: *The Study of Language: a Survey of Linguistics and Related Disciplines in America,* Cambridge (Mass.) Harvard Univ. Press, 1953; M. Joos: *Readings in Linguistics. The Development of Descriptive Linguistics in America since 1925 ,* Washington, 1.ª ed. 1957, 4.ª ed. 1966; y E. P. Hamp: *A Glossary of American Technical Linguistic Usage 1925-1950,* Utrecht-Anvers, 1957, 2.ª ed. 1963, 3.ª ed. 1966. Para la evolución posterior de nuestra ciencia véase la amplísima bibliografía comentada incluida en Víctor Sánchez de Zavala: *Indagaciones Praxiológicas sobre la Actividad Lingüística,* Madrid (Siglo XXI de España), 1973.

de esta corriente. Con ello se vedaba a la lingüística americana la aplicación de las categorías clásicas y se originaba la busca de nuevas categorías, adecuadas a estas lenguas, de tipología tan distinta de las conocidas.

**8.3.3.** Tras Franz Boas, la lingüística americana cuenta con dos nombres de indiscutible influencia: Sapir y Bloomfield. Además de lo que hemos expuesto de las ideas de Sapir, al ocuparnos de la hipótesis que une su nombre al de Whorf, podemos señalar ahora algunos puntos que merecen estudio más detenido. Las ideas lingüísticas de Sapir tienen un gusto a eclecticismo (entre texto y locución, gramática descriptiva y tradicional, empirismo y racionalismo) que permite que su lozanía se conserve durante mucho tiempo. Él mismo ejemplifica, con su renuncia a la fidelidad "perruna" (son sus palabras) a los absolutos de la ciencia del pasado, cómo se puede encontrar un nuevo camino que no suponga una opresión para el espíritu[499]. Su obra fundamental, *El Lenguaje*[500], se diferencia de la homónima de L. Bloomfield por su carácter más abierto, insistimos, por su menor sujeción a unos postulados metodológicos previos y el vario número de vías que deja abiertas para que el investigador se interne en la áspera selva del lenguaje. Por ello no le interesa mostrar especialmente los aspectos más tecnificados de su estudio, sino, entre otras cosas, "cuáles son sus relaciones con otros intereses humanos primordiales: el problema del pensamiento, la naturaleza de la evolución histórica, la raza, la cultura, el arte"[501]. Por ello Sapir se vio relegado de un segundo plano, tras Bloomfield, porque se prefirió la estricta metodología a la preocupación general, que recibió el epíteto de "mentalista", lo cual resulta suficientemente explícito: algo no va muy bien en una cultura cuando la palabra "mentalismo" se utiliza como denigratoria de la corriente opuesta a la dominante.

**8.3.4.** Sapir es un pre-estructuralista, para quien la lengua es un proceso mental, manifestado externamente por el sonido. La importancia de la Fonética en la escuela americana, como en la inglesa, es notable. Nuestro autor distingue tres niveles: *sistema ideal de sonidos* (que se puede considerar un paralelo rudimentario de lo que habría de ser la fonología, andando el tiempo), *estructura conceptual* (intento de ordenación del contenido, todavía con importancia de la sustancia, aún muy "semantizado"), y la *forma*, o manifestación de la función. Hay pues unidades formales (palabras) y funcionales (oraciones y elementos radicales y gramaticales). Como los esquemas formales son limitados, la primera misión del lingüista es inventariar estos esquemas. Por ello esta lingüística es fundamentalmente descriptiva. A esto contribuye el hecho de considerar como esencial el aspecto cultural de la lengua.

---

[499] Así lo indica Jakobson, *Main Trends*, p. 13.
[500] Trad. de Margit y Antonio Alatorre, México (FCE), 1954. Citamos por la 3.ª reimpresión, 1971.
[501] *El Lenguaje*, p. 7.

**8.3.5.** Además del carácter amplio de su concepto del lenguaje, Sapir es también uno de los precursores de las investigaciones interdisciplinarias, en "The Status of Linguistics as a Science"[502], donde se insiste, más detalladamente que en el Prefacio de *El Lenguaje* arriba citado, en la relación, de interés mutuo, de la Lingüística con la Antropología, la Historia de la Cultura, ia Sociología, la Filosofía e, incluso, la Física y la Fisiología. Gracias a esta amplitud en la concepción de nuestra materia puede ser considerado por un precursor de los estudios sobre los sistemas de comunicación, no sólo el humano por medio del lenguaje, sino también los gestos, e incluso la sistematización de los procedimientos comunicativos vistos a través de la unidad de comunicación, que es, para él, el *símbolo*. Los puntos que abarca su libro *El Lenguaje* son un claro testimonio de su amplitud de miras, ya que se incluyen, en el citado libro, capítulos sobre aspectos sincrónicos, fónicos y gramaticales, problemas que hoy llamaríamos inmanentes, junto a temas de relación con el pensamiento y la conceptualización, tipología de las lenguas, aspectos diacrónicos del lenguaje, en su evolución (con la referencia a las leyes fonéticas, imprescindible en su tiempo), y la relación entre lenguas en contacto, con el estudio paralelo de temas tan interesantes como la raza y la cultura o la relación entre la literatura y la lengua. La lengua, que es un sistema, es, al mismo tiempo, un hecho cultural.

**8.3.6.** *El Lenguaje,* de Leonard Bloomfield[503], es, en cambio, un libro dominado por la mecánica del lenguaje, donde se relegan a un plano secundario los aspectos culturales y diacrónicos, sin que ello signifique que se olviden. Sería injusto, en efecto, acusar a Bloomfield de un excesivo formalismo, ya que, junto a una preocupación central de su obra por los aspectos inmanentes del lenguaje, por decirlo con términos de la lingüística saussureana, no faltan capítulos dedicados a más amplias perspectivas, como el del método comparativo, el análisis de los testimonios escritos, la geografía lingüística, el cambio o los préstamos. Dos rasgos fundamentales aporta este libro a la lingüística americana: el utilitarismo y el conductismo; utilitarismo por la preocupación de justificar el objeto de sus estudios, conductismo por su intento mecanicista (antimentalista) de explicar el funcionamiento del lenguaje en términos de sensación y reacción. Estos rasgos son más acentuados en los seguidores de Bloomfield que en éste, que colocó la lingüística entre las ciencias de la mente en sus obras juveniles, como insiste Jakobson[504]. La postura de Bloomfield ante las críticas, por otra parte, es una importante lección para todos nosotros, ya que no sólo se opuso a toda actitud sectaria, sino

---

[502] *Lg.* 5, 1929, p. 166, recogido en *Selected Writings. Vid. et.* R. Jakobson, *Main Trends,* p. 25.
[503] Citamos por el original, *Language* (1.ª ed. 1933), ed. Allen & Unwin, Londres, reimp. de 1965.
[504] *Main Trends,* p. 17.

que afirmó explícitamente que sería letal para la ciencia basarse tan sólo en una doctrina[505].

**8.3.7.** La unidad lingüística básica (en un concepto de Gramática que incluye Morfología y Sintaxis) es el *morfema*. Conviene advertir[506] que no parece haber en Bloomfield una distinción clara entre el *morfema* (concepto abstracto) y el *morfo* (realización concreta de un morfema, como -s, morfo del morfema "plural", en español), distinción que aparecerá en Hockett, en 1947. El morfema, en la lingüística americana, a diferencia de lo que hemos dicho al hablar de la europea, es una forma mínima indivisible en unidades sucesivas; corresponde este concepto al de *monema* en Europa. Los morfemas de la lingüística americana pueden tener significado (semántico), la unidad de significado que corresponde al morfema es el *semema*. Esas formas mínimas a las que nos referimos pueden ser de dos clases: *libres* y *ligadas*. Las formas ligadas no pueden aparecer nunca en un enunciado por sí mismas[507], sino unidas a otras, como la *-o* y *cant-*, en *cant-o*, *cant-as*, *busc-o*, etc. Las formas libres pueden aparecer por sí solas en un enunciado, constituyendo entonces una *palabra*: *melón, pastor*[508], etc.

**8.3.8.** En el plano fonemático la unidad es el *fonema*[509]. Para Bloomfield la fonología está unida al significado, como en los primeros conceptos praguenses, aunque aparece también el concepto de rasgo, que se impondrá más tarde a las consideraciones significativas, así, el fonema puede definirse[510] como "una unidad mínima de rasgos fónicos distintivos".

**8.3.9.** El análisis del enunciado, tras la obra de Bloomfield, se convierte en un análisis de constituyentes inmediatos. Este análisis muestra la estructura de las lenguas y su tipología, de acuerdo con las unidades que aparecen. Tiene también importancia la determinación de las unidades para la consideración de la posible separación de Morfología y Sintaxis[511]. Es posible distinguir las lenguas en dos tipos primarios: las que tienen formas ligadas y las que tienen formas libres. En las primeras se puede separar la Sintaxis de la Morfología, que se ocupará de analizar estas formas ligadas en sus últimos elementos, antes de ocuparse de cómo se relacionan con otras formas de la lengua en construcciones que abarquen más de una

---

[505] Es también Jakobson *(ibid.)* quien resalta este importante aspecto de la personalidad de Bloomfield, merecedora de todo respeto. Reconoce el maestro ruso-americano la deuda con esta abierta postura, que, en la práctica, supuso la oposición a un chauvinismo como el que hubiera preferido nativos para cubrir las cátedras de lingüística, en lugar de refugiados, como el propio Jakobson, en los duros días de la Segunda Guerra Mundial.

[506] Como hace Ofelia Kovacci, *Tendencias,* p. 119, n.º 11.

[507] Salvo en función metalingüística, claro es.

[508] Entendemos que en español actual *pastor* no se analiza ya, sincrónicamente, en *pas-* (lat. *pascere)* y *-tor.*

[509] *Language,* cap. 5.

[510] *Ibid.,* p. 79.

[511] *Ibid.,* cap. 12.

forma *(frases* y *oraciones)*, y que son estudiadas por la Sintaxis. El problema es fácil de dilucidar en casos extremos (eslavo eclesiástico y chino, p. ej.), pero quedan muchas lenguas en las que se combinan formas libres y ligadas en el origen de construcciones que son analizadas por la Sintaxis (como en español, p. ej.), con lo que tampoco se consigue una fórmula totalmente satisfactoria para este problema.

**8.3.10.** La lingüística americana, tras Bloomfield, conoce un desarrollo que supera los propios postulados mecanicistas, hasta llegar a un estructuralismo con una compleja formalización, que podemos ejemplificar en Hockett, y que, tras una transición que se sitúa en la obra de Z. Harris, conduce a una postura antagónica, la de la gramática transformacional[512].

**8.3.11.** Charles F. Hockett precisa la terminología del estructuralismo americano y desarrolla sus posibilidades de análisis y descripción. Si comparamos *A Course in Modern Linguistics*[513], una de las obras más importantes de Hockett, con el *Language* de Bloomfield, notaremos inmediatamente no sólo las similitudes, sino también las diferencias. Así, si bien coincide la preocupación utilitaria (pensemos en esos diez grupos de personas interesados en el lenguaje como medio[514], además de los lingüistas, a quienes interesa como fin), esta preocupación utilitaria común tiene, en los dos libros, una finalidad muy distinta. Hockett se dirige, en principio y deliberadamente, a un público restringido y que busca una especialización en el tema. Su libro es un manual, con un horizonte metodológico mucho más limitado (deliberadamente, insistimos) que el Bloomfield. Además, otra diferencia, hay en Hockett un deseo de precisión terminológica (y conceptual) que le lleva a matizar conceptos bloomfieldianos y a entrar en los distingos que caracterizan toda escolástica. Así, ya hemos hablado antes de su distinción (desde 1947) de *morfema* (clase abstracta) y *morfo* (realización concreta del morfema) o, podemos añadir, con la misma distinción entre clase abstracta y con realización concreta, *fonema* y *fono*[515].

**8.3.12.** Los descriptivistas (nombre que se suele dar a los estructuralistas norteamericanos) distinguen, por lo general, Morfología y Sintaxis. La primera estudia el elenco de morfemas y los tipos de combinaciones de morfemas para constituir palabras. La segunda, en cambio, relaciona estas palabras entre sí y con los morfemas suprasegmentales (que afectan a la cadena fónica completa), como el acento y la entonación. Para fijar los límites entre Morfología y Sintaxis, a veces muy discutibles, tiene gran interés

---

[512] Para comprender el enfrentamiento entre estructuralistas y transformacionalistas, *cf.* Ch. F. Hockett, *El estado actual de la Lingüística* (versión española de *The State of the Art*, La Haya (Mouton), 1968), trad. de J. D. Luque Durán y R. Mayoral Asensio, Madrid (Akal) 1974.

[513] N. York (MacMillan), 1958. Citamos por la 8.ª impresión, 1965.

[514] *Ibid.* Introducción, pp. 1-2.

[515] *Cf.* nota 506.

el análisis del enunciado en *constituyentes inmediatos,* teoría que fue desarrollada por Rulon S. Wells[516], a partir de Bloomfield, y que tiene aplicaciones fundamentales en toda la lingüística americana. La teoría del análisis en constituyentes inmediatos trata de salvar varios errores en la interpretación de cada enunciado: creer que lo fundamental de éste es la suma de palabras, suponer que sólo cuenta en un enunciado su carácter de conjunto de palabras y morfemas, considerar que el significado de cada locución es igual a la suma de los elementos que intervienen en ella, sin más. Con objeto de efectuar el análisis del enunciado sin tener que referirse al significado, se impone hallar un modelo, es decir, una estructura mínima en la que se hallen presentes todos los elementos que habrán de aparecer en las locucions de la lengua. Los elementos que constituyen esa estructura mínima son los constituyentes inmediatos. Así, podemos decir que toda locución, que sepamos, puede constar de una estructura bimembre *A + B* (aunque en español, p. ej., no es necesario que aparezcan *A* y *B* en cualquier oración), *A* y *B* son los constituyentes inmediatos de la oración; podemos llamar a *A sujeto, sintagma nominal, frase nominal,* etc., y a *B predicado, sintagma verbal, sintagma predicativo, frase verbal,* etc.; lo importante, tras todas las terminologías, es que todas las oraciones posibles de la lengua desarrollan ese modelo A + B, como *ellas impiden* es el modelo de *las reglas de la gramática impiden esa derivación: ellas,* o *las reglas de la gramática* es el constituyente *A, impiden,* o *esa derivación* es el constituyente *B.*

**8.3.13.** Esta situación inicial, descriptiva, se transforma a partir de la mitad del siglo gracias a dos corrientes nuevas e interrelacionadas: la lingüística distribucional de Zellig Harris[517], en Pensilvania, y la gramática generativa de su discípulo, Avram Noam Chomsky, en Massachusetts. Harris, a partir de la lógica formal, quiere construir una gramática estructural rigurosa y sincrónica. Para lograrlo recurre a la descripción, que tiene dos momentos: inventario de las unidades estructurales, y determinación de las reglas de distribución, gracias a las cuales las unidades se interrelacionan. La lengua se analiza en dos planos: morfológico y fonológico, la unidad que corresponde al primero es el *morfema* (el *monema* europeo), la del segundo el *fonema.* Las unidades mínimas se definen por ser las clases en las que se agrupan los elementos discretos o *rasgos (morfos* y *fonos,* respectivamente), sin recurso al significado. Muy brevemente, prodríamos caracterizar la lingüística estructural de Harris diciendo que el punto de partida del análisis son las *locuciones* (utterances), el método del análisis el *contraste* y la finalidad la *segmentación* de la cadena sonora.

[516] *Lg.* 23, 1947, pp. 81-117, y O. Kovacci, cit., pp. 130 y ss.
[517] Las ideas de Harris, de enorme complejidad, están expuestas en una serie de artículos y en su libro *Structural Linguistics,* Chicago (Univ. Press), antes titulado *Methods in Structural Linguistics.* Manejamos la 8.ª impresión de la Phoenix Edition, 1969.

## 8.4. LA GRAMATICA GENERATIVA

Aunque este movimiento haya nacido en el lado americano del Atlántico, sería injusto limitarlo a él, no sólo por sus importantes versiones europeas posteriores, sino porque su punto de partida, además de hallarse en el magisterio de Zellig S. Harris, arranca también del de Roman Jakobson, base que no conviene olvidar. Con esta gramática quedan sentadas las bases del método deductivo en la lingüística; para este método lo fundamental no es ya la obtención de las unidades a partir del *corpus* (inducción), sino establecer unas reglas para generar oraciones (y de ahí los textos), es decir, para deducir de estas reglas las construcciones correctas y generarlas, con la particularidad de que, al ser la gramática generativa una gramática *explícita,* va unida a criterios de evolución que determinan la corrección de las oraciones producidas por las reglas. Esta labor complementaria[518] de crear unos criterios de evaluación que no sólo determinen la corrección del texto engendrado, sino también la mayor simplicidad posible en su generación, es un requisito que deferencia netamente la gramática generativa de la tradicional, con la que coincide en la necesidad teórica de establecer un criterio evaluador de corrección, criterio que, no hace falta decirlo, es muy distinto en la gramática generativa y en la tradicional, pues, mientras en la primera se apoya en la competencia lingüística de cada hablante, en la segunda se basa en las *autoridades* del idioma, seleccionadas gracias a criterios extralingüísticos, como pueden ser la calidad literaria, la importancia en el desarrollo de la evolución cultural y otros similares.

**8.4.1.** La gramática generativa, que no es un medio subsidiario de la lingüística computacional, ni un mero sistema de notación, ha ido evolucionando a través de distintos tipos, que nos son bien conocidos[519]. Antes de entrar en el detalle de cada uno de ellos conviene precisar algo más las ideas en las que se cimienta esta lingüística.

---

[518] Complementaria de las reglas.

[519] La proliferación de introducciones de la gramática generativa en estos años es tan grande que se impone una revisión de muchas de ellas. El libro clásico, pero que, precisamente por ello, se queda en etapas intermedias de la evolución, es el de Nicolás Ruwet: *Introduction à la Grammaire Générative*, París (Plon), 2.ª ed. corregida, 1968 (trad. esp. Madrid, Gredos); el carácter exclusivamente práctico de ese libro puede completarse con la obra de Carlos-Peregrín Otero: *Introducción a la Lingüística Transformacional*, México (Siglo XXI), 1970, libro más de planteamiento cultural que de detallismo analítico, polémico y útil. También es amplia obra introductoria la de John Lyons: *Chomsky*, trad. esp. en Barcelona (Grijalbo), 1974. Para la evolución de esta gramática *cf.* Howard Maclay: «Overview», en Steinberg y Jakobovits: *Semantics* (Cambridge Univ. Press) 1971, pp. 157-182, y la clara exposición de Fernando Lázaro Carreter: «Sintaxis y Semántica», en *R.S.E.L.* 4/1, 1974, pp. 61-85. Más bibliografía en nuestra *Aproximación a la Gramática Española* y, en este mismo libro, en la bibliografía final, *s. v.* Casagrande, Contreras, Chomsky, Lakoff, McCawley, Rivero, Ross, Sánchez de Zavala, y un largo etcétera. Como romanistas, un campo de especial interés es el de la aplicación de la gramática generativa a las lenguas románicas: *vid.* la compilación de Jean

**8.4.2.** Víctor Sánchez de Zavala[520] señala que las ideas fundamentales de la lingüística generativa, a partir de las cuales debe iniciarse la crítica, son cinco:

*a)* Los miembros adultos de una comunidad lingüística pueden transmitir una serie de mensajes verbales en el código del lenguaje de tal modo que "no es posible acotar la variedad de significados" de esos mensajes.

*b)* Los individuos de esa comunidad reconocen los mensajes a que nos referimos gracias a que los analizan como combinación de un conjunto finito de elementos, previamente conocido. Esta combinación tiene un carácter temporal, es decir, se desarrolla linealmente, aunque a este desarrollo básico se superpongan elementos de desarrollo vertical o suprasegmentales.

*c)* Puesto que estos mensajes se emiten para que el individuo los entienda es necesario que cada miembro de la comunidad conozca el método según el cual se unen los significados a esas combinaciones de desarrollo o "concatenación"[521] temporal. Estas reglas deben ser finitas, para ser las mismas en todos los individuos de la comunidad; pero sus productos deben ser infinitos, para poder lograr la ilimitada variedad de significados señalada en el primero de los puntos que exponemos.

*d)*[522] La gramática del idioma de esa comunidad (es decir, del código del lenguaje de la misma), debe formular una teoría empírica que dé cuenta del método por el que los significados se unen a las concatenaciones meramente formales, como se señala en *c)*.

*e)* Es necesario buscar unos principios universalmente aplicables en los que se sustenten las gramáticas de las distintas lenguas, habida cuenta de que no parece haber restricciones para que un hablante cualquiera emplee cualquier lengua, independientemente de la raza y condición del primero y de la tipología de la segunda.

**8.4.3.** La existencia de estos cinco postulados teóricos y metodológicos no significa, por desgracia, la viabilidad de una teoría lingüística total. En el caso concreto de la relación de significados y concatenaciones formales

Casagrande y Bohdan Saciuk: *Generative Studies in Romance Languages*, Rowley (Mass.) (Newbury House Publ.), 1972. En su selección *Semántica y Sintaxis en la Lingüística Transformatoria*, en varios volúmenes, Víctor Sánchez de .Zavala nos ofrece algunos de los artículos fundamentales en la evolución de esta corriente (Madrid, Alianza Univ., 1974). La gramática generativa cuenta también con su versión soviética, accesible hoy con mayor claridad gracias al vol. 33 de *Langages*, marzo 1974, recopilado por René l'Hermite y Hélène Wlodarczyk, que contiene, en sus ciento treinta páginas, artículos de los recopiladores y de E. V. Gleibman, S. K. Šaumjan y Ju. K. Lekomcev, y S. S. Belokrinickaja.

[520] *Indagaciones Praxiológicas*, pp. 19-20.

[521] Este es el término de Sánchez de Zavala, *Ibid.*, p. 19.

[522] Este punto y el siguiente son metodológicos. En lo que a este punto *d* concierne, Sánchez de Zavala señala *(Ibid.,* p. 21) la necesidad de modificarlo de algún modo, como hará en 0.4. Los demás principios, por otra parte, deben modificarse también parcialmente, por ejemplo, en la línea en que lo hace el estudioso español en 0.6 y 0.7, o en otra línea que demuestre su viabilidad.

hay serias dudas acerca de la posibilidad de una explicación que abarque las fronteras viscosas del significado; pero hay más, incluso el significado aparente se nos desliza al apoyarse en conocimientos previos, de los que no siempre somos conscientes, y que constituyen el trasfondo errante de la presuposición [523].

**8.4.4.** Pese a las objeciones de detalle que se hayan puesto, e incluso a las suyas propias, Sánchez de Zavala finaliza la Introducción de sus *Indagaciones Praxiológicas* afirmando que "contra lo que muchas veces se piensa, y hasta se alborota, la gran mayoría de los fenómenos e hipótesis recientemente estudiados en la lingüística no contradicen de ninguna forma los principios básicos de la teoría generativa" [524].

**8.4.5.** Partiendo de esta base unitaria expondremos las principales etapas recorridas por la lingüística generativa en su evolución.

**8.4.6.** El primer tipo es el expuesto por Chomsky en sus *Estructuras Sintácticas* [525]. Esta etapa coincide todavía con el estructuralismo americano en dos importantes aserciones, al menos; la primera es que la semántica no forma parte de la descripción lingüística, y la segunda que la forma o sintaxis es independiente del significado [526]. Esta gramática es, básicamente, una gramática sintagmática o de estructura de frase, ampliada gracias a unas reglas de transformación. La superación de la gramática se produce por el reconocimiento de dos estructuras: profunda o latente y superficial o patente, y por un postulado fundamental; la caracterización de la teoría lingüística como teoría que proporciona criterios de evaluación para las gramáticas.

**8.4.7.** La gramática sintagmática aceptada se limita, de todos modos, a un núcleo de oraciones básicas: *Kernel sentences* o frases nucleares, de las que derivan, por transformación, las restantes oraciones del sistema.

**8.4.8.** Según este libro, en suma, las gramáticas tienen una estructura tripartita:

---

[523] Pueden surgir además otros problemas, según la concepción filosófica del investigador. Así, parece visible en Sánchez de Zavala un intento de alejarse lo más posible del idealismo, por lo que trata de reducir el papel de algunos conceptos, como el de *competencia,* o de negarlo, prácticamente, así como de completar la teoría sintáctica y semántica con una pragmática. Los generativistas que puedan o quieran apoyarse en una filosofía idealista desarrollan, en cambio, el concepto de competencia o los argumentos sobre las ideas innatas.

[524] Si bien añade que "algunos otros obligan a modificarlos en aspectos nada considerables", lo que, según él, supone la necesidad de considerar producción y recepción y la de complementar con una pragmática la sintaxis y la semántica. Remitimos a las *Indagaciones* a quienes estén interesados por ello, puesto que en una exposición de carácter general, como la nuestra, no podemos detenernos en estos problemas tan especializados.

[525] *Syntactic Structures,* Mouton (La Haya), 1.ª ed., 1957, pero terminado en 1956, fecha en que inició su influjo. Debe verse ahora *Estructuras Sintácticas,* introducción, notas, apéndices y traducción de C.-P. Otero, México (Siglo XXI), 1974.

[526] *Cf.* H. Maclay, cit., tabla I.

*a)* Reglas que permiten reconstruir la estructura de frase, proporcionando sartas[527] de morfemas.

*b)* Reglas morfofonémicas o morfonológicas que convierten las sartas de morfemas en sartas de fonemas.

*c)* Reglas transformacionales que convierten las sartas generadas por las reglas de *a* en sartas a las que pueden aplicarse las reglas de *b*. Cuando la sarta generada por las reglas de *a* no es gramatical debe aplicarse necesariamente la transformación que será, por ello, *obligatoria,* mientras que si las reglas de *a* generan una sarta gramatical las posibles transformaciones pueden o no aplicarse, por lo que se consideran *opcionales* u *optativas.*

**8.4.9.** Una regla de tipo *a* en español será, p. ej., la que permite constituir una oración, es decir, *sintagma nominal* + *sintagma predicativo:*

$$O \Rightarrow SN, \; S \; Pred \, [528]$$

**8.4.10.** Tras esta regla se aplican las transformaciones obligatorias (por ejemplo, si SN es plural, el verbo de S Pred tiene que ser también plural) para obtener las frases nucleares. La etapa siguiente es la aplicación de las transformaciones opcionales, si procede, como (en esta etapa) la transformación pasiva[529]; tras esta aplicación, o tras la obtención de las frases nucleares, si no ha habido transformaciones opcionales, intervienen las reglas del tipo *b*, morfonológicas, que convierten, p. ej. *niño* + S → *niños,* es decir, que, en su última etapa, asignan una representación fonética a las sartas complejas obtenidas tras la aplicación de las reglas *a* y *c,* que son reglas del componente sintáctico.

**8.4.11.** Esta aparente simplicidad esconde tras sí una importante revolución metodológica: hasta entonces, la lingüística americana había procedido por una vía ascendente, desde el texto, la locución, hasta las unidades más complejas: fono → fonemas → morfo → morfema → palabra → oración; a partir de *Estructuras Sintácticas* se abre un camino distinto, el deductivo, que, a partir de la cumbre, de la pirámide, la oración, se va ramificando hasta llegar a la base.

**8.4.12.** Este estado primitivo sufre una evolución en un trabajo posterior de Chomsky: *Current Issues in Linguistic Theory,* escrito, en primera redac-

---

[527] Traducimos *string* por *sarta,* también se lee 'cadena', en otras versiones.

[528] "Una oración se reescribe como sintagma nominal y sintagma predicativo". A continuación las reglas de estructura de frase van señalando los distintos constituyentes que se integran en SN (por ejemplo, Det o determinantes, S o sustantivo) y en S Pred (por ejemplo, Aux o constituyente auxiliar y V, verbo), así como el tipo de elementos léxicos que corresponde a cada etiqueta, p. ej. S → paso, mirada, niño, ornitorrinco, etc., V → correr, saltar, beber, esperar, salir, etc.

[529] Aunque luego Chomsky haya dejado de considerar la pasiva como producto de una transformación.

ción, en 1962, y publicado definitivamente en 1964[530]. En este trabajo[531] se habla de tres componentes de la gramática generativa, uno central, el sintáctico, y dos interpretativos, fonológico y semántico. La aparición del componente semántico, que "asigna una interpretación semántica a una estructura abstracta generada por el componente sintáctico", supone una transformación incalculable en la teoría, y será el germen de futuras evoluciones.

**8.4.13.** El intento de introducir la semántica en la descripción lingüística tuvo su punto de partida en 1963, en el artículo de Katz y Fodor "The Structure of Semantic Theory"[532]. La presencia de un componente semántico que asigne una representación semántica a la estructura profunda, representación que consiste en discriminar, primero, si la estructura en cuestión es o no anómala semánticamente y, si no es anómala, asignarle luego una o más acepciones. Este punto es importante porque supone el inicio del tratamiento de la ambigüedad que, en esta etapa, se analiza a partir de la teoría de que la ambigüedad sólo existe en la estructura de superficie y se deshace en la estructura profunda, pues, se cree, a una estructura de superficie ambigua corresponden varias estructuras profundas.

**8.4.14.** Aunque de este modo se perfecciona la gramática, se introduce un elemento que se irá desarrollando y se convertirá en la manzana de la discordia. En *Estructuras Sintácticas* había una etiqueta, en el componente de base, como, p. ej., *S*, a la que correspondían (según reglas de reescritura) los elementos léxicos *perro, jubón, Teresa, níquel* o *avellano;* ahora, en cambio, el componente semántico consta de un *diccionario* y unas reglas que proyectan ese léxico para la obtención de las representaciones semánticas de la estructura profunda, además del *léxico (lexicon)* y de las *reglas de inserción léxica* incluidas en la base, es decir, en el componente sintáctico.

**8.4.15.** En *Current Issues* se precisan también algunos . fundamentos filosóficos de la gramática generativa, encuadrada con claridad en la corriente racionalista, con referencias explícitas a Port Royal y Humboldt. Se desarrolla también el concepto de que los individuos poseen una "facultad de lenguaje" innata, aunque la gramática generativa no utilizará esto como un fácil recurso al que acudir, sino que tratará de incorporarse el mecanismo de esa facultad[533]. Se precisa, asimismo, que el componente sintáctico genera des-

---

[530] Hemos de referirnos, necesariamente, a esa segunda fecha, que es la de la edición que hemos manejado (Mouton), La Haya, aunque conviene advertir que las reformas hubieron de acercar mucho esta obra a *Aspectos*, cuya redacción es también de 1964.

[531] Página 9.

[532] En *Lg*. 39, 1963, pp. 170-210. *Cf.* J. J. Katz, *Filosofía del lenguaje*, Barcelona (Martínez Roca), 1971 (original, 1966), para la posterior evolución de esta teoría semántica. H. Maclay, cit., pp. 169 y ss., señala el carácter intermedio de Katz y Fodor entre *Estructuras Sintácticas* y *Aspectos.*

[533] *Cf.* Noam Chomsky, *Topics in the Theory of Generative Grammar*, La Haya (Mouton), 1966 (pero las conferencias que sirven de base al texto se pronunciaron en junio de 1964), página 12.

cripciones estructurales que contienen, en cada caso, una estructura profunda y otra superficial; ambas estructuras son, por tanto, elementos de la descripción estructural. Como el papel del componente semántico es central, y a la descripción estructural generada por él corresponden dos elementos; los otros dos componentes, que son marginales, han de unirse a este componente central, pero no a todo él, sino a cada uno de sus elementos. Así, el componente semántico se relaciona con la estructura profunda[534], a la que asigna una interpretación semántica, mientras que el fonológico se relaciona con la estructura superficial, a la que asigna una interpretación fonética.

8.4.16. Considerando que las ediciones de los trabajos de esta etapa que nos son hoy accesibles pueden haber sido muy influidas por *Aspectos*, y teniendo en cuenta que no podemos detenernos ahora en una relectura crítica de estos trabajos, comparándolos con su primera versión, porque ello quedaría fuera de nuestro propósito, por completo, no nos inclinamos a considerar que las nociones expuestas en *Current Issues* puedan considerarse como una segunda etapa generativa, sino como una evolución que une *Estructuras Sintácticas* y *Aspectos*. Antes de pasar a esta última obra y para insistir en el valor de puente de *Current Issues,* hemos de señalar que aparece ya en este libro una primera versión de la que habrá de ser dicotomía fundamental en el generativismo, nos referimos a la que opone "facultad de lenguaje" del individuo a la realización concreta en cada caso, es decir a la *actuación,* distinción que se convertirá en la dicotomía *competencia/actuación* en *Aspectos*.

8.4.17. Con *Aspectos de la Teoría de la Sintaxis*[535] entramos en la

---

[534] Que, en *Topics,* p. 16, se define en correspondencia con la "forma interior de una oración" en el concepto humboldtiano, mientras que la estructura superficial corresponde a la "forma externa" de Humboldt.

[535] Redactada en 1964, pero no publicada hasta 1965. Citamos por la reimpresión de 1969, Cambridge, Mass., M. I. T. Press. En 1970 se publicó en Madrid (ed. Aguilar) la versión española de esta obra, con importante prólogo de C. P. Otero. Las innovaciones terminológicas del traductor han podido ser, inicialmente, uno de los motivos de la acogida no muy favorable de su obra; parte de esta terminología, sin embargo, ha sido adoptada

etapa que podemos llamar *clásica*[536] de esta lingüística, la *standard theory* o *teoría típica*, como la llamaremos nosotros. Ya hemos anticipado, al hablar de la transición entre los dos primeros tipos, que es ahora cuando se constituye la importante dicotomía entre *competencia* (capacidad lingüística del individuo, entendida como dominio de las reglas de su gramática) y *actuación* (realización o ejecución concreta, en un momento dado, de una locución). En este momento central de puede tratar de construir una teoría lingüística que sirva de base a gramáticas adecuadas, es decir, que reúnan los tres requisitos de exhaustividad, explicitud y simplicidad[537].

**8.4.18.** La teoría así constituida supera el concepto de lengua como nomenclatura; la simple lista de fonemas, morfemas y tipos de oraciones que constituía una gramática taxonómica (como las del estructuralismo americano) no es suficiente para satisfacer los requisitos de una gramática adecuada que, gracias a ellos, es decir, gracias a ser "expresión explícita de la capacidad lingüística del hablante"[538] ha de ser capaz, no de recoger una simple lista de elementos, sino de reflejar la creatividad de los hablantes, es decir, su capacidad de construir, gracias a las reglas, oraciones correctas (en el sentido de gramaticalmente correctas) de su lengua.

**8.4.19.** El modelo de la gramática que satisface todas las condiciones consta, como en *Current Issues* o en Katz y Fodor, de tres componentes: sintáctico, fonológico y semántico. El primero de ellos es generativo, los otros interpretativos. El componente sintáctico está integrado por un subcomponente de base y otro transformacional. En la base se incluyen tres elementos: reglas de ramificación o de reescritura, de subcategorización y un subcomponente léxico. Las reglas de reescritura desarrollan elementos puramente gramaticales, del tipo O $\Rightarrow$ SN, S Pred; S Pred $\Rightarrow$ SV, SN, etc.; cuando llegan al último grado de ramificación se detienen en el símbolo comodín[539], en la sarta preterminal, sin introducir elementos léxicos. Las reglas de subcategorización, cuando existen, pues Chomsky desarrolla un tipo de gramática que las tiene y otro que carece de ellas, introducen los rasgos que definen a cada elemento de la sarta preterminal, como su condición de ($\pm$ Sustantivo), ($\pm$ Humano), ($\pm$ Animado), etc. El léxico, por último, actúa sobre la sarta preterminal, sus reglas de inserción hacen que cada elemento del léxico se inserte en lugar de un símbolo comodín de acuerdo con los rasgos exigidos por la subcategorización, es decir, si la subcategorización

posteriormente. Acerca de este problema de designación *cf.* V. Sánchez de Zavala en *Semántica y Sintaxis*, pp. 29-31. Puede verse una descripción bastante clara de este tipo en la introducción de Heles Contreras para su compilación *Los Fundamentos de la Gramática Transformacional*, México (Siglo XXI), 1971, pp. 5-41.

[536] Así la llama, p. ej., Jean Casagrande: "Syntactic Studies in Romance", en su compilación, cit. pp. 2-3.

[537] *Cf.* Heles Contreras, cit. pár. 2.2.

[538] *Ibid.*, p. 19.

[539] Que se representa por un triángulo pequeño.

indica que se admite en esa posición un término caracterizado como ( + Animado), las reglas de inserción del léxico eliminarán todos los elementos de éste que no tengan el rasgo ( + Animado), y así sucesivamente.

**8.4.20.** Lo así obtenido es la estructura profunda. Esta, por una parte, es interpretada por el componente semántico, que le asigna una representación semántica [540], por otra parte es sometida a la acción del otro subcomponente sintáctico, el transformacional [541], que hace pasar la estructura profunda a estructura de superficie. Este tipo no es susceptible de ser interpretado por el componente semántico, es decir, que no puede recibir una representación semántica. Aquí radica uno de los puntos conflictivos de la evolución de la gramática generativa, como veremos, tras la teoría típica.

**8.4.21.** Sobre la estructura de superficie actúa el componente fonológico que, a través de las reglas fonológicas, cíclicamente aplicadas, le asigna una representación fonética.

**8.4.22.** Este segundo tipo, en resumen, introduce la semántica como parte de la descripción lingüística, pero defiende todavía la independencia de la sintaxis respecto del significado.

**8.4.23.** A partir de la teoría típica es difícil hablar de tipos sucesivos de gramáticas generativas. Tenemos que hablar de distintas teorías que coinciden cronológicamente y que difieren, sobre todo, en el papel de la semántica y en la relación entre estructura profunda y representación semántica.

**8.4.24.** La *teoría típica ampliada* surge como ligera modificación de algunos de los postulados de *Aspectos*. Como tesis más moderada, ha sido aceptada con facilidad, aunque, por eso mismo, cubre un amplio campo de tratadistas que incluyen al propio Chomsky, a Katz y Postal, y, en Europa a John Lyons. Esta evolución se produce como resultado de las presiones de la "izquierda" chomskyana y, fundamentalmente, viene a decir que la gramática genera cuatro productos: significado, estructura profunda, estructura superficial y representación fonética, pero sin que podamos saber cuál precede a cuál y cómo se relacionan unos con otros, desde el punto de vista del origen y desarrollo. La consecuencia, como es lógico, es el reconoci-

---

[540] Chomsky, en *Pres. del Leng.*, de F. Gracia, cit., p. 303, describe así el funcionamiento del componente semántico y señala el carácter cíclico de la aplicación de estas reglas y la oscuridad de las nociones de semántica universal por medio de las cuales se formula la interpretación semántica.

[541] J. Katz, *Filosofía del Lenguaje*, p. 113, nota 9, señala que "la concepción de regla transformacional ha sufrido una modificación en el curso del reciente trabajo en el campo de la gramática generativa. La concepción dada en el primitivo libro de Chomsky, *Syntactic Structures...*, es inaceptable ya". El mismo Chomsky (*cf.* F. Gracia, *Press. del Leng.*), tras definir (p. 314) que "las reglas que convierten las estructuras profundas en superficiales son reglas de transformación", precisa (p. 325): "Así pues, las transformaciones no sólo convierten una estructura profunda en una estructura superficial, sino que también producen el efecto de un 'filtro', excluyendo por mal formadas ciertas estructuras profundas potenciales".

miento de un cierto valor significativo a la estructura de superficie, con lo cual reafirma el semantismo creciente de su teoría lingüística, aunque no llega a satisfacer a los generativistas disidentes[542].

**8.4.25.** El caballo de batalla está en la relación entre la *representación semántica* (RS) asignada por el componente semántico, y la *estructura profunda*. Mientras que la teoría típica postula que dos oraciones que tienen la misma estructura profunda tienen la misma representación semántica, pero si tienen la misma representación semántica no tienen por qué tener la misma estructura profunda, la teoría típica ampliada niega ambas cosas, es decir, cree que si dos oraciones tienen la misma estructura profunda no tienen por qué tener la misma representación semántica, y si tienen la misma representación semántica pueden no tener la misma estructura profunda. Puesto que, en consecuencia, varias estructuras profundas pueden tener la misma representación semántica, o una sola estructura profunda puede tener varias representaciones semánticas[543], es necesario precisar en la gramática una serie de indicadores, marcadores o demarcadores *(markers)* que afectan al léxico y señalan una serie de rasgos distintos, reglas de redundancia, que evitan repetición de rasgos por el establecimiento de una jerarquía[544], restricciones selectivas para evitar la ambigüedad[545] o la anomalía[546], así como reglas de proyección, que encuentran una expresión en la lengua de indicadores *(markerees)*.

**8.4.26.** Acabamos de decir que la teoría típica ampliada y las concesiones chomskyanas a la semanticidad de la estructura de superficie se producen por presión de la llamada "heterodoxia" generativa. Esta corriente tiene dos ramificaciones, que arrancan de dos principios: el primero es el de mantener la Estructura Profunda lo más cerca posible de la Superficial (arranca de aquí la Semántica Interpretativa), el segundo es mantener la Estructura Profunda lo más cerca posible de la Representación Semántica (de ahí arranca la Semántica Generativa). Para esta segunda escuela, en consecuencia, la misma estructura profunda supone la misma representación semántica y la misma representación semántica supone la misma estructura profunda, o sea, estructura profunda y representación semántica coinciden,

---

[542] *Cf.* Noam Chomsky, "Estructura Profunda, Estructura Superficial e Interpretación Semántica", escrito en 1968, en *Semántica y Sintaxis,* cit., pp. 276-334. *Vid. et.* Víctor Sánchez de Zavala: "Sobre la Historia Reciente y la Metodología de la Semántica", redactado en 1969, en *Hacia una Epistemología del Lenguaje,* pp. 69-117, y F. Lázaro: "Sintaxis y Semántica", cit., esp. pp. 65-68 y 70-84.

[543] Por lo que, obviamente, estructura profunda y representación semántica no pueden identificarse.

[544] Así, un elemento del léxico definido como (+ humano) ha de ser necesariamente (+ animal) y, por ello (+ animado) (+ viviente), etc.

[545] Como en *canto* 'piedra' y 'canción', el primero con el rasgo (+ objeto físico), el segundo (− objeto físico).

[546] Es imposible: "esta frase es biodegradable".

lo que viene a suponer la negación de la estructura profunda, cuya existencia es cuestionable[547]. Teóricamente se produce, además, un avance indiscutible en la semantización de la gramática: no sólo se considera la semántica como parte de la descripción lingüística, sino que ya no se considera a la sintaxis independiente del significado. A partir de ahí se niega otro de los postulados chomskyanos, la condición meramente interpretativa del componente semántico, que pasa a ser un componente generativo. A partir de aquí las diferencias entre los componentes de esta tendencia son de varios tipos, lo que le confiere un carácter abierto o menos dogmático que permite la inclusión de nombres como Fillmore, iniciador de una Gramática de los Casos que no ha continuado, McCawley, Ross, o Lakoff, autores que, más allá de sus diferencias, coinciden en su pregunta sobre la necesidad de la estructura profunda, sustituida por la representación semántica (que conciben como un indicador sintagmático en el que la labor del componente semántico se une a la del componente sintáctico), en la descomposición de las unidades léxicas (pero no en un conjunto de rasgos indicadores *(markers)*, sino de elementos abstractos que forman parte de las estructuras sintácticas[548]), en la notación del predicado[549], o en una serie de peculiaridades que abarcan diversos aspectos, como los "verbos abstractos", las transformaciones que podríamos llamar "chocantes"[550], o las restricciones derivadoras "globales"[551].

8.4.27.   La segunda rama, o Semántica Interpretativa, tiene un representante caracterizado en Ray Jackendoff[552], quien establece cuatro principios: la estructura profunda se concibe como una red de conexiones entre Predica-

---

[547] *Cf.* el trabajo clásico de George Lakoff y John Robert Ross: "¿Es Necesaria la Estructura Profunda?", en *Sintaxis y Semántica,* pp. 226-231.

[548] Por ejemplo, *Luis arregló su auto* podría descomponerse en *Luis CAUSO que SUCEDIERA el arreglo del auto (syntactic lexical descomposition).*

[549] *Predicate calculus notation,* estudiada por Lakoff en el apartado A de su tesis.

[550] *Funny transformations,* innecesarias de otro modo.

[551] *Global derivational constraints;* 'global' se entiende como reglas que pueden mirar hacia atrás dentro de la derivación. A ellas pertenecen las reglas de transformación chomskyanas, p. ej. *Cf.* G. Lakoff, "On Derivational Constraints", en *Papers from the 5th. regional meeting Chicago Linguistic Society,* Univ. de Chicago, 1969, ed. por R. I. Binnick y otros, y "Global Rules", *Lg.* 46, 1970, pp. 627-639, así como Saciuk, en *G.S.R.L.* pp. 221-222.

[552] *Cf. Semantic Interpretation in Generative Grammar* de este autor, Cambridge (Mass.), M.I.T. Press, 1972. En su reseña en *R.S.E.L.,* 4, 1974, pp. 271-278, Víctor Sánchez de Zavala señala la deuda que estas ramas generativas han contraído con libros como la tesis de J. Gruber, *Studies in Lexical Relations,* M.I.T., septiembre de 1965, multicopiada por el Indiana University Linguistics Club en 1968, en la cual se postulaba la necesidad de un nivel más "profundo" que el de la estructura profunda para explicar ciertas construcciones. Es importante además la neutralidad de este nivel entre semántica y sintaxis. Entre los resultados que Jackendoff consigue subraya Sz. de Zavala la sencillez de su gramática, con el acercamiento de la estructura profunda a la superficial y, por ello, con escasas transformaciones, sin que esto suponga una demostración de superioridad de este modelo sobre la semántica generativa, como su autor pretende.

dos y Argumentos, es decir, como relaciones funcionales; las reglas deben ser analizadas y construidas considerando su carácter cíclico y su correferencialidad; la estructura de superficie, por su parte, en un compuesto de *foco (focus)* y presuposición: el primero puede expresarse por medios suprasegmentales, como el acento o la entonación, la segunda determina diversas construcciones hasta la selección de una[553]; el conjunto de estructura profunda y de superficie, por último, tiene carácter de estructura modal.

**8.4.28.** E. Bach[554] ha hablado de la "casi equivalencia" de la Semántica Generativa y la Semántica Interpretativa, poniendo especial insistencia en el problema fundamental con el que se encuentra actualmente la Gramática Generativa: su excesivo poder, que conduce a excesivas conclusiones, que son, por ello, ilógicas. Los procedimientos para reducir la excesiva capacidad generativa de una gramática son las restricciones (formales o sustantivas) como la limitación que impide que un lenguaje generado a partir de un Conjunto Recursivamente Enumerable tenga igual o mayor longitud que su generador *(survivor property)*, o la función filtradora que elimina los límites entre oraciones al final de cada ciclo.

**8.4.29.** J. Lyons[555] nos ha indicado dos límites que la gramática generativa actual trata de superar[556].

En primer lugar, tendríamos la necesaria limitación impuesta en casos como

*X dijo* (en un tiempo anterior al tiempo del hablante) '$\Sigma$' donde "$\Sigma$" corresponde a una emisión en un lenguaje natural cualquiera. No podemos, en efecto, afirmar que *X* dijo *"llueve"*, si lo que dijo fue *"it is raining"*, *"piove"*, *"il pleut"*, etc., puesto que el valor veritativo dependería de las equivalencias de traducción de las diferentes lenguas, frente a

*X dijo* (en un tiempo anterior al tiempo del hablante) *que llovía*

donde el discurso indirecto permite la inmediata verificación de ese valor veritativo. El límite metodológico es grave, puesto que, para salvarlo,

---

[553] Así, una oración como *el defensa marcó un gol en propia meta* puede tener su foco en *el defensa*, en *marcó*, en *un gol*, o, finalmente, en *en propia meta:* la elevación del tono medio de la frase coincidirá con el foco. En cuanto a la presuposición, un ejemplo interesante puede verse en algunos usos de *a* ante O.D. en español: *lo quería como a un padre* tiene la presuposición de que la persona querida no era efectivamente el padre del sujeto, *tiene a su mujer enferma* tiene la presuposición de que es un estado transitorio. (Ambos ejemplos proceden de R. Lapesa: "Los casos latinos, restos sintácticos y sustitutos en español" *BRAE*, 1964, p. 77).

[554] En su curso de verano en la Escuela Internacional de Lingüística Matemática y Computacional del C.N.U.C.E. de Pisa, 1974, comunicación oral. Insistimos, por ello, en el carácter provisional que pueda tener. E. Bach se remitió a su trabajo "Explanatory Inadequacy", en D. Cohen (ed.) *Explanation in Linguistic Theory,* 1974.

[555] También en el curso del C.N.U.C.E. de Pisa, 1974.

[556] Su formulación también fue oral, acompañada de una generosa autorización para tratar el tema, pero sin citas textuales. Es evidente que cualquier error contextual o simplificación excesiva sólo han de ser achacados al autor de estas páginas.

la gramática generativa de cualquier lengua debería incluir en su léxico todas las oraciones posibles de las restantes lenguas, puesto que cualquiera de ellas puede aparecer en "Σ".

El segundo límite metodológico se presenta en el análisis de oraciones como

1. *Luis dijo que llovía.*
2. *Luis hizo que se abriera la puerta.*

En 1, el referente es una proposición, "que llovía", mientras que en 2 es un acontecimiento, "la apertura de la puerta". Sin embargo, la gramática generativa trataría igual ambos casos, tanto "que llovía" como "que se abriera la puerta" serían considerados oraciones (*0*) dependientes del sintagma verbal (*SV*), en el estado actual de la gramática. Como ayuda a una posible solución podríamos señalar aquí algunas diferencias en la aplicación de transformaciones:

Si aplicamos una pronominalización obtendremos un resultado que parece justificar, formalmente, el similar tratamiento de 1 y 2:

1 a) *Luis lo dijo.*
2 a) *Luis lo hizo.*

Mientras que, en la transformación pasiva tendríamos

1 b) *"que llovía" fue dicho por Luis.*
2 b) *que se abriera la puerta fue hecho por Luis.*

En este último caso, pensamos que 2 b) no se encontraría en ninguna actuación, aunque deje abierto el problema de su grado de gramaticalidad, mientras que 1 b) sólo es posible con función metalingüística del sujeto de la pasiva. Insistimos, no obstante, en que estas observaciones no pretenden ser una solución, sino una contribución que habría de ser discutida.

**8.4.30.** Las polémicas entre generativistas y estructuralistas han creado, en el mundo científico norteamericano, una distancia entre dos orillas que era preciso unir. Como puente entre estructuralismo y generativismo surge, o quiere surgir, la lingüística estratificacional, penúltima de las corrientes teóricas de que aquí nos ocuparemos, aunque hablaremos sólo de sùs planteamientos más generales, sin entrar en detalles. Sydney Lamb[557], a partir de la idea de que la lengua es un conjunto de elementos lingüísticos (formas) y relaciones entre ellos (funciones) llega a la conclusión de que lo esencial son las relaciones, elaborando así una tesis funcional que ve la lengua como una red lingüística. Conviene notar que, tras el establecimiento de esta conclusión, se advirtió que esta tesis se encontraba en la línea Saussure-Hjelms-

---

[557] Autor de los trabajos iniciales de esta corriente y del tratado expositor de sus primeros postulados: *Outline of Stratificational Grammar.* Edición revisada, Washington D. C. (Georgetown Univ. Press), 1966.

lev, lo cual es indicio significativo de la distancia que puede seguir existiendo entre Europa y América en lo que a contactos científicos sobre teoría lingüística se refiere. La influencia de Hjelmslev, en su condición de estructuralista deductivo, frente al método inductivo del estructuralismo americano, ha reforzado varios puntos de la lingüística generativa y, al mismo tiempo o por las mismas causas, de la estratificacional. La figura de Hjelmslev, junto a la de Jakobson, ocupa un importante lugar en el desarrollo de las últimas corrientes de la lingüística, por el rigor de la formalización, en el primer caso, y por la postura integradora y ágil, en el segundo.

**8.4.31.** La red lingüística, volviendo a la teoría estratificacional, es paralela a la red de neuronas del cerebro, red de almacenaje de la información, según se supone. Este punto es muy discutible y por ello Lockwood, en su *Introducción* [558] no insiste en él. Lo importante es señalar que este paralelismo es prometedor para los estratificacionalistas porque lo que les interesa primordialmente es descubrir el lenguaje tal como lo almacena el cerebro.

**8.4.32.** Al concepto de *estrato,* que da nombre a la escuela, se llega a partir de la definición de lengua, en la que se señala el papel de ésta como conexión estructurada o, mejor, organizada, de correlaciones fónicas y correlaciones conceptuales. Las primeras son, básicamente, lineales, y las segundas multidimensionales. Su estructuración se realiza en capas *(layers)* a las que se denomina *estratos.* Además de estos dos estratos, fónicos y conceptuales, podemos suponer que haya otros estratos intermedios. En cada estrato hay un configurador o modelo *(pattern)* táctico de relaciones, que especifica las combinaciones correctas de los "elementos" del estrato, al que se asocian otros configuradores en lo que se denomina *sistema estratal.* Cada estrato se describe de acuerdo con ese sistema, que es similar a lo que se describe como sistema lingüístico en otros métodos. Así, la *táctica* (abr. de *configurador táctico)* corresponde a lo que se denomina tradicionalmente *sintaxis,* pero no hay una táctica para cada lengua, sino una táctica para cada estrato de cada lengua (no parece probable que exista ninguna lengua con seis o más estratos): *fonotáctica* sería la "sintaxis" de la fonología, o sea, las reglas de la configuración fonológica, que en español, p. ej., obligan a considerar *tr* como parte de la misma sílaba y, además, parte inicial. *Semotáctica* es la "sintaxis" semántica, que nos impide decir "se fue mañana" por unas reglas de construcción semántica que relacionan el rasgo *pasado* del tiempo verbal con un rasgo *pasado* del adverbio, que no existe en el abverbio de futuro "mañana".

**8.4.33.** Sin entrar en los distintos estratos, parece conveniente indicar que, para los estratificacionalistas, la estructura lingüística no termina en la frase; hay muchas relaciones entre frases cuyo estudio corresponde a la lingüística. La lingüística estratificacional no es una lingüística de la

---

[558] *Introduction to Stratificational Linguistics,* cit., pp. 5-6.

oración, sino de todo el texto. Ello no significa, sin embargo, que se limite a las fronteras de una lingüística de la actuación: mantiene la distinción entre ésta y la competencia, si bien lo hace de un modo peculiar. Para terminar, podemos decir que conservan con todo valor la distinción de Hjelmslev entre una *forma* o sistema abstracto de relaciones, una *materia* (*purport*, "sustancia", pero intencional), "área amorfa de la realidad que la forma organiza", y una *sustancia* que es la organización de la materia por la forma.

**8.4.34.** Los estratificacionalistas achacan a los generativistas que su formalismo les incapacita para caracterizar la lengua, por lo que fracasan en los puntos que, para ellos, son fundamentales: el papel comunicativo de la lengua, es decir, la lengua como lenguaje, y la relación entre la estructura lingüística y la mental. El generativismo, dicen, no soluciona los problemas sociolingüísticos ni los de origen del lenguaje; estos últimos no en el sentido de origen de la facultad, sino en el más técnico de almacenamiento de la información, empleo del cerebro, distribución de éste, etc. Estas dos objeciones tienen, para nosotros, un valor muy relativo, porque los generativistas no se plantearon, inicialmente, problemas sociales y culturales, pero sí luego, y la relación entre la lengua y el cerebro todavía parece estar lejos de cualquier posible determinación. Pero hay, además, una tercera objeción que puede ser más importante: la de que tampoco los generativistas han logrado crear un método satisfactorio para determinar la validez relativa de los procedimientos de evaluación.

**8.4.35.** Los estratificacionalistas (tal vez fuera más cómodo en castellano *estratistas,* por la brevedad, y tómese como modesta sugerencia), con ímpetu profético, se consideran la base desde la cual se puede construir una nueva lingüística, distinta de la inductiva descriptiva y de la deductiva generativa: la lingüística *cognitiva,* cuya finalidad es el estudio preciso y formalizado de las relaciones que representan la información en el cerebro del hablante.

**8.4.36.** Lo expuesto en páginas anteriores ha pretendido dar una idea de la variedad de facetas que se advierten en la lingüística contemporánea. Tras ello podríamos preguntarnos si existe una unidad a la que en último término podamos referir todos estos matices. Hemos hablado de intentos de conciliación, de puentes entre orillas separadas por la corriente, más o menos airada, de la polémica, ahora, como cierre de este apartado, resulta grato citar unas palabras de Roman Jakobson[559] que tratan de dar una visión panorámica, comprehensiva y comprensiva:

A primera vista, la teoría lingüística de nuestro tiempo parece ofrecernos una variedad y disparidad de doctrinas antagónicas que atonta. Como cualquier era de experimentación innovadora, la etapa presente de meditaciones sobre el lenguaje ha quedado marcada por debates intensos y controversias tumultuosas. Sin embargo, un examen cuidadoso y libre de prejuicios de todos estos credos sectarios y vehementes

---

[559] *Main Trends,* cit., p. 12.

polémicas revela un todo sustancialmente monolítico tras las divergencias patentes en términos, reclamos y aparatos técnicos. Por usar la distinción entre estructura profunda y superficial, tan corriente hoy en la fraseología lingüística, podríamos afirmar que la mayoría de esas contradicciones que se declaran irreconciliables parecen estar limitadas a la superficie de nuestra ciencia, mientras que en sus profundos cimientos la lingüística de las últimas décadas exhibe una sorprendente uniformidad. Esta comunidad de tendencias básicas llama más la atención si se la compara con los asertos esencialmente heterogéneos que caracterizaron algunas de las épocas anteriores de nuestra disciplina, sobre todo, el siglo XIX y los primeros años del XX. De hecho, la mayoría de las disputas actuales se basan, en parte, en desemejanzas de terminología y estilo presentador y, en parte, en una distribución distinta de los problemas lingüísticos que estudiosos aislados o equipos de investigadores eligen y señalan como los más urgentes e importantes. Por cierto, tal selección, a veces, conduce a un rígido confinamiento de la investigación y a abstenerse de los temas que se han desechado.

**8.4.37.** Para terminar estas cuestiones nos parece conveniente incluir algunas líneas acerca de un tema relacionado con la gramática generativa en su desarrollo final. Se trata de la llamada 'Lingüística del texto' o 'Gramática textual'.

**8.4.38.** La preocupación por el texto es casi tan antigua como la preocupación por el lenguaje. En un sentido mucho más amplio del que aquí nos ocupa, nos contentaremos con señalar que el concepto de texto procede de la retórica, en cuanto ésta ha querido codificar y clasificar las reglas de construcción de un discurso. Así, no es de extrañar que, en el renacimiento moderno de estas preocupaciones, los formalistas rusos se ocuparan de textos, como conjunto de materiales lingüísticos coherentes. Lo mismo puede decirse de los estructuralistas de Praga y Copenhague, para quienes es importante la construcción de una semiótica general. H. Jelitte, en su bibliografía comentada de la lingüística de texto soviética [559 bis], señala que la investigación en este campo se inició en 1948, pero pasó después por un período de latencia hasta revivir en el segundo tercio de los años sesenta,

---

[559 bis] La bibliografía sobre lingüística del texto es abrumadora. El lector podrá encontrar información amplia (no simplemente general) y gran número de datos bibliográficos en las siguientes obras: *Langages* 26, 1972: "La grammaire générative en pays de langue allemande". Teun A. van Dijk: *Some Aspects of Text Grammars*, La Haya-París (Mouton), 1972. Bice Garavelli Mortara: *Aspetti e Problemi della Linguistica Testuale*, con apéndice de Carla Marello, Turín (G. Giapichelli), 1974. Wolf-Dieter Stempel: *Beiträge zur Textlinguistik*, Munich (W. Fink), 1971. Janos S. Petöfi: *Transformationsgrammatiken und eine strukturelle Theorie von Texten*, Frankfurt (Athenäum), 1971. Wolfgang W. Dressler y Siegried J. Schmidt son autores de una bibliografía comentada: *Textlinguistik. Kommentierte Bibliographie*. Munich (W. Fink), 1973. Entre las revistas en que se encuentra mayor número de trabajos de esta escuela están: *Papiere zur Textlinguistik* (Hamburgo) y *Linguistische Berichte* (Braunschweig). Hay que destacar, además, el número especial de *Poetics*, 1973, con el trabajo de T. A. van Dijk y J. S. Petöfi: "Textlinguistic Approach to the Problems of Metaphors". *Vid. et.* T. A. van Dijk, J. Ihwe, J. S. Petöfi y H. Rieser: "Two Text Grammatical Models. A Contribution to Formal Linguistics and the Theory of Narrative", *Found. Lang.* 8, trad. del original alemán de *Ling. Ber.* 16, 1971, pp. 1-38. El 'Arbeitstelle Strukturelle Grammatik' de la R. D. A.

enriquecida por las formalizaciones estructurales y ligada a las ciencias de la información y la comunicación, orientadas hacia la cibernética.

**8.4.39.** En Europa podemos señalar un antecedente en el Hjelmslev de 1943, pues parece claro que entra en este tipo de lingüística su intención de, tras la individuación inductiva de las constantes gramaticales, proceder descriptivamente a la descripción predictiva de los textos posibles de una lengua, segmentados en dos planos: *expresión* y *contenido.* Durante el período que hemos llamado de 'latencia', el primer lingüista que habló explícitamente de una *lingüística del texto* fue Eugenio Coseriu, en *Determinación y Entorno,* 1956: sería un estudio del *discurso,* de la serie de actos individuales en las circunstancias particulares de la comunicación, nivel en el que también cabe la llamada *estilística del habla* (que no debe confundirse con el tipo de lingüística que estudiamos).

**8.4.40.** En EE. UU. empezó su desarrollo con el artículo de Zellig Harris: "Discourse Analysis", publicado en *Language* (28, 1952, 1-30). Harris reconoce su deuda con las investigaciones previas de Lukoff *(Preliminary Analysis of the Linguistic Structure of Extended Discourse,* Univ. of Penn. Lib., 1948). Más que interesarse por lo que el texto dice, a Harris le importa el cómo, es decir, las conclusiones formales obtenidas del esquema de distribución de morfemas en el texto. Aunque los análisis lingüísticos se detengan en un nivel oracional, nada hay, según Harris, que obligue a ello; el paso siguiente, el análisis textual, es posible, aun reconociendo ciertos límites. El punto central de la problemática gira en torno a dos cuestiones: las relaciones distribucionales entre las frases, y la correlación entre lengua y situación social (lengua y cultura en último término, pero con límites en lo extralingüístico).

**8.4.41.** Conviene señalar que el desarrollo de esta posibilidad en Harris está ligado a los primeros pasos de la lingüística transformatoria, puesto que los primeros trabajos de Chomsky y su tesis le permiten establecer una cadena o sarta de equivalencias para relacionar dos elementos cuya distribución sea casi idéntica, aunque no totalmente, y llegar así a establecer clases distribucionales (p. ej., en español, la clase de los determinantes aparece antes que la de los sustantivos, a menos que el sustantivo ya vaya precedido de otro determinante; así, *el* aparece antes de *libro,* y lo mismo puede decirse de *mi*(o), pero en *el libro mío* el determinante que llamamos posesivo se pospone porque *libro* ya lleva el determinante *el*).

**8.4.42.** Puede ser conveniente que insistamos en que a Harris le interesa obtener información acerca de la *estructura* del texto, concebida como distribución de las unidades en el mismo. Metodológicamente el proceso es

publica informes multicopiados y su revista *Studia Grammatica.* Que nosotros sepamos, fue Manuel Muñoz Cortés el primero que habló de gramática del texto, en España, en una conferencia pronunciada en Madrid en 1973, en la que ofreció al público un folio multicopiado, con veintisiete fichas bibliográficas.

una tabulación: las clases equivalentes se ordenan en columnas en el cuadro general; pero no es una tabulación automática, porque puede haber varios modos de fragmentar una oración en clases equivalentes, a partir de la noción de equivalencia que nos dice que "dos elementos son equivalentes si aparecen en el mismo entorno dentro de la oración. Dos oraciones de un texto son equivalentes si ambas aparecen en el texto (a menos que descubramos matices estructurales lo bastante finos como para mostrar que dos oraciones sólo son equivalentes si aparecen en posiciones estructurales similares dentro del texto)."

**8.4.43.** La relación con la lingüística transformativa es evidente si consideramos que estas premisas permiten señalar que $N_1$ $V$ $N_2$ equivale a $N_2$ *es* $V$-*do por* $N_1$ porque toda oración como *Casals toca el violonchelo* tiene una contrapartida equivalente: *el violonchelo es tocado por Casals*. En caso de que en el texto aparezcan construcciones que no pueden asignarse a una clase de equivalencia, pero que estén ligadas gramaticalmente a un miembro de alguna clase, se incluyen en la tabulación como expansión de ese miembro:

*Casals es un exiliado*
*Casals es un exiliado de España.*

*De España* es una expansión de *exiliado*, mientras que (añadimos nosotros) en

*esto es sabido de muchos*

*de muchos* no es expansión de *sabido*, entre otras varias razones, porque es clase equivalente de *por muchos*.

**8.4.44.** Aunque la intuición permite obtener resultados que pueden ser similares, el análisis del discurso tiene la innegable ventaja de su rigor metodológico. Resumiendo el método según Harris, podemos establecer las siguientes etapas:

—Recolección de los elementos (o sucesiones de elementos) que tienen un medio idéntico o equivalente a otros dentro de la frase.

—Consideración de los elementos equivalentes, o sea, miembros de la misma clase de equivalencia.

—Asociación de los materiales que no pertenecen a ninguna clase de equivalencia a la que está gramaticalmente más próxima.

—División de las oraciones del texto en intervalos determinados como sucesiones de clases de equivalencia, de tal modo que los intervalos resultantes sean similares entre sí, dentro del mismo texto (es decir, que un intervalo no sea una oración y otro un período o un simple miembro de una clase, sino que la parcelación resulte homogénea).

—Investigación de la sucesión de intervalos para distribuir las clases que aparecen en ellos, particularmente para establecer el esquema de acuerdo con las clases presentes.

**8.4.45.** Es fundamental tener en cuenta y no olvidar que todas estas operaciones se realizan sin tener jamás en cuenta ninguna noción que abarque el significado. Sólo es necesario conocer los límites entre morfemas, las fronteras de éstos, las suturas de las oraciones y los aspectos morfémicos de la entonación (o puntuación). Puede operarse utilizando equivalencias gramaticales o relaciones establecidas por la aparición de los morfemas, tanto a partir del lenguaje como un todo, o simplemente a partir del texto tan sólo. El conocimiento de la clase gramatical de los morfemas presentes en el texto es imprescindible en ambos casos.

**8.4.46.** Este tipo de análisis del discurso proporciona información doble: acerca de la estructura del texto, y acerca del papel de los elementos en ella. Añade una serie de conocimientos a los que proporciona la lingüística descriptiva. Mientras que ésta se limita a decirnos el papel de los elementos dentro de la oración, el análisis del discurso va más allá, puesto que nos da información sobre fragmentos mayores que una oración, con lo que sabemos una serie de puntos que no podrían ser analizables a partir del estudio de elementos solamente oracionales. Además de los conocimientos sobre las necesidades arquitectónicas del sistema para usos específicos varios, que la gramática descriptiva proporciona, obtenemos ahora información acerca de la estructura del texto, que es la presentación habitual de la lengua en el discurso.

**8.4.47.** Harris reconoce el estado incipiente de su método, cuyas imprecisiones le aparecen con claridad en el trabajo «Discourse Analysis: a Sample Text» (también en *Language* 1952, 474-494). El texto seleccionado, que, en honor a la verdad, no es nada fácil de analizar, ofrece la particularidad, común en los textos, pero interesante en los inicios de una metodología, de presentar un reparto irregular de las dificultades, hasta el punto de que la solución de unas oraciones del texto facilita enormemente el análisis del todo. Los resultados, a pesar de las vacilaciones, y ciertos aspectos tratados de un modo inadecuado, como el autor reconoce, son importantes, máxime considerando que el significado no desempeña papel alguno. Ahora bien, lo que, hoy día, nos llama poderosamente la atención es que Harris considere que su texto (una página impresa) es demasiado corto; la investigación posterior tendrá en cuenta este importante detalle.

**8.4.48.** En 1967, y también en los Estados Unidos, la *tagmémica* de Pike afirma explícitamente que la lingüística debe proporcionar los elementos que permitan construir la base, también lingüística, de las descripciones de la estructura textual, que no se debe abandonar a los estudios literarios y a la estilística. En el texto debemos tener en cuenta una serie de circunstancias peculiares, como su estructura explícitamente relacionada con los procesos comunicativos, el contexto lingüístico y situacional, y con la situación en el sentido de Bühler.

**8.4.49.** La lingüística textual, como ligada al significado, a la comunicación, y a la Poética textual, se desarrolla en Checoslovaquia a partir de 1964, fecha que podemos considerar inicial del nuevo planteamiento europeo de estas cuestiones, con los trabajos de F. Daneš: "A Three-level Approach to Syntax" *TCLP.* 1, 1964 (pp. 225 y ss.) y K. Hausenblas: "On the Characterization and Classification of Discourses" (*ibid.* pp. 67 y ss.). Pueden destacarse a continuación las obras de V. Skalička, L. Nebeský P. Sgall y H. Hajičova, entre otros, con publicaciones como las *Tschechische Beitrage zur Textlinguistik* (desde 1971).

**8.4.50.** Tras este panorama de los varios aspectos iniciales, en los distintos países y períodos, vamos a ocuparnos de cuestiones teóricas de planteamiento. Según Todorov, el texto tiene tres caracteres:

*a)* Es un sistema connotativo, es decir, está en relación con otro sistema de significación.

*b)* Es cerrado.

*c)* Posee, al menos, tres órdenes, es decir, tres abarques de lo que en el texto se puede descubrir:

1. Orden lógico, donde se da cuenta de las relaciones lógicas de las frases (análisis de la proposición como expresión del juicio).
2. Orden temporal, también lógico, puesto que el Tiempo forma parte de la estructura lógica de la proposición.
3. Orden espacial, en el que se integran elementos lingüísticos, como el ritmo.

**8.4.51.** Luego de esta caracterización podemos observar que el texto es un *discurso* en el sentido de Harris, sin que esto signifique que los análisis harrisianos coincidan con los de la tradición europea, pues para la lingüística textual las relaciones del texto son más amplias que las de una gramática oracional.

El texto, en resumen, y desde el punto de vista de una teoría general, es un importante elemento de esa misma teoría general de los sistemas semióticos; en cuanto a su origen, procede de la tradición europea.

**8.4.51. bis.** Con esta caracterización obtenemos una visión indudablemente parcial de la teoría textual; para completarla hemos de recurrir a la gramática generativa (G.G.), cuya relación con la gramática textual (G.T.) es indudable:

La G.T. está relacionada, hoy, con la Semántica Generativa. (S.G.) con la que coincide en su intento de superar los problemas técnicos que la Teoría Típica Ampliada (T.T.A.) presenta: pronominalización, el artículo, los elementos modales de la lengua, etc. La relación con la G.G. está clara en la necesidad de que la G.T. sea un medio para establecer una teoría lingüística-gramatical y científica, con los requisitos chomskianos: generativa o explícita y transformatoria. La explicitud es necesaria para explicar un objeto de conocimiento de acuerdo con las exigencias formales; la transformatividad es exigida por el carácter de creatividad o infinitud que posee el alma humana.

**8.4.52.** Antes de señalar las diferencias iniciales o de concepto y método entre la G.T. y la G.G., conviene, con otros autores, como Bice G. Mortara (1974) indicar otras circunstancias previas al desarrollo de la G.T.

Mortara se ocupa en primer lugar de la utilización de los descubrimientos lingüísticos, hasta el nacimiento de una rama lingüística: la *lingüística aplicada,* definida por Martinet como utilización de los descubrimientos de la lingüística a secas (a la que Martinet se opone) para mejorar las condiciones de la comunicación lingüística.

Esta lingüística aplicada ofrece tres posibilidades o desarrollos:

*a)* Lingüística computacional y matemática (versión tecnológica).
*b)* Terapia del lenguaje.
*c)* Glotodidáctica.

Y plantea una serie de problemas que debe solucionar la lingüística teórica.

**8.4.53.** Podemos preguntarnos entonces qué soluciones ofrecen las nuevas tendencias lingüísticas para resolver los problemas que suscita el estudio de las lenguas, en la acepción operativa de los mecanismos que regulan su funcionamiento.

La primera solución, en el marco en que nos movemos ahora, sería la que considera la gramática como modelo formal de la competencia lingüística, es decir, la que ve la lengua como un *sistema de relaciones.* Se ofrecen aquí dos vías: Chomsky (1965) cree que el concepto de *aceptabilidad* depende de la teoría de la *actuación,* mientras que el de *gramaticalidad* es propio de la teoría de la *competencia.* John Lyons, en cambio, aunque aceptando los postulados básicos de la G.G. (en la T.T.A.), defiende una tesis diversa, ligada a su teoría de los *niveles lingüísticos* (fonológico y gramatical) y que podemos resumir (Lyons, 1968, § 5.5.1), diciendo que "la relación entre oraciones, proposiciones, frases, palabras y morfemas es del tipo que se puede expresar diciendo que una unidad de más alto nivel (o *rango*) está compuesta de unidades de nivel más bajo", si bien ésta es una caracterización de superficie que ha de referirse, en todo caso, a la estructura subyacente.

La segunda solución supone el paso de la gramática de frase a la gramática de texto. La gramática pasa a ser un modelo de la competencia textual. Sin perjuicio de aclaraciones posteriores, podemos adelantar que la G.T. cree que los fenómenos gramaticales sólo tienen sentido en el espacio textual, o sólo en él resultan inteligibles. Las relaciones del texto son más amplias que las que puede analizar una gramática oracional frente a la de conjuntos de oraciones o textual.

**8.4.54.** Aunque el modelo chomskiano habla de relaciones que se dan en el texto, como inferencia lógica o *natural lógic* de Lakoff (ya tratada por Comte en su *Système de Philosophie positive* y por Piaget en sus obras de Epistemología genética), y otras relaciones, de tipo semántico éstas, como paráfrasis, entrañamiento, presuposición y demás, lo difícil es integrarlas en el aparato teórico de la G.G. y hacer, además, que cumplan requisitos metodológicos como los de sencillez, elegancia y demás (aunque tal vez podamos empezar a pensar que estos últimos no son imprescindibles).

**8.4.55.** La G.T. hace hincapié, sobre todo, en su carácter de gramática de oraciones o discurso, frente a una gramática de una oración. Esto no es exacto completamente hoy, pero no debemos olvidar que la G.G. ha tenido desarrollos que eran insospechados en 1964, cuando la G.T. empezó a hacerse pública. Una de las razones que hace que esta diferencia no sea tan grande hoy es el concepto de Estructura Profunda como conjunto de oraciones. Tal vez la diferencia esté en que los actuales modelos de G.G. toman conjuntos de oraciones, sin referencia al discurso, mientras que la G.T. pretende la explicación del discurso.

**8.4.56.** En este sentido, la G.T. sería una ampliación de la G.G. (aunque sus tratadistas no lo creen así). No creemos, sin embargo, que se limite a eso: hay otro programa de investigación, es decir, otros intereses teóricos que pueden llevar al olvido de la gramática unioracional y al intento de integrar en la gramática formas que parecen no ser gramaticales. Se puede superar así (al menos se pretende) la limitación al pronombre o a la pasiva, para ver el fenómeno en función de otros procesos más abstractos. Por ejemplo, lo que muchas veces es ambiguo no es más que una indeterminación discursiva: así, el concepto de ambigüedad de muchas oraciones desaparece en favor de un sentido en el texto o "juego lingüístico" donde nos hallamos situados. Quizá por ello podríamos hablar de "gramática del discurso" en vez de "gramática o lingüística del texto". En este punto, además, esta gramática se relaciona con la filosofía analítica del segundo Wittgenstein, en la cual el lenguaje o el análisis del mismo sólo tiene sentido en la representación social o de las "lebensformen" en que nos movemos, por decirlo así. Coincide también con la inclusión de los factores periféricos de la lingüística en el núcleo de la misma.

**8.4.57.** Podríamos decir, en resumen, que la G.T. enlaza preocupaciones típicas de la lingüística europea: el discurso en sí o desde el punto de vista retórico (estructuralismo y formalismo), las relaciones de inferencia (Comte y Piaget) y la representación social en el lenguaje (Wittgenstein), con otras de las escuelas americanas, como su punto de partida explícito, formal y transformatorio, su exigencia de un componente interpretativo en la gramática, o los problemas ligados a la representación semántica de los textos, que no se limitan a la simple suma de las oraciones que los integran.

**8.4.58.** La G.T., considerada históricamente, se liga inicialmente a Alemania, donde la teoría de *Syntactic Structures* penetra con facilidad al no haber tenido gran importancia el estructuralismo alemán, dado que las cadenas significativas de esta lengua se prestan poco a la segmentación.

En 1962 se constituyó en la RDA el Arbeitsstelle Strukturelle Grammatik, cuyas tesis tenían una primera parte general, con influjo de los *Prolegómenos* de Hjelmslev, y una segunda parte, de teoría de las lenguas naturales, con influjo de *Syntactic Structures*.

Desde 1964, en los congresos de Magdeburgo y de Praga, donde Heidolph expuso lo que se imprimiría bajo el título de *Kontextbeziehungen zwischen Sätzen in einer generativen Grammatik,* los miembros del ASG han expuesto ideas sobre lo que luego se ha llamado normalmente *lingüística* o *gramática del texto*.

El punto de partida, p. ej., en Heidolph (1966) y Hartung (1967) son las dificultades para generar frases, lo cual obliga a generar un contexto más amplio, tentativa que ha de situarse en la vía del componente *interpretativo*. El dilema inicial se encuentra en la elección entre *constituyentes* (con las frases como caso límite) o *funciones*. Según Heidolph, para describir los fenómenos de permutación de miembros de frases en alemán es necesario un contexto más amplio que la frase. Hartung señala, por su parte, que la gramática textual debe explicar por qué un texto no es una simple alineación de frases. En estructura profunda las frases pueden encadenarse indefinidamente en forma reducida (nominalización, p. ej.), mientras que este encadenamiento indefinido está limitado en la estructura de superficie. Este punto, llevado a sus consecuencias lógicas, se convierte, para Hartung, en base a partir de la cual se señala el parentesco entre coordinación y subordinación, por ejemplo.

**8.4.59.** Estos intentos, sin embargo, no conducen, todavía, a la elaboración de un mecanismo engendrador de textos; para ello habrá que esperar a Thümmel (1970) e Isenberg (1970) que son los únicos que, en cierto modo, tratan de elaborarlo.

Ya en 1968 Isenberg había señalado una serie de fenómenos que no podía explicar la sintaxis clásica:

1. Anáfora.
2. Selección de artículos.
3. Permutaciones de miembros de frase.
4. Pronombres y pro-adverbios.
5. Lugar del acento en la frase.
6. Entonación.
7. Enfasis y entonación (no simple, como en 6).
8. Relaciones entre frases yuxtapuestas.

9. *Calcado* de reglas entre las frases de un texto.

10. Concordancia de los tiempos.

A ello nos sería fácil añadir, en las lenguas particulares, una serie de problemas de mayor o menor consideración. En el caso del castellano podrían ser el *determinante* en la E.P., la coordinación, el artículo y los cuantificadores lógicos, entre otras.

La solución de estos problemas, para Isenberg, puede encontrarse a partir de una serie de esquemas de "puesta en texto" que presenta, y que permiten desarrollar, junto a la gramática de frase, una gramática de texto que la pueda absorber. Las propiedades de los textos, análogas a las de las frases, son las siguientes:

1. Serie potencialmente infinita de textos.
2. Pero no hay un texto infinito.
3. Un texto puede ser desviación o no.
4. Dentro de la desviación hay grados.
5. Puede haber textos agramaticales.

**8.4.60.** Como ejemplo de esquemas de "puesta en texto" podemos señalar los doce tipos que establece para explicar el fenómeno octavo, las relaciones entre frases yuxtapuestas. A guisa de ejemplo señalaremos tres:

*Ligazón causal:*

"La lámpara no funciona. El cable está roto".

*Contraste:*

"Pedro es decente. Su hermano es un sinvergüenza".

*Pregunta-respuesta:*

"¿Qué hiciste ayer?-Estuve preparando temas de oposición".

La lista de doce tipos tampoco es exclusiva, pero Isenberg señala que, en cualquier caso, el número de esquemas es limitado.

Con el objeto de evitar un excesivo poder de las reglas, introduce los *marcadores referenciales* que autorizan o prohíben ciertas 'puestas en texto'.

**8.4.61.** Thümmel (1970) utiliza una gramática totalmente generativa para captar el fenómeno *texto*. Empieza por distinguir frases *simétricas* (como las copulativas) de *asimétricas* (como las causales); esto hace necesarios dos tipos de reglas, una *T,* que permite construir una gramática recursiva a la derecha, de relación simétrica, y otra *O. compl.,* para las asimétricas, que se separa hacia la izquierda del árbol.

Cree también que en la E.P. las relaciones entre las frases dependen de una situación de discurso, que puede reforzarse por medios de E.S. Con ello nos encontramos cerca de la prioridad de la Representación Semántica sobre la E.P. y la necesidad de acercar la R.S. a la E.S. propia de la Semántica Generativa, si bien es cierto que, para Thümmel, las relaciones con la actuación son *asimétricas*. Por todo ello no resulta sorprendente que crea que la tarea de la gramática no es sólo describir la competencia, sino también un dominio particular de la actuación: la estructura de la argumentación.

**8.4.62.** Isenberg (1970) se ocupa de las implicaciones de lo que pertenece a la competencia. Hay dos tipos de textos: *completos* o *incompletos,* de *una frase* o de *más de una frase.*

Los textos de una frase permiten especificar las cinco funciones caracterizadoras del texto:

1. Orden.
2. Mensaje.
3. Deixis.
4. Expresión.
5. Participación.

De estas funciones, la segunda y la cuarta se distinguen por su presuposición.

Los cinco puntos que acabamos de establecer, precisamente por lo que tienen de estructuración del contexto y consideración del mensaje en sí permiten establecer una ligazón con otras preocupaciones actuales, como la semiología de Roland Barthes. Notemos que, en la teoría de Isenberg, se parte de un árbol desarrollado en tres niveles (O = Oración o nivel oracional, E = entonación):

La teoría desarrolla este árbol en

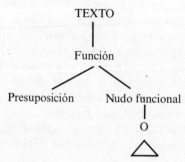

240

**8.4.63.** Todo lo cual obliga al desarrollo de teorías de la presuposición que permiten un empalme indudable con la Semántica Generativa (Sgall, Hajičova).

**8.4.64.** Para determinar el adecuado funcionamiento del texto es imprescindible la *situación de discurso.*

En lo que concierne a los textos de varias frases, nuestro autor utiliza los cinco elementos de Labov-Waletzky:

Orientación.
Complicación.
Evaluación.
Resolución.
Moraleja.

Como conclusión muy apretada de la comparación entre Thümmel e Isenberg podríamos decir que, mientras en Thümmel no hay delimitación entre gramática de texto y gramática de frase (punto que desarrollaremos al hablar de las implicaciones de la G.T.), Isenberg señala unidades discretas del texto que no son pertinentes en la frase (funciones de comunicación).

**8.4.65.** Dado el múltiple desarrollo de esta lingüística, resulta sumamente arriesgado destacar a dos autores; pues ello parece implicar un menosprecio del resto. No hay tal, destacaremos a Janos Petöfi y a Teun van Dijk porque han tenido en España una repercusión que puede servirnos como justificante, dentro de la poca incidencia de la G.T. en nuestros estudios.

**8.4.66.** Petöfi, que se ocupa de la teoría textual desde 1966, desarrolla su modelo, en colaboración con Hannes Rieser, en 1972, en Constanza.

**8.4.67.** A partir de 1971 distingue un campo de investigación *verbal* de otros no verbales (musical, pictórico, etc.). En el campo verbal adquieren importancia dos nociones: *texto* y *gramática.* El texto es una secuencia de elementos verbales determinada como tal *texto* por varios criterios (extralingüísticos la mayoría de las veces) y que tiene un comportamiento unitario. La *gramática* es un conjunto de reglas (sintácticas, semánticas y fonológicas) y un léxico construido de acuerdo con ciertos criterios.

**8.4.68.** La finalidad de la G.T. verbal es describir la competencia lingüística del hablante ideal en su aspecto gramatical-verbal. Esta descripción debe someterse a los requisitos deontológicos y epistemológicos de una ciencia, cuyos requisitos son los propios de un sistema axiomático que opera deductivamente y cuya verificabilidad se exige.

**8.4.69.** La gramática, por ello, debe ser generativa y debe proporcionar criterios para evaluar una gramaticalidad, que en este caso es textualidad, atendiendo a la distinción entre secuencias de frases gramaticalmente *continuas* y gramaticalmente *discontinuas,* que han de pertenecer, o bien al tipo de G.T. con una base *fijada linealmente,* o *no-fijada-linealmente.* En la primera, la relación del texto con la base es inmediata; en la segunda, la base es una estructura profunda que no equivale a la sucesión lineal de las bases que constituyen el texto.

**8.4.70.** Las dos nociones fundamentales que intervienen en la textualidad de un texto, en la gramática continua, son la relación lógica y/o temporal entre antecedente y consecuente y el orden *tema/rema* *(topic/comment, argumento/comentario)*, que Chomsky (1965) considera expresión en superficie de la relación profunda entre el Sujeto y el Predicado, aunque la realidad parece demostrar que esto no es así, puesto que nada obliga a que el *tema, tópico* o *argumento* sea necesariamente un S.N. En el ejemplo elemental:

1. "¿Quién ha venido? *Ha venido* Carlos".

el *tema* es *ha venido,* mientras que en

2. "¿Qué ha hecho Carlos? *Carlos* ha venido".

el *tema* es Carlos.

**8.4.71.** El acento enfático, en el caso del español, corresponde al *rema* o *comentario* y la dificultad de señalarlo, habida cuenta de la libertad sintáctica, es grande:

> *Carlos se marchó AYER.*
> *Se marchó CARLOS ayer.*
> *Ayer SE MARCHÓ CARLOS.*
> *Carlos SE MARCHÓ ayer.*

**8.4.72.** Ello obliga a tener en cuenta, para un análisis más exacto, unidades más amplias que la frase, y exige el desarrollo de un concepto fundamental: la *presuposición,* concepto desarrollado, sobre todo, por McCawley (1968), Fillmore (1969) y Lakoff (1971), y relacionado no sólo con el valor veritativo, sino también con la *pragmática,* en cuanto tiene en cuenta las condiciones que un enunciado ha de reunir para ser apropiado. Este concepto supone, por tanto, la integración de las tres ciencias del *logos:* Sintaxis, Semántica y Pragmática. Al ocuparnos de van Dijk aludiremos de nuevo a la presuposición y sus tipos, ahora nos limitaremos a seguir a Östen Dahl (1969) en la afirmación de que el *tema* es la parte del enunciado cuya representación semántica ya ha sido presupuesta:

> *Carlos SE HA IDO* (¿qué ha hecho Carlos?)
>     t         r

presupone que conozco a Carlos, pero no sé que se ha ido, mientras que

> *CARLOS se ha ido* (¿quién se ha ido?)
>     r        t

presupone que sé que alguién se ha ido (he oído un portazo, un vehículo que arranca, o algo similar), sin saber que se trataba de Carlos.

**8.4.73.** Todo lo anterior implica muchas novedades en las unidades lingüísticas y en los análisis lógicos; por no dar más que dos ejemplos, nos limitaremos a señalar que, si se acepta el principio de la presuposición, todo *lexema* ha de analizarse como *lexema + presuposición,* es decir, que no será una suma o conjunto de rasgos o *semas,* sino un *predicado* en el centro de una constelación de *argumentos* o *temas* (Fillmore 1969, Lakoff 1970). Además, si se representa formalmente la estructura profunda de un enunciado como una implicación (notación lógica), el *tema* se colocará a la izquierda de la implicación, según Dahl (1969), lo que permite establecer regularmente el *tema* y el *rema,* abandonando procedimientos intuitivos, como el énfasis.

*He comprado un libro de teoría lingüística*

se analizaría como:

> *Yo* | *he efectuado la acción de comprar*
> t               r

> *Esta acción de comprar* | *tenía por objeto un libro*
> t                  r

> *El libro* | *es de teoría*
> t        r

> *La teoría* | *se refiere a la lingüística*
> t          r

Puesto que el *tema* es lo conocido (por la presuposición) se explica que la elipsis afecte normalmente al *tema,* como comprobamos fácilmente en el ejemplo anterior.

**8.4.74.** Tras este inciso necesario volvamos a Petöfi, para quien, de los tipos de gramática establecidos antes, tiene prioridad la gramática textual con una base no fijada linealmente, puesto que la que tiene la base fijada linealmente se limita a desarrollar operaciones fijadas por la gramática de frase.

**8.4.75.** La de base no fijada es un esquema que permite tratar cualquier problema textual. Para ello dispone de dos componentes: *co-textual* y *contextual.*

Al componente *co-textual* pertenecen los problemas de la estructura gramatical y de estructura no gramatical pero formal, como métrica y rítmica (a este componente pertenece la semántica intensional de Carnap: el alemán *blau* intensionalmente es la propiedad de ser azul).

Al componente *contextual* pertenecen todos los otros aspectos: producción, recepción y semántica extensional (en sentido tb. de Carnap: el al. *blau* denota cualquier objeto azul, su extensión es la de todos los objetos azules).

**8.4.76.** Fácil es deducir de todo esto que la gramática textual, para ser completa, debe ir unida a una teoría de la estructura del mundo que abarque la teoría de la estructura del texto, y que, en su sentido más amplio, postula una TETEM (teoría de la estructura del texto y de la estructura del mundo) que ha de constar también de *dos componentes*: el *gramatical textual* y el *semántico extensional* o *enciclopédico,* que son, a su vez, subcomponentes respectivos de los componentes co-textual y contextual de la teoría del texto.

**8.4.77.** El componente gramatical ha de cumplir tres requisitos:

1. Poder *analizar* los textos.
2. Poder *sintetizar* los textos.
3. Poder *confrontar* los textos.

Para ello cuenta con seis componentes:

1. Sistema de reglas constituyentes.
2. Sistema de reglas de transformación.
3. Léxico especial.
4. Algoritmo para el análisis de textos.
5. Algoritmo para la síntesis de textos.
6. Algoritmo para la comparación de textos.

**8.4.78.** La perfecta construcción de las reglas va más allá de garantizar la homogeneidad formal y de contenido, suministra un esquema universal, puesto que trata de resolver todos los problemas que se presentan en la constitución de textos en cualquier lengua, el sistema de reglas es universal (frente a la necesaria particularidad del léxico) y, a pesar de ser un mecanismo formal, cabe una interpretación empírica de casi todas sus categorías, con lo que se puede convertir en útil glotodidáctico, de acuerdo con la problemática de la lingüística aplicada que señalabamos al principio.

**8.4.79.** Puesto que Petöfi nos ha servido para establecer algunas de las condiciones y requisitos generales de este tipo de gramáticas, la exposición de las ideas de Teun van Dijk puede servirnos para subrayar algunos aspectos de mejor detalle.

**8.4.80.** Como es lógico, también acepta van Dijk el planteamiento de *tema/rema, foco* y *presuposición.* Sobre está última se detiene para señalar tres tipos:

1. Pragmática (p. ej. si pregunto espero que el preguntado sepa responderme).
2. Referencial (extensional) (valores veritativos).
3. Semántica (intensional) (buena formación del enunciado).

**8.4.81.** El modelo de van Dijk es menos compacto y, si cabe, menos ambicioso que el de Petöfi que acabamos de exponer sumariamente, sin embargo tiene interés como consecuencia de haber expuesto alguno de sus extremos Fernando Lázaro, lo que ha llamado inmediatamente la atención sobre el libro.

**8.4.82.** En toda G.T. distingue van Dijk dos componentes:

1. Macrocomponente, derivado de macroestructuras textuales o "estructuras abstractas subyacentes, forma lógica de un texto". Constituye su E.P. y puede definirse como derivado de la "representación semántica global que define el significado de un texto como un todo único".

2. Microcomponente, derivado de la microestructura o estructura superficial del texto, en la que caben otros dos niveles: la estructura profunda y la superficial de las frases ordenadas en secuencias. Su descripción está relacionada con la interpretación que la semántica generativa hace de la G.G.

**8.4.83.** Los procedimientos que permiten construir la G.T. son:

1. Relaciones superficiales entre las frases, formalizadas por medio de operaciones lógicas (pronominalización, consecutio temperum, etc.).

2. Relaciones semánticas entre las frases, a partir del par *tema/rema*.

3. Construcción formal de la gramática de superficie, cuya regla inicial es recursiva y permite que la secuencia contenga un número infinito de frases:

$$O \Rightarrow O \ (\&O)^n \qquad n \geq \varnothing$$

El elemento & es un conectivo lógico de

$\wedge$ - conjunción
$\vee$ - disyunción
$\supset$ - implicación
$\equiv$ - equivalencia.

que sirve para establecer valores veritativos a partir de los cuales se introducen los *primitivos semánticos* que generan diversos tipos de relaciones entre las frases (equivalencia, consecuencia, disociación, causa, condición, concesión).

**8.4.84.** El problema teórico y metodológico de la forma precisa de la derivación semántica queda sin resolver, así como el del funcionamiento del subcomponente transformacional.

**8.4.85.** REGLAS DE FORMACIÓN DE MACROTEXTOS

$R_1$     T→Pred. Arg.

$R_2$     Pred → $\begin{cases} \text{Estado} \\ \text{Proceso} \\ \text{Evento} \\ \text{Acción} \end{cases}$

$$R_3 \quad \text{Argumento} \rightarrow \begin{Bmatrix} \text{Agente} \\ \text{Paciente} \\ \text{Objeto} \\ \text{Instrumento} \\ \text{Fuente} \\ \text{Meta} \end{Bmatrix}$$

$R_4$ (introduce ya la construcción de la Gramática de Superficie)

$$T \Rightarrow T \, (\&T)^n \qquad n \geq \varnothing$$

$$R_5 \quad \& \Rightarrow \begin{Bmatrix} \wedge \\ \vee \\ \supset \\ \equiv \end{Bmatrix}$$

**8.4.86.** REGLAS DE FORMACIÓN DE PROPOSICIONES (QUE PUEDEN COINCIDIR CON UNA ORACIÓN)

$R_1' \qquad\qquad T \rightarrow \text{ql Prop.}$

(ql es el *modus* de Bally $\begin{Bmatrix} \text{Performativo} \\ \\ \text{Modalidades} \end{Bmatrix} \begin{Bmatrix} \text{Neg(ación)} \\ \text{Posib(ilidad)} \\ \text{Neces(idad)} \end{Bmatrix}$

$R_2' \qquad\qquad \text{ql} \Rightarrow \text{Perf. Mod.}$

$$R_3' \qquad\qquad \text{Perf.} \begin{Bmatrix} \text{Afir.} \\ \text{Imp.} \\ \text{Interrog.} \end{Bmatrix}$$

$R_4' \qquad\qquad \text{Mod.} \Rightarrow M \, (\text{Qu})$

$$R_5' \qquad\qquad M \begin{Bmatrix} \text{Neg.} \\ \text{Pos.} \\ \text{Fact.} \\ \text{Prob.} \end{Bmatrix}$$

$$R_6' \qquad \begin{array}{c} \text{Qu} \\ \text{(cuantificador)} \end{array} \begin{Bmatrix} \forall \\ \exists \\ W \\ \daleth \\ \iota \\ \eta \\ \varepsilon \\ \lambda \end{Bmatrix}$$

**8.4.87.** Las reglas, tal como quedan enunciadas, no son capaces de cumplir bastantes de las promesas de esta nueva o relativamente nueva escuela. Queda bastante claro que la G.T. y la S.G tienen muchas cosas en común, especialmente en van Dijk, quien se basa en muchas ocasiones en los hallazgos lógico-semánticos de la S.G., hasta poderse afirmar que los teoremas de la G.T. son un subconjunto propio de los de la G.G. en sus últimas versiones. En cuanto a la condición de variante o no, todo depende de la extensión; con un criterio amplio, como el que Jakobson aplica a todo el estructuralismo, p. ej., la G.T. es una teoría lingüística estructural encuadrable en el amplio campo de la G.G.. Con otros criterios más estrechos, tal vez se llegue a conclusiones distintas.

**8.4.88.** Algunos aspectos merecen críticas a primera vista: la regla recursiva que parece estar entre las fundamentales:

$$O \Rightarrow O \ (\&O)^n; \ T \Rightarrow T \ (\&T)^n$$

que supone que una oración o un texto dominan a todos los otros, podría considerarse antiintuitiva, porque una secuencia de oraciones no constituye necesariamente una oración y, además, toda concatenación de $O$ se caracteriza linealmente, pero no necesariamente con un orden jerárquico; hay interdependencia, no intradependencia.

**8.4.89.** En cuanto a los detalles, como ejemplifica con el artículo y puede haber quien se sienta atraído por su tesis, conviene decir que la realidad no apoya su afirmación de que todo $SN$ es $+ \ def$ cuando forma parte de una secuencia oracional en la que tiene idéntica referencia, dentro de un dominio modal, con una Estructura Semántica de un SN en la O precedente. Los contraejemplos, frente al arquetipo

1. José ha comprado un libro.
2. El libro es de lingüística.

son muchos:

3. Lorenzo tiene líos con la novia.
4. Hoy el padre le ha propinado dos estacazos en la espalda por besarse en la vía pública con Lorenzo.
5. Juan se ha peleado con el portero.
6. Tiene $\{ \begin{smallmatrix} un \\ el \end{smallmatrix} \}$ ojo hinchado.
6'. Tiene el ojo izquierdo hinchado.
7. Se dio un golpe en el hígado.

**8.4.90.** Permanece en pie la objeción de Strawson a Russell, sin que el intento de solución de M.ª L. Rivero parezca ser satisfactorio. Es probable que la cuestión sea, ante todo, pragmática.

**8.4.91.** La primera de las implicaciones de lo expuesto concierne a la relación entre Gramática de Texto y Gramática de Frase.

Una carta de Ewald Lang a Wolf Thümmel contribuye a fijar algunos de los puntos principales:

La G.T. aparece como un aparato más rico para formular condicionantes textuales; ahora bien, el texto no debe ser considerado como un aparato especial, como el 'literario', p. ej., ni como un contexto extralingüístico (color rojo del STOP), ni como acto comunicativo.

La descripción estructural de las frases, por su parte, puede hacerse fuera de una G.T., porque las relaciones entre frases no precisan un *texto* como unidad superior; no obstante, el concepto *texto* es necesario para explicar la topología de las frases en estructuras complejas.

Es difícil fijar la frontera de la frase: se puede criticar a Thümmel la concepción del texto como sucesión de frases; como la diferencia entre frase y sucesión de frases no es clara, no hay por qué modificar la gramática de frase para pasar a la de texto. Se puede aducir, en apoyo de esta afirmación, que las relaciones referenciales textuales no exigen una gramática de texto, porque no hace falta verbalizar el correferente de un SN.

**8.4.92.** Lo anterior supone que, para caracterizar el *texto* como unidad distinta de la *frase,* hay que buscar otra argumentación. Para esa caracterización sería preciso utilizar la frase como elemento, y caracterizar el texto por sus propiedades. No conviene olvidar, en ningún caso, que la significación del texto es superior a la suma de las frases que lo componen; esto comporta un *suplemento significativo,* que va unido a tres características del texto:

1. El texto es el cuadro en el que se desambiguan las frases.

2. El texto tiene implicaciones y presuposiciones distintas de las frases que lo integran.

3. El texto tiene distintas posibilidades de paráfrasis que la frase. (En efecto, a la frase le cabe como paráfrasis mínima una nominalización, y no en todos los casos, mientras que al texto le cabe un resumen mínimo, como un simple enunciado del tema, cualitativamente muy distinto.)

**8.4.93.** Todo ello conduce a Lang a postular tres operaciones de análisis textual: la primera sería la integración en una superestructura semántica; la segunda tendría en cuenta las condiciones de compatibilidad entre los presupuestos y lo realizado, y la tercera, por último, establecería las relaciones (equivalencia, etc.) para la comprensión de la coherencia del texto.

**8.4.94.** Un mecanismo jerarquizador de todos esos aspectos constituiría una gramática de texto. Esta gramática no reemplazaría a la de frase, sino que se ocuparía de ese sector de la lingüística, cada vez más importante, en el que se relacionan y conjuntan las ciencias sociales.

**8.4.95.** La segunda implicación, a la que nos hemos referido a menudo en las páginas que preceden y sobre la que no insistiremos, dado lo obvio del caso, es la que se establece entre gramática textual y pragmática, entendidas, según Carnap, a quien siguen lingüistas como Katz, como parte de una teoría completa del lenguaje, referida a aspectos del uso del lenguaje, tales como los motivos psicológicos de los hablantes, las reacciones por parte de los oyentes, la sociología de diversos modelos del discurso y otros temas conexos; se trata de la relación de los signos con los intérpretes o dimensión pragmática de la semiosis, según Morris.

**8.4.96.** No es extraño que este punto de vista haya encontrado apoyo en instituciones y países marxistas, puesto que es una constante del pensamiento de Marx la relación permanente e ininterrumpida de su teoría del conocimiento con la praxis, que sólo aparece en la etapa final del proceso del conocimiento como criterio de la verdad, tal como se expone, por ejemplo, en las *Tesis sobre Feuerbach*.

**8.4.97.** La tercera implicación concierne a las relaciones de la gramática textual y la lengua literaria. Este punto, destacado por F. Lázaro, como hemos dicho antes, ha contribuido de modo importante al conocimiento de la G.T. entre nosotros. En sus "Consideraciones sobre la Lengua Literaria" Lázaro parte de la consideración de las *figuras* como manifestaciones peculiares y controlables de la lengua literaria, sobre el fondo impreciso de normalidad, sencillez y regularidad. La primera interpretación de la lengua artística, la de la retórica tradicional, la consideraba como un *desvío*. Los formalistas rusos, como Zirmunskii y Sklovskii, reaccionan contra esta interpretación. Sklovskii señala un principio universal del idioma literario: la noción de *extrañamiento*. En este sentido hay que tomar la afirmación de Jakobson de que el idioma literario nos fija en el mensaje mismo.

**8.4.98.** Lázaro, aun advirtiendo que esto es exacto, cree que no se diferencia mucho del *desvío;* también afirma que ese "extrañamiento" no está ausente de la lengua usual y que tal vez se base en él la *expresividad*.

**8.4.99.** Jakobson, por su parte, apoyado en Hopkins, señala el principio de recurrencia de la lengua literaria: la equivalencia (como en el ejemplo esp. de Lázaro *cont...cont...)* se constituye en el artificio básico de la sarta. Sin embargo, no se limita a la función poética; es cierto que ésta predomina, pero el lenguaje literario es algo más.

**8.4.100.** Ya en 1969, en su artículo de la *Rev. de Occ.* señaló Lázaro la importancia de estudios generativos en la estilística lingüística, con nombres como Richard Ohmann, J. P. Thorne, las compilaciones de Seymour Chatman y S. R. Levin, o Lyons y la obra de Nils Erik Enkvist.

**8.4.101.** Se iniciaron así una serie de nuevas vías, como el cotejo de la gramática de un autor con la estándar (Thorne), o la consideración de los estilos como tipos particulares de dialectos sociales (Werner Winter). Ante ello Lázaro apunta que la comunicación literaria es un *registro* en el sentido de "modalidades diversas que pueden presentar las 'situaciones de comunicación'", para exponer la postura de Teun van Dijk, a partir de la posición de que "el idioma artístico no es independiente, pero sí autónomo, respecto de la lengua usual".

**8.4.102.** Van Dijk, por su parte, rechaza que la lengua literaria sea un estilo del estándar definido tan sólo por un uso específico de las reglas de la gramática "normal", porque cree que hay reglas de la gramática literaria que no se dan en la normal y que lo que se considera *desvío* ha de explicarse por reglas de la gramática literaria. El lenguaje de la literatura, así entendido, es "un sistema de lenguaje específico dentro de un lenguaje L, pero diferente de $L_n$ [estándar], describible por una gramática autónoma, pero no independiente".

**8.4.103.** Para Lázaro, la G T. "intenta formular las reglas comunes al idioma usual y al artístico, p˙ ˙ un lado, y, por otro, las que generan exclusivamente secuencias artís˙ .as", no parece ir, por ello, en dirección coincidente con la propuesta ˙ stémica de M.A.K. Halliday, quien piensa en la estilística como aplicac˙ ˙n y no como extensión de la lingüística. Al considerar la G.T. como una hipergramática de amplios límites, puesto que poética y lingüística se podrían reducir a una *teoría de los textos,* Lázaro expresa su escepticismo, apoyado en su concepción del idioma de la literatura "como una abstracción de escasa fecundidad empírica", cuyo estudio debe añadir ciertas consideraciones de inventario; la lengua artística, cree, es un problema que pide una solución histórica. Lázaro, en conclusión, no se muestra muy ilusionado por las aportaciones a la Poética de la G.T., porque cree que la lengua literaria no es un conjunto de desvíos, sino una comunicación *sui generis,* aunque la noción de desvío puede hacerse compatible con la ˙ e comunicación especial, para terminar renunciando a hablar de la lengua 'iteraria como algo que puede ser definido unitariamente y apoyando la posible necesidad de poéticas particulares.


## 8.5. DE VARIA METODOLOGICA

En los primeros apartados de este capítulo hemos ido recogiendo las repercusiones en la lingüística española de las tesis estudiadas. En el párrafo anterior no lo hemos hecho para evitar alargarlo desmesuradamente. En este punto vamos a atender esas repercusiones de la gramática generativa en nuestra lingüística desde una doble perspectiva: cómo se ha introducido la gramática generativa en España, y qué puntos han sido tratados o están siendo tratados con este enfoque. Esto lo haremos, claro está, de un modo amplio y de información general, sin pretender la crítica detallada, ya que lo que aquí nos importa es la extensión de un método y, muy relativamente, un cierto balance, pero no la discusión pormenorizada del mismo.

**8.5.1.** El generativismo español se desarrolla en torno a dos focos iniciales, uno fuera de España y otro dentro, pero con relaciones muy tempranas.

Los nombres más representativos de cada uno de ellos son, en principio, Carlos-Peregrín Otero y Víctor Sánchez de Zavala. Este simple punto de partida se complica más tarde con varios subgrupos repartidos por diversas zonas entre los que es importante destacar el grupo catalán[560], centrado en Barcelona y que lleva a cabo una importante labor investigadora plasmada en tesis doctorales y memorias de licenciatura[561].

**8.5.2.** Por lo que hemos podido averiguar, dada la falta de trabajos que historien esta cuestión, la lengua española es estudiada con un enfoque transformacional, por primera vez, en el libro de Stockwell, Bowen y Martin *The Grammatical Structures of English and Spanish*[562], anterior a *Aspectos,* que supone un cierto desarrollo de *Estructuras Sintácticas,* pues conoce algunas obras generativistas de 1964. Es una comparación contrastiva entre el inglés y el español, apoyada en unos estudios gramaticales predominantemente ingleses que, además, tienen una orientación más avanzada que los españoles contemporáneos. Esta gramática, como era de esperar, se preocupa de la construcción de las oraciones nucleares o medulares[563] *(Kernel sentences)* y de las reglas de transformación, optativas u obligatorias. La Semántica no forma parte de la descripción gramatical en este libro que, en cambio, tiene una innovación que puede tener su importancia, un apéndice pedagógico que marca también la pauta de la enseñanza comparada del inglés y el español o de cualquiera de ambos aislados, desde el punto de vista de las adquisiciones del transformacionalismo.

**8.5.3.** Además de la importancia en sí que pueda tener este libro y que hubiéramos debido analizar en la segunda parte de este apartado, el traerlo al primer plano se debe a que de uno de sus autores, de Stockwell, salió el engarce con Carlos-Peregrín Otero[564], antes de la publicación del libro al que aludíamos arriba, y Otero se lanzó a la tarea de leerse lo publicado sobre gramática transformacional y al difícil asalto de la fortaleza lingüística española, con varias facetas, la de traductor del libro fundamental de Chomsky, *Aspectos de la Teoría de la Sintaxis,* traducción aparecida en 1970, como sabemos, precedida de introducción técnica y con no pocas novedades de concepto y terminología, no siempre aceptadas, la de autor

[560] No se trata, propiamente, de escuelas, sino de agrupaciones que suelen nacer para comentar conjuntamente textos, acudir a congresos y conferencias internacionales y compartir la información.

[561] Este grupo trabaja principalmente en problemas de lingüística general y catalana, saliéndose por ello del marco castellano que aquí nos ocupa. Aunque no nos ocupemos de ellos no queremos dejar de señalar su importancia y de expresar la opinión de que sería muy interesante disponer de una información escrita de s us actividades.

[562] Ed. por The University of Chicago Press, 1965.

[563] El término *medular* corresponde a una propuesta terminológica de Sánchez de Zavala; Fernando Lázaro usa *nuclear.*

[564] Como éste mismo reco~~ ~~ en nota al pie de la p. 21 de *Letras I,* 2.ª ed., en Barcelona (Seix Barral), 1972, 1.ª en Lc ~~s, 1966. Este artículo, según su autor, fue escrito en mayo de 1964.

de una introducción teórica, y no simplemente teórica, su *Introducción a la Lingüística Transformacional,* también publicada en 1970, y, en tercer lugar, como teorizante generativista y, además, acerca de la diacronía, el bastión mejor defendido de nuestra lingüística, en 1971, con su *Evolución y Revolución en Romance*[565]. Los motivos por los que Otero ha tardado en ser aceptado en la lingüística española (además de la xenofobia de nuestros círculos científicos) han sido varios y variopintos: su lejanía residencial, el tono desmesurado de algunas de sus afirmaciones y ejemplos, su actitud polémica y ofensiva, en sus escritos, la dificultad de un libro como *Aspectos,* agravada en la traducción por la terminología, la dificultad inicial para adquirir ejemplares de su *Introducción,* el carácter poco convincente de su libro "histórico" y, quizá, incluso su postura de absoluto chomskysmo, con su defensa totalmente hispánica de los postulados de éste y su enfrentamiento a tesis que atacaran las del lingüista generativista por excelencia[566].

**8.5.4.** El segundo foco desde el que se difundieron las ideas generativistas arranca de una serie de reuniones sobre filosofía de la ciencia, desde los años cincuenta, reuniones que, para nuestro objeto, culminan en el Seminario de Lingüística Matemática del Centro de Cálculo de la Universidad de Madrid, reunido por primera vez el 18 de diciembre de 1968[567]. Víctor Sánchez de Zavala es quien da los puntos principales de estudio:

[565] Que lleva el apropiado subtítulo de *Mínima Introducción a la Fonología,* Barcelona (Seix Barral).
[566] Lo anterior no debe entenderse, de ninguna manera, como una reacción personal ante Otero, cuya obra sólo podrá calibrarse con ecuanimidad cuando se pose el polvo de la polémica, sino como una interpretación y resumen personales de las razones que hemos ido recogiendo y que motivan una cierta postura defensiva ante los escritos del profesor español de California.
[567] El *Boletín* del Centro de Cálculo *(B.C.C.U.M.)* ha recogido en sus páginas los resúmenes de las sesiones y los artículos de los participantes. He aquí una lista de los trabajos de este tipo que nos ha facilitado Angel Manteca Alonso-Cortés, a quien se la agradecemos muy vivamente. Los números 1 (XII-1968) y 2 (I-1969) incluyen la presentación y objetivos del Seminario:
"La economía del sistema fonológico", R. Trujillo y J. A. Bellón, n.º 3 (II-1969).
"Para la caracterización estilística de un texto literario con ayuda de un ordenador electrónico", por J. A. Bellón, *ibid.*
"Lenguaje de un ordenador", E. García Camarero, *ibid.*
"Algunos Problemas Semánticos que surgen en los Filósofos Analíticos", V. Sz. de Zavala, n.º 4 (III-1969).
"Exposición de la teoría semántica de Katz y Fodor", C. Piera, n.º 5 (IV-1969).
"El orden de palabras", Violeta Demonte *(ibid.).*
"Ultimos avances de la semántica. A. Weinreich. B. Katz", V. Sánchez de Zavala, n.º 6 (V-VI-1969).
"Ultimos avances en Gramática Transformativa", Marisa Rivero *(Ibid.).*
"Análisis componencial". V. Demonte, n.º 7 (XI-1969).
"Una técnica para la identificación y descripción de relaciones semánticas: la tipificación de predicaciones", núms. 8-9 (I-1970).

1. Predominio de la lingüística generativa.
2. Importancia del estudio matemático para aspectos de la lingüística.
3. Posibles vías de desarrollo de la semántica.

El punto primero sitúa este seminario en una vía de investigación que busca una metodología depurada y que se aparta de las tesis estructuralistas, que ofrecían una teoría de un *corpus,* para buscar una teoría de la competencia lingüística.

El punto segundo permite unir a la ingüística generativa los resultados de la teoría de la información y las gramáticas formales.

El tercer apartado, finalmente, es premonitorio del camino heterodoxo que va a seguir el generativismo español que llamaríamos "autóctono" frente al de Carlos - Peregrín Otero que, con símil deportivo, llamaríamos "oriundo", con más razón si pensamos que también aquí, como en el fútbol, las reglas del juego están en ́inglés. Por este Seminario se introducirá el pensamiento de la izquierda chomskiana, especialmente en la versión de la semántica generativa.

**8.5.5.** Nos agrada reproducir aquí una precisión verbal de Víctor Sánchez de Zavala referida a su relación con C.P. Otero. La influencia del segundo en la constitución de este grupo "interno" generativista puede ser calificada de importante; no se debe a él la llegada a España de los libros chomskianos, pero sí la explicación del pensamiento de Chomsky dentro de un amplio contexto cultural, esta misión de aclaración contribuyó sin duda decisivamente a que se formara este grupo del Centro de Cálculo cuyos postulados acabamos de citar.

"Consideraciones neurofisiológicas y experimental-psicológicas pertinentes para los estudios de los fundamentos de la Semántica", V. Sz. de Zavala, n.º 10 (II-1970).

"Sobre Universales en Lingüística", por V. Demonte *(ibid.).*

"Sobre algunos supuestos de la Lingüística Generativa", V. Sz. de Zavala, n.º 11 (IV-1970).

"Una restricción que impone la estructura superficial del español a las restricciones doblemente negativas", M. Rivero, n.º 12 (VI-1970).

"Bosquejo de los resultados obtenidos en un estudio de la praxiología lingüística", V. Sz. de Zavala *(ibid.).*

"Lingüística y estructuralismo", V. Sz. de Zavala (reproducido en *Hacia una Epistemología...),* n.º 13 (XII-1970).

"Una aplicación de la gramática de casos", V. Demonte *(ibid.).*

"Dificultades del modelo de dos subteorías para el análisis de los efectos de entorno sobre el discurso", V. Sz. de Zavala, n.º 14 (III-1971).

"Replanteamiento de la cuasi competencia de producción verbal", V. Sz. de Zavala *(ibid.).*

"Instrumentales y agentivos en español", V. Demonte, n.º 15 (VI-1971).

"Nota en torno al concepto de significado en Lingüística", V. Sánchez de Zavala, n.º 15 *(ibid.).*

"La semántica generativa", V. Demonte, n.º 16 (VII-1971).

"Origen y factores de los pronombres anafóricos", V. Demonte *(ibid.).*

"Ejemplos y más ejemplos", V. Sz. de Zavala *(ibid.).*

"Cómo pasar del significado a la palabra (consideraciones preliminares)", V. Sz. de Zavala (ibid.).

**8.5.6.** Los problemas metodológicos inherentes a esta lingüística han sido tratados por Sánchez de Zavala, según Lázaro Carreter, "con una riqueza de información y una agudeza sobresalientes"[568]. Pero además, la lingüística generativa española encuentra con este pensador un camino original y fecundo, que trata de desarrollar en sus *Indagaciones Praxiológicas sobre la Actividad Lingüística,* libro al que ya hemos tenido ocasión de referirnos. En él señala, como sabemos, la necesidad de completar los estudios sintácticos y semánticos con una pragmática, y se insiste en que falta mucho para agotar las posibilidades del generativismo que, en cierto modo, se ha sentido como cohibido, y no ha avanzado por algunas vías teóricamente abiertas, como, p. ej. "la tarea de representar en un modelo la actuación misma de los usuarios de los 'lenguajes naturales'"[569]. Ya hemos señalado en el apartado anterior lo que esta postura puede suponer de acercamiento al empirismo, y no sería nada extraño que nos acercáramos a una nueva teoría-puente, cumpliéndose la evolución dialéctica.

**8.5.7.** La lingüística generativa se ha introducido también por otras vías, como puede ser la influencia de la versión francesa del generativismo (Dubois y Gross), que no ha conducido entre nosotros a líneas metodológicas tan firmes como las arriba enunciadas, la traducción de la *Lingüística Teórica* de J. Lyons, y, también, el círculo que está surgiendo en la Universidad Autónoma de Madrid en torno a la figura de Fernando Lázaro Carreter, con la importante proliferación de trabajos académicos sobre la lingüística generativa, con la notable salvedad, y novedad en este terreno, de su aplicación al lenguaje literario y a la construcción de la Poética. El profesor Lázaro Carreter, según nuestras noticias, está elaborando una gramática generativa del español que, según las notas de clase que hemos podido estudiar, supondría una importante renovación dentro de la gramática española.

**8.5.8.** Los estudios generativos sobre el español van ganando terreno en los últimos años, una vez pasadas incomprensiones iniciales que los asociaban a los lenguajes de ordenadores, la traducción automática o una nueva notación, sin comprender que lo fundamental era el cambio total de la epistemología. Las reseñas críticas aparecidas en la *Revista de la Sociedad Española de Lingüística (R.S.E.L.)* son un buen barómetro para medir la presión de la acogida que pudiéramos llamar oficial.

**8.5.9.** El tomo I de la *R.S.E.L.,* 1971, incluye, en su fascículo primero un comentario general de Eulalia Rodón acerca del Congreso de Lingüística de Bucarest, 1969, donde todavía se piensa que los transformacionistas tienen promesas que mantener en su totalidad. Rodríguez Adrados, en su crítica del libro de Christian Rohrer, *Funktionelle Sprachwissenschaft und transformationelle Grammatik,* lanza algunos ataques contra el generati-

---

[568] "Sintaxis y Semántica", cit., p. 61.

[569] Esta afirmación (p. 39 del libro citado) no debe entenderse sólo a partir de nuestro texto, sino referida al contexto en que Sánchez de Zavala la sitúa.

vismo, para concluir aceptando un planteamiento serio de esta teoría "siempre que este tipo de Lingüística no sea el único cultivado y se complete con otras aproximaciones", lo que supone no reconocer el carácter radicalmente distinto de la metodología generativa. En su reseña de O. Akhmanova y G. Mikael'an, *The Theory of Syntax in modern Linguistics* se refiere a la relación entre las teorías de Chomsky y Saumjan y la Glosemática, a partir de una radical diferenciación metodológica, lo que no queda muy claro, probablemente porque busca su explicación más en la notación, en la formalización, que en el concepto, al mismo tiempo que insiste en "fracasos" de los transformacionalistas en temas que son fracasos, efectivamente, desde el planteamiento estructural, pero no desde el generativista, como, p. ej., la necesidad de una capacidad generativa en el componente semántico. El segundo fascículo incluye artículos en relación con el método generativo, tanto en su aspecto metodológico, como el trabajo de Michelena que habremos de comentar al ocuparnos de la diacronía, como de aplicación a problemas concretos, tema del que no podemos ocuparnos en estas páginas, pues nos supondría una labor de revisión y crítica pormenorizada ajena a nuestro objetivo, puramente panorámico, como hemos repetido en varias ocasiones. La reseña de Rodríguez Adrados a la *Theoretical Linguistics* de Lyons es demasiado breve, por desgracia, para que podamos percibir en ella otra cosa que un reconocimiento de los méritos del libro y un insistir en los puntos en que se puede observar una discrepancia de lo transformacional (que se confunde así con lo simplemente chomskyano, que no es lo mismo). Libro tan excelente y tan importante por su valor formativo y por su amplia difusión en España parece merecer una atención crítica más detallada. Cierra el número la reseña de *Aspectos,* por Humberto López Morales, quien se entretiene en nimias discusiones terminológicas, ataca a Otero por su tono personal en la presentación del libro, aun reconociendo los méritos de su trabajo, que "no son pocos". Más que una reseña de *Aspectos,* lo es de la Introducción, con una referencia, fundamentalmente elogiosa, a la traducción, con reparos terminológicos; como resumen nada mejor que las palabras del reseñador: "conviene reconocer que estos reparos son todos de carácter circunstancial"; mayores reparos tiene que hacer López a la "deificación" de Chomsky, al "uso de un léxico de panegírico que no tiene cabida en una obra científica" o al "lamentable tono panfletario" en que se exponen las ideas políticas de Chomsky, ajenas, al parecer, a las del señor López Morales, quien acaba de publicar una *Introducción a la Lingüística Generativa* que citamos junto a la *Introducción Crítica a la Gramática Generativa* de Valerio Báez como una muestra más de la preocupación por el tema en España.

**8.5.10.** El fascículo 2,1 (1972) incluye la reseña de *Lingüística Cartesiana,* por Esther Torrego, detenida y concreta reseña, muy ajustada al tema, en la cual, a la vez que desecha críticas que pueden no tener bastante fundamento, señala el carácter irregular e incompleto del libro, al mismo tiempo que da información sobre otros estudios generativistas, que hacen de su trabajo una aportación muy útil. El fascículo segundo, con la inclusión del trabajo de Carmen Bobes sobre "La Coordinación en la Frase Nominal Castellana", que supone una victoria "oficial" del generativismo, continúa en la línea de la Revista, con apertura a todas las tendencias. En una "vía media", en sus propias palabras, se sitúa, en el mismo fascículo, Luis Michelena ("De la ambigüedad sintáctica"), pero con una postura muy comprensiva y crítica, a la vez, al refutar pretendidos excesos de la crítica de Harald Weydt al análisis de la ambigüedad en el generativismo, a la cual contesta este autor en *R.S.E.L.* 4, pág. 347-361 (en *R.S.E.L.* 5 hay justificación de Michelena). El resumen de las ponencias en la Asamblea General de la Sociedad Española de Lingüística incluye una variedad de trabajos que rozan lo generativo, o que se incluyen totalmente en él. En cuanto a las reseñas críticas, el número de éstas dedicado al generativismo (cinco) señala claramente que la lingüística generativa ha alcanzado su mayoría de edad y alterna con otros enfoques lingüísticos en las páginas de revistas que, como la *R.S.E.L.* son, en cierto modo, una voz oficial de los enfoques metodológicos de nuestra materia. Seguir insistiendo en detalles de estas reseñas (crítica de críticas) podría interpretarse como un deseo de juzgar, totalmente ajeno a nuestro único propósito, la simple exposición. Ya hemos visto cómo se ha ido estableciendo la lingüística generativa, dejemos ahora que se desarrolle, como lo puede hacer, por ejemplo, en la obra de García Berrio, quien inició esta labor en la Universidad de Murcia, para continuarla en la de Málaga.

8.5.11. Para cerrar este apartado vamos a detenernos ahora, como habíamos anunciado, en obras que se ocupan del español, con una metodología generativa[570]. Prescindimos de los artículos y de las obras a las que

---

[570] Para los artículos e indicaciones de otros trabajos recogidos en el *BCCUM, cf.* nuestra nota 567, *supra.* Véanse, además, las referencias a M.ª Luisa Rivero, Foley, C. Bobes, J. A. de Molina, J. Argenté y otros autores, como los incluidos en la compilación de Casagrande, cit., en nuestra bibliografía, donde también recogemos los datos de las obras de Lázaro, Otero, Sánchez de Zavala, Harris, Stockwell, etc., citadas antes, y algunas otras. La revista *Lenguaje y Ciencias,* de Trujillo (Perú), en n.º 14,2,1974, pp. 105-125, incluye una bibliografía de los trabajos de lingüística generativa del español: F. H. Nuessel, Jr.: "A Bibliography of Generative-Bases Grammatical Analyses of Spanish". Añádanse también los estudios incluidos en la compilación de Campbell y otros recogida en la bibliografía final. En cuanto a las obras de que vamos a ocuparnos ahora, la *Gramática Transformativa del español,* de Roger L. Hadlich (Madrid, ed. Gredos, 1973), se había editado en inglés en 1971 *(A Transformational Grammar of Spanish,* N. Jersey, Prentice Hall ed.), el segundo tomo de 1974 de la *RSEL* incluye una dura reseña de V. Šánchez de Zavala sobre (no contra) este libro, en una crítica que no afecta la honradez del trabajo en sí, sino el hecho de que corresponde a una situación de esta lingüística que ya no es actual, de modo que presentarla como obra de actualidad es falaz. La *Spanish Phonology* de James W. Harris fue editada por el MIT en 1969 *(vid.* la reseña de William W. Cressey, en *General Linguistics,* 11, 1971, pp. 63-70).

nos hemos referido en páginas anteriores, por lo que nos centraremos tan
sólo en dos obras, la *Spanish Phonology* de James W. Harris y la *Gramática
Transformativa del Español* de Roger L. Hadlich. La obra de Harris adolece,
a nuestro juicio, de un defecto que reviste cierta importancia para su finalidad
principal; este defecto es la escasa fiabilidad de los informantes (p. 3):
"unos cuantos amigos mexicanos cuya habla creo que es típica de hablantes
educados de la Ciudad de México". Esta carencia absoluta de rigor metodológico nos impide hablar sobre la fonología propiamente dicha que, digámoslo
al margen, no difiere excesivamente de lo que ya sabíamos. El libro resulta
útil, en cambio, para otras cosas, especialmente para las reglas más morfonológicas que morfológicas que intervienen en la formación de compuestos
(¿podría pensarse en unas reglas fonoléxicas?). Así, son muy ilustrativas
páginas como las del capítulo 5, con sus series de alternancias

| | | | | |
|---|---|---|---|---|
| *generar* | *generación* | *generador* | *generativo* | |
| *succionar* | *succión* | | | |
| *extender* | *extensión* | *extensor* | *extensivo* | *extenso* |

o bien

| | | | |
|---|---|---|---|
| *seducir* | *seducción* | *seductor* | *seductivo* |

frente a (o paralelamente a)

| | | | |
|---|---|---|---|
| *proteger* | *protección* | *protector* | *protectivo* |

así como dobletes: *receptor/recibidor,* etc.

**8.5.12.** La crítica podría insistir, negativamente, en otros aspectos de
su libro, que son producto de una teorización sobre una lengua ajena,
como las apreciaciones sobre palabras que están o no en uso. Todo esto
cae en el fallo metodológico inicial, que no sería tan lamentable si, al
menos, sirviera de lección para el futuro.

**8.5.13.** La *Gramática* de Hadlich se resiente también de que su autor
trabaje sobre una lengua ajena. V. Sánchez de Zavala (*Semántica y Sintaxis,*
pág. 28, nota) la califica de "escasamente recomendable". Entre los varios
defectos que se pueden señalar hay dos fundamentales: la gramática española
está calcada de la inglesa, de modo que se fuerza la lengua para que
encaje en esas normas, prescindiendo de problemas tan enjundiosos como
la preposición *a* ante ciertos O. D. (no necesariamente personales siempre),
o que la pronominalización del O. I. (que siempre va precedido del nexo
*a*) se realiza sin nexo, con las formas *le* o *les,* lo que puede obligar a
un tratamiento especial, en lugar de resolverlo con restricciones; la segunda

objeción, más grave, se refiere a errores cometidos por ignorancia de la lengua, como puede ser el olvido de que el agente de la pasiva puede ser introducido por *de* (en verbos de acción inmaterial: *soy estimado de todos, ha sido temido de muchos*), la transformación pasiva (p. 15 del original) no se aplica en casos como

*Juan mañana leerá un libro*

pues si se aplicara como quiere Hadlich, daría

*Un libro mañana será leído por Juan*

cuya gramaticalidad es, por lo menos, dudosa, mientras que, siempre según Hadlich, no obtendríamos la oración totalmente aceptable:

*Un libro será leído por Juan mañana.*

**8.5.14.** Pero no son éstos los errores más graves. Lo que no se puede admitir de ninguna manera es que se niegue la pronominalización en frases como *hace frío* o *el libro cuesta cinco dólares*, así, según este autor, es agramatical una respuesta como *sí, lo hace*, o como *sí, los cuesta*, tras lo cual monta una teoría sobre esas construcciones sin tener en cuenta en absoluto que la lengua va por camino totalmente distinto del que él sigue.

**8.5.15.** Las observaciones que pueden hacerse a este libro son muchas, sin embargo, no hay que perder de vista que se trata del primer trabajo de su género y que muchos nos libraremos de cometer errores gracias a que los hemos visto en su obra. No obstante, parece justo reconocerlo, la gramática generativa del español necesita otras obras que llenen el vacío que estas dos siguen dejando abierto. La investigación lingüística del español con este método no ha hecho más que comenzar, el camino sigue libre ante nosotros.

## 8.6. PERVIVENCIA DE LA LINGÜISTICA DIACRONICA

Los estudios históricos sobre el español que, como vimos en el capítulo anterior, iniciaban un rápido avance a principios del siglo xx, llegaron más lejos de lo que el desarrollo de nuestra lingüística, en conjunto, podía hacer esperar. El artífice de tan extraordinario desarrollo fue un hombre nacido en La Coruña en 1869, discípulo de Menéndez y Pelayo. Don Ramón Menéndez Pidal creó, alrededor de su figura y de su obra, una de las escuelas más importantes de la ciencia española. Su labor, que se pudo canalizar a través del *Centro de Estudios Históricos* y de la *Revista de Filología Española,* llega con pujanza y vitalidad inagotables hasta el momento actual[571]. No nos proponemos analizar la muy dilatada obra menéndez-pidaliana, que abarca estudios de lingüística histórica, de crítica literaria, ediciones de textos, interpretaciones de períodos polémicos de la Historia de España e, incluso, visiones generales sobre España, histórica y literariamente. Nos contentaremos con señalar, desde el punto de vista lingüístico, tres obras que son hitos en la lingüística diacrónica de las lenguas románicas, y en las que podemos observar tres enfoques ligeramente diversos, por la índole de la materia tratada: el *Manual de Gramática Histórica Española*[572], los *Orígenes del Español*[573] y la monumental edición del *Cantar de Mío Cid*[574].

**8.6.1.** El *Manual de Gramática Histórica,* cuya primera edición vio la luz en 1904, contaba con precedentes de mucha menor talla[575]; de su permanente puesta al día son prueba las advertencias a la segunda edición (1905), a la cuarta (1918), quinta (1925) y sexta (1940). Su enfoque es totalmente tradicional: situación del español entre las lenguas romances y clases de elementos que lo componen, detallada y casuística fonética histórica, que sigue conservando validez, con las naturales modificaciones y precisiones, morfología más reducida y dependiente de la evolución fonética, y sintaxis en embrión, limitada a referencias en la morfología. La diacronía está considerada, en este libro, en torno a dos principios complementarios: cambio fonético y analogía. Las leyes fonéticas, que todavía tienen gran importancia en esta obra, no se ven ya a la manera de los neogramáticos, sino que se observa una mayor flexibilidad[576].

[571] Véase la bibliografía de Menéndez Pidal, recogida por María Luisa Vázquez de Parga, en *RFE* 47, 1964, pp. 7-127. Las pp. 113-118 contienen juicios críticos sobre don Ramón y su obra; entre las pp. 118-125 obras acerca de don Ramón; en las pp. 126 y 127 se recogen los repertorios bibliográficos con algunos trabajos que podían haber ido en el apartado anterior. De la gran cantidad de homenajes publicados tras su muerte señalaremos el de *Filología,* XIII (Buenos Aires) y el de la *Revista de la Universidad de Madrid,* XVIII-XIX (cinco volúmenes). La editorial Espasa-Calpe lleva a cabo la edición de las *Obras Completas.* Acerca de la escuela española, con intención crítica y finalidad distintas de las nuestras, véase la *Lingüística Iberorrománica* de Diego Catalán.

[572] Utilizamos la undécima edición. Madrid, Espasa-Calpe, 1962.

[573] Con el expresivo subtítulo: *Estado Lingüístico de la Península Ibérica hasta el siglo XI.* Citamos por la cuarta edición, Madrid (Espasa-Calpe), 1956.

[574] *Texto, Gramática y Vocabulario* 3 vol., Madrid (Espasa-Calpe). 4.ª ed., vol. I, 1964, vols. II y III, 1969.

[575] La fonética histórica según el método de Diez, incluida en la *Filología Castellana,* del conde de la Viñaza, la obra de Alemany: *Estudio Elemental de Gramática Histórica de la Lengua Castellana,* t. I, Fonología y Morfología; t. II, trozos de autores castellanos anteriores al siglo XV, Madrid, con cinco ediciones entre 1902 y 1921, y la *Gramática Histórica de la Lengua Castellana,* de Salvador Padilla, Madrid, 1903, titulada en la 4.ª ed., 1911, *Gramática Histórico Crítica de la Lengua Española.* La parte histórica de esta última obra, a juzgar por el ejemplar que poseemos de la cuarta edición, es mínima, hay reseña de A. Castro en *Rev. de Libros,* Madrid, 1914, pp. 15-16.

[576] *Vid. et.* Pedro U. González de la Calle: "Anotaciones a un texto magistral", *Bol. de Fil.* (Lisboa) XI, 1950, pp. 41-54.

**8.6.2.** Cronológicamente, sigue al *Manual* la monumental edición y estudio del *Cantar de Mío Cid,* publicado por primera vez entre 1908 y 1911. Nos interesan ahora de esta obra la segunda parte del volumen I: *Gramática,* y el volumen II: *Vocabulario.* Este estudio sobre la lengua de una época no ha sido todavía superado; pero él sí supera totalmente las concepciones neogramáticas, enlazando hechos lingüísticos y hechos culturales y concediendo, dentro de un planteamiento global, un lugar fundamental al léxico. La Sintaxis, por otra parte, está aquí mucho más desarrollada que en el *Manual,* incluso aparece un apartado sobre el orden de las palabras en la frase.

**8.6.3.** Estas dos obras de incuestionable mérito quedan, sin embargo, en un segundo plano respecto a la obra fundamental del maestro y, nos atreveríamos a decir, de la filología hispánica. Los *Orígenes del Español,* cuya primera edición es de 1923-26, no sólo son una perfecta descripción de una etapa histórica de la lengua, sino también una perfilada teoría sobre el papel de Castilla en la constitución del mosaico lingüístico ibérico (la cuña castellana que se ensancha al avanzar la Reconquista hacia el Sur) y la aplicación de nuevas técnicas lingüísticas de creciente desarrollo en la investigación filológica del mundo románico: geografía léxica y método de "palabras y cosas". Como las obras anteriores, los Orígenes fueron creciendo y adecuándose a la evolución de la ciencia, que, de modo característico, supone una progresiva introducción de elementos culturales en el tratamiento de los hechos lingüísticos; así, frente a la descarnada sequedad y aridez de los capítulos primeros, tras la antología de textos, dedicados a grafías y fonética, surge el detenido análisis en el que se basa la tesis de la colonización suritática de la península ibérica, punto ampliado (entre otras muchas reformas esenciales) en la tercera edición, 1950, en la que intervino también la mano maestra de Rafael Lapesa. La Sintaxis sigue siendo el punto más débil de este trabajo, y habrá que esperar algún tiempo hasta que la bibliografía sobre sintaxis histórica del español ofrezca trabajos importantes. Los estudios léxicos sobre el español adquieren en esta obra mayoría de edad, el tratamiento, p. ej., de *mustela, comadreja, paniquesa*[577], o la toponimia, consagran una nueva metodología para nuestra ciencia[578].

**8.6.4.** El *Manual de Gramática Histórica* de Menéndez Pidal, es, como sabemos, una obra que presta más atención a la Fonética Histórica que a la Morfología (y casi nada a la Sintaxis). Por otro lado, la fundamentación

---

[577] *Cf.* Gerhard Rohlfs, *Lengua y Cultura,* anotaciones de Manuel Alvar, Madrid (Alcalá), 1966, esp. pp. 69 y ss., 91 y ss., 103-104, 147-150. Para la colonización suritálica, *cf. Enciclopedia Lingüística Hispánica,* t. I, pp. LIX-CXXXVIII, y D. Alonso en el Suplemento al t. I, pp. 105-154. Para la opinión contraria, *vid.* Sebastián Mariner: "Heteroclisis de Topónimos en -o/-ona", *Rev. Univ. Madrid,* XIX, 1970, pp. 185-213.

[578] Entre las obras inéditas e incompletas de Menéndez Pidal figura una *Historia de la Lengua Española,* interrumpida en las palabras *Siglo XVIII. Feijoo.*

de la evolución fonética descansa aún en unas leyes, concebidas como tendencias, sin la rigidez neogramática, pero relativamente próximas a las formulaciones de esta última teoría. La Sintaxis Histórica del español experimentó
un avance en 1910, con la publicación en Halle de la *Spanische Grammatik
auf historischer Grundlage* de Friedrich Hanssen[579], que sigue sirviendo de
referencia de conjunto para esta materia, y que pudo beneficiarse, en
la versión castellana, que es la generalmente usada, de la edición del *Cantar
de Mío Cid* comentada arriba. La tercera de las grandes gramáticas históricas
del español, la de Vicente García de Diego, es ampliación de los *Elementos
de Gramática Histórica Castellana* que publicó este autor en Burgos, en
1914. Esta *Gramática Histórica Española*[580], que atiende más a la Morfología y la Sintaxis, se diferencia también de la de D. Ramón en el planteamiento
de la Fonética Histórica que, para D. Vicente, ha de explicarse de un
modo mucho más complejo que el que da a entender la engañosa facilidad
de las leyes fonéticas. Define el castellano como un complejo dialectal
y señala la imprescindible necesidad de explicar todas las formas que proceden
de una palabra latina, "cada una con su ley fonética o analógica particular"[581]. El papel de la analogía, por otro lado, no es el mismo en su método
que en el de Menéndez Pidal, puesto que afirma taxativamente que "no pueden entrar los ejemplos de la analogía en el campo de la fonética, porque son
dos mundos distintos"[582]. Volveremos a ocuparnos de este autor al estudiar
su extraordinaria labor como dialectólogo y folklorista.

**8.6.5.** La labor puramente lingüística de Américo Castro, fuera de su
aportación fundamental a la explicación de la Historia de España, tiene
dos vertientes: diacrónica y sincrónica. Del segundo aspecto, centrado en
su preocupación metodológica acerca de la enseñanza de la lengua y la
literatura, hablaremos en la sección metodológica de este libro; en cuanto
al primero, prescindiendo de sus colaboraciones en la *R.F.E.* y sus ediciones
de textos, podemos centrarlo en dos trabajos, su versión de la *Introducción a
la Lingüística Románica* de Wilhelm Meyer-Lübke[583], que introdujo una visión crítica de la filología románica asequible a los estudiantes universitarios,
y sus *Glosarios Latino-españoles de la Edad Media*[584], obra en la que colaboró

---

[579] *Cf.* Federico Hanssen, *Gramática Histórica de la Lengua Castellana,* Halle (Max Niemeyer), 1913. Hay ediciones posteriores, la más asequible parece ser la de Ed. Hispanoamericanas
de París.
[580] Usamos la 2.ª ed. revisada. Madrid (Gredos), 1961.
[581] *Op. cit.,* p. 8.
[582] *Ibid.,* p. 9.
[583] La edición manejada es la 2.ª ed., versión de la tercera alemana, Madrid (CEH),
1926, ejemplar del propio don Américo, con sus notas y correcciones al margen, que conservába-
mos en depósito y pertenece a la Universidad de Santa Cruz, California. Para la bibliografía
de Castro *cf.* Jorge Campos: "Selección bibliográfica de las publicaciones de Américo Castro",
en *Estudios sobre la obra de Américo Castro,* Madrid (Taurus), 1971, pp. 445-447.
[584] Madrid, Anejo XXII de la *RFE* (CEH), 1936.

Joan Corominas y en la que se encuentra uno de los pilares que sostienen los importantes trabajos lexicográficos de carácter histórico que se han realizado o iniciado después.

**8.6.6.** La labor del Centro de Estudios Históricos, como decíamos, es fundamental para entender el desarrollo de la lingüística española. Si Menéndez Pidal había publicado los *Documentos lingüísticos de Castilla,* Tomás Navarro Tomás, creador de la Fonética y la Geografía Lingüística españolas, publica los de Aragón; Amado Alonso, figura malograda cuya pérdida nunca lamentaremos bastante, además de sus estudios gramaticales, que veremos en el próximo apartado, inicia sus trabajos, que quedarán incompletos, sobre la historia de la pronunciación española, con lo que ello supone de reconstrucción de la historia de nuestra gramática [585]. Dámaso Alonso, por su parte, aunque dedicado principalmente a la literatura (estudio y creación) y a la estilística, nos deja una importante serie de trabajos lingüísticos sobre distintos aspectos del mundo hispánico y su relación con la Romania [586].

**8.6.7.** La figura de Rafael Lapesa se alza con su ejemplaridad como guía indiscutible en la investigación sobre la lengua española. A sus años de callada labor junto a Menéndez Pidal, su dedicación al Glosario de los *Orígenes del Español,* todavía incompleto, se une el éxito de su *Historia de la Lengua Española,* manual que señala una nueva dirección en el estudio de la diacronía, unida a la sincronía, a la búsqueda de una investigación pancrónica en la que las dos dicotomías se integren en una síntesis explicadora del fenómeno lingüístico [587]. Los fenómenos lingüísticos se exponen en su evolución, pero esta evolución se segmenta con cortes horizontales, delimitándose así épocas de cierta longitud en las que se puede estudiar la relación de los fenómenos lingüísticos con los hechos culturales, en una visión armónica, integradora y total. A pesar de la importancia de la Historia de la Lengua, la obra de Rafael Lapesa (prescindiendo ahora de sus trabajos literarios en los que su honda sensibilidad, conocimiento de la historia literaria, y maestría de autor de la prosa contemporánea quedan patentes) habrá de completarse con la monumental *Sintaxis Histórica* que, a juzgar

---

[585] *De la pronunciación medieval a la moderna en español,* Madrid (Gredos). Han aparecido los tomos I y II, ultimados y dispuestos para la imprenta por Rafael Lapesa. Nuestras noticias son que está prácticamente listo el t. III, para el que se ha contado con la competente ayuda de M.ª Josefa Canellada de Zamora.

[586] Sus *Estudios Lingüísticos Peninsulares,* en el t. I de sus *Obras Completas,* Madrid (Gredos), ocupan 706 pp. *Vid.* Fernando Huarte Mortón: "Bibliografía de Dámaso Alonso", en *Homenaje Universitario a Dámaso Alonso,* Madrid (Gredos), 1970, pp. 295-347.

[587] La séptima edición de la *Historia de la Lengua Española,* Madrid (Escelicer), 1968, contiene una serie de adiciones y reformas en apéndice. Las obras que más han influido en el desarrollo de esta investigación, que combina sincronía y diacronía, han sido las de Walther von Wartburg, especialmente *Evolución y Estructura de la Lengua Francesa,* versión española de Carmen Chust, Madrid (Gredos), 1966, a partir de la quinta edición francesa.

por los retazos que nos ha ofrecido en publicaciones periódicas, más o menos interrelacionadas[588], será una de las obras más elaboradas de la lingüística española.

**8.6.8.** Dejando ahora a un lado los problemas de Dialectología, Geografía Lingüística y Sociolingüística, de los que nos ocuparemos luego, y antes de pasar a la influencia más directa del estructuralismo en estos estudios, haremos una referencia a la lexicografía diacrónica, ejemplificada en dos obras:

**8.6.9.** La primera de ellas es el *Diccionario Crítico Etimológico de la Lengua Castellana (DCEC)*[589] de Joan Corominas, que cumple funciones mucho más amplias que las de un simple diccionario etimológico, pues no sólo da las etimologías de los vocablos incluidos, sino que discute las diversas propuestas, incluye referencias bibliográficas, registra diversas acepciones y, además, sirve de Diccionario Histórico provisional, mientras se elabora el de la R.A.E., puesto que nos ofrece fechas de los datos que registra, aunque, al no ser ese su principal propósito, esas fechas pueden considerarse como simplemente indicadoras, y, de hecho, el *Diccionario Histórico* de la R.A.E. suele remontarlas en los fascículos que han aparecido.

**8.6.10.** La segunda obra fundamental de la Lexicografía Diacrónica del Español es, precisamente, el *Diccionario Histórico* de la Real Academia Española *(D.H.)*, obra monumental de la que ha aparecido el primer tomo que, en sus 1302 páginas *in folio,* a tres columnas, incluye hasta *ala,* lo que puede dar una idea aproximada de la extensión impresionante de la obra completa. El *D.H.* trata de recoger, en la medida de lo posible, todas las palabras españolas, con inclusión de aquellas que pertenecen al fondo común de la lengua, incluso aquellas cuyo origen es dialectal o de las lenguas con las que el español ha tenido un contacto definitivo para su historia como lengua (p. ej. el árabe), asimismo ciertos neologismos, siempre que aparezcan en las obras papeletizadas como palabras más o menos españolizadas (o sea, sin comillas, cursiva, etc.). El criterio de inclusión es, en consecuencia, bastante amplio, hasta el punto de que las restricciones se aplican sólo cuando la palabra en cuestión parece estar todavía muy cercana a la lengua origen, tanto en su grafía como en su empleo en el contexto, por ejemplo, una palabra árabe única, en un texto traducido del árabe y que, al parecer, sólo ha sido usada por los mudéjares[590].

[588] *Cf.* nuestra bibliografía final para el detalle de cada uno de estos artículos.

[589] Editado en Madrid por ed. Gredos, 4 vols. Hay una edición escolar, reducida, en un volumen.

[590] Acerca de los diccionarios históricos *vid.* nuestro trabajo: "Problèmes de Rédaction des Dictionnaires Historiques. L'Article 'Accident' dans le *Trésor de la Langue Française* et le *Diccionario Histórico* de la Real Academia Española", próximo a aparecer en las Actas de las 2.ª y 3.ª escuelas de verano de C.N.U.C.E. de Pisa y, en versión española, en *Verba* 2. *Cf. et. BolRAE* 25, 1946, pp. 472-475; J. Casares: "El Seminario de Lexicografía. Su

**8.6.11.** Dentro de los tratamientos diacrónicos, y como puente entre la gramática histórica, el estructuralismo y la gramática generativa, pueden situarse los estudios de fonología diacrónica [591].

**8.6.12.** En el año 1950 publicó Emilio Alarcos Llorach la primera edición de su *Fonología Española* y en 1951 su "Esbozo de una Fonología Diacrónica del Español" [592], inspirados en los *Principios de Fonología* de N. S. Trubetzkoy, que, en la versión francesa de Cantineau, incluían un trabajo fundamental de Jakobson sobre la fonología histórica [593]. Esta fonología diacrónica era un paso adelante en la formalización de unos conocimientos hondos y detallados; con ella, la escuela histórico-gramatical española, continuadora de Menéndez Pidal, se mantenía en la línea de vanguardia que había ocupado tradicionalmente en los estudios de lingüística histórica. Como es el caso de su *Gramática Estructural,* también en esta obra Alarcos se constituye en adelantado de la nueva lingüística al producir la primera versión de la misma cuando todavía en Europa era muy poco lo que se había escrito sobre fonología diacrónica [594].

**8.6.13.** Una revisión de las sucesivas ediciones de la *Fonología Española*

justificación y cometido" *Ibid,* 26, 1947, pp. 169-191. *Vid. et. Ibid.,* pp. 475-483, así como J. Casares: "Ante el Proyecto de un Diccionario Histórico" *BolRAE* 28, 1948, pp. 7-25, 177-224, y R. Lapesa: "Le Dictionnaire Historique de la Langue Espagnole", comunicación en el Coloquio de Estrasburgo, nov. 1957, en *Lexicologie et Lexicographie Françaises et Romanes,* París (C.N.R.S.), 1960, pp. 21-27.

[591] *Cf.* Kurt Baldinger y José Luis Rivarola: "Lingüística Tradicional y Fonología Diacrónica", en *An. de Letras,* IX, 1971 (México), pp. 5-49, y Bohdan Saciuk: "Phonological Studies in Romance" en *G.S.R.L.,* pp. 215-224, así como la bibliografía recogida en ambos trabajos y en la compilación de Campbell citada. Como información general véase Sanford A. Schane: "La phonologie génerative", *Langages,* 8, 1967; Karl Heinz Wagner: "'Analogical Change' Reconsidered in the Framework of Generative Phonology", *Fol. Ling.,* III, 1969, pp. 228-241; Ilpo Tapani Piirainen: "Generative Modelle in der Diachronie", *Fol. Ling.,* IV, 1970, pp. 32-37. Para las peculiaridades de la fonología generativa y sus relaciones con la estructural, *vid.* Morris Halle: "Phonology in Generative Grammar", *Word,* 18, 1962, pp. 54-72. Acerca de la evolución de la lingüística histórica tiene interés W. P. Lehmann y Y. Malkiel (ed.): *Directions for Historical Linguistics: A Symposium,* Univ. Texas Press, 1968, *cf.* K. D. Uitti, "Remarques sur la Linguistique Historique", *Rom. Forsch.* 81, 1969, pp. 1-21, y A. Llorente, en *R.F.E.,* LV, 1972, pp. 107-110.
La fonología sincrónica contaba con excelentes trabajos, como los de Navarro Tomás, Amado Alonso y el propio E. Alarcos, entre los españoles, y Spaulding y Trager entre los extranjeros.

[592] Madrid (ed. Gredos), ampliada en sucesivas ediciones, con inclusión de la Fonología Diacrónica, cuyo esbozo de 1951 apareció en los *Est. Ded. a Menéndez Pidal,* 2.

[593] Trabajo que hoy se puede leer en español, con el título "Principios de Fonología Histórica", en la compilación de Joan Argenté, citada.

[594] En la *Revue des Cours et Conférences* de la 'École des Hautes Études', 1939, pp. 323 y ss. André Martinet había publicado su noticia sobre "La Phonologie Synchronique et Diachronique". También de 1939 es su importante trabajo *La Description Phonologique avec Application au Parler Franco-provençal d'Hauteville (Savoie),* publicado con fecha 1939, en la *RLiR,* pero con fecha real 1945. Hoy puede leerse, revisado, en ed. de Ginebra-París (Droz, Minard), 1956.

y de las correspondientes puestas al día bibliográficas nos serviría de perfecto esquema en el que veríamos con claridad la evolución de esta materia y su progresiva introducción en España. En este sentido, no parece haber duda de que los sucesivos artículos de ,André Martinet, incluidos en su *Economie des Changements Phonétiques* [595], han sido, tras los estudios de Alarcos, los trabajos que más han influido en nuestra fonología diacrónica. Hay tres artículos de este libro que son particularmente importantes para la lingüística española: el dedicado al ensordecimiento de las sibilantes españolas (donde se incluye la versión à la Martinet del complejo problema de la aspiración de *f-* inicial latina) [596]; el que se ocupa de la lenición céltica y la evolución de las consonantes intervocálicas del romance occidental [597], y, en tercer lugar, su estudio sobre la reconstrucción estructural, ejemplificado con las oclusivas del vasco.

**8.6.14.** Estos trabajos originaron una gran cantidad de estudios dedicados a precisarlos, limitarlos o, también, rechazarlos. Además de las precisiones del propio Alarcos, al discutirlos en las páginas de sucesivas ediciones de su *Fonología,* tenemos que citar a D. Catalán, Rafael Lapesa, S. Mariner. L. Michelena, entre los investigadores españoles que ofrecieron la *Miscelánea Homenaje a André Martinet,* editada por la Universidad de la Laguna, y de cuya importancia hemos hecho breve mención al ocuparnos del autor francés en las líneas dedicadas a la lingüística funcional.

**8.6.15.** La penetración del método estructural en la lingüística histórica del español ha sido un fenómeno lento. Todavía en 1952, en su tesis doctoral [598], Eugenio de Bustos hace un tratamiento completamente tradicional de la sonorización de sordas intervocálicas y en 1958, también en su tesis doctoral [599], Germán de Granda insiste en los aspectos criticables del estructuralismo y, si bien la palabra "estructura" aparece en el título de la obra, hay una cierta presión ambiental que le incita a suavizar cualquier fogosidad estructural y a envolverla en un elevado número de paños calientes. Junto a estos dos ejemplos, que se pueden citar por la innegable personalidad científica de sus autores y porque su evolución posterior nos ha mostrado su atención al desarrollo de la lingüística, hay otros muchos casos en los que sólo el triunfo del método y su general aceptación han conseguido vencer reticencias muchas veces expuestas [600].

[595] La 1.ª ed. de este libro es de 1955, utilizamos la segunda, de 1964 (ed. A. Francke, Berna). En 1974 editorial Gredos, de Madrid, ha publicado la traducción de esta obra.
[596] Trabajo que había sido publicado como "The Unvoicing of Old Spanish Sibilants" en *Rom. Phil.,* 5, 1951-52, pp. 133-156.
[597] También publicado previamente en inglés: "Celtic Lenition and Western Romance Consonants", *Lg.* 28, 1952, pp. 192-217.
[598] *Estudios sobre Asimilación y Disimilación en el Iberorrománico.* Madrid (C.S.I.C.) 1960.
[599] *La Estructura Silábica y su Influencia en la Evolución Fonética del Dominio Ibero-románico,* Madrid (C.S.I.C.), 1966.
[600] A los nombres de investigadores españoles y al de Martinet pueden unirse los de

**8.6.16.** La Dialectología, así como la Geografía Lingüística y la Sociolingüística, son ciencias lingüísticas cuyo desarrollo en España ha sido y es importante[601]. En la fugaz presentación de este tema en nuestro contexto queremos destacar algunos puntos, entre la gran cantidad de valiosas aportaciones al mismo. La labor de Menéndez Pidal sobre el leonés, tan tempranamente iniciada, como puntualiza Carmen Bobes[602], se completa con tratados generales de dialectología, colecciones de textos, la fecunda labor de los Atlas Lingüísticos y el prometedor futuro de los estudios de Sociolingüística[603]. La primera de las obras de conjunto sobre dialectología española es el *Manual de Dialectología Española* de Vicente García de Diego, cuya primera edición se publicó en 1946, con una segunda, corregida y aumentada, en 1959[604]. Su contenido es más amplio que el de un simple manual de dialectología, puesto que incluye a las otras tres lenguas españolas de la Península: gallego, vasco y catalán. Aunque presentado con carácter provisional y con especial dedicación a la fonética, el *Manual* de García de Diego es obra que conserva su utilidad.

**8.6.17.** Esta utilidad se ve acrecentada en la obra de otro miembro del Centro de Estudios Históricos: la *Dialectología Española* de Alonso Zamora Vicente, sigue siendo, tras las ampliaciones de la segunda edición[605], el libro de consulta necesario para cualquier estudioso de temas dialectales. Desaparecen de esta obra las lenguas hispánicas, para reducirse a los dialectos castellanos y al mozárabe, leonés y aragonés. Aunque ya hay abundantes referencias a la morfología, la sintaxis y el léxico dialectales, la fonética sigue reinando, como lo prueba el que se incluyan dos capítulos para sendos fenómenos: aspiración y yeísmo. El libro se cierra con un

importantes estudiosos extranjeros, como Baldinger, Coseriu, Francescato, Jungemann, Malkiel, Malmberg, Pottier, Saporta, entre otros.

[601] Ya en la *Rev. Lusitana* II, 1890-92, pp. 344-346, el príncipe Louis Lucien Bonaparte publicó sus "Notas sôbre a classificação de alguns dialectos românicos". Homèro Serís, n.º 10.815 de su *Bibliografia*, advierte la existencia de numerosos libros sobre dialectología española en la colección L. L. Bonaparte de la Newberry Library de Chicago. *Vid. et.* A. del Río: "El estudio de los dialectos en el siglo XVIII: Francia e Italia. España y Portugal", *R.F.H.*, V. 1943, pp. 210-214, y, en general, la bibliografia de Manuel Alvar: *Dialectología Española*, Madrid (C.S.I.C.), 1962, suplementada con la sección 4.11 de la Bibliografia de la *R.F.E.*

[602] En el prólogo a su edición anotada de *El Dialecto Leonés*, de Menéndez Pidal, Oviedo (Instituto de Estudios Asturianos), 1962. En este prólogo se expone de modo sucinto, pero completo, la evolución de los estudios leoneses, a partir de los primeros trabajos del maestro de la filología española.

[603] Puesto que nuestro trabajo se limita al castellano (extendido aquí a los dos dialectos románicos que lo flanquean, leonés y aragonés), no nos ocuparemos de los estudios dialectales sobre las demás lenguas peninsulares, aunque no queremos dejar de señalar su excepcional importancia, tanto por los resultados obtenidos como por la constitución de escuelas distintas que, junto a la de Menéndez Pidal, nos permiten disponer de un abanico metodológico más amplio.

[604] Ed. Cultura Hispánica. Madrid.

[605] Ed. Gredos, Madrid, 1967.

completo (aunque no exhaustivo, según advierte el autor) índice bibliográfico. Conviene hacer notar que hay ciertas desigualdades en el libro, debidas a la lógica visión personal de algunos de los temas tratados, como el leonés y el español de América, mientras que para el aragonés, p. ej., depende mucho más de otros autores y especialmente de Manuel Alvar, autor de gran cantidad de estudios dialectales, sobre todo aragoneses en su primera época, y de una monografía de este dialecto, dedicada precisamente a María Josefa y Alonso Zamora[606], trabajo que, entre otros valores, tiene el de aplicar los métodos de la escuela de Menéndez Pidal a un dialecto poco estudiado antes, y el de unir estos métodos a los de la escuela catalana, habida cuenta del papel del aragonés entre el catalán y el castellano.

**8.6.18.** También se debe a Manuel Alvar la más completa antología de textos hispánicos dialectales[607], divididos en zonas, precedidas éstas de sendas caracterizaciones condensadas de los rasgos que se observarán en los textos, así como, a él y sus colaboradores, A. Llorente, y G. Salvador, la paciente labor de los Atlas Lingüísticos españoles. Mas, para hablar de la Geografía Lingüística en la Península Ibérica hemos de remontarnos un poco[608]. Señala Alvar[609] el desarrollo de los trabajos de Geografía Lingüística en España a partir de los trabajos preparatorios del *ALPI (Atlas Lingüístico de la Península Ibérica)*: "Fue preciso que Menéndez Pidal, 'ese hombre milagro' de que habló Leo Spitzer, encargara a Navarro Tomás la preparación del *ALPI* para que la Península Ibérica se pudiera incorporar a la gran revolución de la geografía lingüística."

**8.6.19.** El *ALPI* se inició en 1925 con la preparación del cuestionario, que contó con la muy efectiva ayuda de Amado Alonso. El proyecto, bajo la dirección de Tomás Navarro Tomás, con la colaboración de L.F.L. Cintra, A.M. Espinosa (hijo), A.N. de Gusmão, F. de B. Moll, A. Otero, L. Rodríguez-Castellano y M. Sanchis Guarner. Alvar exagera la pobreza del cuestionario, la falta de absoluto rigor en la selección de cuestiones, la preferencia por los aspectos fonéticos y la escasa densidad de la red. Agravado esto por el tiempo transcurrido, la guerra y la posguerra, y la rápida evolución de la geografía lingüística, hay que señalar que el *ALPI* ha sido superado (sin connotación peyorativa en el término) por los nuevos atlas regionales, aunque el principal peligro de éstos, como también señala Alvar, es el riesgo coordinador[610]. Sin embargo, no olvidemos que no pudo

---

[606] *El Dialecto Aragonés.* Madrid (Gredos), 1953.

[607] *Textos Hispánicos Dialectales. Antología Histórica* (2 vols.), Madrid (C.S.I.C.), 1960. Homero Serís (n.º 14153 a) recoge la reseña de M. Molho, en el *BHi*, LXIV, 1962, pp. 341-342.

[608] Sobre la geografía lingüística peninsular deben verse las páginas y notas con que amplía M. Alvar la *Lingüística Románica,* de Iorgu Iordan, pp. 400-485.

[609] *Ibid.,* pp. 402-444.

[610] *Vid.* la nota 370 del libro citado, y las pp. 475-483. *Cf.* D. Catalán: *Lingüística Iberorrománica,* I, 2.12.

ser publicado en su tiempo, y que el mapa léxico *(aguijón)*, publicado por error, testimonia una riqueza no aprovechada.

**8.6.20.** El más adelantado de los atlas regionales es el de Andalucía *(ALEA)*, elaborado por M. Alvar, G. Salvador y A. Llorente. Fiel al método de "palabras y cosas", junto al rico material lingüístico nos ofrece una muy variada muestra de interés etnográfico. Este Atlas modélico, como han señalado G. Araya y J. Caro Baroja[611], ha supuesto el inicio de una nueva era en la geografía lingüística hispánica, en la que lo fundamental es ir cubriendo, con las redes más finas de estos atlas, todo el territorio nacional. Así, el *Atlas Lingüístico y Etnográfico de Murcia* sigue el plan del *ALEA,* con la inclusión de A. Quilis en el equipo investigador, mientras que el *ALEAR* aragonés da su cuestionario al de Navarra y Rioja *(ALENR).* Por otra parte, la geografía lingüística ofrece resultados inestimables en otros terrenos, los trabajos del *ALEI Can* (atlas canario) han permitido el acopio de importantes materiales para los estudios de Sociolingüística, el *Altas Lingüístico Mediterráneo* ofrece posibilidades insospechadas al estudio de la cultura popular (pensemos, p. ej., en lo relativo a las supersticiones antes de salir al mar)[612].

**8.6.21.** La Sociolingüística ofrece actualmente a los investigadores españoles procedentes de la dialectología y la geografía lingüística un nuevo terreno, ya anunciado por Vicente García de Diego: el de los "dialectos verticales": en la investigación de los fenómenos lingüísticos debe atenderse tanto a la distribución geográfica como a la social. En el capítulo 3 de este libro hemos tratado de señalar algunas consideraciones generales de tipo sociolingüístico[613], por lo que ahora nos contentaremos con señalar, entre la amplia bibliografía de Manuel Alvar, dos libros dedicados a este método[614], y a una rápida referencia a la muy extensa obra sociolingüística de Germán de Granda, quien, en un marco más amplio, tras estudios como el dedicado a la interferencia lingüística en Puerto Rico, ha pasado al estudio de elementos lingüístico afroamericanos en Hispanoamérica, con resultados notables[615].

[611] *Ibid.,* pp. 478-479.

[612] Para una amplia visión de la geografía lingüística hoy *cf. Atti del Convegno Internazionale sul tema: Gli Atlanti linguistici, problemi e risultati (Roma, 20-24 Ottobre 1967),* Roma (Ac. Lincei), 1969. Como una temprana y todavía incompleta tentativa de aplicación de los ordenadores a la Geografía Lingüística, *vid.* M. Ariza, I. del Campo, I. González, F. Marcos y M. T. Molina: "Atlas Lingüísticos Plurilingües con Ordenadores Electrónicos", *Bol. CCUM* 23, sep. 1973, pp. 16-31.

[613] Para un planteamiento general *cf.* W. Labov: "The Study of Language in its Social Context", en Joshua A. Fishman (ed.) *Advances in the Sociology of Language,* La Haya-París, 1971, t. I, pp. 152-216.

[614] Ambos editados por el Excmo. Cabildo Insular de Gran Canaria: *Estudios Canarios,* 1968, y, de mayor interés para nuestro objeto actual, *Niveles Socio-culturales en el Habla de Las Palmas de Gran Canaria,* 1972.

[615] Tras su clásico *Transculturación e Interferencia Lingüística en el Puerto Rico Contemporá-*

**8.6.22.** Para cerrar este apartado no ha de faltar la referencia a la lingüística generativa diacrónica, si bien parece cada día más claro que la distinción entre sincronía y diacronía tiende a disminuir para estos estudiosos. Hemos tenido ocasión de referirnos a la obra diacrónica de C. P. Otero, que no parece haber tenido gran trascendencia. Junto a ésta habría que citar algunos estudios, todavía escasos en número, frente a la preocupación sincrónica dominante, como pueden ser los de J. Allen, I. Anderson[616], E. Burstynsky, W. Calvano, R. Campbell, H. Contreras, J. Foley, M. B. Fontanella, J. Harris, I. Mel'čuk, A. Naro, B. Willis[617], de muy diverso valor y con distinta participación de lo diacrónico, pero que es necesario citar para dar testimonio de su existencia, sin que ello suponga asentimiento a lo que en ellos se afirme.

## 8.7. LA GRAMATICA TRADICIONAL EN SU EVOLUCION

Junto a todas las corrientes lingüísticas estudiadas en este capítulo tenemos que registrar el importante fenómeno de la pervivencia de la gramática tradicional, ligada a dos actividades: la académica (de la R.A.E.) y la pedagógica. Una de las muestras de esta actividad de corte tradicional puede ser la pervivencia de las discusiones sobre ortografía, rama de la división tradicional, de la que podemos dar como muestras la *Ortografía* con las Nuevas Normas de la Academia[618], las notas críticas de Angel Rosenblat a las mismas, o la condena humorística de Evaristo Acevedo, o bien, en general, las observaciones de Unamuno, Casares, Carnicer, Otero, Criado de Val, Calonge, Seco, y otros autores. La vitalidad de la Ortografía queda además de manifiesto con la publicación del voluminoso y útil trabajo de José Polo, *Ortografía y Ciencia del Lenguaje*[619], en cuyas quinientas ochenta páginas se da un curso magistral de ortografía, con atención a

neo, *1898/1968*, 3.ª ed. Río Piedras (edil.), 1972, nos bastará con citar una serie de artículos publicados en el *B.I.C.C. (Thesaurus)* de Bogotá, de todos los cuales damos paginación según separata: "La tipología 'criolla' de dos hablas del área lingüística hispánica", 1968, 15 pp.; "Materiales para el estudio sociohistórico de los elementos lingüísticos afroamericanos en el área hispánica", 1968, 29 pp.; "Materiales complementarios para el estudio sociohistórico... (I: América)", 1971, 16 pp., *Ibid.* (II: Africa)", 1971, 23 pp., y "Diatopía, Diastratía y Diacronía de un Fenómeno Fonético Dialectal en el Occidente de Colombia. Oclusión Glotal en los Departamentos de Cauca y Nariño", 1974, 35 pp.

[616] En este segundo caso, la parte generativa, fundamentalmente sincrónica, se recoge en un apéndice.

[617] *Vid.* nuestra bibliografía.

[618] Madrid, 1969, 43 pp. Las *Nuevas Normas de Prosodia y Ortografía* se editaron por primera vez en 1952.

[619] Madrid (Paraninfo), 1974. A su bibliografía remitimos para las referencias dadas anteriormente, y otras muchas. Habría que añadir el artículo de R. Lapesa: "Sobre Transliteración de Nombres Propios Extranjeros" *BolRAE*, 53, 1973, pp. 279-287.

los aspectos fonéticos, estilísticos, educativos, editoriales e, incluso, a la concepción científica del tema, dentro de una nueva ciencia, la grafémica, entre cuyos tratadistas pueden citarse nombres como los de Alarcos y Mariner. Este libro es el mejor argumento en favor de la pervivencia de una rama tradicional de la gramática, así como la indicación de que no se conserva anquilosada y paralítica, ni muerta y fosilizada, sino con vigor y pujanza que le permiten evolucionar y adaptarse metodológicamente a los nuevos tiempos.

8.7.1.   De las distintas gramáticas tradicionales del presente siglo las primeras que merecen nuestra atención son las académicas. En cuatro etapas pueden dividirse las gramáticas de la Academia[620], que podrían ampliarse a cinco si consideramos que el *Esbozo* de 1973 inaugura una nueva. La primera iría de 1739 a 1771, la segunda de 1771 (o 1796) a 1854, de 1854 a 1870 y de 1870 a 1917-1920. Esta última gramática es la que podemos considerar representativa del academicismo del siglo xx, puesto que se mantuvo sustancialmente en 1927, 1931 y 1962. Esta gramática, llamada "de Alemany", por haber sido éste su principal inspirador, estaba dividida en cuatro partes, Analogía, Sintaxis, Prosodia y Ortografía; sus principales novedades respecto de la anterior eran la gran reforma de la sintaxis, el mayor número de autoridades en la base de cada norma gramatical y la agregación de un nuevo capítulo sobre la formación de palabras. El *Esbozo de una Nueva Gramática de la Lengua Española,* publicado en 1973, supone importantes modificaciones: la Prosodia y la Ortografía se refunden en la Fonología, la Analogía pasa a ser Morfología y sólo la Sintaxis conserva su nombre. El *Esbozo* es una obra provisional, lo que explica ciertas contradicciones internas, derivadas, al parecer, del distinto criterio con que han sido redactadas la Fonología y la Morfología (obra, al parecer, de Salvador Fernández Ramírez) y la Sintaxis (que parece ser de Samuel Gili y Gaya, sin olvidar la aportación de R. Lapesa, M. Seco y A. Zamora). Sin entrar en un impertinente análisis del *Esbozo,* al que hay que reconocer, por encima de todo, el valor extraordinario de haber iniciado un nuevo concepto de la gramática española, en su versión académica, no podemos dejar de señalar algunos puntos poco claros: la forma *el* de algunas construcciones *el que* se interpreta en la Morfología (2.7.3) como si *el* fuera el antecedente de *que,* mientras que en la Sintaxis (3.20.4. *b*) se insiste en la condición de artículo de *el,* que no puede ser, en ese caso, antecedente de *que.* La reforma de la sintaxis, que no ha sido muy intensa, a veces se ha realizado sobre construcciones que eran explicables por el sistema antiguo: las causales se dividían tradicionalmente en subordinadas y coordinadas, ahora, con el pretexto de que esa era una división latina, se habla

---

[620] Así lo cree nuestro antiguo alumno Ramón Sarmiento, quien, bajo la dirección de don Fernando Lázaro Carreter, elabora una tesis acerca de las gramáticas de la Academia.

sólo de coordinadas causales, como si no hubiera diferencia entre la coordinada *ha llovido, porque el suelo está mojado* y la subordinada *ha llovido porque ha soplado el viento sur*, diferencia marcada por la pausa y por la conversión en consecutiva: *el suelo está mojado, luego ha llovido*, o no, pero causa real en: *ha soplado el viento sur, luego ha llovido*, o sea: *gracias a que ha soplado el viento sur ha llovido, a causa de que ha soplado el viento sur ha llovido* mientras que nunca se podría decir *a causa de que el suelo está mojado ha llovido*.

**8.7.2.** Hemos tenido ocasión de referirnos a la figura de Eduardo Benot al hablar del siglo XIX. Este autor, que pertenece a una corriente lógico-racionalista, es puente entre los dos siglos. Su *Arquitectura de las Lenguas*[621] es de fines del XIX, su *Arte de Hablar*[622], de principios del XX. La primera obra es un tratado general, la segunda, de mayor metodología empirista e inductiva, es una gramática del uso. Benot cree que el edificio de la lengua española se levanta sobre dos ideas fundamentales: determinación y enunciación[623] y que la arquitectura del lenguaje tiene tres clases: la primera sería la combinación de raíces y sufijos, la segunda los complejos elocutivos, o sea, las combinaciones de palabras, y la tercera la combinación de combinaciones, es decir, las cláusulas[624]. Sus ideas, inteligentemente expuestas, no fueron aprovechadas: la atracción de la lingüística diacrónica arrebataba vocaciones a la sincronía, como ha puntualizado Fernández Ramírez[625].

**8.7.3.** El logicismo de Felipe Robles Dégano va unido a una actitud combativa. Tras su *Filosofía del Verbo*[626], donde insiste en la estructuración lógica sujeto-predicado y trata de caracterizar el segundo, ataca virulentamente a la Academia en un largo opúsculo (de ochenta y ocho páginas) que lleva el poco diplomático título: *Los disparates gramaticales de la Academia Española y su corrección*. A él se debe también una interesante edición anotada de la *Gramática* de Andrés Bello[627]. Robles es uno de los últimos representantes de una concepción lógica que se resiste a morir y que todavía se encuentra con fuerzas, aunque se las vaya minando el empuje de nuevas concepciones; entre éstas cabe destacar el peso del psicologismo de Wundt, que influye decisivamente en la obra de Rodolfo Lenz.

**8.7.4.** La *Oración y sus Partes* es el título de la obra principal de Lenz[628], publicada por primera vez en 1920. Desde el punto de vista de la

[621] Madrid, 3 vols., 1888-1891. Reeditada en Buenos Aires en 1943.

[622] *Arte de Hablar, Gramática Filosófica de la Lengua Castellana.* Madrid, 1910. Hemos manejado la segunda edición, de 1921. Acerca de nuestro autor *vid.* el discurso de ingreso de José Rodríguez Carracido en la Academia, 14-VI-1908, en *Discursos...*, III, I, pp. 8-13.

[623] *Arquitectura*, p. 451.

[624] *Ibid.*, pp. 125 y ss.

[625] En el prólogo a su *Gramática Española*, pp. IX y ss.

[626] Publicada en Madrid, en forma de libro, en 1910, pero en artículos desde 1908.

[627] Raro ejemplar que hemos visto por cortesía del profesor Fradejas.

[628] Utilizamos la segunda edición. Madrid (CEH) 1925. Lleva el subtítulo: *Estudios de Gramática General y Castellana*, y un prólogo de Ramón Menéndez Pidal.

norma la principal novedad puede ser que se busca un criterio psicológico para los distintos niveles de evaluación de la corrección. En lo que se refiere a la gramática propiamente dicha, el autor parte de Bello, con reformas y ampliaciones, reconoce el carácter provisional de su obra y sus deficiencias de información bibliográfica (uno de los inevitables defectos del libro, escrito en Chile y con escasos recursos bibliográficos), y trata de construir una teoría de las partes de la oración, teoría fundada en el castellano, con especial atención al uso chileno, y con referencias a otras lenguas, de las que él mismo destaca en el prólogo inglés, francés, alemán y latín, a las que se añade el araucano o mapuche. Como no nos interesa ahora la obra de Lenz en sí misma, sino dentro de una trayectoria, nos llama poderosamente la atención el hecho de que, tras su detenido análisis de las siete partes de la oración que considera (sustantivo, adjetivo, verbo, adverbio, preposición, conjunción y palabras enfáticas, y los equivalentes o sustitutos de oraciones, o sea, las interjecciones, así como los adverbios referidos a toda la oración, como *si, no*) tras ese análisis, repetimos, pueda afirmar que "formalmente bastaría en castellano y en muchas otras lenguas una clasificación en nombre, verbo y partícula, comprendiendo con esta denominación todas las palabras invariables cuyos deslindes son más o menos dudosos en todos los idiomas, los adverbios, las preposiciones, las conjunciones y las palabras enfáticas"[629]. Volvemos, aunque sea momentáneamente, pues en seguida vendrán las distinciones, a la clasificación sanctiana o, si queremos, a la distinción entre sintagma nominal, sintagma verbal y nexo.

**8.7.5.** Pese a su número relativamente escaso, en comparación con los estudios diacrónicos, los estudios gramaticales sincrónicos tienen vida y realizan, incluso, logros importantes. En esta línea tendríamos que situar los dos tomitos de *Gramática Castellana* de Amado Alonso y Pedro Henríquez Ureña[630], destinados a primero y segundo curso de la secundaria argentina y convertidos en unos de los libros más influyentes de la gramática del castellano. Estos libros tienen importantes novedades en el tratamiento pedagógico y en el gramatical. En la didáctica destaca el hecho de que el alumno se introduce en el problema gramatical a través del texto, y que estos textos le sirven para unificar su visión de la lengua y la literatura y del paralelismo de los recursos lingüísticos y estilísticos. En lo gramatical, a partir de Andrés Bello, realiza importantes innovaciones: introduce un tratamiento simplificado de la Fonética que procede del gran desarrollo de ésta en el laboratorio del C.E.H., dirigido por Navarro Tomás, diferencia el criterio funcional del semántico, gracias a lo cual se dilucida la cuestión del pronombre: clase semántica, pero no clase funcional; se caracteriza

---

[629] *Ibid.*, pp. 543-544, en la conclusión de la obra.
[630] Buenos Aires, ed. Losada, desde la primera edición, de 1938, se han impreso más de veinte, testimonio irrefutable de su éxito.

por su significación ocasional, no por una función específica. Replantea el problema del artículo, haciendo ver el valor de la ausencia del mismo, reforma el concepto de oración compuesta, con la distinción entre *inordinada* (dependiente de un elemento de la principal) y *subordinada* (dependiente de la subordinante entera). Todavía hoy resultan muy útiles conceptos y aclaraciones en estos dos libritos, de necesaria presencia en cualquier biblioteca en la que se preste una mínima atención a la gramática.

**8.7.6.** Una serie de trabajos de diversa proporción completa y cierra lo que venimos exponiendo en este capítulo, ya excesivamente largo para el propósito del libro en que se incluye. El *Curso Superior de Sintaxis Española* de Samuel Gili y Gaya, aparecido en 1948[631], continúa teniendo validez en gran número de temas, aunque sea necesario replantearse la formulación de los mismos. Salvador Fernández Ramírez no ha reeditado el tomo 1 (único aparecido) de su *Gramática Española*, subtitulado *Los sonidos, el Nombre y el Pronombre,* abrumador acopio de materiales y casuística perfectamente desarrollada, pero con un valor superior al de simple muestrario de usos[632]. En la línea tradicional y académica está también la *Gramática de la Lengua Española* de J.A. Pérez-Rioja[633]. *La Syntaxe de l'Espagnol Moderne* de J. Coste y A. Redondo[634] tiene innegables ventajas para la enseñanza comparada del español y el francés, y es libro usado con provecho en la enseñanza a extranjeros.

**8.7.7.** Entre los libros que, a partir de una concepción tradicional, tratan de ir evolucionando hasta situarse en zona próxima a las nuevas corrientes de la lingüística caben varias opciones. La *Gramática Española,* de Manuel Criado de Val[635], supuso una aproximación a cierto estructuralismo de tipo funcional, pero sin demasiado atrevimiento. Lo mismo puede decirse, aunque con las mejoras debidas al paso del tiempo, de la *Sintaxis Española* de César Hernández Alonso[636], cuya segunda edición, sin embargo, supone un avance notable respecto de la primera, que se atenía excesivamente a un molde tradicional. Al otro lado del Atlántico, en Buenos Aires, M. J. Sánchez Márquez publica su *Gramática Moderna del Español,* con referencias a la gramática estructural y generativa, aunque sin incorporarse a ninguna de las dos corrientes[637]. En una línea tradicional, pero de extraordinaria claridad y abierta a todas las ideas, tenemos que situar la *Gramática Esencial del Español* de Manuel Seco, a quien ya se debían

---

[631] Utilizamos la 8.ª ed., Barcelona (SPES), 1961, muy ampliada y corregida.
[632] Esta gramática fue editada en Madrid por la Revista de Occidente en 1950.
[633] Madrid (Tecnos), 1.ª ed. 1954, 6.ª ed., ampliada, luego reimpresa varias veces, desde 1965.
[634] París (SEDES), 1965.
[635] Madrid (SAETA), 1958.
[636] Valladolid (ed. del autor), 1970, 2.ª ed., corregida y aumentada, 1971.
[637] Buenos Aires (EDIAR), 1972.

importantes retoques de la gramática de Rafael Seco, su padre. La *Gramática Esencial,* concebida para un amplio público, pero escrita con rigor de especialista, es una introducción que inaugura un género de libros poco corrientes en nuestro país, los manuales de alta divulgación, género que, si juzgamos por el éxito de este libro, puede tener un importante desarrollo en el futuro[638]. En los estudios parciales o monográficos cabe destacar la obra de Félix Monge.

**8.7.8.** Quisiéramos para terminar este capítulo, que estas líneas rápidas y mal pergeñadas sirvieran de indicador que avisara de la existencia de una rica variedad de corrientes lingüísticas, de un arco iris amplio de soluciones metodológicas, y del esfuerzo continuado de los estudiosos españoles para no faltar a las citas constantes de una ciencia cada vez más internacional y más interdepartamental. La preocupación lingüística, en resumen, no es algo nuevo ni ajeno para la preocupación científica o humanística, intelectual, en suma, del investigador español; eso es lo que, sencillamente, quisiéramos haber mostrado con lo anteriormente expuesto[639].

---

[638] La *Gramática Esencial,* subtitulada *Introducción al Estudio de la Lengua,* fue publicada en Madrid por ed. Aguilar, en 1972. Aunque más modesto en sus ambiciones, pero de excelente factura, no queremos dejar de mencionar un libro minucioso de Pablo Jauralde Pou: *Introducción al Conocimiento de la Lengua Española,* León (ed. Everest), 1973, en el que se recogen temas como el generativismo o la lingüística matemática, al mismo tiempo que se combinan la descripción y explicación gramaticales con la referencia a los textos.

[639] Para una serie de aspectos, no fundamentalmente históricos, sino conceptuales, *cf.* Diego Catalán Menéndez-Pidal: *La Escuela Lingüística Española y su Concepción del Lenguaje,* Madrid (Gredos), 1955.

CAPITULO 9

# EL CONCEPTO DE LENGUA
# ESPAÑOLA

## 9.1. LA IMPORTANCIA DE UN NOMBRE

Antes de entrar en la parte específicamente metodológica de este libro[640] hemos de abordar un problema que adquiere especial relieve por las derivaciones que comporta: nos referimos al nombre de esta lengua que hablamos y estudiamos. Quien haya tenido la paciencia de proseguir la lectura de este libro desde la introducción hasta el presente capítulo, habrá notado que, repetidas veces, hablamos de *lengua española,* pero que, otras muchas, el sintagma empleado es *lengua castellana.* Este uso alternativo no es ninguna novedad, sino algo que puede observarse en gran número de autores, de donde podremos deducir que hay una causa. Las páginas siguientes aspiran a ser una modesta aportación para resolver el problema, con la intención, asimismo, de contribuir con ello a aclarar conceptos como el de "cultura española" y de ayudar a los españoles a su mejor conocimiento. En esta tarea hemos de rendir homenaje a nuestro querido maestro, Américo Castro, quien vivió los últimos veinte años de su fecunda vida con el deseo dominador de que estos estudios sirviesen para que los españoles, conociéndonos mejor, pudiésemos convivir y comprendernos.

**9.1.1.** En la denominación de nuestra lengua se mezclan, como se deduce de lo antedicho, consideraciones lingüísticas e interpretaciones históricas. Américo Castro[641] insiste en que lo que agrupaba a los habitantes de la Península Ibérica que se expresaban en lengua romance (y en vasco, probablemente) era la idea religiosa, no la política:

[640] Ya hemos tenido ocasión de hablar de métodos en los capítulos anteriores, especialmente en el último, pero siempre subordinándonos a lo conceptual.

[641] En una serie de escritos que pueden leerse ahora agrupados en *Sobre el Nombre y el Quién de los Españoles.* Madrid (Taurus), 1973.

La lengua, además de comunicar, ofrece trasfondos de vida interpretable. Al llamarse *cristianos* los futuros españoles, situaban su existencia en un más allá, porque no es lo mismo vivir en una creencia sobrenatural que en una tierra sentida como una proyección del grupo humano en el cual el hablante se encuentra incluso. Cuando *Hispania* era una provincia romana, había en ella *astures* que moraban en *Asturias;* *gallaici,* en *Gallaecia;* o *váscones* en *Vasconia.* Más tarde hubo lugares o aldeas llamados *romanos* o *godos* (u otros nombres parecidos) a causa de ser *eso* sus pobladores.

Mas en ninguno de aquellos casos logró dimensión extrarregional y durable la correlación del habitante con la tierra habitada, y de ahí arranca todo el problema de la historia española. Entre el habitante y la tierra habitada se interpuso una circunstancia sobrenatural, más precisamente oriental, y motivado por ello el nombre de los futuros españoles hubo de venirles de fuera[642].

**9.1.2.** A lo largo de la lucha con el musulmán, con la religión como aglutinante, va constituyéndose, de modo peculiar, la morada vital de los españoles, en torno a una Castilla que centra, por diversas razones, los elementos que constituirán España. Para que este punto no aparezca excesiva y falsamente simplificado conviene advertir que los habitantes de la Península Ibérica que se expresaban en lengua románica sentían que tenían entre sí de común (salvo los mozárabes que se hubieran convertido al Islam) el ser cristianos. Este autodefinirse como cristianos no suponía, sin embargo, que se viesen indiferenciados respecto a los cristianos ultrapirenaicos. Se sentían afincados en una tierra cuya mayor parte les habían arrebatado los musulmanes y que ellos querían reconquistar. Así lo dice claramente Alfonso III. En esos ocho siglos de lucha los cristianos peninsulares, que fueron asimilando conceptos vitales semíticos en contacto con judíos y musulmanes, se hicieron españoles. Así lo reconocen, por ejemplo, Pedro Laín, para lo cultural y Antonio Tovar para lo lingüístico. He aquí lo que el primero propone, para resolver un inmediato problema terminológico: "De acuerdo con la razonable propuesta de Américo Castro, damos el nombre de 'cultura española' sólo a la que nace y se constituye después de Covadonga"[643]. Tovar, por su parte, a propósito de la relación de las circunstancias creadas por la Reconquista y la evolución del latín hispánico, afirma:

Américo Castro ha encontrado en estas circunstancias tan peculiares una de las claves de la existencia de nuestro país, y por eso ha dicho que: "las circunstancias que motivaron la fragmentación del latín en Francia e Italia estaban presentes en su mayor parte antes del siglo VIII, y adquirieron pleno desarrollo en aquel siglo. En España, por el contrario, su disposición lingüística enlazaba con lo acontecido en el siglo VIII y IV, es decir, con circunstancias nuevas respecto de las dominantes en la época visigótica"[644].

[642] En *"Español",* palabra extranjera: razones y motivos, Madrid (Taurus), 1970, p. 15.
[643] *Una y Diversa España,* Barcelona (EDHASA), 1968, p. 68.
[644] *Lo que sabemos de la lucha de lenguas en la Península Ibérica.* Madrid (G. del Toro), 1968, pp. 57-58. El texto de Castro pertenece a *Los españoles: Cómo llegaron a serlo,* Madrid (Taurus), 1965, p. 117.

**9.1.3.** Como colofón de todo esto podemos obtener una conclusión terminológica y otra histórica: el término "español" no puede aplicarse a quienes vivieran en la Península Ibérica antes de que ésta se constituyese con conciencia española a lo largo de la Reconquista: los iberos, celtas, hispanorromanos o hispanogodos, como Viriato, Indíbil y Mandonio, Marcial, Séneca o S. Isidoro, *no eran españoles,* podemos llamarlos, con criterio geográfico, "hispanos" o "hispánicos", pero no españoles. La conclusión histórica procede de observar cómo lo español comienza siendo lo castellano, que se va ampliando hasta englobar en lo abarcable por su radio vital a los otros pueblos españoles, si bien este abarcar ha tenido sus límites (y no trazados por esos otros pueblos precisamente; la empresa del Imperio fue castellana, la reina Isabel excluyó de ella a los aragoneses y los catalanes). Esto, de cualquier modo, puede tener consecuencias en la construcción del presente hacia el futuro, pero jamás hacia el pasado, en palabras de Américo Castro:

Los castellanos fueron castellanizando y españolizando, *hasta donde les fue posible,* a leoneses, gallegos, navarros, aragoneses, catalanes, valencianos, a los indios de América. Pero no españolizaron a los celtíberos, ni a los tartesios, ni a los iberos, porque ya no existían ningunos "nosotros" que continuaran llamándose visigodos, iberos o celtíberos[645].

**9.1.4.** La situación política tiene evidentes repercusiones en la lingüística: al unirse Galicia y León el centro se desplaza hacia el Este, el gallego queda aislado y prosigue su vida hasta hoy. Cuando León se une a Castilla es la segunda la que impone su lengua, quedando marginado el leonés. La unión de Aragón y Cataluña beneficia al catalán, pero lo que acarrea la progresiva pérdida del aragonés es la unión con Castilla. Cataluña, en cambio, alejada de Castilla por la política de división de los reinos y por la distancia (Aragón mediante) puede conservar su lengua y su cultura. Para la designación de la lengua esto tiene su importancia: las regiones extremas, que conservan sus propias lenguas, tan españolas como el castellano, prefieren que "gallego" o "catalán" se contrapongan a "castellano", y utilizan menos "español" como equivalente de "castellano". Las otras regiones, en cambio, que no tienen una lengua autóctona distinta de la de Castilla (descontados los focos reducidos de leonés y aragonés), consideran la lengua de Castilla tan suya como de los castellanos, y prefieren utilizar "español" para designar la lengua común, mientras que ven en "castellano" una señal de predominio de una región, en materia lingüística, cuando la lengua es sentida como propiedad de todos. En América, en cambio, hay una relación de nacionalidades que hace de "español" un término ligado a España como país, mientras que "castellano" es un término innocuo,

[645] *Sobre el Nombre...,* p. 193.

histórico, ligado al pasado, y, por ello preferido. Esto no supone que la preferencia sea exclusiva. La experiencia nos muestra casos de vacilación, incluso en un mismo autor y obra; si, en nuestro caso, nos inclinamos a pensar que en Argentina predomina abrumadoramente "castellano" (incluso en los programas educativos), mientras que en México se usa con mucha frecuencia "español", tal vez otros observadores pueden tener una opinión distinta.

**9.1.5.** El nombre de la lengua que estudiamos parece ser, pues, un problema más complejo de lo que pudiera pensarse a primera vista, por ello conviene detenerse en su explicación un poco más.

## 9.2. ESPAÑOL

El primer texto de Américo Castro que citábamos en el apartado precedente terminaba con la afirmación del origen foráneo del término "español". Fue el suizo Paul Aebischer quien señaló primero este origen necesario[646], tras insistir en la imposibilidad de que de uno de los tres gentilicios latinos: *Hispanus, Hispanicus, Hispaniensis,* pueda salir *español.* Está última palabra puede proceder, según las dos distintas teorías, de *\*hispanionem* o de *\*hispaniolem,* formas ambas reconstruidas, no documentadas en latín. La primera forma, con evolución explicada por el paso disimilatorio $n - n > n - l$, difícilmente aceptable, fue apuntada, dubitativamente, por Friedrich Diez, y aceptada por Meyer-Lübke y Menéndez Pidal. La forma *españón,* sin disimilar, existe, aunque no muy abundantemente documentada, pero falta cualquier lazo que una esta forma *españón* con *español.* Habrá que volverse, por razones que Aebischer desarrolla, a la segunda forma, lo que supondría una derivación desde lenguas extrapeninsulares y, concretamente, desde el provenzal, donde la terminación -*ol,* sin diptongar, es abundante. Esta es la tesis aceptada por Américo Castro y Rafael Lapesa, para quien "el romanista suizo Paul Aebischer dilucidó el asunto de manera definitiva"[647]. La prueba de Aebischer es irrebatible, pues se apoya en testimonios de *español* en el Languedoc desde el siglo XI, incluso como nombre propio, lo que prueba un arraigo de la denominación indiscutible. Desde Provenza vuelve a entrar en la Península Ibérica, con la oleada de términos que los "francos" introducen en el siglo XII por las vías de peregrinación y

---

[646] "El étnico *español:* un provenzalismo en castellano", *Estudios de Toponimia y Lexicografía Románica,* Barcelona (CSIC), 1948, pp. 15-48. Hay que tener ahora en cuenta los datos aportados por J. A. Maravall: "Notas sobre el origen de 'español'", en *Stud. Hispn. R. Lapesa,* II, 1974, pp. 343-354.

[647] El incisivo artículo de Rafael Lapesa sobre el tema, publicado en primera instancia en el diario *Ya* de Madrid, el 14 de enero de 1971, fue publicado, con enmiendas, adiciones y aparato crítico, como prólogo de *Sobre el Nombre...,* cit., pp. 11-16.

el dominio religioso de Cluny. Así, M. Coll i Alentorn y Manuel Alvar lo documentan en Aragón desde 1129 y 1131. En Soria aparece en 1141; Ricardo Ciérvide lo halla en un texto navarro de 1150, en Cataluña lo recoge Aebischer desde 1192, Lapesa lo documenta en Castilla a partir de 1191. Maravall señala, utilizando el Cartulario de la Catedral de Huesca, veinticuatro menciones de 'Español', con variantes en la grafía [variantes que no incluye], que se extiende[n] desde 1139 a 1211, lo que daría una gran difusión nortearagonesa, en coincidencia con el Bearne, anterior al paso a la zona de Toulouse. No discute las razones filológicas del provenzalismo del étimo.

**9.2.1.** Esta documentación nos ofrece la forma *español* antes incluso que *españón* (h. 1240-1250), lo que puede hacer pensar, incluso, que esta segunda forma sea acomodación de la primera, según el tipo *gascón, bretón*, etcétera.

*Español*, pues, pertenecería a la misma oleada que nos trajo palabras que hoy son tan nuestras como *solaz, donaire, fraile, monja, homenaje* o *deleite*. La razón por la que fue necesario que viniera de fuera está ligada a una visión también externa de nuestra historia. Los habitantes del norte de la Península eran, todos ellos, cristianos, frente a los moros del sur; entre sí eran leoneses, castellanos, catalanes, etc., con estas denominaciones satisfacían sus necesidades comunicativas. Al norte de los Pirineos, sin embargo, se imponían otras denominaciones: el particularismo de leonés o castellano no tenía ya objeto, lo que el habitante de la antigua Galia buscaba era un nombre que cuadrase a los habitantes de Hispania (diferenciados de los moros). *Cristiano* no era término que pudiera emplear, puesto que franceses y provenzales eran también cristianos, y, por otro lado, a diferencia de los cristianos de Hispania, para los de Francia y Provenza este término era sólo religioso, no político: necesitaban un término, por decirlo así, laico, y *español* satisfizo esta necesidad. El término, luego, hizo fortuna y fue adoptado por aquellos a quienes designaba, aunque parece claro que, mucho tiempo después, *español* sigue sin significar lo mismo para todos nosotros.

Este esbozo de historia de un término, deudor de tantas plumas preclaras, no ha querido ser sino un rápido apunte conceptual que nos permitiera comprender que gran número de las dificultades que surgen y han surgido en la aplicación del adjetivo "español" a nuestra lengua se debe, efectivamente, a que entre las palabras *España* y *español* media un milenio, cuyo inicio difiere del final en que en éste se ha constituido lo que hoy llamamos, con connotaciones bien distintas, "España".

## 9.3. CASTELLANO Y ESPAÑOL

En este apartado vamos a ocuparnos de *castellano* y *español* como adjetivos, especialmente en los sintagmas *lengua castellana* y *lengua española*[648].

Amado Alonso ha señalado las distintas diferenciaciones de términos referentes a las nuevas lenguas, frente al latín, iniciadas primero en latín vulgar con la distinción *romanice,* equivalente a *romana lingua,* frente a *latina lingua.* Esta conciencia de diferenciación, que corresponde a la percepción de los dos sistemas distintos, se marca en las lenguas romances, y así, p. ej., el castellano diferencia *lengua vulgar o romance* de *lengua latina*[649].

**9.3.1.** La tercera diferenciación tiene un valor identificador y peculiarizante típico de lo castellano, frente al latín y los otros romances[650]; le corresponden términos como *lenguaje de Castilla, nuestro lenguaje de Castilla, nuestro romanz de Castilla, el propio romanz castellano, el castellano, en nuestra lengua, en el lenguaje* (junto a *vulgar, romance, lengua vulgar,* como se ve en los títulos de los libros[651].

**9.3.2.** Es en esta época cuando se va implantando el provenzalismo *español,* a medida que se va formando el concepto de nación, lo que supone una serie de aspectos renacentistas en la denominación "español", como también ha señalado el malogrado lingüista navarro. *Castellano,* sin embargo, persiste, y esta persistencia requiere una explicación. Para darla A. Alonso procede al recuento de títulos de libros, en apoyo de su explicación por inercia del aracaísmo: *castellano* domina en la primera mitad del XVI de modo amplio, aunque ya desde 1495 hay títulos en que aparece *español.* La abundancia de traducciones aporta un buen material. No obstante, se puede objetar que la argumentación pierde fuerza si notamos[652] que gran parte de los usos de *español* no están en el libro en sí, sino en glosas, apostillas, o sólo en registros (como el de Hernando Colón) y bibliografías.

**9.3.3.** Pueden señalarse ahora una serie de argumentos en favor de *español:* en primer lugar, el carácter más amplio, empalmado con la idea renacentista-imperialista de universalidad. El castellano se siente sucesor del

---

[648] Como antecedentes lejanos del tema están el artículo de E. C. Hills: "The Terms 'Spanish' an 'Castilian'", en *Hispania* (Cal.) IX, 1926, pp. 190-191, y las observaciones de G. C. S. Adams, en *Lg.,* XV, 1939, pp. 208-209. Basaremos nuestra exposición, fundamentalmente, en el conocido libro de Amado Alonso: *Castellano, español, idioma nacional. Historia espiritual de tres nombres.* Buenos Aires (Losada), citamos por la 4.ª ed., 1968, en el discurso de ingreso en la R. A. E. de Fernando Lázaro Carreter: *Crónica del Diccionario de Autoridades* y los legajos de gramática recientemente descubiertos por Ramón Sarmiento.

[649] *Cf.* la traducción de la *Eneida,* del Marqués de Villena, proemio, cit. por A. Alonso, p. 12.

[650] *Vid.* Antonio G. Solalinde: "La expresión (nuestro latín) en la General Estoria de Alfonso el Sabio", *Hom. A. Rubió i Lluch,* Barcelona, 1936, I, 133-140.

[651] A. Alonso, p. 13, remite a la *Bibliografía ibérica del Siglo XV,* de Conrad Haebler, t. I. La Haya-Leipzig, 1903, t. II, Leipzig-La Haya, 1971.

[652] Utilizando una indicación del propio Amado Alonso.

latín[653]. Esta visión queda clara en el término *mi lengua española* empleado por Carlos V en la corte papal para justificar su empleo del español como lengua internacional, anteponiéndolo al latín[654]. Un segundo argumento, que coincide con el que puede darse para explicar el nacimiento del gentilicio "español", es que desde el extranjero se ve la unidad de lo español y no se conoce la peculiaridad de lo castellano.

**9.3.4.** Los dos términos, sin embargo, seguían siendo intercambiables. A. Alonso no insiste en ello, pero puede observarse en este texto suyo (página 23):

> Juan de Miranda publica en Venecia, 1569, para los italianos de la Señoría, unas *Osservationi della lingua castigliana*, y en ellas habla con evidente satisfacción de "il nostro spagnuolo idioma", y hasta en el título mismo se continúa así: "divisi en quatri libri: ne quali s'insegna con gran facilità la perfetta lingua spagnuola".

El texto se comenta solo: *lingua castigliana*, primero, *lingua spagnuola* después; ya veremos despacio lo que supone esta alternancia.

**9.3.5.** En favor de "español" interviene también un tercer argumento, el paralelismo con los nombres de los otros idiomas nacionales: francés, inglés, italiano. Precisamente conviene hacer notar que la importante polémica (en Italia), entre italiano, toscano y florentino, se ve mucho más difundida en España, donde se admite el término *italiano* por ser el de más clara referencia al conjunto, o sea, el correspondiente a la lengua hablada en la mayor parte del país, ya que no la única. La concepción del idioma nacional coincide también[655] con un cambio de forma interior: "El nombre de *castellano* había obedecido a una visión de paredes peninsulares adentro; el de *español* miraba al mundo"[656].

**9.3.6.** Esta situación es la que, sumada a la idea de la existencia de España desde su mítica fundación por Tubal, aparece en la *Historia de España*, cuando el P. Mariana se refiere a Alfonso X diciendo[657]:

> El fue el primero de los reyes de España que mandó que las cartas de ventas y contratos, y instrumentos todos, se celebrasen en lengua española... Así desde aquel tiempo se dexó de usar la lengua latina en las provisiones y privilegios reales, como antes se solía usar...

**9.3.7.** Pese a todo, "castellano" persiste, lo que hace necesaria una segunda explicación de supervivencia, que empalma con la primera, pero quiere trascender el simple valor de arcaísmo llenándolo de un contenido sociopolítico: "millones de campesinos han sentido siempre la entidad nacio-

[653] *Cf.* A. Alonso, nota de la p. 19, con la bibliografía pertinente.
[654] *Ibid.*, p. 20.
[655] Es el cuarto argumento de A. Alonso a favor de "español".
[656] *Ibid.*, p. 31.
[657] Ed. 1617, p. 693.

nal y sus problemas mucho más débilmente que en las ciudades", explicación que continúa en una tercera, que sigue a la anterior también lógicamente: puesto que *castellano* cambia, por ampliación, su contenido, haciéndolo coincidente con el de *español,* muchos autores pueden utilizar uno u otro nombre. A partir de ahí se llega al uso más curioso, por lo que supone de eclecticismo, que es el de la unión de ambos adjetivos, en las combinaciones castellana-española o española-castellana, sintagma que tiene una insigne ejemplificación en 1626, en el *Arte* de Gonzalo Correas[658].

**9.3.8.** Tras estas explicaciones de la pervivencia de *castellano,* queda, sin embargo, un quinto argumento a favor de *español:* desde finales del siglo XVI, salvo rarísimas excepciones, debidas a autores españoles que escriben fuera de su patria, el término aceptado mayoritariamente en los países hispanohablantes, para referirse a la lengua común de España, es el de *español.*

**9.3.9.** En esta situación se plantea, según A. Alonso[659], el conflicto, estudiado al recoger la opinión del anónimo autor de la *Gramática de la Lengua Vulgar de España,* que nos permite situarnos ante un aspecto del problema que condiciona su evolución: había un grupo de autores que seguían usando "castellano"; este grupo no debió de ser muy polémico, porque no hemos notado señales ostensibles de encono. Otro grupo se resistía a usar este nombre, porque le parecía que equivalía a colocar a Castilla en lugar preeminente. Notemos que todavía hoy podemos notar esta actitud, en Andalucía, por ejemplo.

**9.3.10.** Cuando se rechaza "castellano" quedan dos opciones: o usar "español", o crear una designación nueva. No obstante, el uso de *español* pudo no resultar satisfactorio para algunos autores que tampoco querían usar *castellano,* porque la lengua de Castilla era (y es) una entre las varias lenguas españolas. Llamarla *lengua española* sería así otorgarle un privilegio injustificado. Esta postura también es importante, porque se traduce hoy en aspectos del problema en las regiones bilingües.

**9.3.11.** La tercera solución, crear un nuevo término, tampoco ha prosperado: el anónimo de Lovaina usó *lengua vulgar,* pero la evolución del significado de "vulgar", que, de contrapuesto a "latino", ha pasado a contrapuesto a "culto", hubiera impedido la adopción de este término, en todo caso. Tampoco esta solución parece ser muy necesaria, porque hay que tener en cuenta que, en la mayoría de los casos, el hablante no se para a medir y calibrar las diferencias entre uno y otro término. A. Alonso dice, en concreto, que el hispanoamericano que dice "castellano" no piensa, cada vez que lo dice, que esa lengua se originó en Castilla. Se puede añadir fácilmente que el gallego o catalán que oye decir "español" en vez de su más usual "castellano" no se para a pensar a cada momento

[658] A. Alonso, *op. cit.,* pp. 35-36.
[659] *Ibid.,* pp. 42 y 55.

que así se cambia el esquema de equivalencias de las lenguas peninsulares. La designación se percibe así como un nombre propio, por lo que deja de sentirse lo que pudiera haber de hiriente en el adjetivo especificativo pospuesto (posposición tanto más necesaria por tratarse de un adjetivo de relación).

**9.3.12.** Tendríamos así que un sexto argumento en favor de "español" coincidiría con una cuarta explicación de la pervivencia de "castellano": ambos han pasado a tener un valor más cercano al nombre propio que a la especificación originaria. A ello habría que sumar, aunque cada vez con menos fuerza y como quinta explicación de la pervivencia de "castellano", una vaga conciencia de los hablantes, con una antigüedad que remonta a varios siglos, sobre el supuesto prestigio de la lengua hablada en Castilla, A. Alonso cita ejemplos renacentistas [660] a los que todos podríamos añadir esos elogios que se oyen con alguna frecuencia, sobre todo entre el pueblo, sobre el habla de Burgos o de Valladolid. No hace falta insistir en lo impreciso de tales afirmaciones generalizadoras.

**9.3.13.** Cuando A. Alonso insiste, a continuación, con una magnífica exposición de las ideas de los literatos del Siglo de Oro (especialmente los no castellanos), en la preferencia por *español,* y en cómo se siente que lo *español* es unitario y universal, lo hace para luego hablar del término castellano en el XVIII como castizo y regionalizante. No negamos con ello, de ningún modo, el interés y valor de los argumentos de un Fray Luis de León, Ambrosio de Morales, Herrera o Correas, pero sí queremos insistir en la evolución del punto de vista. Lo que se debate ahora es, básicamente, un problema de prestigio: cuál es el ideal, el modelo teórico de la lengua, si es que existe, y no cuál pueda ser la mejor designación de esa lengua.

**9.3.14.** Los argumentos que emplea Amado Alonso el hablar del siglo XVIII y, específicamente, de la actitud de la Academia al redactar el Diccionario de Autoridades, han merecido una respetuosa respuesta discrepante de Fernando Lázaro [661], quien ha limitado el alcance de ciertas afirmaciones. Las puntualizaciones de Lázaro se refieren, concretamente, a la denominación de la Real Academia, su gramática, y su diccionario. La Academia se llama Española por imitación de la Francesa y porque con esta denominación no hay equívocos (puede ser académico cualquier español, y no sólo los castellanos). El diccionario, en cambio, es de la *lengua castellana,* según las Actas del 14-XII-1713, y así será hasta 1924, pues a partir de esta fecha será de la *lengua española,* cambio de denominación que se extiende a todas las obras y documentos académicos. Lázaro rechaza que la decisión primera a favor de *castellano* tuviera nada que ver con que Castilla sea el solar de su idioma y su árbitro, ya que ese papel arbitral no aparece

---

[660] Páginas 50 y 55.
[661] En el trabajo citado en nota (648), esp. pp. 23 y 55.

en parte álguna y, además, los académicos creían, erróneamente, que la cuna del idioma era astur-gallega. Rechaza luego la solución centralista borbónica, pues el *Diccionario de Autoridades* (primero de la Academia) se abre con amplitud a las voces periféricas y se preocupa especialmente de su recolección. La Academia Española ha desarrollado una labor en favor de los dialectos que no tiene parangón en instituciones normativas similares. La diferenciación castellano/español aparece en la designación de los documentos oficiales, ya que en los textos de los académicos (los Prólogos del Diccionario, p. ej.) los dos adjetivos son intercambiables. La distinción estriba para Lázaro, en una razón mecánica o, si se quiere, retórica. La proximidad.de los sintagmas *Academia Española* y *Lengua Castellana* en varios textos salva así la fea construcción que se produce con los dos adjetivos iguales. Se trata, en suma, de una elegante variación estilística entre el adjetivo que la Academia se asigna y el que atribuye a la lengua. Precisamente cuando es consciente de la confusión que tal variación comporta, decide aplicar a la lengua el adejtivo "española" que se había aplicado a sí misma en principio, y así lo hace oficialmente, a partir de 1927, en sus publicaciones.

**9.3.15.** Por nuestra parte, hemos repasado los textos académicos en busca de la confirmación de la hipótesis de Lázaro, hasta encontrar las pruebas suficientes de su veracidad, a nuestro juicio. Creemos que puede tener algún interés exponerlas juntas:

Aunque la Academia se llame Española, en la Aprobación del Diccionario (1724) por don Fernando de Luján y Sylva se lee: "He visto con todo cuidado y atención el *Diccionario de la Lengua Castellana,* compuesto por la Real Acadèmia de ella".

En el prólogo, en cambio, se altera el adjetivo: "Entre las Lénguas vivas es la Españóla, sin la menor duda, una de las más compendiosas y expresivas".

"la Léngua Españóla, siendo tan rica y poderosa de palabras y locuciones, quedaba en la mayor obscuridad..."

"el libro del Thesoro de la Léngua Castellana, o Españóla, que sacó à luz el año de 1611. Don Sebastian de Covarrubias" [es el título del libro].

"à este sabio Escritor [Covarrubias] no le fué facil agotar el dilatado Océano de la Léngua Españóla".

"Como basa y fundamento de este Diccionario, se han puesto los Autóres que ha parecido à la Acadèmia han tratado la Léngua Españóla con la mayor propiedad y elegáncia."

Así se sigue hablando la *Lengua Españóla* y de *Nación Españóla* y *su Léngua* (p. II).

En la p. IV habla de *Orthographia Castellana,* y en la V, donde habla de voces no usadas en el reino de Castilla, pero aceptadas en el diccionario, y de las de germanía, justifica la introducción de voces de este segundo tipo "por ser casi todas las dichas palabras en su formación Castellanas". Luego ya habla de "voces Castellanas antiguas" *(ibid.* § 11) para hablar de "Léngua Españóla" en el § 12 (pág. VI). En la p. VII, 618: "convertir... la voz Castellana en otra Latina" y, a continuación, "por evitar no volver la voz Españóla en otra Latina". La pág. VII, § 22 incluye otro ejemplo de "Léngua Españóla".

En el prólogo, en resumen, *español* domina claramente a *castellano,* a pesar del *lengua castellana* del título.

**9.3.16.** Una prueba más de la sinonimia castellano/español en lo lingüístico tenemos en el cap. V, en el primero de los estatutos de la Real Academia (página XXIX del Diccionario):

> Fenecido el Diccionario (que como vá expressado en el Capítulo priméro, debe ser el primer objeto de la Académia) se trabajará en una Grammatica, y una Poética Españolas, è História de la léngua, por la falta que hacen en España.

**9.3.17.** Sabiendo, como sabemos, que ha sido redactado cada uno de los discursos proemiales del Diccionario de Autoridades por autor distinto (*cf.* p. XXXVIII), no extrañará que haya ligeras divergencias en las preferencias por uno y otro término. Frente a la vacilación registrada en el Prólogo, escrito por don Juan Isidro Fajardo, se observa una preferencia clara por *lengua castellana* en la Historia de la Academia, redactada por el P. José Casani. Nuestra última cita nos mostraba otra vacilación en los estatutos, a la que podemos añadir ahora la importante precisión del primer párrafo del Discurso Proemial sobre el Origen de la Lengua Castellana (p. XLII), obra de don Juan de Ferreras:

> La Léngua Castellana, que por usarse en la mayor y mejor parte de España, suelen comunmente llamar Española los Extrangéros, en nada cede à las mas cultivadas con los afanes del arte, y del estúdio.

**9.3.18.** El mismo P. Casani, de cuya preferencia por *lengua castellana* acabamos de hablar, en su discurso de las Etimologías emplea *español* como equivalente a *lengua española o castellana* (p. LX):

> "Las partículas compositivas en nuestro Españól son..."

**9.3.19.** A estos textos, ya suficientemente explícitos, podemos añadir ahora un precioso testimonio inédito, procedente de los *Papeles y Legajos de Gramática,* descubiertos en la biblioteca de la Academia por Ramón Sarmiento[662].

---

[662] Véase su artículo "Inventario de Documentos Gramaticales de los Siglos XVII y XVIII". en prensa en el *Bol. R. A. E.*

He aquí un interesante texto del tomo I, fol. 21 *a b:*

La *Gramática* española en primer lugar deberá tratarse enel idioma prop*i*o, esto es en castellano, p*or* q*ue* haviendo deser precisam*ente* su fin elde enseñar à hablar, y escribir rectam*ente* enel, no puede ofrecerse duda enque esto principalm*ente* mira al español, que porlo mismo que esta ès su lengua, tiene mas necesidad que el estrangero de saberla con perfección, y p*or* consequenci*a* primer d*erecho* a la instrucción, por cuio medio lo hade conseguir.

**9.3.20.** La variación de términos: *gramática española, castellano, su lengua* [del español], se observa de nuevo, también por razones de alternancia estilística, en otros textos, como, a continuación, fol. 21 *d:*

[Traducir la gramática al latín] pu*e*de hacerse con la Gram*atica* española p*ara* hacerla mas universal. N*uestro* M*aestro* Correas puso en español su Arte Castellana, y tambien Paton sus instituciones.

**9.3.21.** Estos textos, que se aducen por primera vez para cualquier propósito y que, cerrados a la vista del curioso, conservaban entre sus páginas los polvos del secante, coinciden también en lo observado por Lázaro, la razón estilística de la alternancia "Academia Española", "lengua castellana".

**9.3.22.** No quiere esto decir que la alternativa hoy se vea como una simple variación estilística (aunque sea así en algunos autores). Ya hemos indicado algunas preferencias por *castellano* o por *español;* otras distinciones históricas pueden haberse perdido, como la preferencia del campo por "castellano" y de la ciudad por "español", señalada por Amado Alonso[663]. Es probable que la cuestión, para las generaciones más jóvenes, haya perdido interés y, desde luego, virulencia. En el fondo, a menos que se use uno de los términos con carácter especificador e intención poco clara, nadie se ofende porque su interlocutor emplee uno u otro[664].

**9.3.23.** Hay también otros usos, menos extendidos, como *idioma nacional,* que en Argentina y México alternó con castellano en cierta época y que ahora pervive sin ciertas connotaciones pasadas, salvo para los nostálgicos. También existen *idioma patrio, lengua patria, lengua nacional* e, incluso, *idioma nativo*[665]. Como uso muy curioso de estratos rurales, entre indios y criollos, tendríamos *hablar la castilla, entender la castilla,* y el uso de *castilla* como adjetivo.

---

[663] *Op. cit.,* pp. 107 y 55. Para la preferencia por "español", incluso en zonas bilingües, para evitar un término que se interpreta como hiriente supremacía de Castilla, *vid. et.,* p. 121, *ibid.*

[664] Otra solución puede ser la apuntada por Menéndez Pidal en "La lengua española", artículo inaugural de *Hispania* (California) 1918, publicado de nuevo en el Cuaderno I del Instituto de Filología de Buenos Aires. Don Ramón dejaba 'castellano' para la lengua del *Poema del Mío Cid,* y 'español' para la lengua en cuyo florecimiento estético colaboraron todas las regiones de España.

[665] Documentado por Amado Alonso, en Ecuador (pp. 116, 55).

**9.3.24.** La pasión desatada en torno a la denominación no ha sido motivada por un nominalismo bizantino, sino porque detrás de cada designación puede haber, en muchos casos, una manera de interpretar la historia de España. "La historia espiritual de estos nombres —concluye Amado Alonso— no es nada más que la enredada historia de los sentimientos y de los anhelos, de la fantasía y de los impulsos activos, nuestros y de nuestros antepasados lingüísticos, con relación al idioma común".

**9.3.25.** La tendencia a la interpretación regionalista de la constitución del país se opone, por ejemplo, al centralismo de un país fuertemente unitario, como Francia, cuya lengua, hablada por senegaleses, polinesios, canadienses o belgas, es tan "francés" como para los mismos franceses. Coincide, sólo parcialmente, el problema de la denominación de la lengua (quizá más en América) con el problema de designación de la lengua inglesa: *English* es el término general, y también *England* es una región del Reino Unido, región aglutinadora por más señas. En cambio, los americanos diferencian su acento del de los insulares con la oposición *American accent, British accent* (y no *English accent*).

**9.3.26.** Apoyan estas meditaciones las palabras de Camilo José Cela en el discurso inaugural del Ateneo, que no llegó a pronunciar:

> España es país, o puzzle de países, con tantos meridianos como vientos tiene la rosa de los vientos, y ahí, precisamente ahí, reside su riqueza. La cultura española, que es lo que debe preocuparnos, puede y debe expresarse en cualquiera de las cuatro lenguas españolas, y su serena contemplación y su flexible convivencia ha de ser el denominador común de nuestro interés culto.

**9.3.27.** La diversidad terminológica que hemos estudiado en este capítulo, si se toma como signo de riqueza, y no de disgregación, ennoblece; por ello debe actuarse con la máxima tolerancia en estos problemas de denominación, y dejar que cada hablante, en cada región o país, emplee la que considere más adecuada, sin sobresaltos anacrónicos. Lo que no conviene olvidar, y con ello terminamos, es que la designación de *lengua oficial* (inexistente en España desde que se abolió la Constitución de la Segunda República) no añade nada al lustre cultural de una lengua. Con palabras de Cela, en el discurso citado, podríamos decir que el castellano "es la lengua común de todos los españoles. Repárese que es más importante, bastante más importante, y duradero y glorioso, ser la lengua de Cervantes, de Quevedo y de Fray Luis, que ser la lengua del *Boletín Oficial del Estado*".

## 9.4. LENGUAS PENINSULARES

En la visión integradora de la realidad lingüística de España deben caber unas páginas para exponer los grandes rasgos de las lenguas que se hablan en nuestro país. Esta exposición, realizada como simple información general, no pretende entrar en las cuestiones discutibles, sino que se limita a exponer aspectos generalmente aceptados[666].

**9.4.1.** La Reconquista se refleja, como no podía ser menos, en la situación lingüística de la Península Ibérica. En un principio, del latín derivaron una serie de dialectos; *mozárabes* en el Centro y Sur, y cinco dialectos cristianos en el Norte, que, de Este a Oeste eran: catalán, aragonés, castellano, leonés y gallego-portugués. De estos seis dialectos, en total (divididos cada uno en subdialectos, hablas, etc.), han surgido las tres lenguas románicas españolas: catalán, castellano y gallego, y dos dialectos, aragonés y leonés, hablados hoy en un territorio muy reducido. Las hablas mozárabes, tras ejercer su influjo en los romances supervivientes, en mayor o menor grado, se perdieron. Estos dialectos mozárabes ofrecían varios rasgos comunes con los dialectos de Oriente y Occidente, lo que testimonia una unidad dialectal latinovulgar en Hispania, rota por el empuje irreprimible del castellano, con soluciones extremas y tempranas, hasta su constitución como dialecto latino triunfante y progresivamente extendido hacia los lados, en su avance hacia el Sur, para formar lo que Menéndez Pidal ha llamado la *cuña* castellana, que, con la excepción del portugués, impidió el desarrollo hacia el Sur de las otras lenguas y dialectos, frenadas por su expansión hacia el Mediterráneo o Portugal. Junto a estas lenguas y dialectos románicos existe otra lengua, el vasco o euskera, preciosa reliquia de las lenguas habladas en la Península Ibérica antes de la colonización romana. Le dedicaremos un espacio antes de entrar en la rápida comparación de las lenguas románicas peninsulares.

**9.4.2.** Resulta impreciso el número actual de hablantes de vasco, en España y Francia, y parece muy dudoso que existan monolingües vascos, exceptuando personas de edad. Puesto que los autores dan cifras entre 70.000 y 600.000 hablantes podemos ver inmediatamente la escasa seguridad de estos datos, muchas veces aumentados aplicando el criterio de quién tendría que hablar vasco y no el de quién lo habla realmente. Vizcaíno, guipuzcoano y labortano son los tres dialectos principales, según Lafon,

---

[666] Para el vasco, p. ej., utilizamos trabajos de Tovar y el resumen de Manuel Alvar en su versión reelaborada del *Manual de Lingüística Románica*, de I. Iordan y M.ª Manoliu (Madrid, ed. Gredos). Para las lenguas románicas, nos ceñimos a las obras generales de Menéndez Pidal, García de Diego, Rafael Lapesa, Antoni Badia, F. Vallverdú, Carballo Calero, o K. Baldinger.

En torno al bilingüismo, agradecemos al I. C. E. de Santiago de Compostela el envío de materiales para el estudio del bilingüismo en Galicia, Cataluña y País Vasco. Varias personas nos han proporcionado datos complementarios sobre estas dos últimas regiones, que sumamos a los anteriores y a un estudio especial realizado por el equipo didáctico de Editorial "Cincel" de Madrid, en algunos de cuyos aspectos colaboramos. A estas personas y al profesor Constantino García de la Universidad de Santiago de Compostela agradecemos esta colaboración.

divididos en otros tipos menores. De acuerdo con Hubschmid, Pokorny y Tovar, negamos hoy la relación entre el vasco y el ibérico, que ha hecho gastar tanta tinta polémica. El vasco parece estar emparentado con las lenguas del Cáucaso, mientras que el ibérico, que es una lengua camítica, desapareció en tiempos de Augusto. De todos modos, señala Tovar, las posibles relaciones del vasco con el ibérico o las lenguas caucásicas serían protohistóricas, nada podemos saber por la vía de la comparación. Al parecer, las posibles coincidencias vasco-ibéricas se deben a influencias del vasco en el ibérico y no al revés, como se creía antes. Algunas características del vasco son especialmente importantes, como el hecho de poseer cinco vocales, *a, e, i, o, u,* sin la distinción latina clásica de largas o breves o la latino vulgar de abiertas y cerradas. El hecho de que el vasco careciese de /f/ o de /v/ labiodental como la francesa, hizo que en castellano la F inicial se aspirase y se perdiese posteriormente, dejando como resto mudo la grafía H, así como que en castellano no haya habido nunca una /v/ como la francesa, sino siempre bilabial, como la /b/ (es falso distinguir en la lectura *vaca* de *baca,* porque siempre se han pronunciado igual). El resto de su estructura lingüística es totalmente distinta de la castellana, tanto en su declinación, que no existe en castellano, como en sus categorías verbales, o en el hecho de ser una lengua aglutinante, que une los distintos elementos del sintagma tan estrechamente que el observador ingenuo cree que las frases son una sola palabra de extraordinaria longitud. La rareza del vasco, lengua única, hace que su conservación y cultivo sean responsabilidad de todo español culto.

**9.4.3.** Después del castellano, el catalán es la lengua española que más hablantes tiene, extendidos entre el sur de Francia y la provincia de Alicante, más las Baleares y la ciudad de Alguer en Cerdeña. Frente a la postura de los lingüistas que lo consideran galorrománico, dialecto del provenzal, como Morel-Fatio, Meyer-Lübke, Bourciez y los primeros trabajos de Rohlfs, se levanta la voz de los partidarios de su agrupación iberorrománica, entre los que destacan Saroïhandy, Morf y Amado Alonso. La tercera tesis, la del catalán independiente, apareció en los trabajos de Diez, von Wartburg y A. Griera, al gran patriarca de la filología catalana. Modernamente parece haber perdido virulencia la discusión, y se tiende a considerar al catalán como lengua puente (Badía), o como un elemento más en el grupo lingüístico pirenaico (Rohlfs). El catalán está dividido en dos grandes dialectos, oriental y occidental, diversificados en lo literario en dos tipos lingüísticos definidos: el catalán de Barcelona y el valenciano, que cuentan ambos con una rica tradición literaria. Este punto es importante en el aspecto educativo, por las diferencias entre el catalán de Barcelona (lengua literaria común de los catalanes) y el valenciano, también utilizado en una literatura que cuenta entre sus autores a Auzias March. El catalán es lengua que disfruta de una rica producción editorial, su empleo tiene prestigio social, lo que favorece su extensión a los inmigrantes de otras regiones de España, y conserva su vitalidad.

**9.4.4.** El gallego, por su parte, ofrece caracteres especiales, debidos a la tardía romanización de Galicia. Es el más rezagado de los dialectos españoles, por no haber tenido tan largo lapso de siglos para el desarrollo de sus innovaciones. Se ha conservado y desarrollado con cierta unidad, según García de Diego, por su situación periférica apartada, su quietud, y el apego de sus hablantes a tradiciones y costumbres. Por ese carácter predominantemente conservador ha mantenido el vocalismo vulgar latino, así como una serie de evoluciones en etapas que, en comparación con el castellano, son intermedias, como —KT— latino, que permanece en el grado —it—, mientras que en castellano llega hasta [ĉ] (grafía *ch*). En cambio, ha desarrollado aspectos innovadores, de los que el más destacable es la tendencia a armonizar los sonidos, mediante la metafonía, es decir, la influencia del timbre de la vocal final sobre la tónica. Si la vocal final es cerrada, la tónica se cierra, y si es abierta se abre.

**9.4.5.** Hemos hablado antes de que las lenguas extremas, es decir, catalán y gallego, tienen una serie de rasgos comunes, diferentes de los castellanos. En cuanto al vocalismo, la diferencia fundamental es la reacción de la vocal tónica abierta del latín vulgar ante la yod (semiconsonante o semivocal palatal), y la diptongación en general. Mientras que el gallego no diptonga nunca, y el catalán, o bien no diptonga (según unos), o diptonga sólo ante yod, en época prehistórica, monoptongando luego en vocal cerrada extrema (según otros), el castellano diptonga la vocal tónica abierta E, O, del latín vulgar, salvo en presencia de todos los tipos de yod segunda, tercera o cuarta. Así, lat. CAELU, gallego *ceo*, castellano *cielo*, catalán *cel* (con ę abierta), frente a, con acción de yod, lat. PECTU(S), gall. *peito*, castellano *pecho*, cat. *pits*. La diferencia entre el catalán y el gallego, además de ese cierre extremo en *i*, *u* (lat. OCULU, cat. *ull*) del cat. ante yod, se manifiesta en que el catalán ha alterado en muchas ocasiones el timbre de la vocal latina, conservado en gallego, salvo acción de la metafonía.

**9.4.6.** Rafael Lapesa ha señalado, en su *Historia de la Lengua Española*, las coincidencias gallego catalanas (y dialectos intermedios, frente al castellano) en el sistema consonántico. La G palatalizada y la I consonántica latina, iniciales, ante *e*, *i*, átonas, se conservan, en castellano se pierden: lat. clas. IANUARIU, lat. vg. IENUARIU, gall. *janeiro*, cat. *giner*, pero castellano *enero*. La F— inicial latina, que se aspira y pierde en castellano, se conserva en gallego y catalán: lat. FILIUS, gall. *fillo*, cat. *fill;* pero en cast. *hijo*. Los grupos L + yod, C'L, que en cast. dan *j* (fricativa velar sorda), dan en gallego y catalán la lateral palatar *ll*, como hemos visto en *fillo*, *fill*, frente a *hijo*, y vemos también en lat. OCULU, lat. vug. OC'LU, gall. *ollo*, cat. *ull*, cast, *ojo*. En el grupo latino —KT—, el castellano completa la evolución a *ch*, mientras que el gallego y el catalán conservan el segundo elemento, es decir la —T— y se diferencian en la evolución del primero en algunos casos, así, lat. OCTU, cast. *ocho,* gall. *oito,* cat. uit *(vuit),* lat. FACTU, cast. *hecho,* gall. *feito,* cat. *fet.* Los grupos "SC'" (palatalizada) o —SC + yod—, que en castellano dan zeta (tras etapas intermedias en la lengua medieval y clásica), dan en gallego y en catalán una prepalatal fricativa sorda (como la *ch* francesa o portuguesa, o *sh* en inglés), lat. PISCE, cast. *pez,* pero gall. *peixe,* cat. *peix.* En otras ocasiones se observa cómo el castellano presenta una situación intermedia entre el gallego y el catalán, tal sucede en la evolución de las vocales finales latinas: el catalán las pierde (salvo la —*a*—), el gallego las conserva, por regla general, mientras que el castellano pierde más que el gallego pero menos que el catalán, como puede comprobarse por los ejemplos de arriba. Las distintas etapas de la evolución se aprecian también en otro rasgo del consonantismo. El gallego conserva la L— inicial latina, como el castellano, mientras que el catalán la palataliza en *ll— (lua, luna, lluna),* el gallego pierde la —N— latina intervocálica, que se conserva en castellano y catalán (*cf.* el ejemplo anterior). El castellano y el catalán van también de acuerdo en la evolución de —NN— latina a —ñ— (grafía catalana —ny—), que el gallego simplifica en —n— (a menos que vaya precedida de *i,* como en VINU, *viño),* así lat. ANNU, gall. *ano,* cast. *año,* catalán *any,* sin que falten ejemplos en los que el catalán sea conservador y el castellano y gallego innovadores, como en el caso de los grupos iniciales PL—, KL—, FL—, lat. FLAMMA, cat. *flama,* cas. *llama,* gall. *chama,* o lat. PLICARE, cat. *plega(r),* cast. *llegar,* gall. *chegar.*

**9.4.7.** Esta mínima caracterización precedente, incluida por parecernos imprescindible en una obra que quiere ocuparse de la lengua española, tiene una inmediata repercusión en un problema que no es ya conceptual, sino metodológico.

**9.4.8.** De todo lo anterior, en efecto, se desprende que España es una nación extremadamente rica por su diversidad lingüística y la indudable influencia cultural que tal diversidad ha de tener. Por ello consideramos fundamental que el maestro inculque al niño, desde los primeros años de la escuela, el respeto por su lengua materna y, en el mismo grado, el respeto a las otras lenguas españolas. Asimismo, el maestro ha de estar preparado para utilizar la lengua vernácula para ayudar al niño en su aprendizaje. Haciéndose eco de las experiencias y recomendaciones de la U.N.E.S.C.O, los Institutos de Ciencias de la Educación de las regiones bilingües, y otras entidades, realizan en la actualidad una experiencia piloto con un número relativamente amplio de niños cuya lengua materna no es el castellano. Los experimentos realizados en Cataluña, más adelantados, por haberse iniciado antes, que los de Galicia o Vizcaya, muestran con bastante claridad que el niño que ha sido introducido en el castellano a partir del catalán durante la primera etapa de la E.G.B. se incorpora a la segunda etapa en castellano con más facilidad que el niño que ha seguido la primera etapa en castellano, teniendo que solucionar solo los problemas de adaptación a una lengua no familiar. Es importante indicar que la enseñanza del castellano en estos casos no debe hacerse como si de una lengua extranjera se tratase: el niño está en permanente contacto con el castellano a través de los medios de comunicación social, su conocimiento pasivo, de intelección, del castellano puede ser bueno (dependiendo también de factores sociales); pero, si se expresa normalmente en una lengua no castellana, su nivel activo será malo. El mejor conocimiento de la lengua vernácula no sólo redunda en beneficio de esta lengua, sino del castellano. Se debe este hecho comprobado a que, por medio del estudio de su lengua, el niño es capaz de distinguir lo que pertenece a una lengua de lo que pertenece a otra. Advertiremos que el problema de la enseñanza en vasco es muy distinto, porque la incidencia del monolingüismo activo vasco es menor que en hablantes catalanes o gallegos.

**9.4.9.** Hay una serie de razones de tipo didáctico que aconsejan que la educación del niño empiece siendo monolingüe. Tampoco necesitamos llegar a casos extremos de dislexias o afasias temporales provocadas por la incapacidad de elección entre dos lenguas, porque éstos son casos muy limitados. El problema fundamental parece estar en los centros en los que conviven niños que se expresan en castellano con niños que se expresan en otra de las lenguas españolas, ya que, en unidades pequeñas, no es posible separar en grupos a los niños según su lengua materna. Incluso el concepto de lengua materna es discutible, puesto que muchas veces los padres influyen decisivamente en la elección de la lengua de sus hijos. Hay padres que prefieren que su hijo hable sólo castellano porque entiende que el aprendizaje de la lengua vernácula es tiempo perdido. El maestro debe intervenir en estos casos, haciendo ver al padre no sólo el enriquecimiento cultural del hijo, sino también que el conocimiento de la lengua vernácula comportará, como decíamos, un mejor conocimiento del castellano.

## 9.5. OBSERVACIONES FINALES

Al terminar este capítulo terminamos también la sección conceptual de esta obra. En muchos lugares de esta primera parte nos ha sido preciso aludir a cuestiones metodológicas, aunque al hilo de los conceptos y su definición, y esta necesidad se ha notado especialmente en el capítulo que ahora concluimos. Lo que sucede, como se puede observar inmediatamente, es que cuando los estudios conceptuales se acercan a los objetos estudiados, cuando la abstracción de la definición no es muy grande, por la proximidad de lo definido, que entra, como colándose de rondón, en la óptica del estudioso, es muy difícil impedir que los problemas empíricos se mezclen con la teoría.

**9.5.1.** Podríamos ocuparnos de otros muchos problemas en estas páginas sobre la lengua española: su situación actual, su futuro, el español en América, temas que ocupan páginas en otras obras de conjunto, manuales y artículos que nos dispensan de tratarlos aquí con un apresuramiento que no siempre ha de justificar el lector[667]. En vez de extendernos de nuevo sobre temas que, forzosamente, habríamos de tratar de modo resumido e incompleto, permítasenos proponer, como cierre de esta parte, primera y más extensa de este libro, una meditación sobre el conjunto de aspectos que, tan rápidamente, hemos enunciado: el lenguaje como medio de comunicación, el papel de la sociedad en relación con la lingüística, la lengua considerada en sí misma, su constituyente mínimo e imprescindible: el signo, la concepción de los hechos lingüísticos a lo largo de la historia, con un enfoque predominantemente español, para intentar comprender algunos de los aspectos fundamentales del panorama lingüístico en la España actual, y, por último, estas disquisiciones sobre el nombre mismo de nuestra lengua, denominación que no es una etiqueta adhesiva para pegar o despegar a voluntad, sino que es reflejo de una manera peculiar de construirse la residencia histórica de un pueblo, la morada vital de los españoles, algo que no se ha dado hecho y determinado desde la eternidad, sino que fabricamos todos, comunitariamente, en cada uno de nuestros actos, con nuestro propio tiempo.

---

[667] Véase, como resumen de todas estas referencias, la amplia visión lingüística del español de hoy que son los dos volúmenes titulados *Presente y Futuro de la Lengua Española* (OFINES, Instituto de Cultura Hispánica). Madrid. 1964.

CAPITULO **10**
# SINCRONIA Y DIACRONIA

## 10.1. PLANTEAMIENTO

La historia de las dicotomías saussureanas y su discusión es punto de partida, al parecer, imprescindible a la hora de resolver la pregunta sobre métodos que todo estudio lingüístico implica. En nuestro trabajo, sin embargo, la posición del observador varía precisamente porque no nos acercaremos a la distinción con ánimo de resolverla o superarla, sino de ver en qué consiste, y eso con la mayor exactitud que podamos, y ver luego la postura general sobre ella, para decidir, en último término, su importancia real.

**10.1.1.** Antes de seguir adelante en este capítulo quisiéramos insistir en ciertas limitaciones conscientes y calculadas de su planteamiento, para evitar que se considere o se pueda considerar parcialmente como deslavazado lo que a continuación decimos. El separar la dicotomía sincronía/diacronía de las otras expuestas al principio de esta obra y retrasarla hasta este lugar para constituir con su tratamiento un capítulo de *método,* no conceptual como los primeros, obedece al deseo deliberado de introducir metodológicamente el próximo capítulo, y casi nada más. No es nuestra intención presentar aquí un capítulo sobre las teorías del cambio lingüístico, sino sobre un problema saussureano que, de la mano de importantes lingüistas, nos lleve a una solución pancrónica, importante para nuestra concepción lingüística de una gramática nocional, pancrónica y semantizada. Por esta razón quisiéramos advertir al lector que sólo espere encontrar en este capítulo teorías en la medida en que se enfoquen hacia nuestros problemas metodológicos o ciertos aspectos de ellos. Hacer esta advertencia puede ser importante (y agradezo a Angel Manteca Alonso-Cortés que me lo haya hecho notar), porque, de lo contrario, podría esperarse en él exposiciones como la de la teoría del cambio lingüístico en la escuela americana, o sea, la noción de *drift* o *deriva*, en Sapir, Hockett, hasta Labov, o la bibliografía extensa que abarca lo expuesto por R. Lakoff en *Abstract Syntax,* Venneman, E. Bach, y tantos otros autores, más la labor de algún congreso, o lo que testimonian los replanteos de Malkiel, Lehmann o King. Como se ve, estas páginas podrían tener otro enfoque totalmente distinto y partir de otras bases teóricas; pero, entendemos, en ese caso podrían no ser el necesario capítulo previo a la consideración de la enseñanza de la lengua española, y este libro, recordamos, es una simple y somera introducción a la lingüística, enfocada hacia nuestra lengua, con cierta atención a varias cuestiones de su didáctica. El error, claro está, siempre es posible, y nadie lo lamenta más que el autor, especialmente cuando ha sido avisado.

**10.1.2.** Como en los otros casos, tampoco fue Saussure el inventor, por así decirlo, de la oposición entre sincronía y diacronía, que, con otros términos y no con el mismo sentido, aparece en Boudouin de Courtenay y Ascoli, o que, en 1875, da lugar a Madvig, según Llorente[668], para criticar el emparejamiento de lingüística evolutiva y etiología. Como dualidad metodológica, nos dicen también Llorente y De Mauro[669], puede verse en los trabajos de H. Paul, Brugmann, Osthoff, Braune, Leskien, Meyer-Lübke, Delbrük, Schmidt y Sievers. Así pues, los neogramáticos, al estudiar el problema del cambio lingüístico, se plantean un doble tipo de descripción, según Meyer-Lübke[670]:

El propósito de la investigación variará según que se trate de lo que, metafóricamente, podríamos llamar exposición horizontal o vertical; ésta puede hacerse de arriba abajo, es decir, del latín al románico, o de abajo arriba, o sea desde el románico al latín. La exposición horizontal consiste en la caracterización de un determinado estado lingüístico, y lleva a la sistematización; la vertical, al ir de lo más antiguo a lo más moderno, nos lleva al estudio de la vida del lenguaje, y es comparable a la biología. Podemos llamar metodización a la exposición vertical, en oposición a la caracterización; y a la investigación paleontológica la llamaremos propiamente historia de la lengua.

**10.1.3.** Todas las tendencias coinciden en mostrar dos aspectos del lenguaje que se oponen, su permanencia y su evolución. Frente al carácter sistemático de la lengua[671] no se puede olvidar lo que Amado Alonso ha llamado "la evolución en el lenguaje como un rasgo de su esencia"[672].

[668] *Teoría,* p. 40.
[669] *Ibid.,* nota 32; *Corso,* pp. 350-351, *Vid. et.* Jakobson, *Main Trends,* p. 22.
[670] *Introducción,* trad. A. Castro, 2.ª ed., p. 108.
[671] *Cf.* cap. 4, *supra.*
[672] *Vid. Castellano, español,* cit., p. 54, nota 2.

## 10.2.  TERMINOLOGIA

A. Llorente, a quien seguimos, juntamente con T. de Mauro y Jakobson, en la primera parte de esta exposición, al ocuparse de la crítica de Hjelmslev a las distintas dualidades[673], hace una sucinta historia de la oposición y su terminología, a partir de la ditinción entre *statisch* e *historisch* del filósofo checo T. G. Masaryk, aplicada después por G. von der Gabelentz, H. G. Wiwel y V. Henry, de quien Saussure la recoge, y que debe unirse a la distinción de Comte entre sociología estática y dinámica, señalada por Schuchardt, en 1917, según T. de Mauro. Los neogramáticos oponían Lingüística Descriptiva a Lingüística Histórica, Sechehaye Lingüística Estática y Lingüística Evolutiva, G. von der Gabelentz, a quien sigue Jespersen, había señalado, en 1891, la oposición entre Lingüística Estática y Lingüística Dinámica, y Zauner y Gröber distinguían una Lingüística Empírica de una Lingüística Histórica.

**10.2.1.**  La terminología *estática-dinámica* es rechazada por Hjelmslev, puesto que el dinamismo no es rasgo distintivo de lo histórico. A los nombres de Humboldt, Ginneken, Vossler, Schuchardt, Bally y A. Alonso, señalados por Llorente[674], añadiremos el de Jakobson, quien, siguiendo a Hill[675], cree que, en realidad, debe hablarse de dos dicotomías, de tipo metodológico, además, no conceptual, que no deben confundirse: sincronía/ diacronía, estático/dinámico:

Sincrónico no es igual a estático. Si, en el cine, les pregunto lo que ven en la pantalla en un momento dado, no verán nada estático —verán caballos corriendo, personas andando, y otros movimientos—. ¿Dónde vemos lo estático? En los carteles de anuncios. Un cartel es estático, pero no necesariamente sincrónico. Supongan que no se cambia un cartel durante un año: eso es lo estático. Y es totalmente legítimo preguntarse qué es estático en la lingüística diacrónica.

**10.2.2.**  En un párrafo inmediatamente posterior al que hemos citado antes, Meyer-Lübke habla de la condición restrospectiva y reconstructora de la lingüística histórica, que describe estados anteriores, lo que hace incorrecta la distinción terminológica que identifica la descripción con la sincronía, como señaló después Hjelmslev. Ahora bien, nuestra misión, una vez establecidas estas distinciones terminológicas, consiste también en indicar un camino que nos permita salir del atolladero de los distingos y escolasticismos posteriores. La diferenciación de Jakobson nos servirá de punto de partida: si separamos lo dinámico y lo estático de lo diacrónico y sincrónico habremos dado el primer paso para llegar a una concepción global del

[673] *Op. cit.* pp. 40-43.
[674] *Ibid.,* p. 41.
[675] "Le Langage Commun des Linguistes et des Anthropologues", en *Essais de Linguistique Générale,* p. 36. Traducimos nosotros.

hecho lingüístico en la que, por la permanente actividad del lenguaje, sincronía y diacronía engranen en el movimiento complejo pero binaria y dúplicemente analizable del lenguaje. Antes de hablar de este punto conviene, sin embargo, precisar la posición saussureana para saber qué tipo de dicotomía propuso exactamente Saussure en este caso.

## 10.3. ANALISIS

Comencemos por saber lo que dice el *Curso*. En general, se habla de la dicotomía que ahora nos ocupa a partir de lo dicho en el capítulo III de la Primera Parte: la *Lingüística Estática y la Lingüística Evolutiva*. Es cierto e innegable que ése es el capítulo dedicado expresamente a distinguir sincronía de diacronía y a considerar la primera como base metodológica del estudio lingüístico. Sin embargo, conviene advertir algo que ha sido señalado por Tullio de Mauro en su edición del *Curso*[676]; que aunque, por regla general, se cree que la distinción de Saussure era una *distinctio in re,* es decir, que el objeto *lengua* tendría una sincronía y una diacronía, la realidad es otra y, señala De Mauro, hay un equívoco. La distinción no se plantea, para Saussure, en términos del objeto, sino que se trata de una oposición de puntos de vista, de carácter metodológico, por tanto, no referida al objeto, sino al investigador y su manera de acercarse a su objeto, entendiéndose aquí la *materia* del mismo, es decir[677], "todas las manifestaciones del lenguaje humano". Puesto que el investigador se sitúa siempre ante una época lingüística, tanto cuando analiza un texto, oral o escrito, perteneciente a un *corpus,* como cuando estudia las reglas que permiten producir un número ilimitado de frases correctas (con corrección en una época dada, efectivamente), se ha decidido que sólo cabe, para Saussure, la sincronía, lo que supone lo que De Mauro viene a calificar de olvido increíble, es decir, que no se recuerden afirmaciones del capítulo III de la Introducción del *Curso,* como: "En cada instante el lenguaje implica a la vez un sistema establecido y una evolución; en cada momento es una institución actual y un producto del pasado. Parece a primera vista muy sencillo distinguir entre el sistema y su historia, entre lo que es y lo que ha sido; en realidad, la relación que une esas dos cosas es tan estrecha que es difícil separarlas"[678].

**10.3.1.** Todavía hay más, y lo que se añade sirve para fortalecer el argumento de T. de Mauro sobre la distinción metodológica, y no objetiva; nos referimos a lo que se afirma a continuación, que sólo puede entenderse

---

[676] *Corso,* 176.
[677] *Curso,* cap. II de la introducción, p. 46 (p. 20. 1.ª edición).
[678] *Curso.* p. 50. Ya hemos aludido a parte de este texto y a la opinión de Coseriu, al hablar del sistema.

recordando lo que se entiende en el *Curso* como materia de la lingüística, según acabamos de exponer:

Así, pues, de cualquier lado que se mire la cuestión, en ninguna parte se nos ofrece entero el objeto de la lingüística. Por todas partes topamos con este dilema: o bien nos aplicamos a un solo lado del problema, con el consiguiente riesgo de no percibir las dualidades arriba señaladas, o bien, si estudiamos el lenguaje por muchos lados a la vez, el objeto de la lingüística se nos aparece como un montón confuso de cosas heterogéneas y sin trabazón[679].

**10.3.2.** El doble aspecto del objeto de la ciencia que, *metodológicamente,* según el *Curso,* insistimos, obliga a una distinción entre sincronía y diacronía, aparece unido en la cosa en sí, en el objeto como materia, en otros lugares del libro, como, p. ej., en el capítulo V de la Tercera Parte, dedicada a la lingüística diacrónica, donde se insiste en la permanente evolución del lenguaje, en la interpretación y descomposición de las unidades que la lengua recibe, a partir del principio de que "la lengua sólo retiene una mínima parte de las creaciones del habla"[680], puesto que "nada entra en la lengua sin haber sido ensayado en el habla"[681]. Es cierto que, en el capítulo anterior, nos ha dicho que "los fenómenos analógicos no son cambios"[682], puesto que el cambio es un fenómeno fonético y "la analogía es de orden gramatical"[683]; su importancia extraordinaria procede precisamente de que "aunque no sea la analogía por sí misma un hecho de evolución, refleja de momento en momento los cambios sobrevenidos a la economía de la lengua y los consagra por medio de combinaciones nuevas. La analogía es la colaboradora eficaz de todas las fuerzas que modifican sin cesar la arquitectura de un idioma, y en ese sentido es un poderoso factor de evolución"[684].

**10.3.3.** En resumen, podemos decir que, según el *Curso,* desde el punto de vista del objeto, de la materia, la dualidad no existe, pero sí hay tal desde el punto de vista del observador. Esta afirmación de De Mauro se ve confirmada por otros investigadores, en lo que a nosotros concierne, prescindiendo del uso que hayan podido hacer más tarde de esta primera conclusión. Así, para Ullmann[685], "no es la lengua [*language*] lo que es sincrónico o diacrónico, sino la aproximación a ella, el método de investigación, la ciencia del lenguaje [*language*]"*;* son "dos formas de acceso"[686].

[679] *Ibid.,* p. 50-51.
[680] *Ibid.,* p. 272.
[681] *Ibid.,* p. 271.
[682] Así se titula, en efecto, el párrafo 2, *ibid.,* p. 262.
[683] *Ibid.,* p. 265.
[684] *Ibid.,* p. 275.
[685] *The Principles of Semantics,* 2.ª ed., 1959, p. 36.
[686] *Semántica,* p. 10.

Para Coseriu[687], "en realidad los pretendidos abismos no existen[688], mejor dicho, ...han surgido sólo por la frecuente confusión entre el plano del objeto investigado y el plano del proceso investigativo, por un verdadero *transitus ab intellectu ad rem*"[689].

**10.3.4.** Una vez que hemos visto algunos contextos del *Curso* en los que, siguiendo a los autores citados, creemos que debe enmarcarse la dicotomía sincronía/diacronía, podemos volver a las páginas que le están dedicadas explícitamente. En ellas nos llama la atención, en primer lugar, que la división metodológica en dos ejes debe ser de todas las ciencias, no sólo de la lingüística. Todas ellas, en efecto, deberían verse estructuradas en dos ejes, el de simultaneidades y el de sucesiones[690]. Esta necesidad se hace práctica y, a veces absoluta, en las ciencias que trabajan con valores, que han de ser considerados de dos modos: en sí, y a lo largo del tiempo, en función de éste. Al ser la lingüística ciencia de valores, como vimos en los capítulos cuarto y quinto, al que investiga sobre la lengua se le impone, según el *Curso,* esta distinción. Así, "es sincrónico todo lo que se refiere al aspecto estático de nuestra ciencia, y diacrónico todo lo que se relaciona con las evoluciones. Del mismo modo *sincronía y diacronía* designarán respectivamente un estado de lengua y una fase de evolución"[691].

**10.3.5.** Quedaba planteada así con toda precisión la base metodológica de la nueva lingüística, que suponía, por un lado, una evolución respecto a la lingüística tradicional, basada parcialmente en la norma, es decir en la lengua de los buenos escritores, que pueden ser de épocas distintas[692], y evolución también en relación con las tesis neogramáticas, puesto que se admitía que la lengua no era sólo una sucesión temporal regulada por las leyes del cambio y la analogía. Por otro lado, sin embargo, esta dualidad metodológica se convertía en irreconciliable, llegándose a afirmar que "la multiplicidad de signos, ya invocada para explicar la continuidad de la

[687] *Sincronía, Diacronía,* cit., p. 15, par. 1.4.
[688] Remite a *Sistema, norma y habla,* recogido en *Teoría del Lenguaje.*
[689] Remite ahora a C. Hj. Borgström. "The Technique of linguistic Descriptions", *Acta Ling.,* V. pp. 1-14.
[690] *Curso,* p. 147.
[691] *Ibid.,* p. 149.
[692] No debe olvidarse, sin embargo, que, para Saussure *(Curso,* 150), la gramática tradicional utiliza un método sincróncio "irreprochable", lo que le interesa es describir estados. En esto es importante distinguir la gramática tradicional francesa (que el *Curso* ejemplifica en Port Royal) de la española. El francés normativo es un francés considerado a partir del siglo XVII, de su Siglo Clásico; la lengua medieval está muy alejada de este ideal. En el español, en cambio, no hay tanta diferencia entre la lengua medieval y la moderna como en el país vecino; además, la lengua renacentista (Garcilaso, Valdés, Herrera) es modelo lingüístico, junto a la de los siglos posteriores. La base diacrónica de la norma española, en la gramática tradicional, es más amplia que en francés; la consideración sincrónica que Saussure hace de la gramática tradicional francesa no puede aplicarse exactamente a la española.

lengua, nos prohíbe en absoluto estudiar simultáneamente sus relaciones en el tiempo y sus relaciones en el sistema"[693], con lo que se llega a dos lingüísticas, en vez de a una sola, con un doble aspecto, en todo caso. La división es tajante e innegable, como se desprende del párrafo tercero del capítulo del *Curso* que comentamos, párrafo iniciado por una frase que no deja lugar a dudas:

"La oposición entre los dos puntos de vista —sincrónico y diacrónico— es absoluta y no tolera componendas".

**10.3.6.** A lo largo de las páginas del *Curso* se va inclinando la balanza del lado de la sincronía, dado que se niega carácter sistemático a los fenómenos de la diacronía, ya que el cambio no afecta a todo el sistema, sino a un elemento. Este concepto, que será criticado, como veremos, y que será refutado con el desarrollo de una ciencia del sistema y al mismo tiempo diacrónica: la fonología diacrónica, se formula incluso taxativamente, en afirmaciones como la de la segunda reflexión: "Esos hechos diacrónicos no tienden siquiera a cambiar el sistema. No se ha querido pasar de un sistema de relaciones a otro; la modificación no recae sobre la ordenación, sino sobre los elementos ordenados"[649], o bien en frases como ésta: "En la perspectiva diacrónica nos ocupamos de fenómenos que no tienen relación alguna con los sistemas, a pesar de que los condicionan"[695]. Puesto que el estudio lingüístico debe atender a lo sistemático, a la lengua, como se deduce de la solución de la dicotomía lengua/habla, tras las citas anteriores no puede caber duda de que, para Saussure, el método lingüístico por excelencia ha de ser el sincrónico, mientras que la diacronía, por ocuparse de fenómenos que él considera insistematizables, tendrá un lugar secundario en la comparación u oposición de las dos posibilidades metodológicas[696], puesto que "todo cuanto es diacrónico en la lengua solamente lo es por el habla"[697]. Notemos, sin embargo, que Saussure prefiere el método sincrónico, pero que también hay lugar en el *Curso* para el diacrónico, rígidamente separado del primero, pero admitido, tras subordinarlo a la afirmación metodológica de validez general que dice que sólo se pueden formular definiciones y establecer el método adecuado, en materia de análisis, desde el plano sincrónico, en el que es preciso situarse previamente[698].

**10.3.7.** Hasta aquí hemos tratado de lo que dice el *Curso,* pero será conveniente, como siempre, hacer una revisión crítica de estas afirmaciones,

---

[693] *Curso,* p. 148.

[694] *Ibid.,* p. 154.

[695] *Ibid.,* p. 155.

[696] Ya hemos tenido ocasión de aludir, páginas atrás a la opinión de Coseriu "Determinación y entorno", en *Teoría del Lenguaje,* p. 285, sobre "las llamadas equivalencias de Saussure: lengua-sincronía y habla-diacronía".

[697] *Curso,* p. 172.

[698] *Ibid.,* p. 295.

por si no estuviera tan clara su correspondencia con el pensamiento del maestro ginebrino, tal como lo conocemos por otras fuentes. Esto no significa, insistimos, que neguemos que la influencia de Saussure se ha ejercido a través del *Curso,* que, para efectos prácticos, ha sido su obra. Sin embargo, por tratarse de un tema complejo y polémico, puede arrojar alguna luz el descubrimiento, en otros textos, de vacilaciones o imprecisiones. Un inconveniente grande que se encuentra para esta empresa es que la crítica textual del *Curso,* volcada en la dicotomía lengua/habla y en el problema de la arbitrariedad del signo, ha prestado menos atención a la distinción entre sincronía y diacronía. Han podido confluir dos cosas: la postura predominantemente sincrónica de los lingüistas posteriores y que parece ser que, en general, no hay grandes diferencias entre el *Curso* y los otros textos. Es cierto que ha habido una crítica considerable sobre la irreducible separación de ambos métodos, pero no se ha reflejado en el análisis del texto con la misma intensidad que en los otros casos citados, sino que ha sido, fundamentalmente, una crítica de conceptos, no de los textos mismos.

**10.3.8.** He aquí una revisión de los textos saussureanos, en busca de elementos que puedan discrepar de lo expuesto en el *Curso* [699]:

*Notas inéditas:*

N 10 (pp. 8-16): La lingüística es una ciencia doble, lo histórico es accidental y no afecta al sistema como tal.

N 12 *(Indice, 12, pp. 13-14):* Lo diacrónico se opone a lo sincrónico o idiosincrónico.

*Curso I (1906-1907):*

R 1.47-50: La lingüística tiene un lado estático y un lado histórico. Cree conveniente empezar por el segundo [700].

R 3.11-17: El campo diacrónico se opone al sincrónico.

*Curso II (1908-1909)* [701].

R 76-79: Dos ciencias: lingüística estática o sincrónica y cinemática o diacrónica, pero sólo son sistemáticos los hechos sincrónicos [702]

R 84-85: Separación del campo diacrónico y el sincrónico [703].

R 106-109: Lo sincrónico es lo gramatical, lo sistemático, lo que implica

---

[699] Utilizamos la notación abreviada de Godel, cit. *supra.*

[700] Sin embargo, la anteposición del estudio sincrónico al diacrónico, tal como aparece en el *Curso,* es obra de Saussure, no de los editores.

[701] Utilizamos, como hemos advertido en capítulos anteriores, la versión italiana. 2.º *Corso,* citado, así como Godel, *Sources,* pp. 66-76.

[702] 2.º *Corso,* pp. 62-67, 74-78.

[703] 2.º *Corso,* p. 81.

un sistema de valores[704]. La lingüística diacrónica, que no es sistemática, no es gramátical.

R 109-119: Señala que ciertos cambios considerados gramaticales pueden ser simplemente cambios fonéticos (recordemos que para Saussure la fonología es descripción de los sonidos en un estado, y la fonética es evolutiva). Señala también que, en algunos casos, puede hablarse de historia gramatical, y que la separación se vuelve más difícil cuando se sale de la fonética pura. Sin embargo[705], el origen de muchos hechos sincrónicos es fonético, es decir, diacrónico, lo que permite mantener la distinción.

Este párrafo del *Segundo Curso* es la puerta abierta a la crítica para tratar, no la separación de lo diacrónico y lo sincrónico, sino la incomunicabilidad de ambos.

*Curso III (1910-1911):*

D 140-162: En el semestre de verano de 1911, al hablar del triconsonantismo de las raíces de las lenguas semíticas se alude al carácter pancrónico de este rasgo, presente desde el prototipo.

D 226-257: Dualidad de la lingüística: estática-historia. Sólo el orden estático existe para los hablantes. Todo lo que es diacrónico en la lengua sólo lo es por el habla. Distinción entre las dos lingüísticas.

D 257-261: La lingüística estática.

**10.3.9.** Podemos decir, en general, que el texto que nos ofrece el *Curso* para el tratamiento de la sincronía y la diacronía no difiere casi nada o prácticamente nada de los distintos fragmentos que conservamos sobre el tema[706]. Lo que no está tan claro es la clase de separación existente entre ambos métodos, ese pretendido abismo, motivado, probablemente, por la predilección que Saussure parece mostrar por la sincronía. Incluso aquí vale la pena destacar que este aspecto no quedó realzado hasta el *Curso III* y que, curiosamente, a un lingüista histórico y comparatista, que empezó sus cursos fundamentando unos estudios diacrónicos, se debe la reforma metodológica explícita de la lingüística moderna.

**10.3.10.** Como antecedente de la bipartición ya hemos señalado a Baudouin de Courtenay: en la base de la preferencia sincrónica pueden estar, como señala Jakobson[707], las lecturas de Brentano y su aprecio de la psicología descriptiva como método adelantado y suplementador de la psicología genética tradicional. Los trabajos de Marty y Masaryk, a mediados

---

[704] *2.º Corso,* p. 94.
[705] Seguimos sobre todo *2.º Corso,* pp. 99-101.
[706] Véase la detallada tabla de fuentes del *Curso* en Godel, *Sources,* pp. 103-112. Para la oposición de sincronía y diacronía, *cf. et. ibid.,* pp. 184-189.
[707] *Main Trends.,* p. 22.

del XIX, son también importantes alegatos en favor de la metodología sincrónica. Las consecuencias de la dicotomía son las que nos llaman ahora la atención[708].

**10.3.11.** La crítica, en general, como señalábamos al principio de este capítulo, con palabras de T. de Mauro, se ha inclinado contra la dicotomía excluyente, entendiéndola como dos aspectos de la lengua, y no como dos posturas del observador. Lo cierto es que algunas frases del *Curso* pueden interpretarse en este sentido, especialmente la identificación de la oposición sincronía/diacronía con estática/dinámica, identificación que Jakobson, por ejemplo, califica de "falaz"[709].

**10.3.12.** La reseña del *Curso* que hizo en 1917 Hugo Schuchardt, en la *Literaturblatt für germanische und romanische Philologie*[710] rechaza el abismo entre sincronía y diacronía, que le parece como dividir el estudio de las coordenadas en el de las ordenadas, por un lado, y el de las abscisas, por otro. El lenguaje se le ofrece como un bloque constituido por el reposo y el movimiento (ambos en el más amplio sentido de la palabra), sin que haya oposición entre ambos; unas veces estudiamos el movimiento, efectivamente percibido, otras lo observable es el reposo. El ataque más fuerte, sin embargo, provino del Círculo de Praga, en 1929, quienes observaron cómo "aun en un sector visto sincrónicamente existe la conciencia de estado caduco o en vías de desaparición, de estado presente y de estado en formación; los elementos estilísticos sentidos como arcaísmos y la distinción entre formas productivas y no productivas son hechos de diacronía que no se podrán eliminar de la lingüística sincrónica"[711]. Tres miembros del Círculo, Jakobson, Karcevskii y Trubetzkoy[712], habían atacado, en 1928, la concepción antiteleológica saussureana en lo referente al sistema fonológico, según nos dice T. de Mauro[713]. Los tres lingüistas creen, en cambio, que las modificaciones del sistema tienen lugar "en función" de la reorganización del mismo.

**10.3.13.** Los lingüistas procedentes del campo histórico o del estructural

---

[708] Para los precursores de Saussure en la dicotomía debe verse también *Corso*, pp. 350-351. La nota 12 es una explicación relativamente amplia de la *Sprachphilosophie* de Marty (1847-1914), cuyo tratamiento de estos problemas se realiza en una línea trazada entre lo universal y el fenómeno lingüístico, solamente posible en relación con la psicología, dividida, a su vez, en descriptiva y genética, división que se extiende a la ciencia del significado o semasiología.

[709] *Op. cit., ibid.*

[710] Más asequible hoy en el *Hugo Schuchardt-Brevier*, publicado por Leo Spitzer en Halle, 1922. (Traducimos de la 2.ª ed., 1928, p. 330; el texto alemán lo cita Coseriu en *Sincronía y Diacronía*, 15.)

[711] *Travaux du Cercle Linguistique de Prague*, I, 1929, p. 8. Citado por D. Catalán, en *La Escuela Lingüística Española*, pp. 28-29.

[712] En *Actes du Premier Congrès International de Linguistes à La Haye*. Leiden (1929), pp. 33-36. El Congreso se había celebrado entre el 10 y el 15 de abril de 1928. *Cf.* A. Alonso, introducción al *Curso*, esp. pp. 14-15.

[713] *Corso*, 176.

(términos usados aquí *lato sensu*) atacan la distinción con argumentos opuestos: los primeros creen que en la descripción sincrónica deben tenerse en cuenta elementos diacrónicos, los segundos creen que no hay análisis diacrónico válido si se prescinde de la noción de sistema. Como ejemplo de la primera postura podemos poner, con T. de Mauro, a W. von Wartburg, S. Ullmann, y de los segundos a N. van Wijk. La discusión se generaliza; en la larga lista que recoge el lingüista italiano[714] se leen los nombres de Amman, en 1934, Roger, en 1941, Porzig, en 1950, Benveniste, en 1954, Budagov, en 1954 también, Žirmunskii, en 1958, Vidos, en 1959, así como Cikobava, Žirmunskii, de nuevo en 1960 y Leroy en 1965, entre otros muchos, de alguno de los cuales nos ocupamos inmediatamente.

**10.3.14.** La oposición a la dicotomía ha afectado a escuelas enteras, de las que destacamos[715] la escuela española, por ser de nuestro especial interés[716]. En el prólogo de su traducción del *Curso,* Amado Alonso[717] señala la importancia de los trabajos de Terracini, W. von Wartburg y de la Geografía Lingüística de Gillieron insistiendo en que la consideración del paso de la diacronía a la sincronía es "una representación más satisfactoria de la vida del lenguaje"[718]. La "defensiva" de los ginebrinos, continúa Amado Alonso, es, en realidad, una "honrosa retirada"[719]; el principio del abismo infranqueable entre los dos elementos de la oposición carece de sentido para muchos lingüistas. A. G. Hatcher[720] afirma que "nunca podemos saber realmente cómo es una construcción hoy a menos que sepamos cómo era ayer: el sentido de su evolución es parte de su identidad". E. Coseriu, en su estudio sobre el cambio en la lengua[721] no admite, como hemos dicho antes, ni el abismo entre lengua y habla ni el de sincronía y diacronía, hasta afirmar:

> Para la mera descripción sincrónica la lengua no cambia: como la flecha de Zenón, está absolutamente inmóvil. Aunque sólo como la flecha de Zenón (que en realidad se movía). En realidad, el equilibrio de la lengua no es estable sino precario, y el investigador puede adoptar alternativamente, y adopta, los dos puntos de vista,

[714] *Ibid.*

[715] Estamos siguiendo el esquema de T. de Mauro, pero se trata, en realidad, de cuestiones muy debatidas y, por ello, conocidas de todos, lo que explica que no insistamos en ellas. No se olvide que éste es un capítulo metodológico, no conceptual. Es cierto que estamos precisando conceptos y que a ello va dedicada la mayor parte del capítulo, pero estos conceptos nos interesan ahora como base para la elección de un método.

[716] Para la escuela española véanse las referencias al tema en el libro de Diego Catalán. Para la lingüística soviética que también se aparta de la división rígida, *cf.* N. Slusareva: "Quelques considérations des linguistes soviétiques à propos des idées de F. de Saussure", *Cahiers F. de S.* 20, 1963, pp. 23-46.

[717] Páginas 12-20.

[718] *Ibid.*, p. 18.

[719] *Ibid.*, p. 19; también en De Mauro, *ibid.*

[720] *Theme and Underlying Question,* sup. Word 12, 1956, p. 43.

[721] *Sincronía, Diacronía* 2.3.2.

el sincrónico y el diacrónico, mas ello no afecta sino que confirma la distinción entre sincronía y diacronía, en lo que ella tiene de valedero.

**10.3.15.** En la evolución de la lingüística generativa, sobre todo a partir de la obra de Chomsky y Halle, *The Sound Pattern of English*[722] tampoco parece ser insuperable la oposición, que se reduciría, como hemos visto en De Mauro y Coseriu, y veremos en A. Alonso, a un simple problema metodológico; la prueba de ello puede ser el libro de un "ortodoxo" como C.P. Otero, *Evolución y revolución en romance*. Con mayor claridad se expone la superación (dialéctica) de la dicotomía en un lingüista estratificacional, Lockwood[723], para quien todos los fenómenos que pueden considerarse en un estudio sincrónico tienen implicaciones diacrónicas y diatópicas. Variaciones de distinto tipo, además de las diatópicas, se originan diacrónicamente. Afirma que, mientras los neogramáticos sólo se sentían interesados por los cambios en la sustancia[724] y Saussure no relacionaba la estructura sincrónica con la diacronía, continuando, en lo que a esta última se refiere, la vía de los neogramáticos, no todos los lingüistas han procedido del mismo modo.

Para cualquier punto de vista que acepte la dicotomía básica de la forma lingüística y la sustancia, parece natural que, del mismo modo que la sustancia sincrónica refleja la forma, los cambios diacrónicos en la sustancia reflejarán cambios formales. Dentro de una teoría formalísticamente orientada, como la estratificational, en consecuencia, el estudio de los fenómenos diacrónicos enfocará los cambios de la forma lingüística. Luego tratará de relacionar diferentes tipos de cambios sustanciales a diversos cambios formales.

**10.3.16.** Si situamos la cita en el contexto estratificacional obtendremos una serie interesante de resultados:

Puesto que la forma lingüística es una red de relaciones, la suma de esas redes constituye la descripción de una lengua, teniendo en cuenta que lo fundamental es la representación del conocimiento de cada hablante, almacenado en su cerebro. El proceso del cambio se puede representar así:

Varía la forma lingüística →varía el conocimiento del hablante →varían los hábitos del lenguaje →varía la sustancia.

El aspecto central está constituido por la variación del conocimiento lingüístico del hablante, debido, en la mayoría de los casos, a un proceso· de aprendizaje.

---

[722] N. York (Harper & Row), 1968. *Vid. et.* Roberto D. King. *Historical Linguistics and Generative Grammar.* Englewood Cliffs (N. J.) (Prentice-Hall), 1969, y la glosa de L. Michelena, en *RSEL* I, 211-233.

[723] *Introduction*, cit., 8.1.

[724] Afirmación que, si no se trata de algo rápido y de paso, es muy imprecisa. La labor de los neogramáticos en algo tan poco "sustancial" como la sintaxis tiene una considerable importancia.

**10.3.17.** En el cambio lingüístico está implícita una situación de plurisistematismo que, para Lockwood, no se realiza en una persona, sino, por ejemplo, en tres generaciones. Así, una lengua en la que se produzca el paso de l>r implosiva, siendo /l/ /r/ dos fonemas con una distribución previa semejante, supone esta situación generacional:

*a)* La primera generación mantiene *l* ≠ *r* implosiva.

*b)* La segunda generación, tras una etapa de vacilación, tiene *r* implosiva < *l*, pero en su conocimiento lingüístico existe la huella del sistema previo.

*c)* La tercera generación sólo tiene *r* en posición implosiva y no tiene huella del proceso anterior, siempre con la salvedad de que cualquier hablante de esta generación que se encuentre con otro hablante que mantenga *r* ≠ *l* implosiva puede construir rápidamente una regla de interpretación para la comunicación correcta.

**10.3.18.** Esta consideración, conocida hace mucho (pensemos en la exposición de Jakobson sobre *e, i* átonas internas en ruso), es una simplificación, como el mismo Luckwood reconoce, del proceso real, que es mucho más complejo. Nos llama la atención, sin embargo, que Luckwood no haya tenido en cuenta que tres estados pueden darse en un individuo, en distintos niveles sociolingüísticos. El plurisistematismo, en el caso que hemos visto, como en otros muchos, no sería ya generacional, diacrónico, sino individual, idiolectal, si queremos, sincrónico, si bien innegable y directamente relacionado con un cambio y, por ello, originariamente diacrónico. Así puede intuirse en este texto:

Un estudio de los cambios lingüísticos o de dialectos relacionados, por ejemplo, puede proporcionar una evidencia sobre la relación de ciertos fenómenos en la esfera sincrónica. Este aspecto de la investigación lingüística está empezando ahora a recibir atención, pero muestra señales de ser prometedor. Como resultado de los estudios emprendidos en esta línea, puede ser posible descubrir ciertos hechos generales acerca de la estructura sincrónica que se aplica a todas las lenguas humanas.

**10.3.19.** Los testimonios sobre la interconexión de sincronía y diacronía abundan; para que no se nos tache de reiterativos concluiremos este párrafo con unas observaciones generales:

La diferencia con el punto de vista sincrónico es de perspectiva, coinciden, entre otros, Amado Alonso, T. de Mauro y Coseriu. Entre sincronía y diacronía hay, según Jakobson[725], una "indisoluble interconexión". Coseriu dice que "la lengua cambia justamente porque *no está hecha,* sino que *se hace* continuamente por la actividad lingüística"[726]. Su solución a la antinomia se

---

[725] En su reseña del libro de Jacob citada en nota 32, *supra,* p. 2, de la reimpresión (*Linguistics,* 1974), a la que ya nos hemos referido, también al ocuparnos de la lengua.
[726] *Sincronía, Diacronía,* III, 1.1.

encuentra en lo que llama *sistematización,* el continuo hacerse de la lengua, concepto muy parecido al de plurisistematismo, del que se diferencia en que, cuando se habla de *sistematización* se adopta un punto de vista histórico, y cuando se habla de *plurisistematismo* un punto de vista sincrónico[727].

**10.3.20.** En 1945, Amado Alonso percibió también la dicotomía (aunque De Mauro no lo dice) como una división metodológica, de perspectiva, y no conceptual. Concluiremos este párrafo con las observaciones que se desprenden de otro suyo[728].

Después de estas críticas y de su aceptación ¿queda rebajada en su valor la distinción saussureana entre diacronía y sincronía? Al contrario, queda rectificada y depurada. Sigue en su plena validez el doble punto de vista para el doble estudio: en el sincrónico, el del hablante, que vive internamente el funcionamiento de su lengua; en el diacrónico, el externo del historiador, que contempla sus transformaciones sucesivas. Al abandonar el principio de Saussure, Bally,..., aspira como programa mínimo a mostrar la "utilidad didáctica" de la aplicación separada de los dos métodos. No sólo por utilidad didáctica, sino por necesidad científica, afirmamos nosotros, distinguirá siempre la lingüística entre diacronía y sincronía. Sólo que al demostrar ahora su punto de convergencia, la antítesis postulada por Saussure queda positivamente superada.

**10.3.21.** ¿Qué se puede aceptar hoy de estas palabras? La superación de la dicotomía y el carácter metodológico de la misma. Muchos lingüistas, además, se adherirán a una separación, no insuperable, pero tampoco exclusivamente metodológica, sino científica. Otros, en cambio, argumentarán en favor de la fusión de ambos aspectos en una concepción global, pancrónica, de la lengua como objeto y de la lingüística como ciencia, con ese método de análisis. A algunas de sus implicaciones dedicaremos el apartado siguiente.

## 10.4. INTENTO DE SÍNTESIS

Conforme anunciábamos al terminar el apartado anterior, nuestro objetivo en éste es presentar el método pancrónico como síntesis metodológica, partiendo, precisamente, de que la distinción entre sincronía y diacronía no es una distinción *in re,* sino de enfoque; no real, sino metodológica.

**10.4.1.** Es el mismo Saussure, en el *Curso*[729], quien habla del método pancrónico. Su respuesta es relativamente afirmativa. Para él, la lengua puede estudiarse desde un punto de vista pancrónico porque "hay reglas que sobreviven a todos los acontecimientos". Se esboza una doble clasificación: la de hechos concretos, particulares y tangibles, que sólo pueden

---

[727] Para las ventajas que Coseriu encuentra en su punto de vista, *cf.* VII. 3.3.4.
[728] Introducción al *Curso,* p. 20.
[729] Páginas 168-169. Para el concepto de pancronía, *cf.* 4.6, *supra.*

explicarse diacrónica o sincrónicamente, frente a los "principios generales que existen independientemente de los hechos concretos", susceptibles de explicación pancrónica. Retengamos la división saussureana y estudiémosla, ahora, desde otra perspectiva: todo aquello que se puede formular en reglas de aplicación y validez general es susceptible de explicación pancrónica, mientras que los hechos experimentables, que exigen reglas contingentes o restricciones en las de aplicación general, se explica por la sincronía o la diacronía tan sólo. En una concepción deductiva y racionalista del lenguaje, que Saussure no podía pensar, pero que hoy tenemos en la gramática generativa, el método pancrónico es aplicable. La lingüística inductiva, empírica, especialmente en la versión neopositivista saussureana, sólo podía concebir el método sincrónico frente al diacrónico, porque "el punto de vista pancrónico nunca alcanza a los hechos particulares de la lengua".

**10.4.2.** La argumentación contra la imposibilidad de un tratamiento pancrónico de los hechos de lengua está más desarrollada en el *Curso II*[730], donde se afirma que el punto de vista pancrónico desemboca siempre en algo que no es lingüístico. En el desarrollo de la exposición se observa que el concepto de *pancronía* en Saussure es muy restringido, limitándose sólo a lo que, en términos matemáticos, llamaríamos el "lugar común" de todas las etapas cronológicas. Viene a ser una pancronía dependiente de la diacronía y no considerada en sí misma, por lo que acaba limitándose a lo meramente material, el mero sonido, en el ejemplo del *Curso;* la simple sustancia, añadiríamos nosotros, en cualquier otro ejemplo, siempre que se considere así lo que es pancrónico.

**10.4.3.** El concepto saussureano de pancronía resulta demasiado pobre, por lo que son varias las soluciones propuestas, en sentido pancrónico, a la dicotomía del *Curso*. En 1928, Luis Hjelmslev propuso, en lugar de la triple distinción: diacronía, sincronía y pancronía, una séxtuple: pancronía, pansicronía, pandiacronía, idiocronía, idiosincronía, idiodiacronía[731], dentro de su aceptación de que sincronía y diacronía constituyen una antinomia. A. Llorente explica esta aparente contradicción señalando que Hjelmslev sí cree posible construir una Gramática General, cuyos principios construye de modo totalmente coherente[732]. Esta disciplina habría de ser pancrónica y su objeto "el establecimiento de las posibilidades pancrónicas gramaticales

---

[730] *2.º Corso* XVII, pp. 67-69. *Vid. et.* nota 63, p. 54, de A. Llorente, *Teoría.*

[731] *Corso*, 195. L. Hjelmslev, *Principes de Grammaire Générale*, Copenhague, 1928, pp. 101-111, 249-295. A. Sommerfelt: "Points de vue diachronique, synchronique et panchronique en linguistique générale", *Norsk Tidsskrift for Sprogvidenskap*, 9, 1938, pp. 240-249, incluido en *Diachronic and Synchronic Aspects of Language,* La Haya, 1962, pp. 59-65. A. Llorente, *Teoría*, pp. 43 y 55.

[732] A. Llorente, *op. cit.* pp. 54 y 55. *Cf.* esta afirmación de la p. 55: "No he encontrado ningún razonamiento de principios verdaderamente refutable".

como primer paso para establecer leyes con carácter de necesidad o, por lo menos, con carácter condicional"[733]. Así, frente a la *idiosincronía* o estudio exclusivamente sincrónico de una lengua, o la *idiodiacronía*, estudio histórico de una lengua solamente, la pancronía se ocupa del establecimiento de principios generales en los que se fundamente cualquier sistema idiosincrónico. La dicotomía, en último término, se mantiene, pero la diferencia fundamental con Saussure radica en la creencia hjelmsleviana en la posibilidad de formular reglas de aplicación y validez generales, o sea, precisamente el tipo de reglas para las que Saussure admitía, teóricamente, la posibilidad del método diacrónico, si bien él no creía en ellas.

**10.4.4.** La pérdida de fe en la posibilidad de construir una gramática general ha tenido su tanto de culpa en el abandono del estudio del método pancrónico. Así, Ullmann y Martinet, con quienes coincide Llorente[734], consideran prematuro el intento de construcción de tal gramática, por falta de descripciones científicas de las lenguas particulares. Notemos que ello no significa la negación del método pancrónico, sino su paso momentáneo a segundo plano, en espera de resolver problemas previos.

**10.4.5.** El nombre de Ullmann aparece asociado al de W. von Wartburg, uno de los mayores defensores del método pancrónico desde la publicación, en 1931, de su trabajo innovador sobre la interacción de la lingüística histórica y la descriptiva[735]; aspecto que señala Dámaso Alonso en su importante artículo "Sobre la Enseñanza de la Filología Española"[736]. Walther von Wartburg ha insistido después en el ideal pancrónico de la total explicación lingüística. En su *Evolución y Estructura de la Lengua Francesa*[737] los siete capítulos de la primera edición son "alternativamente descriptivos e históricos"[738] y en el prólogo de la quinta señala que: "hoy día, cuando la fusión, en un plano superior, de la lingüística diacrónica y de la sincrónica, por nosotros preconizada desde hace un cuarto de siglo, se ha convertido en realidad, en una cierta medida, la concepción de este libro parecerá más justificada que nunca". En el capítulo III de sus *Problemas y Métodos de la Lingüística*[739] insiste en la imposibilidad de explicar

[733] *Ibid.*

[734] *Ibid.*, pp. 438-439.

[735] "Das Ineinandergreifen von deskriptiver und historicher Sprachwissenschaf", *Berichte über die Verhandlunger der Sächsischen Akademie der Wissenschaften zu Leipzig*, Phil. Hist. K. 83:1, 1931. pp. 1-23. *Vid. et. Von Sprache und Mensch*, Berna, 1956, pp. 159-165.

[736] Publicado primero en *Rev. Nac. de Educación*, 2, febrero 1941 y recogido en el volumen conjunto editado por el Ministerio de Educación Nacional (C.D.O.D.E.P.): *Lengua y Enseñanza. Perspectivas*, Madrid, 1960, esp. p. 19.

[737] Versión española de Carmen Chust, Madrid (Gredos), 1966.

[738] *Ibid.*, p. 7.

[739] Utilizamos la segunda edición francesa, con la colaboración de S. Ullmann, París (P. U. F.), 1963, pp. 148 y 55.
Sobre la importancia del método diacrónico y la necesidad de su mantenimiento *cf.* K.

la lengua sin tener en cuenta las relaciones recíprocas de la sincronía y la diacronía, con una serie de ejemplos, que se han hecho ampliamente conocidos, y que abarcan una amplia gama de hechos lingüísticos, desde la geografía lingüística y la dialectología (Gilliéron y Atlas, p. ej.), a la constitución del sistema pronominal de las lenguas romances a partir del latino, o los campos semánticos del alemán medieval hasta el moderno. El método preconizado no es todavía un método pancrónico puro, en el sentido de que no tiene en cuenta toda la diacronía y toda la sincronía globalmente, pero es satisfactorio y constituye el método característico de la Historia de la Lengua: a lo largo del eje vertical de la diacronía se realizan varios cortes horizontales paralelos destinados a mostrar el nacimiento progresivo de estructuras cada vez más modernas de la lengua. Esta comparación por sí misma no sería pancrónica, lo que la termina de constituir como tal es la exigencia del método de estudiar los acontecimientos que han tenido lugar, en el eje vertical, entre cada dos cortes horizontales, lo cual puede ponerse muy fácilmente en relación con lo dicho en 4.6. acerca de la coexistencia de sistemas en un corte idiosincrónico, es decir, el plurisistematismo.

**10.4.6.** Nuestro capítulo va a cerrarse con el examen del método de Amado Alonso[740] en su trabajo sobre verbos de movimiento en español. Se ocupa de construcciones del tipo verbo + complemento predicativo, *andar desatinado,* verbo + enclítico y adverbio, *ese traje te sienta bien,* verbo + pseudo objeto directo, *lleva dos años de casado* (¡atención!, sustituible por *los: los lleva),* verbo + preposición + infinitivo, *echar a reír,* y varias otras, que "en conjunto, constituyen una manifestación de la específica 'forma interior del lenguaje' del español..., y uno de los rasgos más fisonómicos de nuestro estilo idiomático"[741]; realiza su trabajo en tres etapas, una de límites y regulación de uso, otra de análisis de los contenidos y una tercera de estudio histórico. En esta tercera etapa insiste en que "el idioma es concreta materia histórica, y como tal deben perseguirse las sucesivas etapas"[742].

**10.4.7.** Las páginas que hemos dedicado al tema de sincronía y diacronía han ido cerrándose con una apreciación metodológica en este apartado sintético. Para concluir podemos citar el párrafo final del estudio de Amado Alonso al que acabamos de referirnos, párrafo en el que se recogen, con

Baldinger: "Diachonie e synchronie. Plaidoyer pour leur équivalence", *Rev. Canadienne de Ling. Romane,* 1, 1973. Agradezco a mi buen amigo Germán de Granda el facilitarme su separata de este trabajo.

[740] En su artículo "Sobre métodos: construcciones con verbos de movimiento en español", en *Estudios Lingüísticos, temas españoles,* pp. 190-236.

[741] *Ibid.,* p. 191.

[742] *Ibid.,* p. 226.

el enfoque metodológico requerido, conclusiones que podemos hacer nuestras[743]:

"En su última raíz, el ser del lenguaje es, por eso, un evolucionar; su funcionamiento es historia; y si, por las necesidades prácticas del trabajo científico, nos hemos visto obligados a separar cuidadosamente el estudio del funcionamiento actual del de la evolución (según los conceptos saussureanos de sincronismo y diacronismo), al final nuestro pensamiento no se conformará con menos que llegar a una síntesis de esos dos momentos: ver y presentar el funcionamiento de un sistema en perpetua evolución".

[743] *Ibid.*, p. 236. Nótense también estas palabras de Román Jakobson, *Main Trends*, p. 23: "La lingüística de hoy a duras penas podría adherirse al recordatorio que tan oportuno era hace un siglo, cuando había que acentuar y precisar las tareas de la lingüística descriptiva: 'la oposición de lo diacrónico y lo sincrónico se muestra a cada paso'".

CAPITULO **11**
# PROBLEMAS DIDACTICOS DE LA LENGUA ESPAÑOLA

## 11.1. PLANTEAMIENTO

Una vez definido, en los capítulos de la primera parte de esta obra, lo que entendemos por "lengua" y lo que entendemos por "lengua española", es decir, la lengua común o lengua castellana, sin perjuicio de que la condición de española se aplique también a las otras tres: catalán, gallego y vasco, cuya defensa incumbe a todos los españoles, vamos a considerar metodológicamente sus problemas didácticos.

**11.1.1.** La enseñanza universitaria, tanto en las Facultades como en las Escuelas de Formación del Profesorado de E.G.B., concede a la lengua la condición de asignatura de una rama o sección, destinándola a ser "materia para ser enseñada" y así sucesivamente. Las reformas de los planes de estudio limitan cada vez más el alcance de la lengua española como asignatura. Así, no es extraño encontrar licenciados en otras secciones, no filológicas o lingüísticas, de una Facultad de Letras que lean como $f$ la $s$ alta tan prodigada en manuscritos e impresos. Estamos muy lejos de posturas abiertas como, entre otras muchas, la del Instituto Tecnológico de Massachusetts, el célebre M.I.T., en cuyas aulas, los alumnos de los más avanzados cursos de tecnología han de compartir las horas destinadas al puro estudio científico con otras horas destinadas a comentario de textos, lectura dirigida, estudio de la lengua, en suma. La sociedad más industrializada ha comprendido que para que un científico sea creador de ciencia ha de poseer suficientes recursos expresivos, para exponer claramente sus ideas, y que la adquisición de estos recursos sólo se consigue con el estudio de la lengua.

**11.1.2.** En España, desgraciadamente, nos encontramos muy lejos de una mentalidad similar y a nosotros, lingüistas, corresponde señalar esta vía. Por ello, estas páginas que siguen quieren ser un toque de atención dirigido fundamentalmente a los educadores, incluidos los estudiantes superiores, que pronto lo serán, y quieren referirse, con amplitud, a diversos problemas que abarcan un amplio campo, entre la E.G.B. (o escuela primaria) y la Universidad.

**11.1.3.** La intención que nos mueve no es nueva ni original; se encuentra presente en dos libros de nuestro maestro, Américo Castro: *La enseñanza del español en España*[744] y *Lengua, enseñanza y literatura (esbozos)*[745]. En el primero de ellos[746] escribió estas convincentes líneas:

> Hay que crear en el joven un amplio teclado de posibilidades, tanto ideales como técnicas; lo formativo (leer con plena conciencia, escribir con plena reflexión), lo sugeridor (literatura, historia, arte) deberían poner el espíritu de nuestros chicos como una ballesta tensa, presta a disparar su originalidad en cualquiera de los infinitos campos que ha de ofrecer la vida.

**11.1.4.** Otro de los más prestigiosos profesores españoles, preocupado asimismo por problemas didácticos en el terreno de la lengua y literatura, cuya primera parte es la que ahora nos ocupa, nos referimos a Fernando Lázaro Carreter, ha señalado algo que nos parece imprescindible repetir, pues ocioso sería ocuparse de la enseñanza superior sin saber sobre, qué bases se asienta. Lo señalado por Lázaro se refiere a las metas que el alumno debe haber alcanzado en la Enseñanza Media para llegar en condiciones a la Superior. Tras la creación de la E.G.B. hasta los catorce años, en España, buena parte de esta responsabilidad recae sobre la Educación General Básica, y debe haberse cumplido al entrar el alumno en el nuevo Bachillerato Unificado. He aquí los tres puntos de Lázaro[747]:

1.º, ha de adquirir el volumen básico de la lengua; 2.º, ha de conseguir un conocimiento suficiente de la literatura española; 3.º, ha de lograr una elemental aptitud crítica que le permita orientar sus gustos en la época de madurez.

**11.1.5.** En el supuesto, todavía lejano, de que el alumno recién ingresado en la Facultad o Escuela Superior estuviera en esas condiciones, le quedaría

[744] Madrid (Victoriano Suárez), 1922, reimp. 1959.
[745] *Ibid.*, 1924. En nuestra bibliografía final incluimos un apartado de Metodología al que remitimos al lector. Aquí señalamos, además de la bibliografía que daremos para cada punto concreto, las siguientes obras generales:
Manuel Seco, *Metodología de la Lengua y la Literatura Española en el Bachillerato*, Dirección general de E. M., publ. de la rev. *Enseñanza Media*, 1961; *Guía Didáctica de la Lengua y Literatura Españolas en el Bachillerato*. Centro de Orientación Didáctica del Ministerio de Educación Nacional, publ. de la rev. *Enseñanza Media*, Madrid 1957; y *Lengua y Enseñanza, Perspectivas*. Centro de Documentación y Orientación Didáctica de Enseñanza Primaria, Madrid, 1960. Martha A. Salotti y Carolina Tobar García: *La Enseñanza de la Lengua*. Buenos Aires (Kapelusz), 1938, 5.ª ed., 1960.
[746] Páginas 22-23.
[747] "La Lengua y la Literatura Españolas en la Enseñanza Media". *Rev. Educación*, I, 2, 1952, pp. 155-158.

todavía por recibir una formación importante, desde el punto de vista de la lengua sólo, sin incluir ahora la literatura. Tendría que iniciar el aprendizaje de la metodología lingüística, punto sobre el que volveremos en 11.7., pero del que adelantamos aquí que lo importante es ofrecerle, junto a unos conceptos y un panorama histórico como los que hemos querido trazar en los diez primeros capítulos de este libro, una aplicación práctica, bien de comentario lingüístico de textos, bien de construcción de reglas de generación. La lengua como material didáctico no es una entelequia, sino un ser-ahí, sobre el que cualquier individuo, gracias a su competencia, puede empezar a trabajar.

**11.1.6.** En la formación de los estudiantes superiores no podemos descuidar la referencia a los niveles inferiores de la enseñanza, pero no sólo por la posterior condición de enseñantes de estos alumnos, sino porque la didáctica de la asignatura debe explicarse en su completa estructuración, es decir, sin aislar caprichosamente una de las etapas. La didáctica de la lengua en la enseñanza superior no puede ignorar la de la media o la primaria, si se quiere construir algo que tenga sentido. Para dar esa visión de conjunto nos referimos, a lo largo de este capítulo, a problemas como la lectura, la ortografía, la composición, el vocabulario, la integración de lengua y literatura en el comentario de textos, la enseñanza de la metodología específicamente lingüística y la relación de la enseñanza de la lengua española con la Historia de la Lengua.

## 11.2. LA LECTURA

El tratamiento de este tema[748] nos permite mostrar los tres niveles:

**11.2.1.** El primero de ellos, el de la E.G.B., a la que corresponde enseñar a los niños a descifrar los signos de que nos servimos para expresar el lenguaje por escrito. La discusión en este punto se centra en dos métodos: el tradicional, letra, sílaba, palabra y frase, o el método global, que sigue el orden inverso. Entre ambos hay varias posibilidades de las que, en España, una de las más difundidas es el silabario, en las cartillas de Palau[749]. No nos

---

[748] *Cf.* A. Carballo Picazo, "El problema de la lectura", *Rev. Educación,* 173, Madrid, 1965. A. Maíllo, "Reflexiones sobre la enseñanza de la lectura y la escritura", en *Lengua y Enseñanza* (*cf.* nota 745). Juan Navarro Higuera, "Iniciación al aprendizaje de la lectura y de la escritura" *ibid.* Eduardo Carrasco Gallego, "Metodología de la lectura en las escuelas primarias", *ibid.* J. Segarra Algueró, "La entonación de la lectura", *ibid.* A. Ramírez de Arellano, "Modalidades de la lectura en los distintos grados de la enseñanza primaria", *ibid.* M.ª Raquel Payá Ibars, "La lectura silenciosa", *ibid.* M.ª Jesús Cebrián, "Actividades y programas de lectura en la E. G. B.", *Vida Escolar,* 139-140, 1972. Juan Noriega, "Comprensión lectora e interpretación de textos", *ibid.* y, especialmente, María Hortensia Lacau: *Didáctica de la Lectura Creadora.* Buenos Aires. (Kapelusz), 1966.

[749] Ed. Anaya, Madrid. Las cartillas se completan con barajas silábicas, gigantes, para el maestro, y pequeñas para los niños, juegos de dominó, dameros, cuadernos y otros auxiliares.

incumbe el análisis de cada uno de ellos[750], lo que destacamos es su preocupación por la búsqueda de un modo de aprender a leer que sirva también para el desarrollo intelectual del niño que es, inicial y fundamentalmente, desarrollo de su comprensión.

**11.2.2.** En los niveles superiores, a partir del Bachillerato, lo verdaderamente importante es que la lectura sea un medio de introducir al alumno en capas superiores y más profundas de cultura y de despertar y desarrollar su imaginación. Puede ser un medio intelectual que saque al alumno del medio social en que vive y proyecte su espíritu hacia otras regiones en las que encontrará más amplia capacidad de ideal. Aunque resulte brusco afirmarlo en seco, habremos de pensar si vale la pena saber leer, como viene a decirnos Pedro Salinas, sólo para enterarnos de lo que nos dicen los martirizantes anuncios de la propaganda callejera o televisiva, o las descarnadas páginas de una prensa sin imaginación y controlada por los grupos de presión (hablamos en abstracto). Si la lectura sólo va a servir, como de hecho sucede en la mayoría de los casos, para contribuir a la enajenación del individuo, puede ser preferible el analfabetismo al semianalfabetismo. Es mejor no saber que saber para hacer un mal empleo de la sabiduría, entendiendo por mal empleo la pérdida de la condición humana, sin entrar aquí en cuestiones de tipo moral o religioso.

**11.2.3.** En el artículo que citamos en la nota 748, A. Carballo ha indicado que precisamente la lectura se entiende como una superación de las circunstancias ambientales en que el niño vive. Ha de superar el hecho de que en las familias españolas, por regla general, no se dedica un capítulo del presupuesto a la compra de libros, y se lee poco: casi siempre (y pensamos en nuestros pueblos) sólo periódicos, como mucho. La falta de preparación lingüística de los españoles y el desinterés con el que se han mirado tradicionalmente las actividades del espíritu causa la proliferación de la infraliteratura: la invasión de la imagen en nuestro mundo actual lleva a la telenovela, la fotonovela y los tebeos, empleados sistemáticamente como evasión y enajenación. La enseñanza de la lectura ha de tender a los siguientes fines:

**11.2.4.** En primer lugar, provocar en el alumno un interés por la obra escrita, que es un diálogo con el pasado, demostrarle que es algo vivo, activo, que obedece a preocupaciones de nuestros antecesores por temas que son tan actuales como el papel del hombre en el mundo, la lucha de los hombres y la sociedad, el mejor conocimiento del valor individual, la trascendencia de la vida, nuestra propia relación con la posteridad, en suma, el inmenso y ricamente decorado abanico de la comunicación humana, que en las grandes obras toca las cuerdas más sensibles y auténticas de

---

[750] Puede verse en C. Hendrix: *Cómo enseñar a leer por el método global*. Buenos Aires (Kapelusz), 1952, 5.ª ed.. 1972 [1.ª ed. francesa, en Lieja (Ed. Desoer), 1947].

nuestros sentimientos y vivencias y prepara nuestro espíritu para la lucha por una sociedad más justa. Vivimos, quizá, una etapa de la historia de la humanidad más inclinada al *prodesse* que al *delectare* y si lo útil prima sobre lo bello como atractivo inicial no podemos ir contra corriente. Lo importante es que una vez que hayamos sabido encontrar una utilidad a la afición por la lectura, nos encontraremos con que nuestros alumnos son seres ávidos de belleza en un mundo feo y acongojado. Nuestra responsabilidad está en separarlos de lo bello evasivo para llevarlos a lo bello activo, constructivo, revolucionario.

**11.2.5.** En segundo lugar, habremos de enseñar a leer buscando una comparación que vaya más lejos del simple desciframiento de un texto. Al hablar de signo lingüístico y poético hemos visto que en la comunicación poética debemos entender lo no inteligible y el poeta expresar lo inefable. Las obras que lean nuestros alumnos deben cumplir las exigencias estructurales del signo poético, en el sentido de que deben plantearse el problema de la comunicación (expresión e intelección) de lo inefable. Debemos enseñarles a distinguir la lectura que está cargada de un mensaje de la que no tiene otra función que distraer sus fuerzas de la grave tarea del progreso de la Humanidad. Al mismo tiempo, esta labor puede tener un reflejo inmediato en la sociedad, pues es innegable que quienes estudian ejercen una sutil influencia en las actividades de la casa paterna. Los padres tienden, por lo general, a interesarse en las actividades de sus hijos, aunque no sea más que para evitar complejos de inferioridad e inadaptaciones: interesando a los alumnos por la lectura interesaremos también a cierto número de padres; enseñando al niño a desenmascarar las falacias de la televisión y la infraliteratura podemos lograr que algunas familias se interesen por formas de expresión más elevadas, io que a su vez incidirá en otros estratos de la sociedad.

**11.2.6.** No podemos olvidar que en la lectura es donde se registran las graves diferencias entre alumnos que proceden de diversos medios sociales: los hijos de intelectuales estarán acostumbrados a leer y habrán recibido de sus padres una capa formativa a la que se superpondrá con mayor facilidad la nuestra. El resto de los alumnos llegará en blanco o con pocas disposiciones. Esto es precisamente lo que más preocupa a los educadores actuales: que la igualdad de oportunidades puede llegar a la educación para todos, pero no a la formación familiar que cada cual recibe en su casa y que causa tremendas diferencias entre los alumnos, como todos sabemos.

**11.2.7.** Para empezar el trabajo de captación de la lectura en el Bachillerato el profesor dispone de un arma mínima: la antología escolar, y un poderoso auxiliar, el comentario de textos, del que luego hablaremos. Todo su interés ha de concentrarse en plantear interrogantes tales que la curiosidad del alumno le lleve a completar en la obra íntegra el capítulo interesante que le intrigó en la lectura de clase. Por ello es importante conocer el mundo del alumno, sus gustos y preferencias estéticas, que siempre existen, tratar de encontrar p. ej. en esa música, que nos horroriza y a él le lleva a pasarse horas oyéndola hasta que termina traduciéndola, unos puntos que, ampliados en clase, le lleven a interesarse por formas poéticas indudablemente más ricas que las que se integran en las letras de la música contemporánea, que es la que a la inmensa mayoría de nuestros alumnos "vuelve locos", no lo olvidemos. Es probable que la inclinación a la lectura deba hacerse con las obras menos clásicas de nuestra literatura, no importa; como sabemos por experiencia, la lectura llama a la lectura y la búsqueda de experiencias estéticas será cada vez más honda, las lecturas cada vez más difíciles.

**11.2.8.** La situación en la enseñanza superior es ligeramente distinta, aquí nuestros alumnos han sentido un principio vocacional, muy débil en algunos casos, no temamos confesarlo. Ya no les obligamos a leer antologías, incluso hemos de luchar contra la tendencia a convertir la enseñanza de la lengua en algo meramente técnico, desligado de la literatura. No olvidemos además que, sobre todo en el primer curso, y a pesar del C.O.U., muchos entre ellos se enfrentan con nuevos conceptos en un mundo también nuevo. Habrán de leer, por otra parte, la bibliografía introductoria de la lingüística, amén de los manuales, si se juzga oportuno su uso. La orientación al lector se diversifica, la insistencia en la lectura especializada puede hacernos olvidar, sobre todo en las ·Facultades, por la más nítida división de las materias, que ese alumno es un lector e, incluso, puede ser un creador. Aquí también conviene la referencia a su futura labor como propagadores de hábitos de lectura, aunque sea aún lejana...

**11.2.9.** Hay otro tipo de lectura que también debe cuidarse, la lectura en voz alta o declamación. Incluso este tipo puede tener preferencia en los primeros cursos de bachillerato, pues es el medio eficaz para que los niños entiendan lo que leen, gracias a rápidas aclaraciones del profesor sobre la lengua del texto y otros problemas (época, etc.) que puedan presentarse. Si queremos ver también el lado práctico pensemos en todas esas personas a las que padecemos a diario en los medios informativos, que no saben expresar sus ideas y tampoco leerlas.

**11.2.10.** Por su papel de medio a través del cual llegamos al pensamiento de otros, por las riquezas estéticas que gracias a ella adquirimos, por sus enormes posibilidades enriquecedoras, en suma, la lectura es pilar fundamental de la educación humanística.

## 11.3. LA ORTOGRAFIA

El español es una lengua sin grandes diferencias entre la grafía y la pronunciación[751]. No ofrece las dificultades del francés y, sobre todo, el inglés, que mantienen sistemas gráficos arcaicos. Salvo un par de antiguallas, como la V, y la G ante *e, i,* y algunos problemas regionales como S/Z y LL/Y, escribimos dando un signo gráfico a cada fonema. A ello hay que añadir que, por razones cultas, conservamos una grafía inútil: la H. Son muy pocas las dificultades, y, sin embargo, el número de faltas de ortografía de nuestros alumnos es muy elevado. Aunque la *Guía Didáctica*[752] pida una reducción del 25% en el número de faltas en los primeros cursos del antiguo bachillerato, hoy últimos de la E.G.B., para pasar a un dominio de la puntuación más tarde, el objetivo difícilmente se consigue y la puntuación sigue siendo desastrosa incluso terminada la Licenciatura.

**11.3.1.** Nos parece que hay una ineludible necesidad de la Ortografía en la sociedad técnica, por razones de utilidad, comunicación, ordenadores y demás; podemos insistir también en el aspecto cultural que tiene la escritura correcta. Cuando una lengua tiene tan pocas reglas ortográficas como el español, el mejor medio de adquisición de una ortografía perfecta es la lectura, simple y llanamente. Por ello la ortografía de una persona es índice de su cultura. Debemos preocuparnos especialmente de este aspecto de la formación de los alumnos de E.G.B. y Bachillerato, que se puede compaginar con la lectura gracias a una serie de dictados escogidos que permitan ampliar los conocimientos de literatura, vocabulario y ortografía simultáneamente. El dictado es un penoso ejercicio que toda la habilidad del profesor no logrará hacer agradable, mas, pese a todo, es necesario. En la enseñanza superior, naturalmente, no hay lugar para dictados.

**11.3.2.** Conviene poseer asímismo algunas nociones sobre la evolución de la ortografía española. Como nos cuenta Mariana[753], el castellano se fija gracias a Alfonso el Sabio, según hemos visto en 9.3.6.

---

[751] Además de los artículos recogidos en *Lengua y Enseñanza, cf.* Juan Iglesias Marcelo, "Orientaciones para la enseñanza de la Ortografía", en *Vida Escolar,* 139-140, 1972, pp. 67-72. La ortografía española cuenta hoy con una obra verdaderamente monumental y completa, nos referimos al libro, ya citado, de J. Polo: *Ortografía y Ciencia del Lenguaje,* fácil demostración de que las escasas páginas que dedicamos al tema pueden convertirse en más de medio millar. La referencia a este libro, a su completísima bibliografía y al especial cuidado de la edición no supone toda conformidad con el pensamiento de su autor, pero sí merecidísima alabanza de su esfuerzo ciclópeo.

[752] Editada por el entonces Ministerio de Educación Nacional, para la enseñanza de la lengua y la literatura en el antiguo bachillerato, dividido en dos partes: elemental (de 10 a 14 años), ahora segundo ciclo de E. G. B., y superior, que, ampliado, forma el nuevo Bachillerato Unificado, unido a la Universidad por el C. O. U. (Curso de Orientación Universitaria).

[753] *Historia de España,* ed., 1617, p. 693.

**11.3.3.** Esta primera fijación gráfica alfonsí está de acuerdo con el sistema fonológico medieval:

*S- -SS-* para la sibilante sorda (fonema /S/, sordo)
*-S-* para la sibilante sonora (fonema /Z/, sonoro)
*Z* para la predorsodentoalveolar africada sonora /Ẑ/
*Ç* para la correspondiente sorda /Ŝ/
*X* para la prepalatal fricativa sorda /Š/
*J, Ge, Gi* para la prepalatal fricativa o africada sonora /Ž/ o /Ǧ/
*U, V* usadas indistintamente para vocal o consonante bilabial (y, en esta época, también labiodental en ciertas zonas) fricativa sonora.
*Y* usada como consonante y vocal, especialmente en los diptongos.

**11.3.4.** Tras las evoluciones de los siglos xv al xvii, con la pérdida de las distinciones entre sordas y sonoras en las sibilantes, y el paso de las prepalatales a velar sorda (jota moderna), se utiliza la X con su valor actual de KS y con el valor de jota, así queda hoy en México (pronúnciese Méjico), Texas o Tejas (pronúnciese siempre Tejas), etc.

**11.3.5.** La primera reforma moderna de la ortografía es la del *Diccionario de Autoridades* (1726-39); en él la Academia destierra la *ç*, establece las grafías actuales *za, ce, ci, zo, zu,* y destierra también el empleo de *V* como vocal y de *U* como consonante. Deja, pues, de escribirse, como se podía hasta entonces VNA, (léase *una*), o UINO (léase *vino = bino*).

**11.3.6.** En 1741 se publica la primera ortografía académica. En ella se destierra la *S-* líquida (*spíritu,* p. ej.), salvo excepciones y se acaba con los grupos de consonantes dobles, aunque no totalmente; la ortografía lucha entre la etimología (doble S conservada en los casos etimológicos, como *hubiesse,* latín HABUISSET) y la simplificación. La contienda se resolverá a favor de la simplificación desde 1763, tercera edición de la ortografía, que suprime la *SS* y liquida los grupos que se empezaban a suprimir en 1741, si bien deja todavía *Ph* en los casos como *Pharaón, Philosophia, Pharmacopea* y otros etimológicos. En cuanto a la Y en diptongos, puede conservarse después, como en *reynar*.

**11.3.7.** La reforma moderna final se realiza en la octava edición, de 1815, en la que se eliminan todas las vacilaciones que quedaban, como ese *reynar* antedicho, se elimina *QU* ante *a, o, u* (deja de escribirse *quando,* que pasa a ser *cuando*), y se elimina también la grafía de X para representar la J moderna: se escribe *Gijón* y deja de escribirse *Xixón*. La novena edición, de 1820, reimpresa en 1826, perfila la reforma, que, en lo esencial, establece la ortografía que usamos hoy, cuyas últimas modificaciones están contenidas en las *Nuevas Normas Ortográficas* de la Academia, de aplicación desde el 1.º de enero de 1959, que han sido recogidas en el *Esbozo de la Nueva Gramática.*

**11.3.8.** Aunque puede ser recomendable cierta tolerancia, entendemos que la ortografía debe ser una exigencia más entre las que el profesor, desgraciadamente, ha de imponer. Una ortografía cuidadosa es un buen indicio de un exacto y claro conocimiento de la lengua.

## 11.4. LA COMPOSICION

La abundante comunicación oral y escrita es una de las características de nuestro tiempo. Proliferan los informes, resúmenes, proyectos, esbozos, notificaciones, estudios previos y tantas y tantas formas de exponer ideas al juicio de los demás. Para lograr el éxito apetecido, que puede ser de utilidad inmediata en unos casos o de simple captación del público a las ideas del autor en otros, es necesario el dominio de las técnicas expositivas[754].

**11.4.1.** Clemente Cortejón atribuye a J. Castro la siguiente cita, que no hemos conseguido encontrar en la obra de Castro y Serrano:

Juzgando algunos de secundario interés el cultivo de la forma en la labor científica, e impropio de ciertas materias el empleo de la belleza literaria, adoptan un tono doctoral y una rigidez de estilo que producen el cansancio, cuando no el abandono de los lectores; y van derechamente, y sin quererlo, al triunfo del error sobre la verdad, de la paradoja sobre la ciencia, de lo agradable sobre lo fastidioso.

**11.4.2.** Si bien, como digo, no he logrado hallar el pasaje en la obra de donde Cortejón dice tomarlo, las ideas expresadas están plenamente de acuerdo con estas, también de Castro y Serrano[755]:

Hubo una época en que no se escribía más que para las personas a quienes interesaba directamente la calidad de los escritos. Se escribía literatura para los literatos, medicina para los médicos (...). En esa época la escritura podía ser seca y desabrida, impropia o iliterata, siempre que condujese a establecer o proseguir relaciones con los entendimientos de una misma familia. Nadie se paraba en la forma, ni dejaba de apreciar los conceptos que se le dirigían porque éstos careciesen de adorno y aliño de la dicción. (...). Pero hoy ha variado el asunto por completo (...). A la singularidad de los conocimientos, que antes era egoísta y ruda, ha sucedido la pluralidad de los estudios, que es más generosa, aunque sea más débil. Dad, pues, hoy al público el sistema y lenguaje de otro tiempo, y no satisfará a nadie; dadle en cambio amenidad y

---

[754] *Cf.* J. Castro y Serrano, *De la amenidad y galanura en los escritos como elemento de belleza y arte.* Discurso de ingreso en la R. A. E., 8 dic. 1889; Clemente Cortejón, *Arte de componer en lengua castellana,* Madrid (V. Suárez), 4.ª ed. 1911; Adolfo Maíllo, "Enseñanza de la redacción", en *Vida Escolar,* 139-40, 1972, pp. 61-66; *Vid. et.* para las implicaciones didácticas del tema, José D. Forgione: *Cómo se enseña la Composición.* Buenos Aires (Kapelusz), 1931, 18.ª ed. 1969, con los cuatro géneros característicos de la composición escolar: epistolar, narrativa, descriptiva y biográfica. A ello habría que añadir, como hace Lázaro Carreter en su manual de *Lengua Española* para el C. O. U., la composición administrativa (instancias, p. ej.) y la dialogada.

[755] *Op. cit.,* p. 172.

gentileza en la expresión, y conseguiréis que las materias más abstrusas y los más enrevesados teoremas trasciendan al dominio de la multitud.

**11.4.3.** Sin compartir hasta este extremo el entusiasmo de Castro y Serrano, tenemos que estar de acuerdo en su idea básica de la necesidad del aprendizaje de la expresión escrita como garantía de una mejor y más amena transmisión de la ciencia[756]:

El estilo ameno y la forma regocijada de los escritores sólo puede usarse aprendiendo a escribir. Es muy común en los escritores torpes sustentar la teoría de que las galas del estilo son hasta impropias en ciertas y determinadas materias. Para ellos basta un caudal científico, aunque se gaste en moneda borrosa, y suelen tener esta frase en los labios: 'Yo escribo para que me entiendan y ello basta'.

**11.4.4.** Esta preocupación teórica por la elegancia de la lengua escrita, dirigida a todos los que la emplean, y pensando fundamentalmente en los no literatos, encuentra su expresión en el *Arte de Componer* que Clemente Cortejón escribió años más tarde, y en el que desde el principio se establece esta línea, coincidente con la de Castro y Serrano[757]:

Se pide al escritor ponga su primer cuidado en no desairar á la Gramática, madre de buena crianza entre personas cultas: en valerse de la propiedad para abrir, como con llave de oro, todos los secretos del corazón; en regalarse, cuando no ceda en menoscabo, de más altas prendas, con la harmonía, engendradora de singular deleite; en limar un trabajo para limpiarlo de enfadosas repeticiones é inútiles redundancias; en traer con tino vocablos que sirvan de mensajeros al adelantamiento de la industria, á las nuevas ideas, á los estudios científicos sin que por ello se ofenda la castidad y pureza del idioma; en suma, en mostrar cuál sea el *arte práctico* que sabe descender hasta los últimos confines de la prosa técnica y bañarla con reflejos de hermosura. De él andamos muy necesitados, porque *ante todo importa saber escribir*, sin que valga la disculpa de que nos solicitan estudios más graves, de que sobran las reglas para *sentir* lo que hay de más vibrante en el alma humana, y de que siendo nuestra la lengua española podemos hacer con ella lo que más nos viniere en voluntad.

**11.4.5.** Fernando Lázaro[758] coincide con estas ideas anteriores:

Hablar y expresarnos no es algo que se nos dé al nacer; es algo que debemos procurarnos con esfuerzo.

**11.4.6.** En otro lugar[759] se ha ocupado Lázaro de la enseñanza de la redacción. Esta ha de servir para ayudar a la constitución de la capacidad sintética del alumno, que no ha de verse obligado a la exposición de temas

---

[756] *Ibid.,* pp. 172-173.
[757] *Op. cit.,* pp. 6-7.
[758] Citado en nota 747, p. 156.
[759] *Rev. Educación,* 27-28, enero-febrero 1955.

tópicos y de ornato como "La Primavera" y similares, sino que ha de utilizar su dominio de la redacción para expresar ideas que haya recibido en clase, o tomado de otros medios de la realidad cotidiana, entre las que figuran en papel muy principal sus lecturas.

**11.4.7.** El procedimiento de la redacción arranca de la invención para llegar a la elocución tras una disposición clara y adecuada. Los alumnos deben inventar para desarrollar su originalidad. La insistencia en ello es fundamental para no perder sus posibles aptitudes en el camino baldío de la imitación. Podemos lograr esto desde los últimos cursos de E.G.B. si limitamos los temas a la capacidad de los alumnos y les hacemos mantener los pies en el suelo con una base realista, sobre la que habrán de volar con las alas cada vez menos limitadas de su fantasía. Estos temas, siempre según Lázaro, han de tener una utilidad inmediata, el alumno no debe ver su actividad desligada de la vida real. Al mismo tiempo debe enfocarse de tal modo que dificulte (imposibilitar es difícil) la copia, el resumen o las mil conocidas triquiñuelas estudiantiles.

**11.4.8.** La disposición del texto debe hacerse con arreglo a un esquema. El profesor debe mostrar cómo se hace un esquema y cómo, sobre ese esquema, se integran los distintos elementos que permitirán dar la forma final al texto. En la redacción final se debe cuidar la selección del vocabulario y la propiedad gramatical.

**11.4.9.** Por nuestra parte insistiremos en la importancia del esquema, que se debe explicar detenidamente y cuya complejidad debe aumentar en cursos posteriores para permitir un gran dominio técnico.

## 11.5. EL VOCABULARIO

He aquí un aspecto de la gramática que el individuo no llega a dominar en toda su existencia: su léxico es un conjunto abierto en el que no cesan de entrar nuevos elementos. La enseñanza presta un servicio precioso al individuo haciendo que los nuevos términos de su vocabulario no entren de modo incontrolado, sino organizado y regular. Este proceso tiene tanto interés en el niño como en el alumno universitario, por lo que conviene reflexionar un poco sobre él.

**11.5.1.** M. Picard, en su libro *La Elocución y el Vocabulario en los primeros grados* [760] presenta el vocabulario ligado a la adquisición de facilidad elocutiva por parte del niño. Este empieza a hablar y, al mismo tiempo, va ampliando su vocabulario. Nuestra propia experiencia nos inclina a no confiar en exceso en los trabajos de lingüistas acerca del lenguaje infantil, basados en sus hijos o nietos. No se trata de desvirtuar la realidad, al

---

[760] Buenos Aires, ed. Kapelusz, 1965; original francés, 1955.

contrario, es perfectamente normal que el niño en permanente contacto con un lingüista, o con alguien que se preocupe de su educación como hablante, en general, desarrolle el vocabulario mucho más que un niño que no recibe en su casa, por desconocimiento, una educación especial en este sentido. Esto resulta más destacable en el nivel preescolar, en el que la lengua, asociada a los juegos y al contacto con el mundo, es instrumento casi único de interés. Para el resto de los grados vamos a fijar tres etapas de adquisición de vocabulario, con tres métodos:

1) Adquisición de lenguaje, en los primeros grados, según el método de Picard: El niño reacciona ante una lámina. Tiene que describir lo que ve en ella, con lo que desarrolla la elocución, y, más tarde, el maestro ha de guiarlo en el aprendizaje de nuevos términos. Si tomamos como modelo el libro *Observo y Aprendo*[761], para primer curso de E.G.B., que sigue el método de Picard, tenemos:

*a)* Una lámina (la primera representa el otoño, se ven árboles pelados y hojas que el viento arrastra).
*b)* Una serie de frases incompletas:
En otoño se caen las...
Estamos en el mes de...
El viento sopla y arrastra las...
*c)* Una lámina con una serie de frutas de otoño (pera, limón, naranja, uva) que el niño tiene que colorear.
*d)* La petición "Escribe el nombre de algunas frutas de otoño".
*e)* Una serie de preguntas en torno al otoño, en las que el niño ha de ir desarrollando el léxico recién aprendido o añadiendo palabras nuevas.
*f)* A medida que avanza el curso y el niño domina estos primeros pasos, se amplía a base de canciones, trabalenguas elementales y progresivamente complejos, adivinanzas, y juegos de este tipo.

2) Nivel intermedio de adquisición del lenguaje. En esta etapa la adquisición del vocabulario está ligada a lectura. El niño, aproximadamente a partir de los ocho años, debe ser capaz de leer textos de varias líneas, y de iniciarse, siempre con la ayuda del maestro, en la utilización del diccionario. Esta etapa dura, aproximadamente, es decir, según el niño, la clase y el maestro, hasta los doce años. Hay que tener presente, como nos recuerda Andréa Jadoulle, en *Aprendizaje de la Lectura y Dislexia*[762], que, "para Alice Descoeudres, un niño de seis años no sólo debe poder enumerar un gran número de objetos usuales, o de cosas o animales vistos en láminas, citar verbos de acciones corrientes, opuestos de calificaciones

[761] Madrid (ed. Cincel), destinado a preescolar.
[762] Primera ed., en Lieja, 1962; versión castellana, en Buenos Aires (Kapelusz), 1966.

usuales, repetir una oración de dieciséis sílabas, comparar dos cosas muy conocidas, sino también utilizar en su vocabulario un promedio de 14 pronombres, 19 adverbios, 10 preposiciones, 6 conjunciones".

La adquisición del vocabulario supone también, como señaló acertadamente Decroly, la adquisición de nexos. En esta segunda fase del aprendizaje del vocabulario, que coincide con el paso del primer ciclo de E.G.B. al segundo, el niño puede utilizar la lectura como aplicación. La imagen que acompaña al texto no se desecha todavía, pero el texto adquiere mayor importancia. He aquí como se pueden presentar los pronombres personales sujetos, en un texto de F. Arriaga[763]:

—*Yo* quiero dar una vuelta. Después irás *tú*.
—Tú ya diste tres vueltas, y *yo* ninguna.
—¿Qué es lo que está pasando aquí? *Vosotros* estáis siempre peleando.

...(y sigue el diálogo, sobre una situación conocida por el niño, hasta agotar las formas pronominales). Observemos, por otra parte, que el texto se presta a ir indicando que la significación de los pronombres es ocasional, que varía según el referente. Según el gráfico, *yo* y *tú* son unas veces el niño y otras la niña, y así sucesivamente. Además, pueden aparecer ya preguntas directas como "Escribe tres palabras que expresen lo que haces en el colegio", textos como el romance de "La loba parda", historietas mudas a las que hay que poner un texto, tipo *T.B.O.*, e incluso narraciones progresivamente complejas, en las que el tema y el enfoque obligan al alumno a ir utilizando un léxico relacionado con aspectos del tema solicitado por el maestro. También conviene tener en cuenta que, en esta etapa, el niño va pasando a la lectura silenciosa. A medida que este paso se produce, el niño ha de adquirir mayor soltura en el manejo del diccionario, de tal modo que, al llegar a nuestra tercera etapa (que coincide con la que Benjamín Sánchez, en su libro *Lectura*[764], dedica a la lectura silenciosa), el alumno sea capaz de resolver por sí mismo, con ayuda del diccionario, los problemas que se le presenten para la comprensión de un texto.

3) Tercer nivel. Fin del ciclo segundo de E.G.B. En esta etapa la adquisición del vocabulario está ligada al comentario de textos. Al hablar de éste ya diremos que, en la primera etapa, según F. Lázaro y E. Correa, habrá que situar la comprensión lectora, que tendrá que ser total. En este momento el alumno debe estar ya acostumbrado a un uso frecuente y productivo del diccionario. Como en los ejercicios de *Castellano Dinámico* de Héctor D. Agüero y Jorge R. Darrigrán[765], en sus tres grados, el

[763] Utilizado en el libro de *Lengua* para 4.º curso de E. G. B. de Ed. Cincel.
[764] *Lectura, Diagnóstico, Enseñanza, Recuperación.* Buenos Aires (Kapelusz), 1972.
[765] Buenos Aires (Kapelusz), tres volúmenes de ejercicios y tres teóricos.

aprendizaje de vocabulario puede (y debe) completarse con preguntas directas, que en las tres distintas etapas pueden ser:

(Sobre el texto "El Eclipse", tomado de *Platero y Yo*, del poeta onubense Juan Ramón Jiménez):

Indicar el significado de las palabras subrayadas en:

"velo *morado*"
"iban *trocando*"
"un cristal ahumado", etc. (para niños de doce años)

O bien, para niños de trece años (texto del argentino Roberto J. Payró, *Pago Chico*):

"*pulular*"
"en el *tílburi*"
"son *gallaretas*"

Y, finalmente, para niños de octavo de E.G.B., p. ej, sobre la primera escena de *Los Intereses Creados*, de Jacinto Benavente:

"reino de *Picardía*"
"en el primer *viandante*"
"mundo es éste de *toma y daca*", etc.

Todo ello puede completarse, asimismo, con ejercicios en los que el alumno ha de determinar si tal o cual palabra en un contexto dado está empleada adecuadamente o no, o con frases en las que se repita una palabra de significado amplio y que sea necesario sustituir por otra distinta en cada frase. P. ej., en el libro *Lengua Española* de F. Lázaro: "Sustituir el verbo *poner,* en las siguientes frases, por otros verbos, de tal modo que no se repita ninguno":

*Pusieron* el pájaro en la jaula
*Pon* ese libro en la estantería
*Puso* el equipaje a su nombre

y así sucesivamente (el ejercicio de Lázaro, para alumnos de 17 años, tiene 54 frases, para uno de 14 habrían de ser, lógicamente, menos). Este tipo de ejercicio es muy útil, así como muy activo, pues permite la participación de todos y su discusión. La experiencia demuestra que el número de formas posibles, suministradas por los alumnos, es muy superior (a veces 2 a 1) al número de frases de que consta el ejercicio[766].

---

[766] No nos hemos referido hasta ahora a un autor que, por haber sido profesor nuestro, nos ha dejado más huella oral que escrita: Ramón Esquer Torres. Su *Didáctica de la Lengua Española*, varias veces reimpresa desde 1968 (ed. Alcalá, Madrid), es libro imprescindible de consulta en estos temas. Al vocabulario dedica, especialmente, su tema 11.

**11.5.2.** No se piense que los ejercicios más complejos de los expuestos hasta aquí son inadecuados para los inicios de la enseñanza universitaria. El profesor Lázaro Carreter, en la Universidad Autónoma de Madrid, ha programado varios ejercicios de este tipo para los alumnos de primer curso, junto con otras pruebas y trabajos de carácter tan práctico como el que comentamos. La utilidad de este método ha quedado fuera de toda duda.

**11.5.3.** En relación con el vocabulario habremos de situar la etimología, que es la ciencia lingüística que el hombre de la calle, el hablante en general, considera más suya. Como ciencia, es la que se ocupa del origen de las palabras, de los variados caminos que una voz ha seguido desde los orígenes de las lenguas conocidas, como sabemos. La etimología, en el nivel primario, puede ejercitarse en dos direcciones, el estudio de las palabras y los objetos designados por esas palabras a lo largo de los tiempos (lo que se llama el método de las palabras y las cosas), o bien el estudio de los nombres de lugar, es decir, la toponimia. Se pueden aprovechar las ansias de conocimientos del niño, especialmente en los ambientes rurales, para que aprenda a conocer las artes que se van perdiendo lentamente, o para que sepa transmitir a sus hijos los nombres, cargados de historia, de los cerros, valles y hontanares de su comarca. Desgraciadamente, la devaluación del latín en nuestros planes de estudio nos está dejando lentamente sordos a las voces de nuestro pasado, reflejadas claramente, para quien tiene la clave, en nombres de objetos que ya no usamos y de lugares que vamos abandonando lentamente hacia las concentraciones urbanas. Con todo, bastan unas pocas reglas para que la etimología no se convierta en acumulación de falsedades, en ciencia supuesta. En primer lugar, conviene saber que el simple parecido formal no quiere decir parentesco; el repetido ejemplo del nombre 'río' en griego, *potamós,* y en lenguas indias del este de los EE.UU. *potomac,* que no tienen nada en común, es bien claro. La segunda norma, íntimamente relacionada con la primera, es que toda relación genética ha de establecerse por comparaciones de estructura. Acabamos de ver que los parecidos formales son engañosos, ahora veremos, en cambio, que los parecidos estructurales nos llevan a la meta. P. ej., el español y el francés, lenguas emparentadas descendientes del latín, tienen una serie de rasgos comunes (la -s final de los plurales en la lengua escrita, una conjugación parecida en cuanto a tiempos, modos, la construcción de la frase con nexos, y no uniendo unos elementos morfológicos a otros, como haría una lengua aglutinante); hay, por tanto, una serie de elementos comunes, éstos elementos se encuentran también en latín. En algunas circunstancias, algo que existía en latín se ha desarrollado de un modo distinto en castellano y en francés. Un dialecto del francés y otro del castellano pueden alejarse por selección de estos elementos divergentes, y así sucesivamente, hasta que llegue un momento en el que sea difícil reconocer el parentesco. El inglés, con una flexión reducida al mínimo, y el ruso, con una extensa flexión, o el letón, más flexivo si cabe que el ruso, son lenguas emparentadas, descendientes de ramas distintas del indoeuropeo, sólo un especialista puede llegar a relacionarlos.

**11.5.4.** Jesús Bustos, en un excelente artículo [767], ha puesto de relieve la relación entre el estudio de la etimología y el de los campos semánticos en el ciclo primario. Para él, "la más útil aplicación didáctica de la etimología es la de establecer familias léxicas unidas formal y semánticamente por un tronco común. Las posibilidades de enriquecimiento de vocabulario con este tipo de ejercicios son muy amplias. La actividad no debe limitarse a reunir palabras, sino a señalar las variedades significativas de cada una, su nivel de empleo, etc. Compárense las posibilidades que ofrece un tipo de familia léxica como la de *niño*, con varios étimos actuantes: *niño, niñez, niñería, infante, infantil; puericultor, pueril...; pedagogía, pediatría...* Cada uno de los étimos ha provocado una serie de derivados que se han especializado en un nivel de empleo distinto, desde el general correspondiente a la voz *niño* hasta el técnico de los derivados de *paidós*".

**11.5.5.** Bustos relaciona este concepto, pese a las dificultades con que tropiezan los actuales estudios de semántica, con el de campo semántico, hasta afirmar: "estimamos útil un tipo de actividad para el aprendizaje del vocabulario basado en el concepto de campo semántico". En efecto, la elaboración de campos léxicos puede ser un modo fecundo de descubrir la realidad circundante y de su correspondiente nominalización. Tiene además la ventaja de ofrecer amplias posibilidades de gradación, de acuerdo con el nivel del alumnado y, por tanto, realizarse prácticamente desde el comienzo del aprendizaje lingüístico: desde una iniciación basada en campos asociativos relacionados con la percepción sensorial (nombres de colores, de sabores, de olores, etc.) hasta aquellos que pertenecen a la creación abstracta e intelectual. Muy importante será el mundo de los sentimientos, que ofrece una amplia variedad semántica, con sus correspondientes asociaciones de tipo léxico. En definitiva, lo esencial será que el progresivo descubrimiento de la realidad vaya acompañado del uso y comprensión del vocabulario apropiado. A ello se puede llegar con ejercicios del carácter que aquí proponemos.

**11.5.6.** En este panorama de relaciones etimológicas, léxicas y semánticas, se mueven dos conceptos históricos: *derivación y composición*. Entre los ejercicios léxicos que nos proponía Jesús Bustos en los párrafos citados arriba caben perfectamente los de derivar y componer. Ambos conceptos son históricos, y forman parte de una de las posibilidades del apartado *creación* [768]. Además de lo puramente histórico nos encontramos con aspectos

---

[767] "Notas sobre Lexicología y Semántica", *Vida Escolar*, 139-140, mayo-junio de 1972, pp. 55-60. Véase también su completa *Contribución al Estudio del Cultismo Léxico Medieval*. Madrid (R. A. E.), 1974.

[768] *Cf.* nuestra *Aproximación a la Gramática Española*, 21.26.1.

lexicológicos y lexicográficos que contribuyen a hacer especialmente resbaladizo este terreno.

**11.5.7.** El estudio del léxico forma parte del estudio de la gramática pues ya hemos señalado que en la base de ésta hay unas reglas y un léxico o vocabulario. Sin embargo, no todos los hablantes del mismo idioma tienen el mismo léxico, y tampoco todos los elementos del léxico tienen el mismo valor.

**11.5.8.** Víctor García Hoz[769] distingue tres tipos de vocabulario: el *fundamental*, de unas doscientas palabras, que es el primero, el que el niño ya ha adquirido cuando llega a la escuela, el *común*, de unas dos mil, y el *usual*, de unas trece mil. El paso del vocabulario común al usual es tarea de la escuela, la Enseñanza Media (con la segunda etapa de la E.G.B. incluida) debe ampliar ese mínimo de trece mil palabras usuales. La enseñanza universitaria tendrá dos aspectos, la permanente ampliación del vocabulario de los alumnos, en cuanto hablantes, y el aprendizaje de técnicas de ampliación, constitución del mismo, cultismos y léxico técnico, depuración de barbarismos, y criterios de selección de neologismos. En las zonas bilingües, no lo olvidemos, es imprescindible insistir en las diferencias entre falsos homónimos, que no son sinónimos, y especificar las diferencias en la formación del léxico y la constitución de los campos semánticos.

**11.5.9.** Por otra parte, en el léxico hay dos grados de conocimiento de vocabulario: el conocimiento activo, y el pasivo. Usualmente el segundo arroja cifras muy superiores. La misión de los ejercicios de composición y redacción es ampliar el vocabulario activo, mientras que la lectura y los comentarios amplían el pasivo. Si se logra la coordinación entre los dos grupos de ejercicios se puede aumentar el ritmo de actividad del vocabulario adquirido.

**11.5.10.** Si es cierto que existe una relación fundamental entre pensamiento y lenguaje, como se desprende de lo dicho en capítulos anteriores, el aumento del vocabulario incidirá sobre toda la capacidad intelectiva del individuo. El desarrollo del vocabulario supone captación objetivada del mundo exterior. Por ello Fernando Lázaro lo ha destacado con las siguientes palabras[770]:

No sé si será muy importante que un alumno de primer curso aprenda a distinguir en las primeras clases un diptongo de dos vocales en hiato. Lo que sí puedo afirmar es que es para él mil veces más urgente —y permanente— aprender a distinguir

---

[769] *Cf.* Víctor García Hoz, *Vocabulario usual, común y fundamental.* Madrid (CSIC), 1951, y "Tres estratos de vocabulario y su significación didáctica", en *Lengua y Enseñanza*, Páginas 74-77.

[770] *Rev. Educación*, 1955, p. 105.

el umbral del dintel, y saber qué es exactamente el quicio, el postigo, el portón y el gozne.

**11.5.11.** Es cierto que Bécquer pisaba dinteles y ello no le privó de sus méritos como poeta, pero no deja de ser un detalle que se le afea y afeará mientras su poesía tenga vigencia.

**11.5.12.** Desde un punto de vista pedagógico nunca se insistía bastante en la importancia del manejo de un buen diccionario. En todos los congresos de Lexicografía los franceses hablan del éxito que en Francia tiene la empresa comercial de editar un diccionario. No es raro, teniendo en cuenta el desarrollo de los comentarios de texto y otras técnicas de enseñanza del país vecino, que llevan necesariamente a una superior utilización de los instrumentos que la lexicografía elabora.

**11.5.13.** El aumento de vocabulario se reflejará inmediatamente en la fluidez de la expresión oral y escrita y terminará con esas tristes expresiones cliché que nos torturan en todos los ejercicios que corregimos, esa penuria léxica que se resuelve en la vulgaridad, el lugar común y el abuso de los pronombres neutros, todo ello unido a la reata de repeticiones, fórmulas estereotipadas e inexactitudes por peligrosa extensión de la sinonimia, último recurso cuando el conocimiento activo falla. Todo ello incidirá, no lo olvidemos, en un aspecto que una enseñanza como la nuestra jamás debe olvidar: el creador. La lectura de una página de Cela, con su dominio de los recursos del léxico, o de Torrente Ballester, con su precisión descriptiva, obran más en el alumno que varias horas de fatigosas disquisiciones y árida erudición lexicográfica, sin que menospreciemos esta última (nos limitamos a hablar de atractivo, con el riesgo de superficialidad que entraña).

## 11.6. INTEGRACION DE LA ENSEÑANZA DE LA LENGUA Y LA ENSEÑANZA DE LA LITERATURA: EL COMENTARIO DE TEXTOS

Al adscribirnos a una corriente, de rancia tradición en la cultura española, que defiende la necesidad del estudio conjunto de la lengua y la literatura, sin olvidarse, naturalmente, de las exigencias de la especialización y los horarios académicos, encontramos en el Comentario de textos un método de conjunto que permite la aplicación de los conocimientos de Lengua y Literatura a una obra destacada por valores estéticos, cual la literaria.

**11.6.1.** La base del comentario[771] está en la lectura. A lo dicho en

[771] Para este punto nos basamos en estos trabajos fundamentales: F. Lázaro, "La lengua y la literatura españolas en la enseñanza media", *Rev. Educación*, I, 2, 1952, pp. 155-158; F. Lázaro y E. Correa, *Cómo se comenta un texto literario*, Salamanca (Anaya), 8.ª ed., 1970. A. Carballo, "notas para un comentario de textos", *Rev. Educación*, 148, 1962, pp.

nuestras páginas sobre el tema de la lectura podemos añadir ahora que[772]:

Leer es un difícil ejercicio, que, según la fórmula ya clásica de G. Lanson, consiste en enfrentarse con un texto, desentrañando lo que hay en él, todo lo que hay en él y nada más que lo que hay en él.

**11.6.2.** Para este minucioso análisis interpretativo contamos con los poderosos auxiliares estudiados en todo este capítulo de metodología. Nuestros conocimientos gramaticales, léxicos, retóricos, históricos, unidos a nuestra intuición de lectores nos permiten afrontar la empresa con posibilidades de éxito. Nuestra base de trabajo puede, incluso, hacernos conscientes de mensajes que sólo existían en el interior de la conciencia del autor. Ello no falsea la realidad, al contrario, supone el logro de una difícil meta en la comprensión de lo no inteligible.

**11.6.3.** También ha sido F. Lázaro, gran impulsor de estos trabajos en España, quien ha sentado la crucial importancia de este comentario con su afirmación[773]:

Toda la enseñanza de lengua y literatura debe girar en torno a un texto.

**11.6.4.** La técnica del comentario, nos dice también Lázaro, se utiliza en Francia desde 1880, pero sobre todo a partir de 1902; en Inglaterra, W. Brown realiza su introducción, en 1915, con su célebre libro *How the French boy learns to write*. Esta técnica, en efecto, puede ir también ligada a la composición, teniendo en cuenta que el dominio del idioma es algo que debemos procurarnos a lo largo de nuestra vida, lo único que se nos da al nacer es la facultad de lenguaje. El comentario, con sus vertientes hacia la lengua hablada y la lengua escrita, no es una técnica fácil, exige un aprendizaje que debe correr a cargo de la Universidad, en su doble vertiente, literaria y lingüística. El profesor de Enseñanza Media lo utilizará como poderoso auxiliar en la batalla diaria de interesar al alumno por la lectura en principio, y por la cultura después, como meta fundamental del Bachillerato, que no es impartir ciencia conclusa sino abrir el espíritu a la ciencia.

**11.6.5.** Tampoco se debe olvidar la incidencia de la lectura y comentario de textos de varios autores en la formación del espíritu del alumno en esos ideales de tolerancia y respeto que preconizamos. El esfuerzo de penetra-

57-72, M. H. P. M. de Lacau y M. V. M. de Rosetti: *Antología y Comentario de Textos*. Buenos Aires (Kapelusz) 1973 y *Antología, 1, 2, 3*, Buenos Aires (Kapelusz), 1970, 1971 y 1973. Véanse también los volúmenes de comentarios de texto por prestigiosos profesores españoles editados por A. Amorós en ed. Castalia (Madrid). Como valiosa puesta al día con información y análisis remitimos al excelente trabajo de Miguel Angel Garrido Gallardo: "Actualización del 'Comentario de Textos Literarios'", *Rev. Literatura* XXXVII. 1970 (publicado en 1974). pp. 119-126.
[772] Según F. Lázaro, *op. cit.*, p. 156.
[773] *Ibid.*, p. 157.

ción en los contenidos de una comunicación que puede expresar puntos de vista muy distintos de los nuestros, y la necesaria labor de intelección y análisis contribuyen a que el alumno adquiera un caudal humano y un desarrollo intelectual muy importante, no sólo para su desarrollo como lingüista o crítico, sino, lo que es mucho más importante, como persona.

**11.6.6.** A continuación expondremos varias ideas acerca de distintos métodos para comentar un texto. Hablaremos en primer lugar y brevemente del de Alfredo Carballo, que concede gran flexibilidad al comentarista, si bien éste no tiene más remedio que atender a los cinco puntos básicos de fonética (y figuras de dicción), métrica, morfología, sintaxis y semántica (con la inclusión de las figuras de pensamiento). Todo ello se precisa en los seis puntos de que debe constar el comentario para seguir un orden lógico que permita su doble misión: explicar el sentido del texto y la manera de expresarlo; método desarrollado por Lázaro y Correa y generalmente aceptado en la enseñanza española, sobre todo en la media. Para desarrollar estos seis puntos hemos de tener presentes dos principios generales que han de guiar una lectura cuidadosa:

1) Enfrentamiento con el texto.

2) Interpretación del texto, que ha de reunir dos requisitos esenciales:

  *a)* Comprensión y análisis de todo lo que el texto nos diga, es decir, exhaustividad.

  *b)* Limitación de la comprensión a los elementos que en realidad se encuentran en el texto, sin añadir elementos que no estén presentes en él, aunque se trate de elementos relacionados con ese texto. La mesura interpretativa es esencial.

**11.6.7.** En nuestra exposición atenderemos al comentario a lo largo de toda la enseñanza, aclaración que consideramos necesaria para que a nadie extrañen las referencias a la E.G.B. en relación con este método.

La *primera etapa* es la lectura atenta del texto. Esta lectura no significa interpretación de sus profundidades, sino sólo comprensión. El diccionario es un instrumento fundamental.

Esta primera etapa debe practicarse desde que el niño ha aprendido a leer. Los textos, seleccionados para ir ampliando el vocabulario del niño, no han de ser motivo para que el alumno se pierda en pistas y sugerencias, sino simplemente para que vaya adquiriendo dominio del vocabulario. En cuanto al uso del diccionario, conviene que el niño lo utilice, con ayuda del profesor, desde que sepa leerlo, pero hay que saber que el niño no podrá utilizarlo solo, normalmente, hasta los últimos años de la primera etapa de la E.G.B., e incluso hasta la segunda. La ayuda del profesor es imprescindible, y el profesor debe ser el primer conocedor del diccionario, para que esta ayuda sea efectiva. La lectura, insiste Lázaro, es previa a la explicación, porque no se puede explicar un texto que no se haya comprendido previamente, incluso en sus zonas más oscuras. Comprensión se utiliza aquí, insistimos, en el nivel del léxico. El léxico no debe estudiarse desligado del contexto; una vez consultado el diccionario hay que enseñar al niño a elegir la acepción que conviene al contexto. Para ello, es necesario que el niño haya logrado un cierto desarrollo de su capacidad discursiva. El profesor, sin falsos optimismos, ha de establecer la capacidad real del grupo que dirige.

La *segunda etapa* es la localización. La obra se sitúa en su entorno. Se declara la época de su autor, sus circunstancias, obras suyas que nos permitan dar a la que comentamos el lugar adecuado dentro de su producción, etcétera. Este trabajo es fundamental desde octavo de Básica, pero conviene irlo indicando desde que el niño empieza a ir teniendo conciencia histórica (rara vez antes de los nueve o diez años). Para facilitar la labor del profesor, en los niveles inferiores, conviene que éste trabaje siempre sobre textos fragmentarios de una obra que conozca. De este modo estará siempre en condiciones de evitar las falsas interpretaciones por desconocimiento del todo en el que la obra se inserta. Hay que tener en cuenta, añadimos con Lázaro, que todas las partes de una obra se relacionan entre sí, por lo que resulta imprescindible el conocimiento del conjunto para el correcto establecimiento de los valores relativos. En la enseñanza superior el trabajo se realizará sobre textos completos, buscando interpretaciones globales de períodos culturales más amplios.

La *tercera etapa* es la determinación del tema. Debemos expresar exacta, breve y claramente la idea central del texto, sin paráfrasis inútiles. Para ello reduciremos el asunto a sus elementos fundamentales. El *asunto* es el argumento. El asunto o argumento despojado de sus detalles, de todo lo accesorio, se reduce al *tema*. Más allá del tema podemos encontrar incluso la última razón del texto, que será el *motivo*. El tema ha de enunciarse breve y claramente, puesto que es una simplificación, una abstracción que nos servirá de punto de partida en el análisis posterior.

Hasta aquí se puede llegar con cualquier niño que haya adquirido la suficiente capacidad lectora. Las etapas de comentario literario que siguen no pueden iniciarse antes de la segunda etapa de la E.G.B.

Una vez que hemos llegado a este punto, sale una ramificación que nos dirige hacia el comentario literario completo, mientras que otra nos lleva al comentario lingüístico. Seguiremos exponiendo ahora el fin del comentario literario, especialmente indicado a partir de séptimo y octavo de básica, con el objeto de no romper el esquema que trazamos. Tras ello hablaremos del comentario lingüístico, en 11.7.

El *cuarto lugar* corresponde a la determinación de la estructura, aplicando el principio de la solidaridad de las partes de un texto. Logramos nuestro propósito por medio de la división en apartados. En cada uno de ellos se irá precisando un aspecto del tema, o bien se irán añadiendo elementos secundarios que lo amplíen. En relación con el análisis lingüístico, podemos hacer ver al alumno cómo esta división literaria se combina con la división en períodos y oraciones.

La *quinta etapa* es más compleja y su desarrollo pertenece a la enseñanza superior. En ella nos iniciamos en el análisis de estilo. Relacionamos la forma y el tema. El contenido del texto se expresa gracias a la forma, al mismo tiempo, la forma debe ser adecuada al tema: no parece adecuado escribir un tratado de metafísica en quintillas dobles. Si apoyamos nuestro comentario en el análisis lingüístico tendremos ocasión de observar cómo el habla altera las posibilidades que le confiere la lengua, el esquema, cómo lo virtual va actualizándose, lo que pertenecía al plano paradigmático se va convirtiendo en sintagmas, y cómo de las múltiples posibilidades de la teoría, la situación y el contexto van imponiendo unas selecciones. Es el momento, también, de distinguir la utilización especial de recursos lingüísticos, aprovechando posibilidades del sistema (estilística de la lengua) del empleo que un autor hace en su propia habla, imponiendo su peculiar selección, su 'inspiración' (estilística del habla).

El *sexto punto* será la conclusión, con el compendio de lo anteriormente dicho, la idea personal sobre el texto, apoyada en el análisis y no en vagas conjeturas *(me gusta, está bien, es bonito)*, así como el aspecto valorativo y crítico que todo ello arrastra consigo.

**11.6.8.** Hasta aquí hemos reseñado, de modo casi mecánico, unas cuantas técnicas que despiertan la capacidad interpretativa de los alumnos. El nivel de aplicación de las mismas escapa a cualquier previsión teórica. No sólo hay diferencias (obvio resulta) en los tres niveles de la enseñanza, sino dentro de un mismo nivel. Dentro de la enseñanza superior, a la que concedemos atención especial en estas páginas, convendría conceder un cierto espacio al análisis textual de Gonzalo Sobejano (en el libro editado por A. Amorós, *El Comentario de textos*[774]. Sobejano analiza el capítulo XVI de *La Regenta* con un criterio semiológico. Nos tomamos la libertad de parafrasear *in extenso* el "modo de operar", extraordinariamente claro y condensado:

El lector *recibe, percibe* y *concibe*. Del autor recibe un mensaje cuyo fin es el mismo mensaje como forma; en las interrelaciones de ese mensaje percibe la actitud, el tema, la estructura y el lenguaje del texto. Por último, concibe la esencia simbólica, la función histórica y el valor poético de ese texto que descifra.

Para estudiar un texto literario tenemos tres fases[775]:

1) **Fase receptiva.**—*Información* sobre el texto, con tres operaciones:

[774] Aludíamos a él en nota 771; Madrid (Castalia), 1973, pp. 126-166.
[775] *Ibid.*, p. 131.

*a)* Fijar su autenticidad.

*b)* Completo entendimiento.

*c)* Determinación de su participación en la obra a que pertenece, considerada como un todo.

2) Fase perceptiva.—*Interpretación* del texto, una sola operación, cuatro aspectos: dos que captan la actitud en la estructura y el lenguaje (expresión) y dos que captan el tema (contenido) también en estructura y lenguaje.

3) Fase conceptiva.—*Valoración* del texto, en tres momentos:

*a)* Descubrir la esencia simbólica del texto.

*b)* Reconocer su sentido histórico-social.

*c)* Apreciar el valor poético del texto como realización de un artista en un género.

**11.6.9.** Miguel Angel Garrido, al dar sucinta nota de este método, se inclina por la posibilidad de realizarlo en la Enseñanza Media, apoyándose en los comentarios de Lacau y Rosetti, en sus *Antología 1 y 2,* independientes del tratamiento de Sobejano. Disponemos ahora de la *Antología 3,* quizá más atractiva por su contenido contemporáneo, y no tenemos por qué plantearnos restricciones de niveles de enseñanzas en un texto como el presente. Esta tercera *Antología* se divide en tres unidades. La primera expone cómo comentar un texto literario con apoyos artísticos (pintura, escultura, música) sociológicos o socio-políticos y estrictamente formales, a partir de dos principios, el carácter estructural de la obra literaria, "conjunto de elementos o estratos interrelacionados"[776] y el que esta obra sea "un mensaje que repite en su estructura interna los componentes de la situación comunicativa real", por lo que puede llamarse *situación comunicativa imaginaria.* Una "guía para un comentario literario" proporciona el esquema aplicable. La segunda unidad, "textos comentados y su aplicación" nos ofrece una serie de textos, unos comentados detalladamente y otros para realizar sobre ellos un comentario estructurado de manera similar. La tercera unidad se dedica a teoría literaria (especialmente el narrador, el tiempo interno y externo y las figuras literarias). Esta última concepción es más específicamente literaria, pero no olvidemos el papel que pueden desempeñar, y de hecho desempeñan, los elementos puramente lingüísticos, como los tiempos verbales, por no dar más que un ejemplo.

**11.6.10.** El comentario de textos, en resumen, es una técnica integradora que permite sistematizar conocimientos en la aprehensión y en la exposición. Permite engarzar los hechos lingüísticos con los literarios y los histórico-artísticos en general, ofreciendo un amplio panorama de la cultura humana en relación con el texto estudiado. El éxito de su aplicación a la enseñanza está fuera de duda.

[776] *Antología 3,* p. 7.

## 11.7. LA ENSEÑANZA DE LA METODOLOGIA LINGÜISTICA

Lo que nos proponemos exponer en este apartado no son los distintos métodos de análisis lingüístico, sino ciertas cuestiones relacionadas con su enseñanza. Hemos tenido ocasión de hablar de estos métodos en los capítulos de historia de la Lingüística; ahora nos interesa mostrar algunas de sus aplicaciones, que concretaremos a dos: la enseñanza gramatical con aplicación de técnicas estructurales, según la escuela argentina, y la introducción de procedimientos transformatorios, de la mano de Fernando Lázaro. Cerraremos la exposición con un esquema de comentario lingüístico en la enseñanza superior, elaborado por nosotros a partir de métodos y comentarios de Rafael Lapesa.

**11.7.1.** En cuanto al comentario gramatical, en los primeros niveles, es necesario tener siempre en cuenta que lo fundamental es que el niño domine los procedimientos expresivos de la lengua, no que aprenda teorías abstrusas. El comentario no ha de ser un pretexto para embutirle terminología y tesis estructurales, generativas o lo que sea, sino para que vaya penetrando, poco a poco, en el interior de su medio habitual de expresión. Mientras no lea con pausas y entonación adecuada, no domine un amplio vocabulario activo y pasivo y no sea capaz de unir sus frases, es inútil toda pretensión de enseñanza teórica. Los primeros comentarios habrán de irle mostrando la estructura de la oración simple, en casos sencillos, de tal modo que, al terminar el primer ciclo, distinga sujeto y predicado. En el segundo ciclo habrá de reconocer todos los elementos de la oración simple, y podrá (como dicen las Orientaciones Pedagógicas) irse introduciendo en su teoría. En cuanto a la oración compuesta, es inútil pasar a ella mientras no se domine el análisis de la simple. En cualquier caso, en la E.G.B., el estudio de oraciones compuestas habrá de hacerse sobre los textos, sin teorizar en el aire, y con un amplio espíritu de tolerancia, ya que todos sabemos que no es tan fácil la clasificación de las oraciones compuestas y que, muchas veces, admiten varias interpretaciones. Es decir, que el niño aprende unas rudimentarias nociones de gramática. Para ello, debemos tener claro que la gramática es una abstracción, por lo que podemos dividirla en las partes que nos convengan para estudiar más cómodamente el lenguaje. Para la E.G.B., en lugar de hablar de Morfosintaxis, término que utilizamos en otras circunstancias, parece preferible la división en *Morfología y Sintaxis*. Claro está que los límites no son claros, y que, en algunos momentos, entraremos en el campo funcional al hablar de las formas: no importa. El niño ha de conocer la morfología de su lengua; de la sintaxis, en la enseñanza primaria, sobre todo hasta los diez u once años, le bastará con distinguir el sujeto y el predicado, como decíamos antes, sin entrar en los complementos de uno y otro, al menos teóricamente, aunque puede empezar a verlo en los textos. Es más importante que domine los recursos de la expresión, la morfología, los verbos con sus irregularidades, por ejemplo, que elimine las formas dialectales, como el *ustedes tenéis* de Andalucía occidental, que practique con formas restringidas hoy, por desgracia, como *cuyo, hubo cantado, hubiere,* que luche, en suma, contra el empobrecimiento morfológico de nuestro idioma.

**11.7.2.** Un método de aplicación del estructuralismo a la enseñanza de la gramática es el de Mabel V. Manacorda de Rosetti, expuesto en su libro *La gramática estructural en la escuela primaria*[777]. Antes de resumirlo conviene que hagamos algunas advertencias. Los resultados gramaticales en la República Argentina tienen una gran importancia; a ello hay que sumar la influencia ejercida por Amado Alonso y por el Instituto de Filología, que ha mantenido una tradición. A partir de los dos tomitos de la *Gramática Castellana* de A. Alonso, no ha cesado la preocupación por la calidad de la enseñanza gramatical en la República. Por ello Manacorda se siente perfectamente situada en una línea metodológica que arranca de A. Alonso, y continúa con Ana María Barrenechea, y que, en último término, se remonta a Andrés Bello. Por ello no se lanza a especulaciones científicas ni se expresa con abstrusas terminologías, sino que distingue muy bien tres planos en la enseñanza de la lengua:

1. El plano normativo, de corrección y mejora de la expresión.
2. El plano textual. La lengua y su gramática se enseñan con referencia ininterrumpida a los textos. Su didáctica es analítica.
3. El plano gramatical, que es el que ahora nos ocupa. En este plano introduce una serie de consideraciones estructurales, mucho más de tipo funcional que glosemático, y que se plasman, sobre todo, en la diferencia entre criterio morfológico, criterio sintáctico y criterio semántico. Los tres se complementan, pero los tres son aspectos aislables metodológicamente para el análisis del texto. Debido a su enfoque pedagógico, ha de insistir en que la gramática tradicional y la estructural se diferencian fundamentalmente en el enfoque, no en la nomenclatura. Si ésta es distinta, es cuestión de enfoque, básicamente. Nos advierte con ello contra falsos estructuralismos, que se limitan al cambio de etiquetas, tipo de falacia que se da con cierta frecuencia en textos que se preocupan más de apariencias estructurales y "modernas" que de auténticos valores didácticos.

A partir de una serie de fundamentos teóricos: los dos planos de la lengua, expresión y contenido, el concepto de la lengua como sistema, y la necesaria unidad de criterio para sistematizar, es decir, no mezclar los criterios de forma con los de función o los de significación, Manacorda pasa a analizar la lengua, con criterios sincrónicos y formales.

[777] Buenos Aires (Kapelusz), 1965.

Los elementos de análisis estructural, según este método, son los siguientes:

La oración, y dentro de ella
El sujeto
y el predicado.

En el sujeto hay que analizar el núcleo, sus modificadores directos o por preposición, y las aposiciones. En el predicado se impone la distinción entre predicado nominal y verbal, con el distinto papel del verbo en ambos (cópula o núcleo), y los modificadores del verbo (objeto directo, indirecto, circunstancial, agente, predicativo). Al estudio de las funciones de cada término en la frase, estudio sintáctico, se unirá el de cada uno en el paradigma, estudio morfológico; ambos se completan con el semántico, o clasificación de las categorías determinadas por los anteriores en connotativas y no-connotativas (descriptivas y no-descriptivas).

Hay una especial insistencia, explícitamente, en la relación del estudio de la gramática con los textos, y en indicar que este método gramatical ha de completarse con otros, como exponíamos antes, para el estudio completo del lenguaje, en el que tampoco ha de faltar la referencia a la lengua familiar, y las funciones del lenguaje que en ella prevalecen y cómo se expresan.

**11.7.3.** La misma autora había expuesto su método para la Escuela Secundaria en otro texto[778]. Este libro planteaba ya los principios que luego se desarrollarían en el libro del que acabamos de ocuparnos: sistematismo y formalismo, pero sin olvidar un apartado semántico. El sistema se estudia sintácticamente a partir de la oración; compleja o simple, luego unimembre o bimembre. Se analiza luego la proposición u oración bimembre en Sujeto y Predicado, su núcleo y sus modificadores, para llegar a las partes de la oración, como final del proceso que va de las grandes estructuras a la palabra. Tras señalar las relaciones sintácticas que definen y caracterizan las categorías[779] y las técnicas de reconocimiento[780] se pasa al criterio morfológico y luego al semántico. Los programas de Secundaria, en los que debe separarse el comentario de la normativa y de la teoría gramatical, según las autoras, deben incluir cinco apartados:

*a*) Fonología y Fonética.
*b*) Gramática y Semántica.
*c*) Normativa.
*d*) Comentarios de textos, teoría literaria e historia de la literatura.
*e*) Composición.

---

[778] *La Gramática Estructural en la Escuela Secundaria.* Buenos Aires (Kapelusz), 1961, 2.ª ed. 1964.
[779] Función, conexión, rección, valencia, orden de las palabras y concordancia.
[780] Supresión, incorporación, conmutación, cambio o trueque, inversión, variación flexional.

La separación, como se ve, es de tipo pedagógico, en el concepto global todas estas partes se interpenetran.

**11.7.4.** En lo que concierne a la enseñanza superior, creemos, de acuerdo con la práctica general, que en ella no se debe imponer una orientación única, sino que, al contrario, lo importante es la racionalización de unos fundamentos en los que se apoye la teoría lingüística de cada alumno. En la etapa actual de nuestra ciencia, las orientaciones predominantes tienen su base en Hjelmslev y Chomsky, con una creciente importancia de la semántica[781].

**11.7.5.** Antes de exponer cómo, bajo la dirección de F. Lázaro, se está llevando a cabo una didáctica del lenguaje con elementos de la gramática generativa, no queremos dejar de referirnos a una metodología que podemos llamar tradicional, en el mejor sentido del término, y que tiene la virtud de estar avalada por el nombre de Samuel Gili y Gaya, quien, en un artículo que ha ejercido influencia en la enseñanza[782] hace un acertado esbozo de. historia de la concepción gramatical, en el que se refiere a los comienzos de nuestra ciencia de este modo:

Cuando la Gramática estaba basada en la Dialéctica, y las cláusulas, oraciones y palabras no eran sino la expresión verbal de raciocinios, juicios e ideas, el análisis gramatical consistía en comprobar el ajuste del lenguaje a la lógica tradicional. Y así nació el llamado análisis lógico.

**11.7.6.** Hemos dedicado todo un capítulo, de inevitable complejidad, a la relación entre pensamiento y lenguaje. La antigua gramática pretendía estudiar el lenguaje a partir de las categorías del pensamiento, cuando esas categorías mentales no forman de ningún modo parte de nuestra ciencia apriorística, o de nuestras facultades naturales, no son ni como nuestros conceptos de espacio o tiempo, ni como nuestra capacidad de ver, oír o tocar. Hoy día parecemos más inclinados a establecer por un lado las categorías lingüísticas y por otro las lógicas o, en todo caso, a obtener las lógicas tras haber logrado las lingüísticas. En lo que concierne a nuestra enseñanza, Gili y Gaya afirma[783] que "la doctrina gramatical hay que inducirla del texto que lean los alumnos e incluso de los errores que cometan al hablar, y no deducirla de unas definiciones abstractas previas". Ya hemos señalado que esta diferencia entre método deductivo e inductivo es una de las muchas que separan la escuela española. de la gramática generativa; se puede seguir aquí a la escuela española precisamente por la creencia de que en este nivel lo fundamental es el manejo del texto

[781] Para un interesante tipo de formulación estructural, de innegable eficacia didáctica, el método del P. Richer, cf. nuestra *Aproximación a la Gramática Española*, 16.1.
[782] En "La enseñanza de la Gramática", cit., p. 119.
[783] *Ibid.*, pp. 120-121.

y la lengua, no la regulación gramatical y su análisis abstracto. En las primeras etapas de nuestra enseñanza no se puede pretender ser completo, y Gili y Gaya nos dice que[784]:

En el arte de ser incompletos sin ser inexactos, se halla la esencia de los programas escolares cíclicos.

También en Gili y Gaya[785] encontramos un rápido análisis de la evolución de la lingüística hasta entonces y del importante papel que conserva la gramática normativa, que hacemos nuestro:

Al adoptar la Filología los métodos de las Ciencias Naturales y de la Psicología, pasó a convertirse en 'Ciencia del lenguaje', para la cual era tan interesante lo vulgar, lo dialectal y lo incorrecto, como la más elaborada expresión literaria: todo era materia experimental y de observación para explicar el hecho idiomático e indagar sus leyes. Ante la ciencia del lenguaje pierden sentido los conceptos de corrección e incorrección, y la antigua Gramática normativa se ve obligada a retroceder y a preguntar cuáles son sus fines propios. Pero esta misma Filología científica iba a descubrirnos, por boca de Saussure, la naturaleza social del lenguaje y el carácter de sistema coherente que tiene toda lengua desde el punto de vista sincrónico. Existe, pues, para toda comunidad parlante, el sentido de lo que concuerda con su sistema expresivo y de lo que discrepa de él, es decir, el concepto de lo que se admite y de lo que se rechaza. Por este lado social, la Gramática normativa recobra su papel de definidora del mejor uso en cada momento, aun a sabiendas de que sus normas no son las mismas que rigieron antes y regirán después.

**11.7.7.** La preocupación por la enseñanza de la gramática, magistralmente expuesta por Gili y Gaya, cobra en nuestros días un aire nuevo con los intentos de adaptación de nuevas técnicas. Hemos expuesto inicialmente un método ya clásico en varios lugares del mundo hispánico. Ahora conviene atender al aspecto más nuevo (y quizá más detonante) de estas innovaciones: la gramática generativa en la E.G.B. En nuestro análisis partiremos del intento más serio, los Cursos 6.º, 7.º y 8.º dirigidos por Fernando Lázaro Carreter[786]. Estos tienen dos aspectos fundamentales: una parte teórica y una serie muy extensa de ejercicios. La parte teórica incorpora lo que puede considerarse más sólidamente establecido por las teorías estructurales y generativas modernas"[787]. Poco a poco, el alumno va penetrando en la lengua de la mano de una teoría lingüística explícita, así[788]: "Gramática es la ciencia que se ocupa de formular las reglas mediante las cuales construimos o generamos todas las frases del idioma, y sólo aquellas que son correc-

[784] *Ibid.*, p. 121.
[785] *Ibid.*
[786] Salamanca (Anaya), 1974.
[787] De la "Advertencia" al libro de 6.º, p. 5.
[788] 6.º *Curso*, p. 96.

tas". Son pocos los indicadores sintagmáticos analizados, todos ellos en torno a las reglas para construir una oración simple (determinantes, S.N. y S.V., y la aclaración de los sintagmas nominales de la izquierda (sujeto) y a la derecha [O. Directo]). En el libro de 7.º se profundiza más en estos temas, al estudiar las funciones del nombre, se estudian como elementos de los indicadores sintagmáticos todos los complementos de la gramática tradicional. Con la iniciación del estudio de las oraciones coordinadas se empieza a tratar de cómo se producen las transformaciones desde dos oraciones en la estructura profunda a una compleja en la superficial, de modo muy somero y nítido. El curso octavo (alumnos de 13 a 14 años) ofrece ya un tratamiento más complejo. Se habla de estructura profunda y superficial, ambigüedad, transformación (esbozada apenas en 7.º), tipos de reglas, así como una sistematización de lo expuesto poco a poco en los dos cursos anteriores, para formar los siete tipos de oraciones nucleares del español:

*Su hermano es el director*
*El mar está azul o El viento es frío*
*Esta pluma es de oro*
*El perro ladra*
*El huracán arrastró varios árboles*
*Ese avión viene de la India*
*El niño derramó la sal por el suelo*

El análisis de las funciones es más complejo, así como el del verbo, con el estudio del Auxiliar y el tratamiento de la Oración Compuesta.

Todo lo anterior está presentado con un incontrovertible deseo de claridad, lo que produce, inevitablemente, simplificaciones. Hay que tener en cuenta, por otro lado, la necesidad de elegir; a esa edad el niño no puede recibir varias soluciones dudosas. Lo elogiable, más allá del éxito formal, es la consciente postura de moderación, el reconocimiento de los límites pedagógicos de una ciencia en evolución. Hay un ponderado equilibrio teórico en la fundamentación metodológica que ha inspirado estos libros.

**11.7.8.** Esperamos que las páginas anteriores hayan sido, en la medida de lo posible, una exposición suficiente de distintas posibilidades metodológicas, la estructural y la que camina hacia una teoría explícita, sin olvidarnos de la experiencia y mensura de Gili y Gaya. Ahora, para terminar este apartado, incluiremos, como habíamos anunciado, el guión de un tipo de comentario lingüístico, entre los varios posibles, inspirado en los análisis de Rafael Lapesa, pero con una serie de aportaciones que corresponden a uno de los tipos habituales de realización de estos textos, para terminar con unas observaciones de carácter muy general y de tipo analítico, sin relación alguna con la construcción de una teoría lingüística (como una gramática generativa, p. ej.), sino sólo dirigidas, insistimos, al comentario.

Este último podría realizarse en siete etapas[789]:

1. *Plano fonológico:* Correspondencia de los fonemas del español con los analizables en el texto, con estudio de las posibles variantes o desviaciones en subsistemas verticales u horizontales.
2. *Plano morfológico:* Análisis de los fenómenos morfológicos más destacados en el Sintagma Nominal y el Sintagma Verbal. Reglas morfonológicas aplicadas en el texto. Estudio de variantes.
3. *Plano sintáctico:* Funciones, reglas de construcción de la base de una gramática que genere las oraciones de este texto.
4. *Conexión sintáctico-semántica:* Posibilidad de un tratamiento generativo aplicando el análisis componencial, o más tradicional por el estudio de la significación.
5. *Léxico:* Análisis, clasificación y significado de los campos léxicos. Su ordenación e interrelaciones.
6. *Semántica:* Determinación del asunto y el foco. Posibilidad de aplicar la teoría de la presuposición. Problemas de la representación semántica.
7. *Integración de los distintos planos:* Valoración y síntesis.

Todo lo anterior se presenta como resultado de una práctica, no como una sugerencia de novedad. Como en toda cuestión práctica, la profundidad del comentario depende de los conocimientos del grupo que lo realice o a quien se dirija. Asimismo, depende del grupo la orientación predominante, que, incluso, puede variar de un comentario a otro. Hoy podemos realizar un análisis aplicando conceptos (no sólo terminología) de la Glosemática, para pasar en otra ocasión a la tagmémica de Pike, o a una de las posibilidades que nos brinda el generativismo. Mostrar una amplia gama de posibilidades resulta ventajoso cuando enriquece los conocimientos del alumno, aunque sea peligroso mostrar una total falta de criterio.

## 11.8. LENGUA ESPAÑOLA E HISTORIA DE LA LENGUA

Tras haber insistido en la relación ineludible de diacronía y sincronía, y habernos ocupado de la integración pancrónica propuesta por Walther von Wartburg al crear esa disciplina vertical y horizontal que llamamos Historia de la Lengua, parece conveniente o, al menos, coherente, cerrar esta exposición, ya demasiado prolija, con una nueva referencia a este enfoque, que, sin oponerse a ninguna de las tesis arriba desarrolladas, puede contribuir a un más amplio entendimiento del hecho lingüístico.

[789] Véase nuestro libro: *El Comentario Lingüístico. Metodología y Práctica*, en preparación para ed. Cátedra (Madrid).

**11.8.1.** Entendida así, como disciplina conciliadora, la Historia de la Lengua puede servirnos de ideal preconizador de una amable conclusión para este libro inquieto, de búsqueda. Son muchas las razones que nos impulsan a concederle esta primacía meramente honoraria: su carácter lingüístico intersistemático, pues todos los sistemas pasados y futuros tienen allí su lugar; su referencia a un mundo cultural, habitado, más allá del esquematismo de una teoría, por perfecta que sea; su adecuación al mundo evanescente y multiforme de la lengua, en movimiento que subyace a la inmovilidad que se cree observar, como ese río que quisiera el poeta, de aguas contradictoriamente quietas y cambiantes.

**11.8.2.** Si se ha dicho que el estilo es el propio hombre, en quien, en último término, se encuentra la razón de su historia, nada más humano que esta nuestra disciplina lingüística que da al hombre su razón de ser, "la sangre de su espíritu".

# BIBLIOGRAFIA

A lo largo de toda nuestra exposición hemos ido señalando, con las correspondientes remisiones a las notas, las fuentes inmediatas de nuestras afirmaciones. En varios lugares, sin embargo, hemos remitido a la bibliografía final, en un esfuerzo por ahorrar espacio. Esta bibliografía final, anunciada en el cuerpo del texto, va a convertirse en un elenco de fuentes inmediatas o mediatas a las que puede recurrir el estudioso de estos temas. El lector podría creer, en una ojeada meramente cuantitativa a los títulos que a continuación se incluyen, que hemos procedido con un criterio inclusivo. Nada más lejos de la realidad. Hubiera consistido para nosotros una auténtica satisfacción poder ofrecer una bibliografía completa, pero mucho nos tememos que tal empresa está ya fuera del alcance de un solo hombre. Hemos tenido que limitarnos a una bibliografía selectiva elaborada con un criterio amplio, especialmente para la inclusión de títulos posteriores a 1960. Como base hemos utilizado, para la parte española, la de nuestra *Aproximación a la Gramática Española*, aunque con distinta ordenación, en parte, y gran número de ampliaciones. Puesto que contamos con la valiosa ayuda del *Manual* de Homero Serís, parece conveniente ceñirse más a lo publicado en los últimos veinte años.

La elaboración de la bibliografía general que constituye el primer sector de esta parte de nuestro trabajo, pese a haber resultado más laboriosa, sigue pareciéndonos muy incompleta. Una de las causas de este defecto es que hemos tratado de ver el mayor número posible de los libros citados, lo que plantea dificultades que no ignora quien esté avezado en las lides de la rebusca en nuestras bibliotecas. Por esta misma razón es mayor el agradecimiento que debemos expresar a los servicios bibliotecarios de las cátedras de Historia del Español y Filología Románica de la Universidad Complutense, el Departamento de Lengua de la Universidad Autónoma, a la Real Academia Española y al Instituto 'Cervantes' del Consejo Superior de Investigaciones Científicas, sin olvidar los fondos de la que fue nuestra cátedra de Lengua y Literatura Españolas del Instituto Nacional de Enseñanza Media de 'Isabel la Católica', en los que se conservan valiosos ejemplares de la época en que fue Instituto Escuela. Colegas y amigos, conocedores de nuestro interés por la bibliografía lingüística, han colaborado en mayor o menor grado; lo agradecemos a todos muy vivamente.

# LINGÜISTICA EN GENERAL

## BIBLIOGRAFIA PERIODICA

Una bastante completa bibliografía lingüística es la que publican las *P.M.L.A.* (Nueva York).

Del mismo tipo es la "Bibliographie Linguistique de l'année...", *Spectrum*, Utrecht.

Sobre el español son imprescindibles las páginas bibliográficas de la *R.F.E.*, que traen también importante información general.

La *N.R.F.H.*, en lo que se refiere a la Lingüística, trata de cubrir todo el territorio hispánico. En lo que se refiere a la Literatura cubre sólo el campo peninsular.

Interesa destacar, en Hispanoamérica, el *Anuario Bibliográfico Colombiano* que publica el Instituto Caro y Cuervo.

RUIZ-FORNELLS, Enrique: "Bibliografía de Revistas y Publicaciones Hispánicas en los Estados Unidos" 1970, 1971, 1972. *Cuad. Hisp. Am.*, 88, 262, abril 1972. 90, 270, diciembre 1972. 95, 284, febrero 1974.

## BIBLIOGRAFIA GENERAL Y SIGLAS

*Abs.: Abstract.*
*A.-C.I.H.: Actas del - Congreso Internacional de Hispanistas.*
*AnL: Anthropological Linguistics* (Indiana Univ.).
*AO: Archivum* (Oviedo).

*BF o BFUCh: Boletín de Filología* (Chile).
*BFE: Boletín de Filología Española.*
*BH-BHi: Bulletin Hispanique.*
*BHS: Bulletin of Hispanic Studies.*
*BICC: Thesaurus. Boletín del Instituto Caro y Cuervo* (Bogotá).
BORODINA, M. A.; CHEMIETILLO, V. B., y Gak, V. G.: "Bibliographie des études lexicales en URSS (1945-1959)". *RLIR*, XXVI (1962), pp. 18411 (siglas).
BOYD, J. Ch., y H. KING: "An Annotated Bibliography of Generative Grammar", *LL*, 12:4 (1962), 307-312.
BURSILL-HALL, G. L.: "Theories of Syntactic Analysis (Bibliography)", *SIL*, 16 (1962), 100-112.

*C.E.H.: Centro de Estudios Históricos.*
*C.I.L.F.R.: Congreso Internacional de Lingüística y Filología Románicas.*
*CJL: The Canadian Journal of Linguistics.*
*CLS: Papers from the Regional Meeting of the Chicago Linguistics Society.*
*CP: Classical Philology.*

CHEMIETILLO, V. B.: Cf. BORODINA.

*DA: Dissertation Abstracts.*
DIDIER, H.: "Bibliographie", *Langages*, 14 (1969), 134-144.
DINGWALL, W. O.: *Transformational Generative Grammar. A Bibliography*, Washington, D.C. Center for Applied Linguistics, 1965. 962 entradas.
DITTMAR, Norbert: "Kommentierte Bibliographie zur Soziolinguistik", *Ling Ber.*, 15 (1971), pp. 103-128, y 16 (1971), pp. 97-126.
DRESSLER, Wolfgang V., y Siegfried J. SCHMIDT: *Textlinguistik. Kommentierte Bibliographie.* Munich (W. Fink), 1973.

*E.F.L.: Estudios Filológicos y Lingüísticos. Homenaje a Angel Rosenblat en sus 70 años.* Caracas (Instituto Pedagógico), 1974.
*E.L.I.C.: Cf.* MEETHAM, A.R., y HUDSON, R. A. (editores).
*Esp A: Español Actual (OFINES).*

*Foli: Folia Lingüística.*
*F Lang o Found: Foundations of Language.*

GAK, V. G.: *Cf.* BORODINA.
*GL: General Linguistics.*
GRENN, G. M., y R. CASTILLO: "A Selected Bibliography of Semantics-Based Grammar", *SLS*, 2:1 (1972), 123-140.
*G.S.R.L.: Cf.* CASAGRANDE, Jean, y SACIUK, Bodhan.

HAYES, F.: "Gestures: a Working Bibliography", *Southern Folklore Quarterly*, 21 (1957), 218-317.
HAYS, D. G., y R. MA: *Computational Linguistics: Bibliography 1964*, Sta. Monica, California: RAND Corporation, 1965.
*HR: Hispanic Review.*

*I.C.L.H.: Cf.* HAYS, D.G.
*JLPHHRK: Cf.* KACHRU, BRAJ. B. *et al.* (eds.).
*IRAL: International Review of Applied Linguistics.*

JELITTE, Herbert: "Kommentierte Bibliographie zur. sovetrussischen *(sic)* Textlinguistik", *Ling. Ber.*, 28 (1973), pp. 83-100.
JUILLAND, A. G.: "A bibliography of diachronic phonemics", *Word*, IX (1953), pp. 198-208.

KRENN, H., y K. MÜLLNER: *Bibliographie zur Transformations Grammatik*. Heidelberg: Carl Winter Universitätsverlag 1968 (2459 entradas). [Reseña: Brubig, Bernhard. *IRAL*, 8:1 (1970), 63-71 (con 149 entradas suplementarias), y E. F. K. Koerner, *Lg.*, 46 (1970), pp. 125-126.]

*LING, Ber: Linguistische Berichte.*
*Lg: Language.*
*LL: Language Learning.*
*Lang S: Language Sciences.*
*LTA: Language Teaching Abstracts.*
*L y C: Lenguaje y Ciencias* (Trujillo, Perú).
*Ling B: Linguistische Berichte.*
*Ling I: Linguistic Inquiry.*
*Ling R: Linguistic Reporter* (Center for Applied Linguistics).

*MLJ: Modern Language Journal.*
MULJAČIĆ, Ž.: "Bibliographie de linguistique romane. Domaine dalmate et istriote avec les zones limitrophes (1906-1966)", *RLIR*, xxxiii (1969), pp. 144 y sig.
MULLNER: *Cf.* KRENN.

NAVAS RUIZ, Ricardo: *Cf.* en *Verbo.*

OSTERMANN, Theodor: *Bibliographie der Schriften Karl Vossler, 1897-1951.* Munich, 1951.

PARTEE, B. HALL, Sh. SALSAY y J. SOPER: "Bibliography. Logic and Language", Indiana Univ. Linguistics Club, 1971.

345

PENCHOEN, Thomas, G.: Lista de Publicaciones de André Martinet en *La Linguistique Syncroni-que*, pp. 231-246.

*PIL: Papers in Linguistics.*

*QPR: Quarterly Progress Report* (MIT).

*RLA: Revista de Lingüística Aplicada* (Concepción, Chile).
*RLiR: Revue de Linguistique Romane.*
*RLR: Revue de Langues Romanes.*
*Rom. For.: Romanische Forschungen.*
*RPh* o *Rom. Phil.: Romance Philology.*
*RRL: Revue Roumaine de Linguistique.*
*RSEL: Revista de la Sociedad Española de Lingüística.*

SABLESKI, J. Falk: "A Selected Annotated Bibliography on Child Language", *LingR*, 7:2 (1965), pp. 4-6.
SCHANE, SANFORD A.: "Bibliographie de la phonologie générative", *Langages*, 8 (1967), pp. 124-131.
SHUY, Roger W.: "A Selective Bibliography on Social Dialects", *LRe*, 10-3 (1968), 1-3 *(Linguistic Reporter*, Washington).
*SIL: Studies in Linguistics.*
*SLS: Studies in the Linguistic Sciences.*

*TCLP: Travaux du Cercle Linguistique de Prague.*

ULVING, Tor: *Periodica philologica abbreviata. A list of Initial Abbreviations in Philology and Related Subjects.* Estocolmo. Göteborg-Upsala, 1963 *(Cf.* M. DOTTERWEICH).

WILLIAMS, Harry F.: *An index of medieval studies published in Festschriften, 1865-1946.* Berkeley-Los Angeles, 1951.

*ZRPh: Zeitschrift für Romanische Philologie.*

# LINGÜISTICA

ADRADOS, Francisco R.: *Cf.* RODRÍGUEZ ADRADOS, F.
ALVAR, Manuel: *Estructuralismo, Geografía Lingüística y Dialectología Actual.* Madrid (Gredos), 1969, 222 pp.
—"Hacia los conceptos de lengua, dialecto y habla", *NRFH*, XV (1961), pp. 51-60.
—"Historia y metodología lingüísticas: A propósito del Atlas de Rumania", *Acta Salmanticensia*, IV, 4 (1951), 53 pp.
—*Cf.* IORDAN, JABERG y ROHLFS.
ALLEN, W. S.: "Phonetics and Comparative Linguistics", *Arch. Ling.*, 195, pp. 126-136.
ANDREEWSKY, Alexandre, en colaboración con Christian Fluhr: *Apprentissage, analyse automati-que du langage, application à la documentation.* Paris (Dunod), 1973, 275 pp.
ANDRÉS, Teodoro de: *El nominalismo de Guillermo de Ockham como filosofía del lenguaje.* Madrid (Gredos), 1969, 301 pp.
ANSCOMBE, G. E. M.: *An Introduction to Wittgenstein's Tractatus.* Londres (Hutchinson Univ. Lib.), 3.ª ed., 1967.
ARGENTÉ, Joan A. (ed.): *El Círculo de Praga*, Barcelona (Anagrama), 1971, 131 pp.
ASÍN PALACIOS, Miguel: "El origen del lenguaje y problemas conexos, en Algazel, Ibn Sida e Ibn Hazm", *Al-And.*, IV (1939), pp. 253 y ss.

Atti del Convegno Internazionale sul tema: *Gli Attanti linguistici, problemi e risultati*. Roma (20-24 ottobre 1967). Roma (Ac. Lincei), 1969, 338 pp. (Reseña de Lothar Wolfen, *ZRPh*, 80, 1971, pp. 592-596.)

AUERBACH, Erich: *Introduzione alla Filologia Romanza*. Turín (Einaudi), 1963, 311 pp.

AUSTIN, J. L.: *Palabras y Acciones. Cómo hacer cosas con palabras* (trad. de G. R. Carrió y E. A. Rabossi). Buenos Aires (Paidós), 1971, 215 pp.

AVRAM, Andrei: "Despre noțiunea de diasistem și despre unde probleme ale descrierii aromânei". *SCL*, XXIII (1972), pp. 35-48.

BACH, Emmon, y HARMS, Robert T. (eds.): *Universals in Linguistic Theory*. Nueva York (Halt, Rinehart & Winston), 1968.

BADÍA MARGARIT, Antonio: "Où en sont les études sur la langue catalane". Actas. XI. C.I.L.F.R. (Madrid), pp. 45-101.

BADÍA MARGARIT, Antonio, y STRAKA, Georges (eds.): *La Linguistique Catalane*: Colloque International organisé par le Centre de Philologie et de Littératures Romanes de l'Université de Strasbourg du 23 au 27 avril 1968. París (Kincksieck), 1973, 461 pp. A. M. Badia, R. Aramon i Serra, Joan Solà, Germá Colon, Joan Veny y Henri Guiter.

BADILIUS, H.: "Neo-Humboldtian Ethnolinguistics", *Word*, 8-2, agosto 1952.

BÁEZ SAN JOSÉ, Valerio: *Introducción Crítica a la Gramática Generativa*. Barcelona (Planeta), 1975, 341 pp.

BAILEY, Ch.-J.: *Cf.* SHUY, R. W.

BALDINGER, Kurt: "Diachronie et synchronie. Plaidoyer pour leur équivalence", *Revue Canadienne de Linguistique Romane*, I, 1973 (separata).

—*Teoría Semántica*. Madrid (Alcalá), 1970, 278 pp.

BALLY, Charles: *El Lenguaje y la Vida* (trad. de A. Alonso). Buenos Aires (Losada), 1974, 4.ª ed., 1962, 251 pp.

—*Linguistique Générale et Linguistique Française*. Berna (Francke), 4.ª ed. revisada, 1965, 440 pp.

—*Traité de Stylistique Française*. Ginebra-París (Georg), 3.ª ed., reimp. 1951, t. I y II.

BAR-HILLEL, Yehoshua: *Aspects of Language*. Jerusalén-Amsterdam (The Magnes Press-The Hebrew University, North Holland Publishing Company), 1970, 5 h. + 381 pp.

—*Language and Information*. Addison-Wesley, Reading (Massachusetts, 1964).

—"Logical Syntax and Semantics", *Language* (Baltimore), 30 (1954), pp. 230-237.

—"A Quasi-Arithmetical Notation for Syntactic Description", *Lg.*, 29 (1953), pp. 47-58 (capitulo 5 de *Language and Information*).

BAR-HILLEL, Y. (ed.): *Pragmatics in Natural Languages*. Dordrecht (Reidel), 1971.

BARTOLI, Matteo Giulio: "Alle fonti del neolatino", *Miscellanea in onore de Atillio Hortis* (1910), pp. 889-913.

BARTOLI, M. G., y BERTONI, G.: *Breviario di neolinguistica* (parte I: "Principi generali", de Giulio Bertoni; parte II: "Criteri tecnici", de Matteo G. Bartoli). Módena, 1925.

BARTOLI, M. G.: *Introduzione alla neolinguistica (Principi-Scopi-Metodi)*. Ginebra, 1925.

BATLLORI, Matteo: "El archivo lingüístico de Hervás en Roma y su reflejo en W. V. Humboldt", *Archivum Hist. S. Jesu*, vol. XX (1951), pp. 59-116.

BÁTORI, István: "Über die uneigentlichen Verwendungen der Imperativformen im Ungarischen", *Ural-Altaische Jahrbücher*, 42 (1970), pp. 33-45.

BATTISTELLA, Ernesto H.: *Vid. Frege, Gottlob*.

BAZELL, C. E.: "On the Problem of the Morpheme", *Arch. Ling.*, 1 (1949), pp. 1-15.

BECCARIA, G. L.: "Strutturalismo", *Grande dizionario enciclopédico*, Utet (Apéndice), 1964, pp. 926-29.

BEINHAUER, Werner: "Reseña de Heinz Kröll - *Die Ortsadverbien im Portuguesischen*", *Romanistisches Jahrbuch*, XX (1969), pp. 355-363.

BELIC, A.: "Constant Features in Language", *Arch. Ling.*, 4, (1952), pp. 17-26.

—*O jezičkoj prirodi i jezičkom razvitku*. Belgrado. I, 1941-45, 2.ª ed. 1958; II, 1959.

BEMBO, Pietro: *Prose della Volgar Lingua*, ed. de Mario Marti. Padua (Liviana ed.), 1955.

BENVENISTE, Émile: *Problèmes de Linguistique Générale*. Paris (Gallimard), 1966, 1 + 356 páginas.

—"Repartition des consonnes et phonologie du mot", *T.C.L.P.*, VIII, pp. 27-35.

BERLO, D. K.: *El proceso de la comunicación*. Buenos Aires (El Ateneo), 1969 (orig. 1960).

BERTONI, Giulio: *Vid.* BARTOLI, M. G.

BINNICK, R. I. *et al.* (eds.): *Papers from the 5th. Regional Meeting. Chicago Linguistics Society, April 18-19, 1969*. Chicago, Univ. Press, 1969.

BIRDWHISTELL, Ray L.: *Introduction to Kinesics. An Annotation System for Analysis of Body Motion and Gesture*. Washington, 1952.

BLECUA, J. M.: *Lingüística y significación*. Barcelona (Salvat), 1974, 143 pp.

BLOOMFIELD, Leonard: *Language*. Londres (G. Allen & Unwin), 1965 (1.ª ed., 1933) 9 + 566 páginas.

BOBES NAVES, María del Carmen: *La Semiótica como Teoría Lingüística*. Madrid (Gredos), 1973, 238 pp.

BOLÉO, Manuel de Paiva: "Tempos e modos. Contribuição para o estudo da sintaxe e da estilística do verbo", *Bol. Fil.* (Lisboa), III 1-2. 1935.

—"Os valores temporais e modais do futuro imperfeito e do futuro perifrástico em português", *Biblos*, XLI, 1965 (1974), pp. 87-115.

BOLINGER, Dwight L.: "On Defining the Morpheme", *Word*, 4 (1948), pp. 18-23.

BONFANTE, Giuliano: *Lingüística estructural y Lingüística histórica*. *E.F.L.*, 1974, pp. 111-130.

BORGER, R., y CIOFFI, F. (eds.): *La explicación en las ciencias de la conducta*. Madrid (Alianza), 1970, 378 pp.

BORGSTRÖM, Carl Hj: "The Technique of Linguistic Description", *Acta Linguistica*, 5 (1945-49), pp. 1-14.

BOURCIEZ, Edouard: *Eléments de Linguistique Romane*. Paris (Klincksieck), 5.ª ed. revisada, 1967, XXX + 783 pp.

BOUTON, Lawrence F.: "Some Reasons for Doubting the Existence of a Passive Transformation", *ILPHHRK*, pp. 70-84.

BOUVIER, E.: "Le démonstratif latin 'ille' et la formation de l'article défini des langues romanes", *Cah. de Lexic.* 21/II (1972), pp. 75-86.

BRIGHT, W. (ed.): *Proceedings of the U.C.L.A. Sociolinguistics Conference* (1964). Edited by William Bright. La Haya (Mouton Co.), 1966, 324 pp.

BRÖNDAL, Viggo: *Essais de linguistique générale*. Copenhague, 1943.

—*Les parties du discours: Partes orationis, Etude sur les catégories linguistiques* (traduction française par Pierre Naert). Copenhague. Einar Munksgaard, 1948 (1.ª ed 1928).

—*Theorie des prepositions*. Copenhague. 1950 (original danés de 1940).

BROWN, C. B.: "*Uomo* as an Indeterminate Pronoun", *Lg*, 12, pp. 35-44.

BRUGMANN, Karl: *Vid.* DELBRÜCK, B.

BRUNELLI, G.: "F. Fortunio, primo grammatico italiano", *Atti e mem. della Società di Storia patria*, II (1927).

BÜHLER, Karl: *Teoría del Lenguaje* (traducción de Julián Marías). Madrid (Revista de Occidente), 1950 (3.ª ed., 1967), 622 pp.

BURGER, André: "Sur le passage du système des temps et des aspects de l'indicatif, du latin au roman commun", *Cah. F. de Saussure*, 8 (1949), p. 34.

BUYSSENS, E.: "Phonème, archiphonème et pertinence", *La Linguistique*, 8 (1972/2), pp. 39-58.

—*Verité et langue. Langue et pensée*. Bruselas, 1969.

CALVET, Louis-Jean: "Jean Cantineau. La tradition grammairienne" *La Linguistique*, 8 (1972 2), pp. 69-82.

CAMPBELL, R. J.; GOLDIN, Mark G., y WANG, Mary C.: *Linguistics Studies in Romance*

*Languages.* Washington (Georgetown Univ. Sch. of Lgs. and Linguistics), 1974, VI + 265 pp.

CARDONA, G. R.: *Linguistica generale. Glossario.* Roma, 1969.

CARNAP, R.: *Introduction to Semantics.* Cambridge (Mass.), 1942.

CARROLL, J. B.: *The study of Language: A Survey of Linguistics and Related Disciplines in America.* Harvard Univ. Press, Cambridge (Mass.), 1953.

CASAGRANDE, Jean. y SACIUK, Bohdan: *Generative Studies in Romance Languages.* Rowley (Mass.) Newbury House Publishers, Inc. (1972), 5 h. + 431 pp.

CASARES, Julio: "Nebrija y la gramática castellana", *Bol. RAE,* 26 (1947), pp. 335-367.

CASSIRER, E.: *Filosofía de las Formas Simbólicas I. El Lenguaje* (trad. de Armando Morones). México (F.C.E.), 1971, 311 pp.

—"Structuralism in Modern Linguistics", *Word,* I, 2 (1945), pp. 99-120.

CASTELVETRO, Ludovico: "Giunta fatta al Ragionamento degli articoli et de Verbi di Messer Pietro Bembo". En *Opere del Cardinale Pietro Bembo, II.* Venecia, 1739.

CATALÁN, Diego (ed.): *Estructuralismo e Historia. Miscelánea homenaje a André Martinet.* La Laguna (Bibl. Filológica, Univ.), 3 vols., 1957-1962.

CERDA MASSO, Ramón: "La ciencia fonética y sus relaciones con la fonología y la información. · Notas metodológicas", *Boletim de Filologia,* XXII (Lisboa, 1964-1971), pp. 43-57.

CIOFFI, F.: *Cf.* R. BORGER.

CLOSS, Elizabeth: "Diachronic syntax and generative grammar", *Lg.* 41 (1965), pp. 402-415 (y en Reibel y Schane, 1966, pp. 395-405).

COLINO LÓPEZ, Antonio: *Ciencia y Lenguaje* (Discurso de recepción en la R.A.E. el 23-I-1972, contestación de Julián Marías). Madrid, 1972, 57 pp.

COLLADO, Jesús Antonio: *Fundamentos de Lingüística General.* Madrid (Gredos), 1974, 307 páginas.

—*Historia de la Lingüística.* Madrid (Mangold), 1973, 238 pp.

COMBE, J. P.: "Une possibilité d'utilisation d'ordinateurs au service de la dialectologie", *Via Domitia,* XV (1970), pp. 147-158.

CONTRERAS, Heles (Comp.): *Los fundamentos de la gramática transformacional* (artículos de H. Contreras, Ch. J. Fillmore, D. T. Langendoen, M.ª L. Rivero, M. Halle, J. W. Harris, N. Chomsky y J. J. Katz). México (Siglo XXI), 1971, pp. VIII + 223.

—"The validation of a phonological grammar", *Lingua,* 9 (1960), pp. 1-15.

COOPER. David E.: *Presupposition.* La Haya-París (Mouton), 1974, 130 pp.

COPCEAG, Dumitru: "Elementos para una tipología general de los idiomas románicos", *Actas XI C.I.L.F.R.* (Madrid), pp. 255-268.

CORRIENTE, Federico: "On the functional yield of some synthetic devices in Arabic and Semitic morphology", *The Jewish Quarterly Rev.,* LXII, pp. 20-50.

COSERIU, E.: *La geografía lingüística.* Montevideo, 1956.

—"Coordinación latina y coordinación románica", *III. Coloquio de Est. Estr. sobre las Leng. Clás.* Madrid (Soc. Esp. Est. Cl.), 1968, pp. 35-57.

—*Lezioni di Linguistica Generale.* Turín (Boringhieri), 1973, 161 pp.

—"Semantik, innere Sprachform und Tiefenstruktur", *Folia Linguistica,* IV (1970), pp. 53-63.

—*Sincronía, diacronía e historia.* Madrid, Gredos (2.ª ed.), 1973, 290 pp.

—"Sincronía, diacronía y tipología", *Actas XI C.I.L.F.R.* (Madrid), pp. 269-283.

—"Sobre el futuro romance", *Rev. Bras. de Fil.,* III, p. 1.

—*Teoría del Lenguaje y Lingüística General.* Madrid (Gredos), 1962, 327 pp.

COURSAGET-COLMERAUER, Colette: "Les déterminants de la nominalisation", *Cahier de Ling.,* 3.º Quebec, 1973, pp. 39-51.

CRABB, Daniel M.: *A comparative study of word order in Old Spanish and Old French prose works* (Catholic University of America dissertation), Washington (Cath. Univ. Am. Press), 1955, XVIII + 66 pp. (offset). (Reseña de V. T. Holmes Jr. *Language, 32,* 1956, páginas 332-334) (en *Word, 12,* 1956, de Bolinger).

349

CRESSEY, William W.: "A note on specious simplification and the theory of markedness", *Papers in Linguistics*, 2 (1970), pp. 227-238.
—Reseña de la Fonología de Harris en *General Linguistics*, 11 (1971), pp. 63-70.
CROCE, Benedetto: *Estetica come scienza dell espressione e linguistica Generale*. Bari, 1992.
CUATRECASAS, Juan: *Lenguaje, Semántica y Campo Simbólico*. Buenos Aires (Paidós), 1972, 242 pp.

CHAFE, Wallace L.: *Meaning    the structure of Language* (The Univ. of Chicago Press.). Chicago & London, 1971, 352 pp.
CHANG-RODRÍGUEZ: *Cf.* JUILLAND y...
CHAO, Yuen Ren: *Language and symbolic Systems*. Cambridge (Univ. Press), 1968, 240 pp.
—"The Non-uniqueness of Phonemic Solutions for Phonetic systems", *Bulletin of the Institute of History and Philology, Academia Sinica*, vol. IV, 4 (1934), pp. 363-397.
CHAUCHARD, P.: *Le Langage et la Pensée*. París, 1965.
CHEJOV, Claude: *Cf.* TCHEKHOFF.
CHOMSKY, Noam: No recogemos en entrada individual los artículos incluidos en compilaciones como las de Fodor y Katz, Jakobs y Rosenbaum, F. Gracia, Sánchez de Zavala y otros.
—*Aspectos de la teoría de la Sintaxis*. Introducción, versión del inglés, notas y apéndice de C. P. Otero. Madrid (Aguilar), 1970, LXXX + 260 pp. (Col. Cultura e Historia).
—*Current Issues in Linguistic Theory*. La Haya (Mouton), 5.ª ed., 1970, 119 pp.
—*El Lenguaje y el entendimiento* (trad. de Juan Ferraté). Barcelona (Seix Barral), 1971, 163 páginas.
—*Lingüística Cartesiana* (trad. de E. Wulff). Madrid (Gredos), 1969, 159 pp.
—"Logical Syntax and Semantics: Their Linguistics Relevance", *Language*, 31 (1955), páginas 36-45.
—*Proceso contra Skinner*. Barcelona (Anagrama), 1974, 54 pp.
—"Some Methodological Remarks on Generative Grammar", *Word*, 17 (1961), núm. 2, páginas 219-239.
—*Studies on Semantics in Generative Grammar*. La Haya-París (Mouton), 1972, 207 pp.
—*Syntactic Structures*. La Haya (Mouton), 9.ª ed., 1971, 117 pp. (Trad. de C. P. Otero), Madrid (Siglo XXI), 1974.
—*Topics in the Theory of Generative Grammar*. La Haya (Mouton), 2.ª ed., 1969, 95 pp.
—*The sound pattern of English*. Nueva York (Harper & Row), 1968.
CHOMSKY, N., y MILLER, George A.: *L'Analyse formelle des langues naturelles*. La Haya (Mouton), 1971, 174 pp.
CHRISTMANN, Hans Helmut: "Tempus und Aspekt", *ZRPh*, 84, 1968, pp. 481-484.

DAS, Rhea S.: *Cf.* DJORDJE KOSIC y...
DELACROIX, H.: *Le Langage et la Pensée*. París, 1930.
DELATTRE, Pierre: *Studies in French and Comparative Phonetics*. The Hague (Mouton), 1966, 286 pp. + 8 lám. + 1 h.
DELBRÜCK, Berthold: *Vergleichende Syntax der indogermanischen Sprache*. Libros III, IV y V (1886-1892) del *Grundriss der vergleichende Grammatik der indogermanischen Spracehn* de Brugmann y...
DERRIDA, Jacques: *De la Gramatología*. Buenos Aires (Siglo XXI, Argentina), 1971, XIX + 297 pp.
DIJK, Teun A. van: *Some Aspects of Text Grammars*. La Haya-París (Mouton), 1972, XIV + 375 pp.
DIK, Simon C.: *Coordination. Its Implications for the Theory of General Linguistics*. Amsterdam (North Holland Publ. Co.), 1972 (1.ª ed., 1968), XII + 318 pp.
DIMITRESCU, Florica: *Contribuții la istoria limbii române vechi*. Bucarest (Ed. Didactica si Pedagogica), 1973, 289 pp.

—*Introducere in Morfosintaxa Istorica a Limbii Române*. Bucarest (Univ.), 1974, 200 pp.

DINDELEGAN, Gabriela Pana: "Analiza Reflexivului românesc din perspectiva unei gramatici transformationale". II. *Studii si cercetari linguistice*, 5, 1972, pp. 471-490.

DOMÍNGUEZ HIDALGO, Antonio: *Iniciación a las estructuras lingüísticas*. Ed. Porrúa (México, 1973). (No hay que tomar en consideración la desacertada reseña de *Filologia Moderna.*)

DONZE, Roland: *La Gramática General y Razonada de Port Royal*. Buenos Aires (Eudeba), 1970, XXIX + 199 pp.

DOTTERWEICH, M.: Reseña de T. Ulving, *ZRPh*, LXXXII (1966), pp. 660-664.

DUBSKY, J.: *Cf.* VACHEK.

DUCHÁCEK, Otto: "Les problématiques de la théorie des champs linguistiques", *Actas XI C.I.L.F.R.* (Madrid), pp. 285-297.

DUMMETT, Michael: *Frege, Philosophy of Language*. Londres (Duckworth), 1973 XXV + 698 pp.

DURAND, Margarita: "La syllabe, ses definitions, sa nature", *Orbis* (1954), pp. 527-533.


EBELING, C. L.: *Linguistics Units*. La Haya, 1960.

EMONDS, J. E.: "Root and Structure Preserving Transformations". Indiana University Linguistics Club (junio 1970).

ERFURT, Tomás de: *Gramática Especulativa* (trad. de L. Farré). Buenos Aires (Losada), 1947, 173 pp.

ERNST, Otto: *Sprachwissenschaft und Philosophie*. Berlín, 1949.


FANO, Giorgio: *Origini e Natura del Linguaggio*. Turín (Einaudi), 1973, XVI + 427 pp. (Presentación de Luigi Heilmann.)

FARINELLI, Arturo: *Dos excéntricos: Cristóbal de Villalón. El Dr. Juan Huarte*. Madrid (C.S.I.C. Anejo *RFE*, XXIV), 1936.

FELICE, E. de: *La terminologia Linguistica di G. I. Ascoli e della sua scuola*. Utrecht-Anvers, 1954.

FERNÁNDEZ SEVILLA, Julio: "Apriorismo, realidad, gramática. A propósito de la *Gramática del Español* de Bernard Pottier", *BICC*, 26 (1971), pp. 287-321.

FERRATER MORA, José: *Indagaciones sobre el Lenguaje*. Madrid (Alianza), 1970, 223 pp.

FERRATER MORA, J., y LEBLANC, H.: *Lógica Matemática*. México-Buenos Aires (Fondo de Cultura Económica), 1955.

FEVRIER, J.: *Histoire de l'écriture*. París, 1948.

FILLMORE, Charles J.: "The Case for Case", en Bach y Harms (eds.), pp. 1-88.

FILLMORE y LANGENDOEN, D. T.: *Studies in Linguistic Semantics*. Nueva York (Holt, Rinehart, Winston), 1971.

FISCHER-JORGENSEN, Eli: "On the Definition of Phoneme Categories on a Distributional Basis", *Acta Linguistica*, VII. Copenhague, 1962, pp. 8-39.

FISCHEROVA, Irena: "Zur Ermittlung der Satzbeziehungen in den *Und*-Satzverbindungen". *Z. Phonetik Sprachwiss. und Kommunikationsforschung*, 24 (1971), pp. 33-47.

FISHMAN, Joshua: *Language Loyalty in the United States*. La Haya (Mouton), 1966, 478 páginas.

FODOR, J. A.: *Vid.* KATZ.

FOURQUET, Jean: "Linguistique structurale et dialectologie", en *Fragen und Forschungen im Bereich und im Kreis der germanische Philologie*. Berlín (Deutsche Akademie der Wissenschaften), 1956.

FOWLER, F. H.: "The Origin of the Latin *gui* Clauses", *Lg.*, 7, pp. 14-19.

FRANCESCATO, Giuseppe: *Il Linguaggio Infantile. Strutturazione e Apprendimento*. Turín (Einaudi), 1970, 276 pp.

—"Structural Comparison, Dyasistems and Dialectology", *ZRPh*, LXXXI (1966), pp. 486 y ss.

FREGE, Gottlob: *Estudios sobre Semántica*. Barcelona (Ariel), 1971, 179 pp.

—*The Foundations of Arithmetik. A Logico-Mathematical Enquiry into the Concept of Number*. Oxford (Blackwell), 2.ª ed., 1953 (trad. de J. L. Austin).

—"On Sense and Nominatum", *Reading in Philosophical Analysis* (ed. H. Feigl y W. Sellars). Nueva York (Appleton-Century-Crofts). 1949. (En esp. en la antología de Battistella.)

—*Selección de textos de...* Esbozo introductorio, versión española y notas de Ernesto H. Battistella. Universidad de Zulia (Maracaibo, Venezuela, 1971). 172 pp. "Sobre sentido y denotación." "Fundamentos de lógica simbólica" (selección de *Bergriffschrift*). "El concepto de número" (extractos de *Die Grundlagen der Arithmetik*). Bibliografía de Frege, con inclusión de versiones inglesas y antologías.

—*Translations from the Philosophical Writtings of Gottlob Frege* (ed. M. Black y P. T. Geach). Nueva York (Philosophical Library), 1952.

FRIES, C. C.: "The Expresion of the Future". *Lg.*, 3, pp. 87-95.

FUNKE, Otto: *Innere Sprachform. Eine Einführung in A. Martys Sprach philosophie*. Reichenberg, 1924.

—"On the system of grammar", *Arch. Ling.*, 6 (1954), pp. 1-19.


GABELENTZ, G. von der: *Die Sprachwisenschaft*. Leipzig, 1891 (2.ª ed., 1901).

GALTON, H.: "Is the Phonological System a Reality?", *Arch. Ling.*, 6, 1954; pp. 20-30.

GARDINER, A.: *The Theory of Speech and Language*. Oxford, 1932 (2.ª ed., 1951).

GARVIN, Paul L. (ed.): *Cognition: a Multiple View*. Nueva York-Washington (Spartan Books), 1970, XIV + 428 pp.

GAUDEFROY-DEMOMBYNES, J.: *L'oeuvre linguistique de Humboldt*. París, 1931.

GAYNOR, F.: *Cf.* PEI.

GELB, A.: *A story of writing*. Chicago, 1952.

GERMAIN, Claude: "Origine et évolution de la notion de 'situation' de l'École linguistique de Londres: de Malinowski à Lyons", *La Linguistique*, 8 (1972/2), pp. 117-136.

GILSON, Étienne: *Lingüística y Filosofía* (trad. de F. Béjar Hurtado). Madrid (Gredos), 1974, 334 pp.

GLEASON, H. A., Jr.: *Introducción a la Lingüística Descriptiva* (trad. de E. Wulff). Madrid (Gredos), 1970, 700 pp.

—*Linguistics and Enghish Grammar*. Nueva York (Holt, Rinehart, Winston), 1965, XV + 519 pp.

GODEL, Robert: "Cours de linguistique générale (1908-1909). Introduction", *Cahiers Ferdinand de Saussure*, 15 (1957), pp. 3-103.

—*Les sources manuscrites du cours de linguistique générale de F. de Saussure*. Ginebra (Droz), 2.ª ed., 1969, 283 pp.

GOLDIN, Mark G.: *Cf.* CAMBELL.

GONZÁLEZ DE LA CALLE, Pedro Urbano: *Vida profesional y académica de Francisco Sánchez de las Brozas*. Madrid (Imprenta Cervantina), 1922, 536 + 2 pp.

GOODELL, R. J.: "An Ethnolinguistic Bibliography with Supporting Material in Linguistics and Anthropology", *Anthropological Linguistics*, 6.2 (1964), pp. 10-32.

GOODENOUGH, W. H.: "Componential Analysis and the Study of Meaning", *Lg.*, 32 (1956), pp. 195-216.

GOODMAN, Morris F.: *A comparative study of creole french dialects*. The Hague (Mouton Co.), 1964, 143 pp.

GRACIA, Francisco (ed.): *Presentación del Lenguaje*. Madrid (Taurus), 1972, 468 pp.

GRASSI, C.: "Dialetto": *Grande dizionario enciclopedito*, Utet, VI, 1968, pp. 252-256.

GRAVES, F. P.: *Peter Ramus and the educational reformation of the sixteenth century*, Nueva York, 1912.

GREENBERG, Joseph H.: "A Quantitative Approach to the Morphological Typology of Language", en *Method and Perspective in Anthropology, Papers in Honor of Wilson De Wallis*. Minneápolis, 1954, pp. 192-220.

—(ed.) *Universals of Language*. Cambridge (Mass.) (M.I.T.), 1963.

GRÖBER, G.: *Geschichte und Aufgabe der romanischen Philologie*. Estrasburgo, 1904, 202 pp.

—*Grundriss der romanischen Philologie.* Estrasburgo, 1888 (2.ª ed. aument., 1904) *(Cf.* ficha anterior).
GROOT, A. W. de: "Structural Linguistics and Phonetic Law", *Lingua,* I, 2 (1948), pp. 175-208.
—"Structural Linguistics and Syntactic Laws", *Word,* 5, I (1949), pp. 1-12.
—"Voyelle, consonne et syllabe", *Archives néerlandaises de phonétique experimentale,* XVII (1941).
GRUNIG, B. L.: "Les théories transformationnelles. Préliminaires: les transformations naïves", en *La Linguistique,* 2 (1965), pp. 1-24.
GUDSCHINSKY, Sarah C.: "The Abc's of Lexicostatistics (Glottochronology)", *Word,* 12 (1956), pp. 175-210.
GUILLAUME, Gustave: *Langage et Science du Langage.* París (L. Nizet). Quebec (P. U. Laval), 1969 (2.ª ed.), 287 pp.
—*Temps et Verbe.* París (Champion), 1965.
GUIRAUD, Pierre: *L'Étymologie.* París (P.U.F. Col. Q.S.J.), 1964 (2.ª ed., 1967), 128 pp.
—*La Grammaire.* París (P.U.F. Col. Q.S.J.), 1958 (3.ª ed., 1964), 127 pp.
—*Les Mots Savants.* París (P.U.F. Col. Q.S.J.), 1968, 119 pp.
—*La Sémantique.* París (P.U.F. Col. Q.S.J.), 1955 (4.ª ed., 1964), 128 pp.
—*La Sémiologie.* París (P.U.F. Col. Q.S.J.), 1971, 125 pp.
—*Structures Étymologiques du Lexique Français.* París (Larousse), 1967, 211 pp.
GUMPERZ, J. J., y HYMES, Dell: *Directions in Sociolinguistics. The ethnography of communication.* Nueva York (...) (Holt, Rinehart & Winston, Inc.), 1972, X + 598 pp.

HALL, Roberto A., Jr.: *An essay on language* (Chilton) Filadelfia, 1968, 160 pp. + XIV.
—"Idiolect und Linguistic Super-ego", *Studia Linguistica,* V, pp. 21-27.
—"Linguistic Theory in the Italian Renaissance", *Lg.,* 12, pp. 96-107.
—"American Linguistics 1925-1950", *Arch. Ling.,* 3 (1951), pp. 101-125. *Ibid.,* 4 (1952), páginas 1-16.
—*Lingüística Norteamericana, 1925-50.* Buenos Aires (Fac. F.ª y L., Univ. Bs. As.). *Cuadernos de Lingüística,* 2, 1960.
—"The reconstruction of proto-romance". *Language,* 26 (1950), pp. 6-27.
HALLE, Morris: "Phonology in generative grammar", *Word,* 18 (1962), pp. 54-72.
HALLIDAY, M. A. K.: "Cathegories of the Theory of Grammar", *Word,* 17 (1961), pp. 241-92.
HAMP, E. P.: *A Glossary of American Techical Linguistic Usage 1925-1950.* Utrecht-Anvers, 1957 (2.ª ed., 1963; 3.ª, 1966).
HANCKE, Walter: *Die Aktionsarten im Französischen.* Berlín, 1930.
HARRIS, James: *Hermès ou Recherches philosophiques sur la grammaire universelle* (trad. y adiciones de Fr. Thurot). Impr. de la République. Messidor, año IV (1975).
HARRIS, Zellig S.: "From phoneme to morpheme", *Lg.,* XXXI (1955), pp. 190-222.
—"Co-occurrence and Transformation in Linguistic Structure", *Language,* 33. Baltimore, 1957, pp. 283-340.
—"Distributional Structure", *Word,* 10 (1954), pp. 146-162.
—*Papers in Structural and Transformational Linguistics.* Dordrecht (Reidel), 1970.
—*Structural Linguistics.* Chicago y Londres (the Univ. of Chicago Press, *Phoenix Books)* (6.ª imp., 1963; 1.ª, 1951), XVI + 284 pp.
HATCHER, Anna Granville: "Syntax and the sentence", *Word,* 12 (1956), pp. 234-250.
HAUGEN, Einar: "Directions in Modern Linguistics", *Language,* 27 (1951), pp. 211-222.
—"The analysis of linguistic borrowing", *Language,* 26 (1950), pp. 210-231.
HEGER, Klaus: "'Sprache' und 'Dialekt' als linguistisches und soziolinguistisches Problem", *Folia Linguistica,* III (1969), pp. 46-67.
—"Structures immanentes et structures conceptuelles", *Z. f. Frans. S. und Lit.* Anejo: *Probleme der Semantik.* 1968, pp. 17-24 (Wiesbaden).
—*Teoría Semántica. Hacia una Semántica Moderna (II).* Madrid (Alcalá), 1974, 247 pp.

353

HEIDOLPH, Karl Erich: "Kontextbeziehungen zwischen Sätzen in einer generativen Grammatik", *Kybernetika*, 2 (1966), pp. 274-281, y *VSGD*, pp. 78-87.

HEIJENOORT, J. van (ed.): *From Frege to Gödel*. Cambridge (Massachusetts) (Harvard Univ. Press.), 1967.

HERBST, L.: "Untersuchung zur Hypothese einer generationsbedingten Stimmvertiefung", *Z. Phon. Sprach, Komm.*, 24 (1971), pp. 48-54.

HERCULANO DE CARVALHO, José Gonçalo: "O problema do género nos pronomes", *Biblos 1965* (1974), pp. 117-130.

HERMAN, E.: "Aspekt und Aktionsart", *Nachrichten der Gesellschaft für Wissenschaften zu Götingen phil.-hist- Klasse*, 1933, pp. 470-480.

HILL, L. A.: *Prepositions and Adverbial Particles. An Interim Classification Semantic, Structural, and Graded*. Londres (Oxford U.P.), 1968, XXV + 403 pp.

HINTIKKA, Jaakko: "Quantifiers vs. Quantification Theory", *Ling I* (1974), V/2, pp. 153-177.

HJELMSLEV, L.: "La catégorie des cas. Etude de grammaire générale", 1.ª parte: *Acta Jutlandica*, VII, 1 (1935); 2.ª parte: *Acta Jutlandica*, IX, 2 (1937).

—*Ensayos Lingüísticos*. (trad. de E. Bombin y F. Pinero). Madrid (Gredos), 1972, 361 pp.

—*I. fondamenti della teoria del linguaggio*. Turín, 1968.

—*El Lenguaje* (trad. de M.ª V. Catalina). Madrid (Gredos), 1968, 187 pp. (Reseña del original: R. H. Robins, *Lg*, 43 (1967), pp. 965-966.)

—*Prolégomènes à une Théorie du Langage*. París (Minuit), 1968, 229 pp.

HOCKETT, Ch. F.: *A Course in Modern Linguistics*. Nueva York (Macmillan), 1958 (8.ª ed., 1965), XIV + 621 pp. (Hay versión y adaptación castellana en Buenos Aires, Ed. Eudeba.)

—*El estado actual de la lingüística*. Madrid (Akal), 1974, 139 pp.

—*Language, Mathematics, and Linguistics*. La Haya-París (Mouton), 1967, 243 pp.

—"Logical considerations in the study of animal communication", *Animal Communication*, ed. por W. F. Lanyon y W. N. Tavolga. Am. Inst. of Biol. Su. Washington, 1969, páginas 392-430.

—"The Origin of Speech", *Scient. Am.*, 203 (1960), pp. 89-96.

—"The Problem of Universals in Language", en *Universals of Language* (Greenberg, ed.). Cambridge (Mass.) (M.I.T. Press), 1963.

HOFMANN, J. B., y RUBENBAUER, H.: *Wörterbuch der grammatischen und metrischen Terminologie*. Heidelberg (2.ª ed.), 1963.

HOLT, Jens: "Etudes d'aspect", *Acta Jutlandica*, XV (1943), pp. 1-94.

HOUSEHOLDER, F. W., y SAPORTA, S. (ed.): *Problems in Lexicography*. Indiana University Research Center in Anthropology, Foklore and Linguistics. Publication 21 (1962), 2 *IJAL*, 28 (4).

HOYBYE, Paul: "Observations sur les différentes disciplines de la linguistique descriptive", *Revue Romane* (Copenhague), número especial 1 (1967), pp. 57-62.

HUMBOLDT, Wilhelm von: *Sobre el Origen de las Formas Gramaticales (...). Carta a M. Abel Rémusat (...)*. Barcelona (Anagrama), 1972, 110 pp.

—*Werke. Gesammelten Schriften*, t. VI Berlín (B. Behr's Verlag), 1907. Parte 1.ª: *Ueber die Verschiedenheit des menschlichen Sprachbaues*. Parte 2.ª: *Von dem gramatischen Baue der Sprachen*.

HYMES, Dell: *Language in Culture and Society. A Reader in Linguistics & Antropology*. Nueva York (Harper & Row), 1964, XXXV + 764 pp.

—*Cf.*GUMPERZ, J. J.

IORDAN, Iorgu: *Lingüística románica. Evolución. corrientes, métodos*. Reelaboración parcial y notas de Manuel Alvar. Madrid (Alcalá), 1967, XXII + 755 pp.

—"Paralelos lingüísticos rumano-españoles", *A. 2.ª. C.I.H.* (1969), pp. 347-355.

IORDAN, I., y MANOLIU, M.ª: *Manual de Lingüística Románica*. Revisión, reelaboración parcial y notas por Manuel Alvar. Madrid (Gredos), 1972 (2 vols.).

ISENBERG, Horst: *Der Begrif "Text" in der Sprachtheorie.* ASG-Bericht Nr. 8. Agosto 1970, 21 pp. (Multicopiado).
—*Überlegungen zur Texttheorie.* 8-7-1968. ASG-Bericht Nr. 2. Agosto 1968. P.I/1-I/18 (multicopiado).
IVIĆ, Milka: *Trends in Linguistics.* Translated by Murial Heppell. The Hague (Mouton), 1970 (1.ª ed., 1965), 260 pp.
IVIĆ, Paule: "On the Structure of Dialectal Differentiation". *Word,* 18 (1962), pp. 33-53.

JABERG, Karl: *Geografía Lingüística. Ensayo de Interpretación del Atlas Lingüístico de Francia* (trad. de A. Llorente y M. Alvar), Granada (Univ.), 1959, 99 pp. + XIV mapas.
JACKENDOFF, Ray S.: *Semantic Interpretation in Generative Grammar.* Cambridge (Mass.), M.I.T. Press, 1972, XII + 400 pp. (res. de V. Sánchez de Zavala en *RSEL,* 4-1-1974, pp. 271-278).
JACOB, André.: *Genèse de la Pensée Linguistique.* París (Armand Colin), 1973, 333 pp.
JACOB, François.:*The Logic of Life: A History of Heredity.* N. York (Pantheon) 1974, 349 pp. (res. de R. Jakobson en *Linguistics,* 1974).
JACOBS, Roderick A., y ROSENBAUM, Peter S. (eds.): *Readings in English Transformational Grammar.* Waltham (Mass.) (Ginn & Co.), 1970.
JAKOBOVITS, L. *Cf.* STEINBERG, D.
JAKOBSON, Roman. Su bibliografía en *For Roman Jakobson.* La Haya, 1956.
—*Essais de Linguistique Générale,* París (Minuit), 1963, 257 pp.
*Générale.* París (Minuit), 1963, 257 pp.
—*Lenguaje Infantil y Afasia* (trad. E. Benítez), Madrid (Ayuso), 1974, 248 pp.
—*Main Trends in the Science of Language.* Nueva York (Harper TB), 76 pp.
—y M. HALLE.: *Fundamentos del Lenguaje* (trad. de Carlos Piera), 2.ª ed. Madrid (ed. Ayuso), 1973, 150 pp.
JANKOWSKY, Kurt R.: *The Neogrammarians. A Re-evaluation ef their Place in the Development of Linguistics Science.* La Haya (Mouton), 1972, 275 pp. (Res. P. Flobert, *Bull. Soc. Ling. París,*LXIX, 1974/2, pp. 100-105).
JENSEN, M. Kloster: "Die Silbe in der Phonetik und Phonemic" *Phonetica,* 1963, pp. 17-38.
JESPERSEN, Otto: *Essentials of English Grammar.* Londres (Allen & Unwin), 4.ª imp., 1938, 287 pp.
—*Language. Its Nature, Development and Origin.* Londres (Allen & Unwin), 12.ª imp. 1964, 448 pp.
—*Mankind, Nation and Individual.* Londres (Allen & Unwin), 2.ª imp., 1954, 1 + 199 pp. (hay trad., Buenos Aires, 1947).
—*The Philosophy of Grammar.* Londres (Allen & Unwin), 9.ª imp., 1963, 259 pp.
JOHANSEN, Svand: "Glossematics and Logistics", *Acta Linguistica,* IV, 1 (1950), pp. 17-30.
JOHNSTON, Oliver M.: "The use of *ella, lei,* and *la* as polite form of address in italian", *Modern Philology,* 1, 1903/04, pp. 469-475.
JONES, Daniel: *The History and Meaning of the Term "Phoneme".* Londres, 1957.
—*The Phoneme: Its Nature und Use.* Londres, 1950.
JOOS, Martin: "Acoustic Phonetics" (Suplemento de *Language* (Baltimore), vol. 24, n.º 2, 1948.
—"Coment on Certain Technical Terms", en M. Joos *Readings,* pp. 419-421.
—*Readings in Linguistics. The Development of Discriptive Linguistics in America since 1925,* Washington (1.ª ed., 1957; 4.ª ed., 1966).
—"Semology: a Linguistic Theory of Meaning". *Studies in Linguistics* (Norman. Oklahoma), 13 (1958), pp. 53-70.
JUILLAND, A. G.: "Historical and Comparative Dictionary of Structural Linguistic Terminology", *PMLA,* LXXI, 1956.


KACHRU, Braj. B. et al. (eds.): *Issues in Linguistics: Papers in Honor of Henri and Renée Kahane.* Urbana (Univ. of Illinois Press), 1973.

KAHANE, Henry and Renée: "The position of the actor expression in colloquial Mexican Spanish", *Language*, 26 (1950), pp. 236-263.

KAINZ, Fr.: *Phychologie der Sprache*. 4 vols. Viena, 1951-1956.

KARCEVSKIJ, Serge: "Sur la nature de l'adverbe". *A Prague School Reader in Linguistics*, comp. Josef Vachęk. Bloomington (Indiana Univ. P.), 1964.

KARTTUNEN, L.: "*Implicative verbs*". *Lg.*, 47, 2 (1971), pp. 340-358.

KATZ, Jerrold J.: *The Philosophy of Language*. Nueva York-Londres (Haguer & Row), 1966, XIII + 326 pp. (reseña de Wallace L. Chafe, en *IJAL*, 33, 1967, pp. 248-254). (Hay trad. española, Barcelona, 1971).

KATZ, J. J., y FODOR, J. A.: "The Structure of a Semantic Theory". *Language*, 39, pp. 170-210.

KEILER, Allan R. (ed.): *A Reader in Historical and Comparative Linguistics*. Nueva York (Holt, Rinehardt & Winston), 1972, VIII + 1 + 367 pp. (artículos de H. A. Gleason Jr., J. Whatmought, R. A. Hall Jr., H. M. Hoenigswald, J. W. Marchand, W. L. Chafe, J. Vendryès, R. Jakobson, A. Martinet, Paul M. Postal, E. C. Traugott, R. Lakoff, E. Pulgram, R. Jakobson, V. Weinreich. W. Labov, S. Saporta, R. Jakobson, J. H. Greenberg y P. Kiparsky).

KENISTON, Hayward: "The Problem of Historical Syntax", *Bulletin of Spanish Studies*, VII (1930), pp. 168-72.

KING, Robert D.: *Historical Linguistics and Generative Grammar*. Englewood Cliffs, N. J. (Prentice Hall), 1960, X + 230 pp. *(Cf.* Michelena *RSEL* 1, 2, pp. 212-233).

KIPARSKY, P., y STAAL, J. F.: "Syntactic and Semantic Relations in Panini", *Found of Lang.*, 5, 1, pp. 83-117.

KLOPPEL, Karl-Heinz: *Aktionsart und Modalität in den portugesischen Verbalumschreibungen*. Berlín, 1960.

KOCK, Josse de: "La automatización de los estudios lexicográficos en las lenguas romances", *Fil. Mod.*, 45 (1972), pp. 189-219.

—*Introducción a la Lingüística Automática en las Lenguas Románicas*. Madrid (Gredos), 1974, 246 pp.

—"A preliminary survey on the use of computers in linguistics research", *Computers and the Humanities*, 5, 1 (1970), pp. 53-61.

KOERNER, Karl-Hermann.: "Das Problem der linguistischen Terminologie", *Ro Jb*, 19 (1968), pp. 34-47.

KLEENE, S. C.: *Mathematical Logic*. Nueva York (Wiley), 1967.

KOSTICS, Djordje, y DAS, Rheas: "Aspect of Meaning Revealed by the Semantic Differential Technique". *Z. Phon. Sprach. Komm.* 24 (1971), pp. 55-75.

KOVACCI, Ofelia: *Tendencias Actuales de la Gramática*. Buenos Aires (Columba), 2.ª ed., 1971, 302 pp.

KOVTUN, L. S.: "On the Construction of a Lexicographic Article". En' O.S. Axmanova *et. al.* (eds.). *Leksikograficeskiy sbornik*, 1. pp. 68-97. Moscú, 1957.

KNOBLOCH, J.: *Sprachwissenschaftliches Wörterbuch*. (en fascículos). Heidelberg, desde 1961.

KRAMSKY, J.: *The word as a Linguistic unit*. La Haya (Mouton), 1969, 83 pp. (Res. de Francisco Rz. Adrados en *RSEL*, I, 1, pp. 190-192).

KROEBER, A. L.: *Anthropology Today*. Chicago (Univ. Chicago Press), 1953.

KRONASSER, H.: *Handbuch der Semasiologie*. Heidelberg (Winter), 1952, 204 pp. (reseña de P. J. Wexler en *Arch. Ling.* 6 (1954), pp. 55-57).

KUKENHEIM, L.: *Contributions à l'histoire de la grammaire italienne, espagnole et française à l'époque de la Renaissance*. Amsterdam, 1932.

—*Esquisse Historique de la linguistique française*. Leiden, 2.ª ed., 1966.

KURYLOWICZ, J.: "La nature des procès dits 'analogiques'", *AL, V,* pp. 15-37.

—"The Notion of Morpho(pho)neme" en, *Directions of Historical Linguistics. A Symposium.* (resumen en *RFE*, LV, 1972, p. 108).

LADO, Robert: *Linguistics across Cultures*. Ann Arbor (Univ. Michigan Press), 1957.

LAKOFF, G.: "On Derivational Constraints", Binnick *et al*, eds. (1969), pp. 117-139.
—"Global rules", *Lg*. 46 (1970), pp. 627-639.
—*Cf*. SÁNCHEZ DE ZAVALA: *Semántica...; STEINBERG* y TODD.
LAMB, Sydney M.: *Outline of Stratificational Grammar*. With an Appendix (Stratificational Analysis of an English Text), by Leonard E. Newell. Washington (Georgetown, Univ. Press), 1969, VI + 109 pp. (res. de Charles F. Hockett en *IJAL*, 34 (1968), pp. 145-153).
LANG, E.: "Vorschläge für ein linguistisches Wörterbuch", *Linguistics*, 37 (1967), pp. 52-57.
*Language and Automation*, An International Reference Publication n.º 1. Primavera 1970. Center for Applied Linguistics. Washington D. C. (reseña de G. F. Meier en *Z. Phon. Sprach. Komm.*, 24 (1971), pp. 139-140).
LAUSBERG, Heinrich: *Lingüística Románica. I, Fonética; II, Morfología*. Madrid (Gredos), 1965 y 1966.
LÁZARO CARRETER, Fernando: *Diccionario de términos filológicos*. Madrid (Gredos), 3.ª ed., 1968.
—"Función Poética y Verso Libre", *Hom. a Fco. Yndurain*. Zaragoza (1972), pp. 201-216.
—"La lingüística norteamericana y los estudios literarios en la última década", *Rev. Occ.*, 81 (1969), pp. 319-347.
—"Sintaxis y Semántica", *R.S.E.L.*, 4,1 (1974), pp. 61-85.
LAZARUS, M.: *Das Leben der Seele*. Berlín, 1855.
LEBEL, Paul: *Les Noms de Personnes*. París *(P.U.F.* col. *Q.S.J.)*, 1946, 6.ª éd., 1968, 128 páginas.
LEBLANC, H.: *Cf*. FERRATER MORA, J.,,y...
LEECH, G. N.: "Semantics: Introduction", *E.L.I.C.*, pp. 499-503.
LEES, R. B.: "The Basis of Glottochronology", *Language* (Baltimore), 29 (1953), pp. 113-127.
LEHMANN, Winfred P.: *Introducción a la lingüística histórica*. Madrid (Gredos), 1969, 354 páginas
LEHMANN, W. P.: *Vid*. WINTER.
LEHMANN, W. P., y MALKIEL, Y.: *Directions for Historical Linguistics. A Symposium*. University of Texas Press, 1968 *(Cf.* UITTI, K. D.).
LENNEBERG, E. H.: *Biological Foundations of Language*. Nueva York (Wiley), 1967, El capítulo 6 de este libro se encuentra traducido, con el título de "El Lenguaje a la luz de la Evolución y de la Genética", en F. Gracia, *Presentación de Lenguaje*, Madrid (Taurus), 1972, pp. 97-150.
LENZ, Rodolfo: *La Oración y sus partes: Estudios de Gramática General y Castellana*. 2.ª ed. Madrid (C.E.H.), 1925, XX + 558 pp.
LEPSCHY, G. C.: *Indice terminológico. Cf*. MARTINET, ELEMENTI, pp. 207-213.
—*Indice de términos de Hjelmslev, Cf*. íd., *Fondamenti*, pp. 139-142.
—*La Linguistique Structurale* (trad. de l'italien par L-J. Calvet). París (Payot), 1968, 241 pp. [trad. esp. Barcelona (Anagrama)].
LEROY, Maurice: *Les Grands Courants de la Linguistique Moderne*. París-Bruselas (Presses Universitaires), 6.ª imp. 1967, X + 196 pp. [trad. esp. en México (F.C.E.), res de G. Schütz, *BICC*, 25 (1970), pp. 303-315].
LEVI-STRAUSS, C.; JAKOBSON, R.; VOEGELIN, C. F., y SEBEOK, T. A.: *Results of the Conference of Anthropologists and Linguists (International Journal of American Linguistics*. Memoir, 8), 1953.
LEWKOWICZ, Nancy Kennedy: "Topic-comment and relative clause in Arabic", *Language*, 47 (1971), pp. 810-825.
L'HERMITTE, René, y WLODARCZYK, Hélène: "S. K. Saumjan et la Grammaire générative applicative", *Langages*, 33, marzo 1974, 130 pp. (artículos de René L'Hermitte, H. Wlozarczyk, E. V. Gleibman, S. K. Saumjan y Ju. K. Lekomcev y S. S. Belokrinickaja).
LIEB, Hans-Heinrich: "'Synchronic' versus 'Diachronic' Linguistics: A Historical Note", Linguistics (La Haya), 36 (1967), pp. 18-28.
LOCKWOOD, David G.: *Introduction to Stratificational Linguistics*. Nueva York (Harcourt, Brace, Jovanovich), 1972, XII + 365 pp.

357

LOZOVAN, E.: "La Lexicologie roumaine". *RLiR,* XXII, 1958, siglas de rev., pp. 125-127.

LOMBARD, A.: "Une classe spéciale de termes indéfinis dans les langues romanes", *Studia Neophilologica,* II, 1938.

LÓPEZ MORALES, Humberto: *Introducción a la Lingüística Generativa.* Madrid (Alcalá), 1974, 230 pp.

LYONS, John: *Chomsky.* Barcelona (Grijalbo), 1974, 153 pp.

—*Introduction to Theoretical Linguistics.* Cambridge (Univ. Press), 1968, X + 519 pp. (trad. esp. en ed. Teide, Barcelona). (Reseña de Ch. Rohrer en *ZRPh,* 86 (1970), pp. 452-460.)

—*New Horizons in Linguistics.* Harmondsworth (Penguin Books, Ltd.), 1970, 367 pp.

—"Toward a 'notional' theory of the 'parts of speech'", *Journ. of Ling.,* 2, 2 (1966), páginas 209-236.

LÜDTKE, Helmut: *Historia del Léxico Románico.* Madrid (Gredos), 1974, 366 pp.

LLORENTE MALDONADO, Antonio: *Teoría de la Lengua e Historia de la Lingüística.* Madrid (Alcalá), 1967, 484 pp.

—*Cf.* JABERG.


MACLENNAN, L. J.: *El problema del aspecto verbal.* Madrid (Gredos), 1962, 158 pp.

MALMBERG, Bertil: *La Lengua y el Hombre.* Madrid (Istmo), 1966, 244 pp.

—*Lingüística Estructural y Comunicación Humana* (trad. de E. Rodón). Madrid (Gredos), 1969, 327 pp.

—*Les Nouvelles Tendances de la Linguistique.* París (P.U.F.), 1966, 2.ª ed., 1968, 339 pp.

—*La Phonétique.* París (P.U.F. col. Q.S.J.), 1954, 5.ª ed., 1964, 128 pp.

—*Système et méthode. Trois études de linguistique générale.* Lund (Gleerup), 1945, 52 pp.

MANDELBROT, B.: "Structure formelle des textes et communication", *Word.* 10 (1954), pp. 1-27.

MANLY, J. M.: "From Generation to Generation", *Jespersen Miscelany.* Copenhague (1930), páginas 287 y ss.

MANOLIU, María. *Cf.* IORDAN.

MARCOS DE LANUZA. F., y MARCOS MARÍN, F.: *Introducción al Lenguaje Matemático.* Madrid (G. del Toro), 1972, 183 pp.

MARINER BIGORRA, Sebastián: "Noción básica de los modos en el estilo indirecto latino", *Emerita,* 1965, t. XXXIII, pp. 47-59.

—"Caracterización funcional de los fonemas del latín clásico", *Emerita,* 1958. t. XXVI, páginas 227-233.

—"Estructura de la categoría verbal modo en latín clásico", *Emerita,* 1957, t. XXV, página 449-486.

MAROUZEAU, J.: *Lexique de la terminologie linguistique. Français, allemand, anglais, italien.* París, 3.ª ed., 1951 (trad. rusa s. v. *Maruzó).*

MARTINET, André. Para su bibliografía *Cf.* PENCHOEN, T. G.

—*La Description Phonologique avec Application au Parler Franco-Provençal d'Hauteville (Savoie).* Ginebra-París (Droz, Minard), 1956, 109 pp.

—"Dialect", *Rom. Phil.,* VIII, 1954, pp. 1-11.

—*Economie des Changements Phonétiques.* Berna (Francke), 1955, 2.ª ed., 1964, 396 pp. [trad. esp. Madrid (Gredos)].

—*Elementos de Lingüística General* (trad. de J. Calonge), Madrid˙(Gredos), 1965, 274 pp.

—"Function, Structure and Sound Change", *Word,* 8 (1958), pp. 1-32.

—*Langue et Fonction.* París (Denoël), 1969 [trad. esp. Madrid (Gredos)].

—*La Linguistique Synchronique.* París (P.U.F.), 1965, 2.ª ed., 1968, 1 + 247 pp. [trad. esp. Madrid (Gredos)].

—"Réflexions sur les universaux du langage", *Folia Linguistica,* I (1967), pp. 125-134.

—"Structural Linguistics", *Anthropology Today.* Chicago (1953), pp. 574-586.

—"Au sujet des Fondements de la théorie linguistique de Louis Hjelmslev", *Bulletin de la Société de Linguistique de París.* 42 (1946), pp. 19-43.

—"The Unity of Linguistics", *Linguistics Today*. Nueva York, 1954, pp. 1-5.

MARTY, A.: *Gesammelte Schrifte*. 2 vols. (Halle, I, 1916, II, 1, 1918, II, 2, 1920).

—*Psyche und Sprachstruktur*. ed. por O. Funke, Berna, 2.ª ed. 1965 (1.ª 1939). (Reseña de Oswald Ducrot en *La Linguistique*, 8, 1972/2, pp. 153-158.)

—*Untersuchungen zur Grundlegung der allgemeinen Gramatik und Sprachphilosophie*. Halle, 1908.

MARUZO, Z. (translit. de Marouzeau, J.): *Slovar' linguisticeskix terminov*. *perevod s franc*. N. D. Andreeva, pod red. A. A. Roformatskogo, predisl. V. A. Zveginceva. Moscú, 1960.

MATORÉ, Georges: *Histoire des Dictionaires Français*. París, (Larousse), 1968- 278 pp.

—*La méthode en lexicologie (Domaine Français)*. París (Marcel Didier), 1953. 126 pp. [reseña de T. E. Hope en *Arch. Ling*. 6 (1954), pp. 138-140].

MATTHEWS, W. K.: "The Soviet Contribution to linguistics Thought", *Arch. Ling*. 2 (1950), pp. 1-23, 97-121.

MATTOSO CAMARA JR, J.: *Diccionário de fatos gramaticais*. Rio-Sâo Paulo, 2.ª ed., 1964.

McCAWLEY, J. D.: "The Role of Semantics in a Grammar", en Bach y Harms (1968), pp. 125-129.

—*Cf*. SÁNCHEZ DE ZAVALA, *Semántica...*

MEETHAM, A. R., y HUDSON, R. A. (ed.): *Encyclopaedia of Linguistics, Information and Control*. Oxford... (Pergamon Press), 1969, XIV + 718 pp.

MEIER, Barbara, y VOLKMANN, Eva: "Monosemierungsalgorithmen polysemer deutscher Lexeme", *Z. Phon. Sprach. Komm*. 24 (1971), pp. 91-120.

MEIER, Harri: *Sprache und Geschichte*. (Homenaje en su 65.º cumpleaños) Ed. de E. Coseriu y W.-D. Stempel. Munich (W. Fink), 1971, 607 pp.

MEILLET, Antoine: *Linguistique Historique et Linguistique Générale*. t. I, París (Champion), 1965, VIII + 335 pp.; t. II, París (Klincksieck), 1952, XIII + 231 pp.

—*La méthode comparative en linguistique historique*. París (Champion), reimp. de la ed. pub. por el Institut pour l'étude des Civilisations.116 pp.

MERLO, Felice: "La congiunzione SE e il sistema semantico dei periodi avverbiali", *Rom. Forsch*. LXIX, 1957, pp. 273-304.

MICHELENA, Luis: "Gramática generativa y lingüística histórica", *RSEL*, I (1971), pp. 211-233. (Se refiere al trabajo de King sobre el mismo tema.)

—"Voces vascas", *Emerita*, 1949, t. XVII, pp. 195-211.

—"Vasco-románica", *RFS*, 1965, t. XLVIII, pp. 105-119, 2/105.

—*Textos arcaicos vascos*. Madrid, Minotauro (S. Sebastián, Gráf. Izarra), 1964, pp. 203.

—*Sobre el pasado de la lengua vasca...* San Sebastián. Auriamendi, 1964. pp. 200.

—"Introducción fonética a la onomástica vasca", *Emerita*, 1956, t. XXIV, pp. 167-185, 331-352.

—"El genitivo en la onomástica medieval", *Emerita*, 1957, t. XXV, pp. 134-148, 2/10.

—"De etimología vasca", *Emerita*, 1950, t. XVIII, pp. 193-203.

—"Cuestiones relacionadas con la escritura ibérica", *Emerita*, 1955, t. XXIII, pp. 265-284.

MIGLIORINI, B.: "Come e perchè un dialetto diventa lingua", *Il Tesaur*. III, 1952, números 1-2.

—*Storia della Lingua Italiana*. Florencia (Sansoni), 1961, 2.ª ed., reimp. cor., 1967, XVI + 706 pp. [trad. esp. Madrid, (Gredos)].

—"Terminología Lingüística", *La Cultura*, XIII (1934), 4, pp. 55-56.

MIHAILA, G.: "Noi cercetari de lexicologie si semasiologie generala si romanica ale profesorului R. A. Budagov", *SCL*, XXIII (1972), pp. 407-410.

MILLER, G. A.: *Psicología de la comunicación*. Buenos Aires (Paidós), 1969 (orig. 1967).

MIRÓ QUESADA C., Francisco: "De la ínsula Barataria a la gramática generativa" (discurso de incorporación a la Ac. Peruana de la Lengua), *Bol. Ac. Per. Leng*. 7 (1972), páginas 119-163.

MÎRZA, Clement: "Linguistica aplicata si scoala de la Edinburg", *S.C.L*. 5 (1972), pp. 577-591.

MOLNAR, Ilona: "Generative Principle and Generative Grammar", *Acta Ling*. XXIII (1973), pp. 307-325.

MONDÉJAR, José: "La caracterización de las lenguas románicas", *Actas XI C.I.L.F.R*. (Madrid), pp. 311-325.

MORRIS, C. W.: *Signos, lenguaje y conducta*. Buenos Aires (Losada), 1962 (1.ª ed. orig., 1946).

MORTARA, Bice Garavelli: *Aspetti e Problemi della Linguistica Testuale. Introduzione a una ricerca applicativa.* (Apéndice de Carla Marello). Turín (G. Giappichelli), 1974, 178 pp.

MOTSCH, Wolfgang: "Können attributive Adjektive durch Transformationem erklärt werden?", *Folia Linguistica,* I (1967), pp. 23-48.

MOUNIN, Georges: *Claves de la Lingüística.* Barcelona (Anagrama), 1971.

—*Claves para la Semántica.* Barcelona (Anagrama), 1974, 236 pp.

—*Historia de la Lingüística. Desde los orígenes al siglo XX.* Madrid (Gredos), 1968, 235 páginas.

MOURIN, L.: "La valeur de l'imparfait, du conditionnel et de la forme en -*ra* en espagnol moderne", en *Romanica Gandensia* IV (1955), pp. 251-278.

MULJACIC, Zarko: *Introduzione allo Studio della Lingua Italiana.* Turín (Einaudi), 1971, 388 páginas.

MULLER, Charles: *Initiation à la Statistique.* París (Larousse), 1968, 248 pp. [traducción de A. Quilis, en Madrid, Gredos)].


NASCENTES, A.: *Léxico de nomenclatura gramatical brasileira.* Río de Janeiro, 1946.

NAVAS, Ricardo: "Pausa, base verbal y grado cero", *RFE,* 45 (1962), pp. 273-284.

NICULESCU, A.: "Sur l'interrelation des pronoms allocutoires révérentiels avec le système pronominal dans quelques langues romanes", *Actas X C.I. Ling.* (Bucarest), 1967, pp. 339-344.

NIDA, E.A.: "Analysis of Meaning and Dictionay Making", *International Journal of American Linguistics* (Baltimore), 24 (1958), pp. 279-292.

—*Morphology.* Ann Arbor (Michigan), 1949.

—*Outline of Descriptive Syntax.* Glendale (California), 1951.

—"A system for the Description of Semantic Elements", *Word,* 7 (1951), pp. 1-14.

NOEL, J.: "Les méthodes de l'analyse sémantique: bilan et perspectives pour la linguistique", *Alumni,* XLIV/6 (1973), pp. 65-97.

NOOTEN, B. A. Van; "Panini's Theory of Verbal Meaning", *Found. of Lang.* 5, 1, pp. 242-55.

NUTTING, H. C.: "The Latin Conditional Sentences", *Classical Philology* (Cal.) VII (1926), pp. 1-185.


O'CONNOR, J. D., y TRIM, J. L. M.: "Vowel, consonant, and syllable: a phonological definition", *Word,* 9 (1953), pp. 103-122.

OGDEN, C. K., y RICHARDS, I. A.: *El Significado del Significado.* Buenos Aires (Paidós), 2.ª ed., 1964, 381 pp.

ÖHMAN, Suzanne: "Theories of the Linguistic field", *Word,* 9 (1953), pp. 123-134.

OLZA ZUBIRI, Jesús: "Andrés Bello, gramático humanista", *Razón y Fe,* 177 (1968), pp. 57-66.

OSGOOD, Charles E., y SEBOK, Thomas A. (eds.): "Psycholinguistics. A Survey of Theory and Research Problems", *Indiana University Publications in Anthropology and Linguistics.* Memoria 10 de *IJAL,* 1954.


PALSGRAVE, J.: *Lesclarcissement de la langue françoyse composé par maistre——*, 1950, ed. de F. Genin, París (Imp. Nation), 1852.

PANA DINDELEGAN, Gabriela: "Reflectii pe marginea 'teoriei cazurilor' a lui Charles J. Fillmore", *SCL,* XXIII (1972), pp. 49-57.

PATT, B. S. *Cf.* R. K. SPAULDING y...

PAUL, Hermann: *Principien der Sprachgeschichte.* Halle, 1880, 5.ª ed., 1920.

PEI, M.: *Glossary of Linguistic Terminology,* Nueva York, 1966.

PEI, M.; GAYNOR, F.: *Dictionary of Linguistics.* Nueva York, 1954.

PEREZ DE VEGA, F.: *Las Lenguas Aborígenes.* (Contribución a la lingüística comparativa e histórica de los idiomas aborígenes americanos y su correlación con las lenguas orientales). Madrid (ed. Ciencia), 1960, 12.ª ed., 170 pp.

PERKELL, Joseph S.: *Physiology of Speech Production Results and Implications of a Quantitative Cineradiographic Study*. M.I.T. Press, 1969, XVI + 104 pp.

PERLMUTTER, D. M.: "Deep and Surface Structure Constraints in Syntax", Dissertation, Massachusetts Institute of Technology, 1968.

—*Deep and Surface Structure Constraints in Syntax*, Nueva York (Holt, Rinehart and Wiston), 1971. [Res. Rivero, M. L. *Language*, 49:3 (1973), pp. 697-701.]

—"Surface structure constraints in syntax", *Ling. I.* 1 (2), 1970, pp. 187-257.

PERROT, Jean: *La Linguistique*. París (P.U.F. Col. Q.S.J.), 1953, 6.ª ed., 1965, 136 pp.

PETERSEN, Walter: "The Inflection of Indo-European Personal Pronouns", *Lg.*, 6, pp. 164-193.

PIAGET, Jean: *Seis estudios de Psicología*. Barcelona (Barral), 1973, 202 pp.

PIIRAINEN, Ilpo Tapani: "Generative modelle in der diachronie", *Folia Linguistica*, IV (1970), pp. 32-37.

PIKE, K. L.: "Grammatical prerequisites to phonemic analysis". *Word*, III (1947).

—*Language in Relation to a Unified Theory of the Structure of Human Behavior*. Glendale, (Calif.) I, 1954; II, 1955; III, 1960.

—*Language in relation to a unified theory of the structure of human behavior*. 2.ª ed., 1967. The Hague (Mouton Co.), 762 pp. + 1 lám.

—"More on grammatical prerequisites". *Word*, VIII (1952).

—*Phonetics, A Critical Analysis of Phonetic Theory and a Technique for the Practical Description of Sounds*. Ann Arbor (Michigan), 1943.

PISANI, V.: "Palatalizzazioni osche e latine", *Archivio glottologico italiano*, XXXIX, pp. 112-119.

POLITZER, Robert L.: "Masculine and neuter in south-central Italian", *Word*, 13 (1957), páginas 441-446.

POLOME, Edgar. *Vid.* WINTER.

POSTAL, Paul M.: "On the Surface Verb 'Remind'", *Ling. Ing.*, I (1970), pp. 37-120.

—*Cf.* SÁNCHEZ DE ZAVALA, *Semántica*...

POTTIER, Bernard: *Presentación de la Lingüística*. Madrid (Alcalá), 1968, 152 pp.

—"Typologie interne de la langue", *Tr Li Li*, VII, I (1969), pp. 29-46.

POYATOS, Fernando: "Paralingüística y kinésica: para una teoría del sistema comunicativo en el hablante español", *A. 3er C.I.H.* (1970), pp. 725-738.

PRIETO, Luis J.: *Mensajes y Señales*. Barcelona (Seix Barral), 1967, 190 pp.

—¿*Qué es la lingüística funcional?* Buenos Aires (Rodolfo Alonso), 1972.

—"La Sémiologie", *Le Langage* (Encyclopédie de la Pléiade). Brujas (Gallimard), 1968, páginas 93-144.

PUHVEL, Jaan. *Vid.* WINTER.

PULGRAM. E.: *Introduction to the Spectrography of Speech*. La Haya (Mouton), 1959.

QUEMADA, Bernard: "La mécanisation dans les recherches lexicologiques", *C. de Lex.* I (1959).

RABANALES, Ambrosio: *Las Funciones Gramaticales*. Santiago de Chile, 1966.

—"Recursos lingüísticos, en el español. de Chile, de expresión de la afectividad", *BFUCh*, X, 1958, pp. 205-302 [reseñá de Jennie Figueroa Lorza en *BICC*, XIX (1964), pp. 183-184].

RAMSAY, A. *Cf.* SEBEOK.

REIN, Mercedes: *La filosofía del lenguaje de Ernst Cassirer*. Montevideo (Instituto de Filología, Dep. Lingüística, *Cuad. Fil. Ling.* 2), 1959.

REVESZ, S. G.: "Denken und Sprechen", *Acta Psychol*, 1954, X, pp. 9-20.

—"Thought and Language", *Arch. Ling.* 2 (1950), pp. 122-131.

—*Ursprung und Vorgeschichte der Sprache*. Berna (Francke), 1946.

REY, Alain: "Structure et diachronie en sémantique lexicographique", *Actas XI C.I.L.F.R.* (Madrid), pp. 669-692.

—*La Sémantique*. *Langue Française*, 4, 1969, 128 pp. Con artículos de A. Rey, O. Ducrot,

K. Heger, P. Guiraud, R. Martin, J. Peytard, J. B. Marcellesi, J. P. Colin y orientación bibliográfica final de A. Rey.

REY-DEBOVE, Josette: "La Lexicographie", *Langages,* 19, 1970, 119 pp. Contiene artículos de J. Rey-Debove, J. Dubois, A. Rey, U. Weinreich, S. Marcus, J. Darbelnet, V. G. Gak, y una bibliografía selecta.

REY PASTOR, Julio: *Algebra del Lenguaje* (discurso de recepción en la R.A.E. el 1-IV-1954 contestación de J. M.ª Pemán). Madrid, 1954, 78 pp.

REYES, Alfonso: "Los nuevos caminos de la lingüística", *Cuad. Americanos,* 16 (1957), páginas 39-49.

ROBINS, R. H.: *Ancient and Mediaeval Grammatical Theory in Europe; with Particular Reference to Modern Linguistic Doctrine.* Londres (G. Bell and Sons, Ltd.), 1951.

—*General Linguistics. An Introductory Survey.* Londres (Longmans, Green & Co.), 4.ª ed. revis., 1967, XXII + 391 pp. (trad. esp. en Madrid, ed. Gredos).

—*A short history of linguistics.* Londres (Longmans, Green & Co.), 1967, VIII + 248 pp. [reseña de Georges Mounin, *Lingua* 22 (1969), pp. 289-392]. (trad. esp. en Madrid, ed. Paraninfo).

ROCA PONS, José: "Noticia sobre los estudios semánticos publicados en los últimos años", *AO,* XIII (1963), pp. 18-30.

RODRÍGUEZ ADRADOS, Francisco: *Evolución y estructura del verbo indoeuropeo.* Madrid (C.S.I.C., Inst. A. de Nebrija), 1963, 873 pp.

—*Estudios de lingüísticas general.* Barcelona (Planeta), 1969, 325 pp.

—*Estudio sobre las laringales indoeuropeas.* Madrid (C.S.I.C., Inst. Antonio de Nebrija. Manuales y Anejos de *Emerita,* t. XIX), 1961 (2.ª ed., revisada y aumentada, 1973).

—"Gramática estructural y diccionario", 3.ᵉʳ *Col. de Est. Estr. sobre las Leng. Clás.* Madrid (Soc. Esp. Est. Clás), 1968, pp. 7-34.

—"La investigación del significado, tarea de la nueva Lingüística", *Studia Hispanica in Honorem R. Lapesa,* I. Madrid (Gredos), 1972, pp. 501-519.

—*Lingüística Estructural.* Madrid (Gredos), t. I y II, 1969.

—"Loi Phonetique, sonantes et laryngales", *Emerita,* 1963, t. XXXI, pp. 185-211.

—"El método estructural y el aspecto verbal griego", *Emerita,* 1954, t. XXII, pp. 258-270.

—"Les unités morphologiques et le principe de l'indétermination". *Folia Linguistica,* I (1967), pp. 146-152.

—"Védico y sánscrito clásico (Gramática, textos anotados y vocabulario etimológico)", Madrid, Cuaderno II del *Manual de Lingüística Indoeuropea,* dirig. por A. Tovar, C.S.I.C. Inst. A. de Nebrija, 1953, pp. 207.

RODRÍGUEZ BRAVO, J.: *Don José Victorino Lastarria.* Santiago de Chile, (Imp. Barcelona), 1892, 486 pp.

ROHLFS, G.: *Einführung in das Studium der romanischen Philologie.* Zwicite Auflage des Bandes Romanische Philologie-Erster Teil. Mit einem Supplement 1950-65, Heidelberg, 1966.

—*Estudios sobre Geografía Lingüística de Italia.* Prólogo de Manuel Alvar. Granada (Univ.), 1952, XXX + 311 pp. + LVII láminas.

—*Grammatica Storica della Lingua italiana e dei Suoi Dialetti.* Turín (Einaudi), t. I, II y III, 1966-69.

—*Lengua y Cultura,* anotaciones de Manuel Alvar. Madrid (Alcalá), 1966, 207 pp.

—"Das romanische *habeo*-Futurum und Konditionalis", *A Rom,* VI (1922), pp. 105-154.

ROLDÁN, Antonio: "El significado y las unidades fonemáticas", *Actas XI C.I.L.F.R.* (Madrid), pp. 1125-1138.

ROSENBLAT, Angel: "Contactos interlingüísticos en el mundo hispánico: el español y las lenguas indígenas de América", *A. 2.º C.I.H.* (1969), pp. 109-154.

—*El pensamiento gramatical de Bello.* Folleto ed. por Ediciones del Liceo Andrés Bello, Caracas, 1961.

—*La población indígena y mestizaje en América,* t. I, 324 pp.; t. II, 188 pp. Buenos Aires (Nova), 1954.

Rosetti, Al: "Cu privire la tendinta inlocuirri infinitivului cu conjunctivul în limba româna", *SCL*, XXIII (1972), pp. 307-308.

—*Linguistica*. La Haya (Mouton), 1965, 268 pp.

—"Notes de phonologie. Voyelle, semi-voyelle et consonne", *Acta linguist.*, 3 (1942-43), pp. 31 y ss. También en *Mét. de ling. et phil.*, pp. 38-39, Bucarest-Copenhague, 1947.

—"Sur la classification des phonèmes semi-voyelles ou semi-consonnes", *Linguistica*, La Haya (Mouton), 1965, pp. 107-108.

—*Sur la théorie de la syllabe*. La Haya (2.ª ed.), 1963.

Ross, J. R.: "Auxiliaries as Main Verbs", *Ling. Inst. Packet of Papers*, Urbana (Univ. of Illinois), 1968, y en Todd, pp. 77-102.

—*Cf.* Sánchez de Zavala, *Semántica...*

Rozas, Juan M., y Quilis, A.: "La originalidad de Jiménez Patón y su huella en el *Arte de la Lengua* del Maestro Correas", *RFE*, XLVI (1963).

Rubenbauer, H. *Cf.* Hofmann, J-B.

Rubenstein, Herbert: "The recent conflict in soviet linguistics", *Language*, 27 (1951), páginas 281-287.

Ruch, M.: "Objetivité et subjetivité dans la période hypothétique latine", *Revue Roumaine de Linguistique*, XIV, 2 (1969), pp. 101-109.

Ruipérez, Martín: *Estructura del sistema de aspectos y tiempos del verbo griego antiguo. Análisis funcional sincrónico*. Colegio trilingüe de la Universidad de Salamanca (C.S.I.C.), 1954.

—"Cantidad silábica y métrica estructural en griego antiguo", *Emerita*, 1955, t. XXIII, páginas 79-95.

Ruprecht, Erich: "Wilhelm von Humboldt und Spanien", *Homenaje a Johannes Vincke* (C.S.I.C.), 1962-63, II, pp. 655-673.

Ruwet, Nicolas: *Introduction à la Grammaire Générative*. París (Plon) 2.ª ed. revis., 1968, 452 pp. (trad. esp. en Madrid, ed. Gredos).

Sabín, Ángel, y Urrutia, Jorge: *Libro-cuaderno de Semiología y Lingüística General*. Madrid (C.E.U.; C.O.U.), 2.ª ed. corr. y aum., 1973, 150 pp.

Sabrsula, Jan: "Transformations, Translations, 'Classes potentielles syntaxico-sémantiques'", en *Travaux Ling. de Prague*, 3 (1968), pp. 53-63.

Saciuk, Bohdan: "Phonological Studies in Romance", *G.S.R.L.*, pp. 251-224.

—*Cf.* Casagrande, Jean.

Sadock, J. M., y Vanek, A. L. (eds.): *Studies Presented to Robert B. Lees by his Students*. Edmonton (Linguistic Research Incorporated), 1970.

Sánchez Ruipérez, M. *Cf.* Ruipérez, M.

Sánchez de Zavala, Víctor: *Hacia una epistemología del lenguaje*. Madrid (Alianza), 1972, 258 pp.

—*Indagaciones Praxiológicas sobre la Actividad Lingüística*. Madrid (Siglo XXI), 1973, 283 páginas.

—*Semántica y Sintaxis en la Lingüística Transformatoria*. Madrid (Alianza), 1, 1974, 532 páginas.

Sandmann, M.: *Subject and Predicate. (A contribution to the theory of syntax)*. Edinburgh Univ. Press., 1954, 270 pp. [reseña de W. Haas en *Arch. Ling.* 6 (1954), pp. 140-142].

Sandmann, S. A.: "Subordination and Coordination", *Arch. Ling.* 2 (1950), pp. 24-38.

Sapir, Edward: *El lenguaje. Introducción al estudio del habla*. Trad. de Margit y Antonio Alatorre. México (F.C.E.), 1954, 280 pp.

—*Selected Writings of Edward Sapir in Language, Culture and Personality*, ed. David G. Mandelbaum, Berkeley (Univ. Cal. Press), 1949.

Saporta, Sol. *Cf.* Householder, F. W.

Saussure, Ferdinand de: *Curso de Lingüística General* (trad., prólogo y notas de A. Alonso). Buenos Aires (Losada), 1945, 4.ª ed., 1961, 278 pp. *Corso di Linguistica Generale* (introd., trad. y comentario de T. De Mauro). Bari (Laterza), 1972, XL + 491 pp.

SCALIGERO, Julio César: *De causis linguae Latinae libri tredecim,* Lugduni, 1540.

SCHAFF, Adam: *Ensayos sobre la filosofía del lenguaje.* Barcelona (Ariel), 1974.

—*Introducción a la Semántica.* México (F.C.E.), 1969, reimp., 1973, 402 pp.

—*Lenguaje y conocimiento* (trad. Mireia Bofill). México (Grijalbo), 1967, 269 pp. Reseña de E. Barjau Riu en *Razón y Fe,* 176 (1968), pp. 394-397.

SCHAFFSTEIN, Friedrich: *Wilhelm von Humboldt.* Frankfurt a M. (V. Kostermann), 1952.

SCHANE, Sanford A.: "La phonologie générative", *Langages,* 8 (1967), 131 pp. Contiene artículos de M. Halle, S. A. Schane, J. Foley, T. M. Lightner, P. Kiparsky, M. Halle y S. J. Keyser, J. D. McCawley, y una amplia bibliografía.

SCHIFKO, Peter: *Subjonctif und Subjuntivo. Zum Gebrauch des Konjunktivs im Französischen und Spanischen.* (Wiener romanistische Arbeiten, VI.) Viena (Wilhelm Braumüller), 1967, XIX + 217 pp. (Reseña de Hans Helmut Christmann en *Romanistisches Jahbuch* XX, 1969.)

SCHOGT, Henry G.: "Synonymie et signe linguistique". *La Linguistique,* 8 (1972/2), pp. 5-38.

SCHRADER, Ludwig: *Sinne und Sinnesverknüpfungen. Studien und Materialen zur Vorgeschichte der Synästhesie und zur Bewertung der Sinne in der italienischen, spanischen und französischen Literatur.* Heidelberg, 1969, (reseña de Wolfram Krömer en *Rom. Forsch.,* 81 (1969), páginas 522-525; *Cf. RFE.* LV, 1972, p. 11)

SCHROEDER, K. H.: *Einführung in das Studiun des Rumänischen Sprachwissenschaft und Literaturgeschichte.* Berlín, 1967, siglas rev. pp. 9-10.

SCHUCHARDT, Hugo: *Über die Lautgesetze gegen die Junggrammatiker.* Berlín, 1885.

SEBEOK, T. A.: "Review of M. Lindauer: Communication among social Bees; W. N. Kellog: Porpoises and Sonar; J. C. Lilly: Man and Delphin", *Lg,* 39 (1963), pp. 448-466.

SEBEOK, T. A.; HAYES, A. S., y BATESON, M. C. (ed.): *Approaches to Semiotics.* La Haya (Mouton), 1964.

SEBEOK, T. A., y RAMSAY, A. (ed.): *Approaches to animal communication.* La Haya (Mouton), 1969.

SEBEOK, Tomas A. *Vid.* OSGOOD.

SECHEHAYE, A.: "Les deux types de la phrase", en *Mélanges offerts à M. Bernard Bouvie.* Ginebra, 1920.

—*Essai sur le structure logique de la phrase.* París, 1926. Reimp. 1950, 237 pp.

SEMANTICA: Scritti di P. Filiasi Carcano, E. W. Beth, A. Pap, G. Bergmann, M. Lins, C. Perelman, L. Olbrechts, Tyteca, F. H. Heinemann, E. Paci, R. Sabarini, E. Minkowsky, J. Wyrsch, F. Barone. *Archivio di Filosofía,* dirigido por Emico Castelli. Roma (Fratelli Bocca Ed.), 1955, 434 pp.

SEUREN, P. A. M.: *Operators and Nucleus. A Contribution to the Theory of Grammar.* Cambridge Univ. Press., 1969.

SEUREN (ed.): *Semantic Syntax.* Oxford (Univ. Press), 1974 + 218 pp.

SEVERINO, A.: *Manuale di nomenclature linguistica.* Milán, 1937.

SGALL, P.: "Die Sprachtypen in der Klassischen und der neueren Typologie", *The Prague Bull. of Math. Ling.* 21 (1974), pp. 3-9.

—"Zur Eingliederung der Semantik in die Sprachbeschreibung", *Folia Linguistica,* I (1967), pp. 18-22.

SHUY. R. W., y Ch.-J. BAILEY (eds.): *Toward Tomorrow's Linguistics.* Washington (Georgetown Univ.), 1974, IX + 351 pp.

SIEBENMANN, Gustav: "Sobre la musicalidad de la palabra poética". *Romanistisches Jahrbuch* XX (1969), pp. 304-321.

SIERTSEMA, B.: *A study of Glossematics.* La Haya, 1955.

SILVA NETO, Serafin da: *História da lingua portuguêsa.* Río de Janeiro (6.ª ed.), 1954, 255 pp.

SIMEON, R.: *Enciklopedijski rječnik linguistickih naziva,* I-II, Zagreb, 1969.

SIMPSON, Tomás Moro (comp.): *Semántica filosófica: problemas y discusiones*. Madrid-Buenos Aires (Siglo XXI), 1973, XVII + 476 pp.

SKINNER, B. F.: *Verbal Behaviour*. Nueva York (Appleton-Century-Crofts), 1957 [reseña de N. Chomsky trad. en Barcelona (Anagrama]).

SNELL, Bruno: *La Estructura del Lenguaje*. Madrid (Gredos), 1966, 218 pp.

SOMMERFELT, Alf: "The French School of Linguistics", *Trends in European and American Linguistics 1930-1960*. Utrecht-Antwerp (1961), pp. 283-293.

—"Sémantique et Lexicographie". *Norsk Tidsskrift for Sprogvidenskab*, XVII (1956), pp. 485-489.

SPANG HANSSEN, Henning: "Glossematics", *Trends in European and American Linguistics 1930-1960*. 8, pp. 128-164. Utrecht-Antverp, 1961.

SPENCE, N. C. W.: "Semantics: Context and Collocation", *E.L.I.C.*, pp. 503-504.

—"*Semantics: Field Theories*", *E.L.I.C.*, pp. 504-507.

—"Semantics: Meaning and Reference", *E.L.I.C.*, pp. 507-510.

—"*Semantics: Sign and Symbol*", *E.L.I.C.*, pp. 510-512.

—"Towards a New Synthesis in Linguistics: The Work of Eugenio Coseriu", *Archivum Linguisticum*, 12 (1960), pp. 1-34.

SPITZER, Leo: *Hugo Schuchardt-Brevier, Ein Vademecum der allgemeinen Sprachwissenschaft*. 2.ª ed. rev. Halle, 1928.

—*Lingüística e Historia Literaria*. Madrid (Gredos), 2.ª ed., 1961, 307 pp.

SPRINGHETTI, A.: *Lexicon linguisticae et philologiae*, en *Latinitas Perennis* VI, Roma, 1962.

STATI, Sorin: *Teoria e Metodo nella Sintassi*. Bolonia (Il Mulino), 1972, XII + 308 pp.

STEINBERG, D. D., y JAKOBOVITS, L. A.: *Semantics*. Cambridge (Univ. Press), 1971, XII + 603 pp.

STEINTHAL, H.: *Charackteristik der hauptsächlichsten Typen des Sprachbaues*. Berlín, 1860. Revisada por Fr. Misteli, Berlín, 1893.

—*Grammatik, Logik und Psychologie, ihre Principien und ihr Verhältniss zu einander*. Berlín, 1855.

STEMPEL, Wolf-Dieter: *Beiträge zur Textlinguistik*. Munich (W. Fink), 1971, 302 pp.

STRAKA, Georges: "La dislocation linguistique de la Romanie et la formation des langues romanes à la lumière de la chronologie relative des changements phonétiques", *RLiR*, 20 (1956), pp. 249-267.

—"La división des sons du langage en voyelles et consonnes peut-elle être justifiée?", *Tra. Li. Li.* (Estrasburgo), I (1963), pp. 17-99.

—"Voyelle et Consonne", *Bull. Ling.*, IX (1941), pp. 29-39.

SWADESH, Morris: "The Phonemic Principle", *Language*, 10 (1934), p. 124.

SZABO, A. : "Die Beschreibung der eigenen Sprache bei den Griechen", *Acta Ling.* (Budapest), 1973, XXIIIm, pp. 327-353.

TAGLIAVINI, Carlo: *Le Origini delle Lingue Neolatine. Introduzione alla Filologia Romanza*. Bolonia (Pàtron), 6.ª ed. renov., 1972, XLIV + 681 pp.

TAVANI, Giuseppe: "*Preistoria e protostoria delle lingue ispaniche (Çollana di Filologia, 1)*. L'Aquila (Japadre), 1968, 210 pp. (reseña de Luciano Rossi en *Romanistisches Jahrbuch*, 1969. XX, pp. 353-355).

TCHEKHOFF, Claude: "Une langue à construction ergative: l'avar". *La Linguistique*, 8 (1972/2), pp. 103-115.

TEKAVČIĆ, Pavao: *Grammatica Storica dell'Italiano*. Bolonia (il Mulino), t. I, II y III, 1972.

TERRACINI, Benvenuto: *Lingua Libera e Libertà Linguistica. Introduzione alla Linguistica Storica*. Turín (Einaudi), 1963, reimp. 1970, 305 pp.

TESNIÈRE, Lucien: *Eléments de Syntaxe Structurale*. París (Klincksieck), 2.ª ed. revis, reimp. 1969, XXVI + 670 pp. + 1 mapa.

—"Théorie structurale des temps composés", *Mélanges Bally*. Ginebra, 1939, pp. 153 y sig.

THÜMMEL, Wolf: *Vorüberlegungen zu einer textgrammatik. Koordination und Subordination in der generativen transformationsgrammatik.* Stuttgart, 1970, 191 pp. (manuscrito).

TODD, W. (ed.): *Studies in Philosophical Linguistics.* Series One, Evanston, Great Expectations, 1969.

TOGEBY, Knud: *Immanence et structure.* Recueil d'articles publiés à l'occasion du cinquantéme anniversaire de... *Revue Romane* (Copenhague), número especial II, 1968, 272 pp.

—"Qu'est-ce qu'un mot?" *TCLP,* V, 1949, pp. 97-111.

—*Structure immanente de la langue française.* 2.ª ed. "Langue et Langage", París (Larousse), 1965, 208 pp.

TORRES QUINTERO, Rafael: "Modernidad en la 'Gramática' de Bello", *Thesaurus,* Bol. del Inst. Caro y Cuervo. XXI, enero-abril, 1966, n.º 1, pp. 1-16.

TOVAR, Antonio: *Catálogo de las Lenguas de América del Sur.* (Ed. Sudamericana). Buenos Aires, 1961, 411 pp.

TRABALZA, Ciro: *Storia della Grammatica Italiana.* Bolonia (Arnaldo Forni), 1963, 561 + 4 hojas de índice.

TRIER, Jost: *Der deutsche Wortschatz im Sinnbezirk des Verstandes.* Heidelberg, 1931 (varios tomos).

—"Das sprachliche Feld. Eine Auseinandersetzung". *Neue Jahrbücher für Wissenschaft und Jugendbildung,* X, 1934.

TRIM, J. L. M. *Vid.* O'CONNOR.

TROMONT, MICHEL: "Notes sur la distribution et la fréquence d'apparition des signes linguistiques au sein d'un corpus: limites de l'équation d'Estoup-Zipf", *RPhA,* 1966, 2, pp. 41-48.

TRUBETZKOY, Nicolai Sergueievich: *Principios de Fonología.* Prólogo de Luis J. Prieto. Madrid (Cincel). 1973, XXXII + 271 pp.

—"Le rapport entre le déterminé, le déterminatif et le défini". *Mélanges Bally,* 75-82. *Français Moderne,* 1941.


UITTI, K. D.: "Remarques sur la linguistique historique". *Rom. Forsch.* 81 (1969), pp. 1-21. [Resumido en *RFE, LV* (1972), pp. 107-110] (es reseña de Lehmann-Malkiel).

ULDALL, H. I.: *Outline of Glossematics.* Copenhague, 1957.

ULLMANN, Stephen: "Descriptive Semantics and Linguitics Typology", *Word,* 9 (1953), páginas 225-240.

—*Introducción a la Semántica Francesa.* Trad. adaptada de E. Bustos. Madrid (C.S.I.C.), 1965.

—"Language and Meaning", *Word,* II, 1946, pp. 113-126.

—*Semántica. Introducción a la ciencia del significado.* Madrid (Aguilar), 1965, XIV + 320 pp.

—"Word-form and word-meaning". *Arch. Ling.* 1 (1949), pp. 126-139.

URIBE-VILLEGAS, Oscar: *Sociolingüística concreta (Algunas facetas).* México, 1970, 118 pp. (reseña de Lucretia Mares, en *S.C.L.,* 5, 1972, 557 pp.).

—*Sociolingüística. Una introducción a su estudio.* México (Univ. Autónoma), 1970, 205 pp. [reseña de Javier López Facal, en *RSEL,* I (1971), pp. 180-181].

URRUTIA, Jorge. *Cf.* SABÍN, A.


VÄÄNÄNEN, Veikko: *Introducción al Latín Vulgar.* Madrid (Gredos), 1968, 413 pp.

VACHEK, J. (con la colaboración de J. DUBSKY): *Dictionnaire de Linguistique de l'Ecole de Prague.* Utrecht-Anvers, 1960, 2.ª ed., 1966.

—"A note on future prospect of diachronistic language research", *Lingua,* 21 (1968), páginas 483-493.

—"A note on Trubetzkoy and Phonemic Disjunctions", *Folia Linguistica,* II (1968), pp. 160-165.

VALIN, R.: *Esquisse d'une théorie des degrés de comparaison.* Quebec, 1952.

—"Grammaire et logique, de nouveau sur l'article", *Tra Li Li,* 1967.

VALVERDE, José María: *Guillermo de Humboldt y la filosofía del lenguaje.* Madrid (Gredos), 1955, 155 pp.

VALLVERDÚ, Francesc: *Ensayos sobre Bilingüismo.* Barcelona (Ariel), 1972, 161 pp.
—*El fet lingüístic com a fet social.* Barcelona (Edicions 62, Llibre a l'abast), 1974.
VARIOS, Lucien Malson: *Los niños selváticos;* Jean Itard: *Memoria sobre Victor de L'Aveyron;* Rafael Sánchez Ferlosio: *Comentarios.* Madrid (Alianza), 1973, 406 pp.
—*Wörterburch der Sprachwissenschaft.* Stuttgart (Kröner), 1970.
VARVARO, Alberto: "Storia della lingua: passato e prospettive di una categoria controversa". *Rom. Phil.* 26 (1972), pp. 16-51.
VELILLA BARQUERO, Ricardo: *Saussure y Chomsky. Introducción a su Lingüística.* Madrid (Cincel), 1974, 118 pp.
VELTEN, H. V.: "On the Origin of the Categories of *Voice* and *Aspect*", *Lg.,* 7, pp. 229-241.
—"The Accusative Case and Its Substitutes in Various Types of Languages", *Lg.,* 8, páginas 255-270.
VENDRYES, Joseph: *Le Langage. Introduction Linguistique à l'Histoire.* París (Albin Michel), 1968 (1.ª ed., 1923). 444 pp.
VIDOS, B. E.: *Manual de Lingüística Románica* (trad. de F. de B. Moll.). Madrid (Aguilar), 1973, XXIII + 416 pp.
VIÑAZA, Conde de la (Cipriano Muñoz y Manzano): *Escritos de los portugueses y castellanos referentes a las lenguas de China y el Japón, estudio bibliográfico.* Lisboa (impreso en Zaragoza), 1892, 139 pp. Edición de 150 ejs. núms. EJ. B.P.N.Y. 254 títulos del siglo XVI al XIX. (Homero Serís 9867). EJ. B.P.N.Y. = hay ejemplar en la Bibl. municipal (City Library) de Nueva York.
VOEGELIN, G. F.: "Methods for Determining Intelligibility Among Dialects of Natural Language", *Proceedings of the American Philosophical Society,* 95 (1951), pp. 322-329.
VOLKMANN, Eva: *Cf* MEIER, Barbara, y...
VOSSLER, Karl: *Filosofía del Lenguaje* (trad. y notas de A. Alonso y R. Lida. Prólogo de A. Alonso). Buenos Aires (Losada), 1943, 4.ª ed. 1963, 271 pp.
—*Formas gramaticales y psicológicas del lenguaje* (trad. de A. Alonso y R. Lida). Buenos Aires, 1942.
VSGD: *Vorschläge für eine strukturale Grammatik des Deutschen.* Ed. Hugo Steger. Darmstadt: Wissenschaftliche Buchgesellschaft, 1970.
VULLERS, J. Aug: *Lexicon Persico-Latinum etymologicum cum linguis maxime cognatis Sanscrita et Zendica et Pehlevica comparatum.* I, 1855; II, 1864. Bonnae ad Rh.
VYGOTSKY, Lev Semenovich: *Pensamiento y Lenguaje.* Comentarios críticos de Jean Piaget. Buenos Aires (La Pléyade), 1973, 219 pp.
—*Thought and Language* (trad. E. Haufmann y G. Vakar; introducción de Jerome S. Bruner), Cambridge (Mass.) (M.I.T. Press), 1962, XXI + 168 pp.

WAGNER, Karl Heins: "'Analogical Change' Reconsidered in the Framework of Generative Phonology". *Folia Linguistica,* III (1969), pp. 228-241.
WAGNER, Max Leopold: *Restos de latinidad en el Norte de Africa.* Coimbra, 1936.
—"Le développement du latin *ego* en sarde", *Romania,* XXXVI, 1907, pp. 420-428.
WANG, Jün-tin: *Zur Anwendung kombinatorischer Verfahren der Logik auf die Formalisierung der Syntax.* IPK-Forschungbericht 68-5, Bonn: Inst. für Phon. u. Kom.-forschung der Universität, 1968.
WANG, Mary Clayton. *Cf.* CAMPBELL.
WARTBURG, Walther von: *Evolución y Estructura de la Lengua Francesa.* Versión de Carmen Chust. Madrid (Gredos), 1966, 350 pp.
—*La Fragmentación Lingüística de la Romania,.* Trad. de Manuel Muñoz Cortés. Madrid (Gredos), 1952, 193 pp. + 17 mapas.
WARTBURG, Walther von, con la colaboración de Stephen Ullmann: *Problèmes et Méthodes de la Linguistique.* París (P.U.F.), 1963, 4 + 262 pp.

WASH, D. D.: *What's What. A List of Useful Terms for Teacher of Modern Languages. MLA*, 3.ª ed., 1965.

WATSON, John Broadus: "Psychology as the Behaviourists View It". *Psychological Review*, XX, 1913.

—*Psychology from the Standpoint of a Behaviourist.* Philadelphia, 1919.

WATZLAWICK, Ph,. D.; HELMICK, J., y JACKSON, D. D.: *Pragmatics of human communication.* Nueva York (W. W. Norton), 1967.

WEINREICH, Uriel: "Explorations in semantic Theory", en *Current Trends in Linguistics*, 3, *Theoretical Foundations.* La Haya (Mouton), 1966, pp. 395-477.

—"Is a Structural Dialectology Posible?", *Word*, 10 (1954), pp. 388-400.

—"Travels Through Semantic Space", *Word*, 14 (1958), pp. 346-366.

WEINRICH, Harald: *Estructura y Función de los Tiempos en el Lenguaje.* Madrid (Gredos), 1968, 429 pp.

—"Semantik der Metaphor". *Folia Linguisti. ι*, I (1967), pp. 3-17.

—"Tempus, Zeit und der Zauberberg", *Vox ι ɔm.*, 26 (1967), pp. 193-199.

—"Tempusprobleme eines Leitartikels", *Eu, ɔorion* 60 (1966), pp. 46-71.

—"Tense and Time", *Arch. Ling.* (n.s.), I ( ɔ70), pp. 31-41.

WEIR, Ruth Hirsch: *Language in the cr ɔ.* La Haya (Mouton), 1970 (1.ª ed. *s. l.*, 1962), 216 pp.

WEISGERBER, L. Su bibliografía en el homenaje que se le tributó en su sexagésimo aniversario con el título *Sprache-Schlüssel zur Welt. Festschrift für L. Weisgerber.* Düsseldorf, 1959.

—*Das Gesetz der Sprache.* Heidelberg, 1951.

—*Vom Weltbild der deutschen Sprache.* Düsseldorf, 1953 (varios tomos).

WELLS, R.: "De Saussure's System of Linguistics", *Word* 3, 1-2 (1947), pp. 1-31.

—"Immediate Constituents", *Language* (Baltimore), 23 (1947), pp. 81-117.

WENDT, H. F.: *Sprachen A Z.* Frankfurt a. M. (Das Fischer Lexikon 25), 1968.

WHORF, B. L.: *Lenguaje, pensamiento y realidad.* Barcelona (Barral), 1971 (orig. 1956).

WIDLAK, Stanislaw: "Le fonctionnement de l'euphémisme et la théorie du champ linguistique: domaine roman". *Actas XI C.I.L.F.R.* (Madrid), pp. 1031-1052.

WILLIAMS, E. B.: "Hiatus in the Third Plural of Portuguese Verbs", *Lg.*, 11, 243-4.

—"Omission of Object Pronouns in Portuguese", *Lg.*, 14, p. 205.

—"Radical-Chamging Verbs in Portuguese", *Lg.*, 10, 145-8.

WINTER, Werner (ed.): *Evidence for Laryngeals.* The Hague (Mouton Co.), 1965, 271 pp.

—"Transforms without Kernels?", *Language*, 41 (1965), pp. 484-489.

WOOD, Gordon R.: *Sub-Regional Speech Variations in Vocabulary, Grammar, and Pronunciation* (= *Cooperative Research Project*, No. 3046). Edwardsville, Illinois, Southern Illinois University, 1967. Reseña de R. W. Shuy en *Computer Studies in the Humanities and Verbal Behavior*, I, 3 (1968), pp. 157-158.

WORTHINGTON, Martha Garret: "Immanence as Principle". (Sobre K. Togeby, *Structure immanente de la langue française, Immanence et structure* y *Ogier le danois dans les littératures européennes).* *Rom. Phil.* XXIV (1970-71), pp. 488-505.

WUNDT, Wilhelm: *Die Sprache.* Leipzing (1.ª ed., 1900; 3.ª, 1912).

YUEN REN CHAO. *Vid.* CHAO.

ZIERER, Ernesto: *La gramática comunicativa.* Trujillo (Univ. Nac.), 1971, 44 pp.

ZIFF, P.: *Semantic Analysis.* Ithaca (N. Y.), 1960.

ZIPF, G. K.: *Selected studies of the principle of relative frenquency in language.* Cambridge, Massachusetts, 1932.

ZVEGINCEV, V. A.: *Esteticeskij idealizm v jazykoznaniii: K. Fossler iego škola* (Universidad de Moscú), 1956.

—*Istorija jazykoznanija XIX i XX vekov v očerkax i izvlečenijax.* Vol. I, 406 pp.; vol. II,

331 pp., Moskva, Gosudarstvennoe Učebno-Pedagogičeskoe Izdatel'stvo. Ministerstva Provešcenija RSFSR, 1960.

# LINGÜISTICA ESPAÑOLA

## BIBLIOGRAFIA FUNDAMENTAL

ALVAR, Manuel: *Dialectología Española.* Madrid (C.S.I.C.), 1962, 93 pp.

AVELLANEDA, M. R.: "Contribución a una bibliografía de dialectología española y especialmente hispanoamericana», *BRAE,* 46 (1966), pp. 335-369, 525-555; 47 (1967), 125-156, 311-342.

BIOLIK, Gisela: *Mil obras de lingüística española e hispanoamericana. Un ensayo de síntesis crítica.* Madrid (col. Plaza Mayor), 1973.

BLEZNICK, Donalk W.: "A guide to journals in the hispanic field". (A selected annotated list of journals central to the study of Spanish and Spanish American Language and Literature). *Hispania,* 55 (1972), pp. 207-221 (ed. revisada).

BUSTOS TOVAR, Jesús: "La Lingüística", *El año literario 1974,* Madrid (Castalia), 1974, páginas 81-98.

CAMPBELL, Ricard Joe: *Computerized bibliography of Spanish Linguistics.* Bloomington, Indiana: Research Center in Anthropology, Folklore and Linguistics (en. elaboración).

CHATHAM, James R., y RUIZ-FORNELLS, Enrique: *Dissertations in Hispanic Languages and Literature. An Index of Dissertations Completed in the United States and Canada,* 1876-1966. Lexington (The University Press of Kentucky), 1970, XIV + 120 pp.

DAVIS, Jack Emory: "The Spanish of Argentina and Uruguay. An Annotated Bibliography for 1940-1965". I, *Orbis,* XV (1966), pp, 160-189; II, *Orbis,* XV (1966), pp. 442-488; III + Suppl., *Orbis,* XVII (1968), pp. 232-277 y 538; IV, *Orbis,* XVII (1968. 539-573).
—"The Spanish of Mexico: an annotated bibliography for 1940-69". *Hispania* 54, 1971 (Membership issue), pp. 625-656.

GOLDEN, Herbert H., y SIMCHES, Seymour O.: *Modern Iberian language and literature: A bibliography of homage studies.* Harvard Univ. Press. Cambridge (Mass.), 1958, X + 184 pp.

GREGORY, W.: *Union List of Serials in Libraries of the United States and Canada.* Nueva York, 1943. *Supplement 1941-1943,* por G. Malikoff, Nueva York, 1945.

METZELTIN, Michael: *Einführung in die hispanistische Sprachwissenschaft.* Tubinga (Max Niemeyer), 1973, XII + 79 pp.

NUESSEL, Frank H. Jr.: "A Bibliography of Generative-Based Grammatical Analyses of Spanish". *Lenguaje y Ciencias* (Trujillo),14, 2 (1974), pp. 105-125.

POLO, José: *Lingüística, investigación y enseñanza (Notas y bibliografía).* OFI, Madrid, 1972.

POTTIER, Bernard: "Bibliographie de linguistique romane: Domaine espagnol". *Rev. de Linguistique Romane,* XXV (1961), pp. 161-177; XXVI (1962), pp. 224-236; XXVIII (1964), páginas 211-327.

QUILIS, Antonio: *Fonética y Fonología del Español.* Madrid (C.S.I.C.), 1963, 101 pp.

ROHLFS, Gerhard: *Manual de Filología Hispánica.* Bogotá (Ins. Caro y Cuervo), 1957, 377 páginas.

SERÍS, Homero: *Bibliografía de la Lingüística Española*. Bogotá (Ins. Caro y Cuervo), 1964, LVIII + 981 pp.

SIMCHES, S. O.: *Cf.* GOLDEN, H. H.

SOLÉ, Carlos A.: *Bibliografía sobre el español en América 1920-1967*. Washington, Georgetown Univ. Press. 1970, VI + 175 pp.

TEJERA, María Josefina: "Bibliografía de Angel Rosenblat". *E.F.L.*, 1974, pp. 543 y ss.

WOODBRIDGE, H. C., y OLSON, P. R.: *A tentative bibliography of Hispanic linguistics*. Urbana, 1952, XXII + 203 pp. mimeograf. Prefacio de H. R. Kahane (H. Serís 10883).

YANES, Pedro A. (ed.): *Indice bibliográfico para estudios españoles e hispanoamericanos en los Estados Unidos*. (Anaya-Las Américas). Nueva York, Madrid, 1974, IX + 589 pp.

## OBRAS GENERALES

—*Actas del Primer Congreso Internacional de Hispanistas*. Oxford (The Dolphin Book), 1964, 494 + 1 pp.

—*Actas del Segundo Congreso Internacional de Hispanistas* (Nijmegen, 20-25, VIII, 1965), publicadas bajo la dirección de Jaime Sánchez Romeralo y Norbert Poulussen. (As. Int. de Hisp.) Inst. Esp. de la U. de Nimega, 1967, 714 pp.

—*Actas del Tercer Congreso Internacional de Hispanistas* (México, 26-31-VIII-1968), publicadas bajo la dirección de Carlos H. Magis. México (El Colegio de México), 1970, XXXIII + 962 pp. + 1 hoja.

ALARCOS LLORACH, Emilio: *Estudios de Gramática Funcional del Español*. Madrid (Gredos), 1970, 257 pp.

—*Gramática Estructural*. Madrid (Gredos), reimp., 1969, 129 pp.

ALDRETE, Bernardo de: *Del origen y principio de la lengua castellana o romance que oi se usa en España*. Roma (Carlo Vulliet), 1606, 4 fols. con frontispicio + 371 + 19 pp.

ALONSO, Amado: *Castellano, español, idioma nacional. Historia espiritual de tres nombres*. Buenos Aires (Losada), 1943, 4.ª ed., 1968, 150 + 1 pp. (Reseña de G.C.S. Adams en *Lg.*, 15, pp. 208-209.)

ALONSO, Amado: *Estudios Lingüísticos. Temas Españoles*. Madrid (Gredos), 1951, 346 pp.

—*Estudios Lingüísticos. Temas Hispanoamericanos*. Madrid (Gredos), 1953, 446 pp.

—*Introducción a los estudios gramaticales de Andrés Bello*. Prólogo a la edición del Ministerio de Educación de Venezuela, pp. IX-LXXXVI.

ALONSO, Amado, y HENRÍQUEZ UREÑA, Pedro: *Gramática Castellana*, 2 vols. Buenos Aires (cursos 1.º y 2.º), 22.ª ed., 1964.

ALONSO, Dámaso: *Obras Completas, I. Estudios Lingüísticos Peninsulares*. Madrid (Gredos), 1972, 706 pp.

—"Para evitar la diversificación de nuestra lengua", en *Presente y Futuro de la Lengua Española*. vol. II, pp. 259-69.

ALVAR, Manuel: "Las encuestas del Atlas lingüístico de Andalucía", *R. Dial. Trad. Pop.*, 11 (1955), pp. 231-274.

—"Sevilla, Macrocosmos Lingüístico", *E.F.L.*, 1974, pp. 13-42.

—"Estado actual de los Atlas lingüísticos españoles", *Actas XI C.I.L.F.R.* (Madrid), pp. 151-174.

—*Variedad y Unidad del Español*. Madrid (Prensa Española), 1969, 229 + 1 pp.

ANÓNIMO: *Gramática de la lengua Vulgar de España*. Lovaina, 1559, edición facsimilar y estudio de R. de Balbín y A. Roldán. Madrid (C.S.I.C.), 1966, LIX + 98 pp.

AYER, G. W.: "Linguistic Research in the 1960's", *Hispania*, 55:4 (1972), pp. 887-891.

BALDINGER, Kurt: *La formación de los dominios lingüísticos en la Península Ibérica.* Madrid (Gredos), 1963, 396 pp.

BARRENECHEA, A. M., y MANACORDA DE ROSETTI, M. V.: *Estudios de Gramática Estructural.* Buenos Aires (Paidós), 1969, 100 pp.

BATTISTESSA, A. J.: "Andrés Bello, su Gramática y las gramáticas argentinas". *CI* (1965-3), pp. 141-148.

BEINHAUER, Werner: *El español coloquial.* Madrid (Gredos), 1963, 445 pp.

BELLO, A., y CUERVO, R. J.: *Gramática de la lengua castellana.* Buenos Aires (Sopena), 1945, 541 pp.

BENOT, Eduardo: *Arte de Hablar. Gramática Filosófica de la Lengua Castellana.* Obra póstuma. 2.ª ed. (1.ª, 1910). Madrid (Hernando), 1921, 459 pp.

BRIESEMEISTER, Dietrich: "Das Sprachbewusstsein in Spanien bis zum Erscheinen der Grammatik Nebrijas (1492)", *Iberorromania,* I (1969), pp. 35-55.

BUCHER, C. B. de: "Análisis transformacional de un dialecto del español". Ph D. Dissertation, Georgetown University, 1971, Abs. *DA,* 32:12 (1972), 6953-A-6954-A.

BUESA OLIVER, Tomás, y FLÓREZ, L.: "El Atlas lingüístico etnográfico de Colombia. Cuestionario preliminar". *BICC,* 10 (1954), pp. 147-315 [reseña en *NRFH,* 14 (1960), pp.128-130].

BULL, William: *Spanish for teachers: applied linguistics.* Nueva York (Ronald Press), 1965.


CAMPBELL, R. Joe; GOLDIN, Mark G., y WANG, Mary Clayton (eds.): *Linguistics Studies in Romance Languages.* Proceedings of the Third Linguistic Symposium on Romance Languages. Georgetown Univ. Sch. of Lang. and Linguistics, 1974, VI + 265 pp.

CASAGRANDE, J.: "Syntactic Studies in Romance", *GSRL,* pp. 1-22.

CATALÁN MZ.-PIDAL, Diego: *La escuela lingüística española y su concepción del lenguaje.* Madrid (Gredos), 1955, 169 pp.

—"Génesis del español atlántico. Ondas varias a través del Océano", *Rev. de H.ª Canaria,* 24 (1958), pp. 1-10.

CONCHA, Víctor G. de la. *Cf.* QUILIS, Antonio.

CORREAS, Gonzalo: *Arte de la Lengua Española Castellana.* Ed. y prólogo de Emilio Alarcos García. Madrid (Anejo R.F.E. LVI), 1954.

C.S.I.C. (editor): *Enciclopedia Lingüística Hispánica.* Madrid (C.S.I.S.), desde 1959. T. I. Suplemento, t. II.

—*Problemas y Principios del Estructuralismo Lingüístico.* Madrid, 1967, VIII + 335 pp.

COSTE, J., y REDONDO, A.: *Syntaxe de l'espagnol moderne.* París (SEDES), 1965, 606 pp.

CRIADO DE VAL, Manuel: *Fisonomía del Idioma Español.* Madrid (Aguilar), 1945, 256 pp.

—*Gramática Española.* Madrid (SAETA), 1958, 242 pp.

CUERVO, Rufino José: *El Castellano en América.* (El Ateneo) Buenos Aires, 1.ª ed., 1947, 502 pp.

—*Obras completas.* Bogotá (Clásicos Colombianos).


ECHAIDE ITARTE, Ana María: "Problemas actuales de contacto entre vasco y castellano", *Actas XI C.I.L.F.R.* (Madrid), pp. 437-444.

*Enciclopedia Lingüística Hispánica.* Vid. C.S.I.C.

ENTWISTLE, William J.: *The Spanish Language. Together with Portuguese, Catalan and Basque.* Londres (Faber & Faber), 1936, 2.ª ed., reimp., 1965, XIII + 367 pp.


FERNÁNDEZ RAMÍREZ, Salvador: *Gramática Española. Los sonidos, el nombre y el pronombre.* Madrid (Rev. Occ.). 1951, 498 pp.

—"Para la futura gramática". *BRAE,* XLIV (1964), pp. 431-448.

FLÓREZ, Luis: *Lengua Española.* Bogotá (Inst. Caro y Cuervo), 1952, 299 pp.

—*Cf.* BUESA OLIVER, T.

García Bardón, Salvador: *Estudio Estructural del Español. I. Elementos.* Lovaina (Université Catholique), 1967, XI + 214 pp.

García de Diego, Vicente: "Los malos y buenos conceptos de la unidad del castellano". *Presente y Futuro de la Lengua Española,* 2, pp. 5-16.

—*Lecciones de Lingüística Española.* Madrid (Gredos), 1951, 232 pp.

—*Gramática Histórica Española.* Madrid (Gredos), 1961, 2.ª ed., 439 pp.

Gili Gaya, Samuel: *Curso Superior de Sintaxis Española.* 9.ª ed. Barcelona, 1964, 377 pp.

—*Nuestra lengua materna. Observaciones gramaticales y léxicas.* San Juan (Puerto Rico) (Instituto de Cultura Puertorriqueña), 1965.

—*Resumen Práctico de Gramática Española.* 7.ª ed., Barcelona (Bibliografía). 1966, 112 pp. *(Vox).*

Gminder, J. A.: *A Study in Fourteenth-Century Spanish Syntax.* Ann Arbor (University Microfilms, tesis de A. Ar.), 1967.

Goldin, M. G.: "Spanish Case and Function". Ph. D. Dissertation, Georgetown University, 1968. [Abs. *DA,* 29:8 (1969), 2696 -A].

—*Spanish Case and Function,* Washington, D. C., Georgetown University Press, s. d. [Res. Davis, J. C. *Lingua,* 25:1 (1970), pp. 1-12; Togeby, Kn. *RPh,* 24:2 (1970), pp. 364-366].

—*Cf.* Campbell.

Guitarte, Guillermo L.: "Alcance y sentido de las opiniones de Valdés sobre Nebrija". *E.F.L.,* 1974, pp. 247-288.

Gulstad, Daniel E.: "Functions and States in the Deep Structures of Spanish", *GSRL,* pp. 139-161.


Hadlich, Robert: *A Transformational Grammar of Spanish,* Englewood Cliffs, New Jersey, Prentice-Hall, 1971. [Res. Bull, W. R. *MLJ,* 56:4 (1972), pp. 254-256 y Sz. Zavala: *RSEL,* 4, 1974, 529-535].

Hanssen, Federico: *Estudios.—Métrica.—Gramática.—Historia Literaria.* Santiago de Chile (ed. Anales de la Univ. de Chile), 1958, 3 vols.

—*Gramática Histórica de la Lengua Castellana.* Halle a S. (Max Niemeyer), 1913, XIV + 367 pp. (reeditada en París, ed. Hispanoamericanas, 1966, 370 pp.).

Hernández Alonso, César: *Sintaxis Española.* Valladolid (ed. del autor), 2.ª ed., 1971, 400 páginas.

Hernández, César. *Cf.* Quilis, Antonio.

Hills, E. C.: "The terms 'Spanish' and 'Castilian'", *Hispania,* IX (1926), pp. 190-191.


Isaza Calderón, Baltasar: *La Doctrina gramatical de Bello.* Panamá, imprenta Nal., 1960. 309 pp.


Javens, Charles: *A study of old Spanish syntax: the fifteenth century.* [Tesis, Univ. of North Carolina; resumen en *D.A.,* 26 (1965-66), 3924.]

Jiménez Patón, Bartolomé: *Epítome de la ortografía latina y castellana. Instituciones de la Gramática Española.* Madrid (C.S.I.C.), 1965, 114 pp. + CXX.


Kahane, H. R., y Pietrangeli, A. (eds.): *Descriptive Studies in Spanish Grammar.* Urbana (The Univ. of Illinois Press), 1954, XIII + 241 pp.

—*Structural Studies on Spanish Themes.* Salamanca, 1959, 414 pp.

Kany, Ch. E.: *Sintaxis Hispanoamericana.* Madrid (Gredos), 1971.

Keniston, Hayward: *The Syntax of Castilian Prose. The Sixteenth Century.* Chicago Univ. Press., 1937, XXIX + 750 pp.

—*Spanish Syntax List.* Nueva York (H. Holt & Co.), 1937 (2.ª ed. 1948).

LAMÍQUIZ, Vidal: *Lingüística española*. Univ. Sevilla, 1973, 2.ª ed., 1974, 423 pp.

LAPESA, Rafael: "América y la unidad de la lengua española", *ROc*, 38 (1966), pp. 300-310.

—"Desarrollo de las lenguas ibero-románicas durante los siglos V al XIII". *CHM*, 5 (1959-60), pp. 573-605.

—*Evolución Sintáctica y Forma Lingüística Interior en Español*. Actas del XI Congreso Internacional de Lingüística y Filología Románicas. Madrid, 1965. Madrid (C.S.I.C.), 1968, páginas 131-150.

—*Historia de la Lengua Española*. Madrid (Escelicer), 5.ª ed., 1962, 407 pp.

LÁZARO CARRETER, F.: *Diccionario de Términos Filológicos*. Madrid (Gredos), 2.ª ed., 1962, 443 pp.

—*Lengua Española: Historia, teoría y práctica*. 2 vols. Salamanca (Anaya), 1971-72.

LENZ, Rodolfo: *La oración y sus partes*. Madrid (R.F.E.), 1935, XX + 558 pp.

LOPE BLANCH, Juan M.: El Español de América. (Versión original de la col. *Hispanic Dialectology* en el vol. IV de *Current Trends in Linguistics*, pp. 106-157). Madrid (Alcalá). 1968, 150 páginas.

—*Notas sobre los estudios gramaticales en la España del Renacimiento*. Universidad de Zulia, Venezuela, en *Anuario de Filología*, I (1962), pp. 24-26.

LORENZO, Emilio: *El español de hoy, lengua en ebullición*. Madrid (Gredos), 1966, 177 pp.

LLORENTE, Antonio: "Algunas características del habla de la Rioja Alta", *Actas XI C.I.L.F.R.* (Madrid), pp. 1981-2003.

MALKIEL, Jakov: "La filología española y la lingüística general. pp. 107-126. *Actas del Primer Congreso Internacional de Hispanistas*. Oxford (The Dolphin Book. Co. Ltd.), 1964, 494 + 1 pp.

—"Old and new Trends in Spanish Linguistics", *Studies in Philology*, IL (1952), pp. 437-458.

—"Paradigmatic resistance to sound change. The old Spanish preterite forms *vide, vido* against the background of the recession of primary -*d*-", *Language*, 36 (1960), pp. 281-346.

MALMBERG, Bertil: *La América hispanohablante*. Madrid (Istmo), 2.ª ed., 1971, 317 pp.

MANACORDA DE ROSETTI, M. V. *Vid.* et sub. BARRENECHEA.

MARCOS MARÍN, Francisco: *Aproximación a la Gramática Española*. Madrid (Cincel), 1972, 2.ª ed. rev. 1974, 344 pp. (res. de J. J. Satorre en *Cuad. Hisp. Am.* 284, 1974, pp. 441-443).

—*Morfosintaxis Española*. Montreal (La Librairie des Presses de l'Université de Montréal), 1970, 149 pp.

—y M.ª S. SALAZAR DE MARCOS.: *Lengua Española*, 1.º. Madrid (Cincel), 1975.

MARINER BIGORRA, Sebastián: "Criterios Morfológicos para la Categorización Gramatical". *Español Actual* (OFINES) 20, dic. 1971, pp. 1-11.

MARTÍNEZ DE MORENTÍN, Manuel: *Estudios Filológicos:* o sea, examen razonado del empleo de los verbos SER y ESTAR; del uso de los tiempos del subjuntivo; del de las preposiciones *por* y *para;* de los accidentes del adjetivo, y de los pronombres: *Dificultades principales en la Lengua Española*. Trozos escogidos en prosa y verso de los más distinguidos autores clásicos. Y un APÉNDICE en el que se resuelven con novedad e interés las dificultades de la preposición A y las que ofrece la formación de aumentativos y diminutivos: con varias etimologías curiosas. Todo en conformidad con las doctrinas de los más eminentes filólogos, por entre los que figuran don Juan *Calderón, Puigblanch, Salvá, López Maurel* y la *Academia*. Londres (Trübner y C.ª), 1857, 516 pp.

MENÉNDEZ PIDAL, Ramón: *Manual de Gramática Histórica Española*. Madrid (Espasa-Calpe), 11.ª ed., 1962, 367 pp.

—*La unidad del idioma*. Madrid (.N.L.E.), 1944, 19 hoj. sin pag. (Discurso de inauguración de la Asamblea del Libro Español.)

MEYER, Paula L.: "Some Observations on Constituent-Order in Spanish", *GSRL*, pp. 184-195.

MEYER-LÜBKE, W.: *Grammaire des Langues Romanes*. 4 vols. París, desde 1890.

MOLINA, H.: "Transformational Grammar in Teaching Spanish", *Hispania*, 51:2 (1968), páginas 284-286. [Abs. Anómimo, *LTA*, 2:1 (1969), pp. 54-55.]
—"Scientific and Pedagogical Grammars". *Hispania*, 53:1 (1970), pp. 75-80.
MUÑOZ CORTÉS, MANUEL: "Filología e Historia". *Escorial*, IX (1942), pp. 59-96.
—"Niveles sociológicos en el funcionamiento del español. Problemas y métodos", en *Pres. y Fut. de la Leng. Española*, 2, pp. 35-57.
MUÑOZ y MANZANO, Cipriano. *Cf.* VIÑAZA, Conde de la.

NEBRIJA, Antonio de: *Gramática Castellana*. Ed. de P. Galindo Romeo y Luis Ortiz Muñoz. 2 vols. Madrid, 1946 (edición de la Junta del Centenario).

OROZ, Rodolfo: *La Lengua Castellana en Chile*. Santiago, 1966 (Fac. de F.ª y Educación), 541 pp.
OTERO, Carlos-Peregrín: *Evolución y revolución en romance*. Barcelona (Seix Barral), 1971, 318 pp. (Reseña de Anca Giurescu en *SCL*, XXIII, 1972, 684 b-686a.)
—*Letras, I*. Londres (Tamesis Books Ltd.), 1966. [Res. Terry, A. *BHS*, 45 (1968), pp. 218-219.) 2.ª ed. en Barcelona (Seix Barral), 1972, 399 pp., esp. pp. 21-97.

PÉREZ RIOJA, J. A.: *Gramática de la Lengua Española*. Madrid (Tecnos), 1953, 552 pp.
PIETRANGELI, A. (ed.) *Vid.* KAHANE (ed.).
POTTIER, Bernard: *Grammaire de l'espagnol*. París (Q.S.J. 1354), 126 pp. Trad. española de A. Quilis, Madrid (Alcalá), 1970. [Artículo comentador de J. Fernández Sevilla en *BICC*, 26 (1971), pp. 287-321.]
—*Introduction à l'étude linguistique de l'espagnol*. París (ed. Hispanoamericanas), 1972, 246 páginas.
—*Introduction à l'étude de la Morphosyntaxe espagnole*. París (ed. Hispanoamericana), 1964, 123 pp.
—*Introduction à l'étude de la Philologie Hispanique*. París, 1958.
—*Lingüística Moderna y Filología Hispánica*. Madrid (Gredos), 1968, 246 pp.
—*Systématique des éléments de relation. Etude de morphosyntase structurale romane*. París (Klincksieck), 1962, 375 pp.

QUILIS, Antonio; HERNÁNDEZ, César, y CONCHA, Víctor G. de la: *Lengua Española*. Valladolid (ed. de los autores), 1971, 382 pp.

RABANALES, Ambrosio: "La obra lingüística de don Ramón Menéndez Pidal", *Bol. de Filología* (Chile), XXI, pp. 193-273 (con indice general).
RAMSEY, Marathon Montrose: *A Textbook of Modern Spanish*. Revised by Robert K. Spaulding. Nueva York (Holt & Co.), 1954.
REAL ACADEMIA ESPAÑOLA: *Gramática de la Lengua Castellana* (luego *Española*). Desde 1771, hasta 1962, reimpresión de la de 1931.
—*Gramática de la Lengua Española*. Madrid (Espasa-Calpe), 1962, 540 pp.
—*Esbozo de una nueva gramática de la lengua española*. Madrid (Espasa-Calpe), 1973, 592 pp.
REINHARDT, W.: "El elemento germánico del español", *RFE* (1946), pp. 295-309.
ROCA PONS, José: *Introducción a la Gramática*. Barcelona (Vergara), 2 vols., 1960.
—*El Lenguaje*. Barcelona (ed. Teide), 1973, 4 h. + 509 pp.

SALVÁ, Vicente: *Gramática de la lengua castellana según ahora se habla*. París, 1830, 35, 496 pp. 5.ª ed. muy aumentada. París, Librería de D. Vicente Salvá, 1840.

SÁNCHEZ, D. A., y ZIERER, E.: "Glosario Inglés-Castellano de gramática generativa transformacional", Mimeografiado, Trujillo: UNT, 52 pp.

SÁNCHEZ DE LAS BROZAS, Francisco: *Minerva sive de Causis Latinae linguae Commentarius.* Con advertencias y notas de Gasperis Scioppii. Amsterdam (Apud Judocum Pluymer), MDCLXIV, y h. + 454 pp. + 10 pp. de índice.

SÁNCHEZ MARQUEZ, Manuel J.: *Gramática moderna del español, teoría y normas.* Buenos Aires (ed. Ediar, S.A.), 1972, XXIX + 476 pp.

SANCHIS GUARNER, M.: "Noticia del habla de Enguera y la canal de Navarrés (Prov. de Valencia)". *Actas XI C.I.L.F.R.*(Madrid, pp. 2039-2045.

SAPORTA, Sd.: "Applied Linguistics and Generative Grammar". *Trends in Language Teaching,* A. Valdman, ed. New York. McGraw-Hill, 1966, pp. 81-92.

SECO, Manuel: *Diccionario de Dudas de la Lengua Española.* Madrid (Aguilar), 1967 (5.ª ed.), XX + 516 pp.

—*Gramática esencial del español.* Madrid (Aguilar), 1972, XVI + 260 pp.

SECO, Rafael: *Manual de Gramática Española.* 6.ª ed. Madrid (Aguilar), 1963, 322 pp.

SENABRE, Ricardo: "La Lengua de Eugenio Noel". *Romanistisches Jahrbuch,* XX (1969), pp. 322-338.

SPITZER, Leo: "Stilistisch-Syntaktisches aus den Spanish-portugiesischen Romanzen". *ZRPh.* (1911), XXXV, pp. 192-230, 258-308.

—*"Beiträge zur spanischen Syntax",* Homenaje Mz. *Pidal* (1925), I. pp. 49-62.

STEVENSON, C. H.: *The Spanish Language Today.* Londres (Hutchison & Co.), 1970, XII + 146 pp. [Reseña de Daniel N. Cárdenas en *Hispania,* 54 (1971), 982*a*-983*a*.]

STOCKWELL, R. P.; BOWEN, J. D., y MARTIN, J. W.: *The Grammatical Structures of English and Spanish.* Chicago (Univ. of Chicago Press), 1965, XI + 328 pp. [res. de Bolinger, D.: "A grammar for grammars: the contrastive structures of English and Spanish", *RPh,* 31 (1967), pp. 206].

TOVAR, Antonio: "La lengua lusitana y los sustratos hispánicos", *Actas XI C.I.L.F.R.* (Madrid), pp. 491-497.

—"Sustratos hispánicos, y la inflexión románica en relación con la infección céltica", *VII C.I.L.F.R.* (Barcelona), *Actas y Memorias,* II, pp. 387-399.

VILLALÓN, Cristóbal de: *Gramática Castellana.* Ed. facsimilar y estudio de Constantino García. Madrid (C.S.I.C.), 1971, LXI + 107 pp.

VIÑAZA, Conde de la (Cipriano Muñoz y Manzano). *Biblioteca Histórica de la Filología Castellana.* Madrid, 1893, XXXV + 1112 pp. (ed. Academia Esp.). *Cf. et.* G. París, *Ro,* 1893, XXIII, 311. R. J. Cuervo, *Obras,* II, 196 n. H. Serís 10866.

WANG, Mary Clayton. *Cf.* CAMPBELL.

XIMÉNEZ PATÓN, Bartolomé. *Cf.* JIMÉNEZ PATÓN, B.

ZAMORA VICENTE, Alonso: "Algunos aspectos generales del español americano", *Act. X Cong. Ling. Fil. Rom.* (1962). París (Klincksiek), 1965, pp. 1327-1350.

ZIERER, Ernesto. *Cf.* SÁNCHEZ, D. A.

# METODOLOGIA

ALBESA, R. M.: *Palestra gramatical. Crítica de doctrina y nuevos postulados.* Buenos Aires (Don Bosco), 1963.

ALONSO, Amado: "Crónica de los estudios de filología española", *Revue de Linguistique Romane*, I (1925), pp. 171-180, 329-347.

BAQUERO GOYANES, Mariano: "La educación de la sensibilidad literaria", *Rev. de Educ.*, IV (1953), pp. 1-5.

CANTINELLI, Antonio: *Estructuralismo y gramática.* Córdoba (Argentina), 1964. Reseña en *BFUCh*, XXI (1970), pp. 343-348.
—*Sintaxis y composición.* Córdoba [Arg. (Assandri)], 1965.
CASAGRANDE, Jean: "Theory, Description and Pedagogy: the Interrelated Parts of a Whole", *G.S.R.L.*, pp. 353-361.
CASTRO, Américo: *La enseñanza del español en España.* Madrid (Victoriano Suárez. Biblioteca Española de Divulgación Científica, I), 1922, 108 + 1 p.
—*Lengua, enseñanza y Literatura* (esbozos). Madrid (Victoriano Suárez. Biblioteca Española de Divulgación Científica, III), 1924, 334 pp. + 2 h.

GARCÍA, Carolina Tobar. *Cf.* SALOTTI, Martha A.
GARCÍA LÓPEZ, J., y PLEYÁN, C.: *Introducción en la metodología del análisis estructural.* Barcelona (Teide), 1969.
GILI GAYA, Samuel: "La enseñanza de la Gramática", *Revista de Educación*, I, 2 (1952), pp. 119-122.
GIMÉNEZ CABALLERO, Ernesto: "Sobre la enseñanza de 'Lengua y Literatura'", *Rev. de Educ.*, III (1953), pp. 117-120.

LACAU, M.ª Hortensia P. M. de, y ROSETTI, Mabel V. Manacorda de: *Castellano* (I, II y III, con tres cuadernos de ejercicios). Buenos Aires (Kapelusz), 1962.
LAPESA, Rafael: "Sobre problemas y métodos de una sintaxis histórica", Aparte del libro *Homenaje a Xavier Zubiri.* Madrid (1970), pp. 201-213.
LÁZARO CARRETER, Fernando: "Estilística y crítica literaria", *Insula*, 59 (1950), pp. 2-6.
—"La lengua y literatura españolas en la enseñanza media". *Revista de Educación*, I, 2 (1952), pp. 155-158.
LÓPEZ AGNETTI, Fernando E.: *Lingüística, gramática y enseñanza* (Folleto). Buenos Aires, 1969, 15 pp.
LUZURIAGA, Lorenzo: *Kant, Pestalozzi y Goethe sobre educación. Composición y traducción.* Madrid (Daniel Jorro), 1911.

MANACORDA DE ROSSETTI, Mabèl V.: *La gramática estructural en la escuela primaria.* Buenos Aires (Kapelusz), 1965, XI + 129 pp.
—*La gramática estructural en la escuela secundaria.* Buenos Aires (Kapelusz), 2.ª ed., 1964, XII + 112 pp.
MARCOS, Francisco: "La enseñanza de la pronunciación y sus implicaciones dialectales". *Vida Escolar*, 139-40, 1972, pp. 39-42.

PLEYÁN, Carmen. *Cf.* GARCÍA LÓPEZ, J.
POLO, José: *Ortografía y Ciencia del Lenguaje.* Madrid (Paraninfo), 1974, 580 pp.

ROSSETTI. *Cf.* M. MANACORDA de... *Cf.* LACAU y...

376

Salotti, Martha A., y García, Carolina Tobar: *La enseñanza de la lengua. Contribución Experimental.* Buenos Aires (Kapelusz), 1.ª ed., 1938, 5.ª ed., 1960, 165 + 1 pp.

Seco, Manuel: "El idioma y su metodología en la enseñanza media española", *Presente y Futuro de la Lengua Española,* 2, pp. 307-314.

Varios:*El estructuralismo lingüístico en la Argentina.* Buenos Aires (Angel Estrada), 1970.
Varios autores: *Lengua y Enseñanza. Perspectivas.* Madrid (C.D. y O.D.E.P. Ministerio de Educación Nacional). 1960, 310 pp. (artículos de D. Alonso, M. Muñoz Cortés, E. Alarcos, S. Fdez. Ramírez, E. Lorenzo, J. Arce, F. Lázaro, M. Criado de Val, V. García de Diego, y J. de Entrambasaguas, entre otros).

Wyatt, James L.: "Some general techniques for the structural analysis of Portuguese and Spanish", *Computer Studies* (Mouton), 1 (1968), pp. 43-47.

Zamora Vicente, A.: "Notas sobre la enseñanza de la lengua y la literatura nacionales", *Rev. Nac. de Educ.* (dic. 1943), pp. 83-100. (H. Serís 16239.)
Zierer, E.: "On the Usefulness of Transformational Grammars in Language Teaching", *LyC,* 20 (1966), pp. 1-11.

FONETICA Y FONOLOGIA. MORFONOLOGIA (EN GENERAL)

Para las *Revistas de Fonética Cf.* H. Serís, *Bibliografía de la Lingüística Española,* pp. 9191-9219.

Alarcos Llorach, E.: "Fonología y fonética (A propósito de vocales andaluzas)", *AO,* VIII, pp. 193-205.
—*Fonología Española.* 3.ª ed. Madrid (Gredos), 1961, 282 pp.
—"Resultados de G + E, I en la Península". *AO,* 1954, pp. 330-342.
Alonso, Amado: *De la pronunciación medieval a la moderna en español.* Ultimado y dispuesto para la la imprenta por R. Lapesa. Madrid (Gredos), 2 vols. (t. I, 2.ª ed., 1967; t. II, 1969).
Alonso, Dámaso; Zamora, A., y Canellada, M.ª J.: "Vocales andaluzas. Contribución al estudio de la fonología peninsular", *NRFH,* IV (1950), pp. 209-230. (Con 8 figuras.)
Alvar, Manuel: "La Fonética y sus posibles aplicaciones a un curso universitario de *Lengua Española*", en *B.U.G.,* I (1955), pp. 91-103.
—"Las hablas meridionales de España y su interés para la lingüística comparada", *RFE,* XXXIX (1955), pp. 284-313.
Allen, Joseph H. D., Jr.: "Tense/Lax in Castillian Spanish". *Word,* 20 (1964), pp. 295-321.

Baena-Zapata, L. A.: "The Phonology of the Spanish of Antioquia (Colombia)", Ph. D. Dissertation, University of Texas, 1967, Abs. *DA,* 27:12 (1967), 4235-A.
Baldinger, Kurt, y Rivarola, José Luis: "Lingüística tradicional y fonología diacrónica", *Anuario de Letras,* IX (1971), pp. 5-49.
Bes, Gabriel G.: "Examen del concepto de rehilamiento", *BICC,* XIX (1964), pp. 18-42.
Bonet, Juan Pablo: *Reduction de las letras y Arte para enseñar a hablar a los mudos.* Madrid (Fco. Abarca de Angulo), 1620. 14 fols. + 308 + 3.
Bowen, J. Donald: "A comparison of the intonation patterns of English and Spanish", *Hispania,* 34 (1956), pp. 30-35.
Bowen, J. Donald, y Stockwell, Robert P.: "The phonemic interpretation of semivowels in Spanish", *Language,* 31 (1955), pp. 236-40.

377

—"A further note on Spanish semivowels", *Language,* 32 (1956), pp. 290-292.

BOWEN, J. D. *Cf.* STOCKWELL, R. P.

BOZZINI, G. R.: "A Tripolar Contrastive Analysis of the Sound Systems of English, Catalan and Spanish for the Purpose of Teaching English to Biligual Speakers of Catalan and Spanish", Ph. D. Dissertation, Georgetown University, 1971, Bs. *DA,* 32:5 (1971), 2663-A.

BRAME, M. K., e I. Bordelois: "Vocalic Alternations in Spanish", *LingI,* 4:2 (1973), páginas 111-168.

"Some Controversial Questions in Spanish Phonology". *LingI,* 1974, V/2, pp. 282-298.

BURSTYNSKY, E. N.: "Distinctive Feature Analysis and Diachronic Spanish Phonology", Ph. D. Dissertation, University of Toronto, 1967. [Abs. *DA,* 28:10 (1968), 4154-A.]


CALVANO, Willian J.: *A phonological study of four Ibero-Romance dialects.* Ithaca (Nueva York). Tesis de M. A., Cornell University.

CAMPBELL, J. R.: "Phonological Analysis of Spanish", Ph. D. Dissertation, University of Illinois, 1966. [Abs. 27:7 (1967), 2137-A.]

—"A Sketch of Spanish Phonology", Mimeographed, Indiana University, s. d.

CÁRDENAS, Daniel: *Introducción a una comparación fonológica del español y del inglés.* Washington (Center for Applied Linguistics of the MLA), 1960.

CANELLADA, M. J.: *Antología de Textos fonéticos.* Madrid (Gredos), 1965.

CATALÁN, Diego: "The end of the phoneme /z/ in Spanish", *Word,* 13 (1957), pp. 283-322.

—"El asturiano occidental. Examen sincrónico y explicación diacrónica de sus fronteras fonológicas", *Rom. Phil.,* 10 (1955-56), pp. 71-96, y 11 (1956-57), pp. 120-158.

—"Resultados ápico-palatales y dorso-palatales de —LL— —NN— y de LL (< L−), NN− (< N−)", *RFE* 38 (1954), pp. 1-44.

—"En torno a la estructura silábica del español de hoy y el español de mañana". *Festschrift H. Meier,* pp. 77-110.

COHEN, V. B.: "Foleylogy", *CLS,* 7 (1971), pp. 316-322.

CONTRERAS, H.: "Simplicity, Descriptive Adequacy and Binary Features", *Language,* 45:1 (1969), pp. 1-8.

—"Vowel Fusion in Spanish", *Hispania,* 52:1 (1968), pp. 60-62. [Abs. Anónimo, *LTA,* 3:1 (1970). p. 55.]

CONTRERAS, H., y S. SAPORTA: "The Validation of a Phonological Grammar", *Lingua,* 9:1 (1960), pp. 1-15. [Re.: Molho, M. *BH,* 64:3-4 (1962), pp. 344-345.]

CRESSEY, W. W.: "Is Spanish Stress Really Predictable?", Mimeografiado, 1970.

—"A Note on Specious Simplification and the Theory of Markedness", *PIL,* 2:2 (1970), pp. 227-237.

CUERVO, Rufino José: "Disquisiciones sobre antigua ortografía y pronunciación castellanas", *Revue Hispanique,* II (1895), pp. 1-69.


CHAVARRIA-AGUILAR, O. L.: "The Phonemes of Costa Rican Spanish", *Language,* 27 (1951), pp. 248-253.


DELATTRE, Pierre: "Stages of Old French phonetic changes observed in Modern Spanish", en *PMLA,* LXI (1946), pp. 7-41, y en *Studies in French and Comparative Phonetics.* La Haya (Mouton), 1966, pp. 175-205.

DI PIETRO, R. J.: "Voiceless Stops in West Romance", *Orbis,* 15:1 (1966), pp. 68-72.

DREHER, B. B.: "Phonological Developments", *Hispania,* 56:2 (1973), pp. 421-425.


FOLEY, J. A.: "Spanish Verb Endings", Mimeografiado, 1964.

—"Spanish Morphology" Ph. D. Dissertation, Massachusetts Institute of Technology, 1965

—"A Systematic Phonological Interpretation of the Germanic Consonant Shifts", *LangS*, 9 (1970), pp. 11-12.

—"Phonological Distinctive Feautures", *Foli*, 4:1/2 (1970), pp. 87-92.

—"Phonological Change by Rule Repetition", *CLS*, 7 (1971), pp. 376-384.

FONTANELLA DE WEINBERG, M.ª Beatriz: "La entonación del español de Córdoba (Argentina)", *Thesaurus B.I.C.C.*, XXVI (1971), pp. 11-21.

FOSTER, D. W.: "A Contrastive Note on Stress in English and Equivalent Structures in Spanish". *IRAL*, 6:3 (1968), pp. 257-266.

GEISE, Wilhelm: "Zu span —ld— anstelle von arab dad", *RRPh*, LXXX (1964), pp. 356-361.

GILI GAYA, S.: *Elementos de Fonética General*. 4.ª ed., Madrid (Gredos), 1964, 194 pp.

GONZÁLEZ OLLÉ, Fernando: "El Romance Navarro", *RFE*, 53 (1970) (pub. 1972), pp. 45-93.

—"La sonorización de las consonantes sordas iniciales en vascuence y en romance y la neutralización de k-/g- en español", *AO*, XXII (1972), pp. 255-274.

—"Vascuence y romance en la historia lingüística de Navarra". *Arbor*, 75, núms. 295-96. pp. 31-76.

GRANDA, Germán de: "La desfonologización de /R/ - /R̄/ en el dominio lingüístico hispánico". *BICC*, XXIV (1969), 11 pp. (separata).

—*La estructura silábica y su influencia en la evolución fonética del dominio ibero-románico.* Madrid (C.S.I.C.), 1966, 173 pp.

—"La velarización de 'RR' en el español de Puerto Rico". *RFE*, XLIX (1966), pp. 181-227.

GRIFFIN, David A.: "Arcaísmos dialectales mozárabes y la Romania Occidental". *A. 2.º C.I.H.* (1969), pp. 341-345.

GULSOY, J.: "La vitalidad de la 's' sonora en Bajo Aragón". *Actas XI C.I.L.F.R.* (Madrid), pp. 1733-1738.

HALA, Bohuslav: *La sílaba. Su naturaleza, su origen y sus transformaciones.* Madrid (Collectanea Phonetica, C.S.I.C.), 1966, XVII + 141 pp.

HARA, Makoto: "En defensa del concepto 'fonema' contra la fonología generativa de la escuela de Chomsky", *A. 3.er C.I.H.* (1970), pp. 435-442.

—*Semivocales y neutralización.* Madrid *(Collectanea Phonetica*, CSIC), 1973, XVI + 264 páginas.

HARRIS, James W.: "Distinctive Feauture Theory and Nasal Assimilation in Spanish", *Linguistics*, 58 (1970), pp. 18-29. [Abs. Anónimo, *LTA*, 4:3 (1971), 202.].

—"Diphthongization, Monophthongization, Metaphony Revisited" (abril 1972, *Urbana Conf. Diachr. Rom. Ling.*). (*Cf. RoPhil*, XXVI, p. 304).

—"Morphologization of phonological rules: An example from Chicano Spanish". En Campbell *et. a.*, pp. 8-27.

—"On Certain Claims Concerning Spanish Phonology", *LingI* (1974), V/2, pp. 271-282.

—"On the Order of Certain Phonological Rules in Spanish", Mimeografiado, 1971.

—"Paradigmatic Regularity and Naturalness of Grammars", Mimeografiado, 1970.

—"Rule Exception Features [± Foreign]: Evidence from Spanish", *QPR*, 94 (1969), páginas 223-226.

—"Sequences of Vowels in Spanish". *LingI*, 1:1 (1970), pp. 129-134.

—"Sound Change in Spanish a and the Theory of Markedness", *Language*, 45:3 (1969), pp. 538-552.

—"Spanish Phonogy", Ph. D. Dissertation, Massachusetts Institute of Technology, 1967.

—*Spanish Phonology*, Cambridge, Massachusetts, M.I.T. Press, 1969 [Re.: Cressey, Willian W.: *GL*, 11:1 (1971), pp. 63-70; Myers, Oliver T.: *RPh*, 25:4 (1972), pp. 412-420].

HOOPER, Joan Bybee: *Generative phonology and the Spanish yod.* M. A. Thesis. San Diego State College, 1970.

—"The Syllable in Phonological Theory". *Language*, 48:3 (1972), pp. 525-540.

KING, R. D.: "Rule Insertion". *Language*, 49:3 (1973), pp. 551-578.

LACERDA, A. de la, y CANELLADA, M. J.: *Comportamientos tonales vocálicos en español y portugués*. Madrid (C.S.I.C. anejo XXXII), 1945.

LAPESA, Rafael: Sobre el texto y lenguaje de algunas *jarchyas* mozárabes. *Bol. RAE*. XL (1960), pp. 53-65.

LORENZO, Emilio: "Vocales y consonantes geminadas". *Studia Hispanica in Honorem R. Lapesa*, I, Madrid (Gredos), 1972, pp. 401-412.

LURIA, M. A.: "The Pronunciation of *siegat* in the old Spanish Glosses of Silos", *Lg*. 12, pp. 193-195.

LLORENTE MALDONADO, Antonio: "Fonética y Fonología Andaluzas", *RFE*, XLV (1962), páginas 227-240.

—"Toponimia árabe, mozárabe y morisca de la provincia de Salamanca", *Miscelánea de Estudios Arabes*, XII-XIII (1963-64), p. 110.

MAGNUSSON, W. L.: "The Orthographic Code of Spanish", *Linguistics*, 82 (1972), pp. 23-51.

MALKIEL, Yakov: "Sound Changes Rooted in Morphological Conditions: The Case of Old Spanish /sk/ Changing to /θk/", *RoPh*, XXIII (1969), pp. 188-200.

—"The etimology of portuguese iguaria", *Lg*. 1944, pp. 108-130.

—"Derivational Transparency as an Occasional Co-Determinant of Sound Change. A New Causal Ingredient in the Distribution of —ç— and —z— in Ancient Hispano-Romance", *RoPhil*, XXV (1971-72), pp. 1-52.

—"The Interlocking of Narrow Sound Change, Broad Phonological Pattern, Level of Transmission. Areal Configuration, Sound Symbolism. Diachronic Studies in the Hispano-Latin Consonant Clusters CL; FL-, PL-", *Archiv. Ling.* (Glasgow), 1963, 2, 1964, XVI, I. (Reseña de Hans Gerd Tuchel en *Rom. Forsch.*, 1969, LXXXI, 4. *Cf. RFE*, LV, 1972, 345.)

—"Toward a reconsideration of the old Spanish imperfect in -*ía- -ié*.", *HR*, XXVII (1959), pp. 453-481.

MALMBERG, Bertil: "Descripción y clasificación. A propósito de las semivocales castellanas", *Studia Hispanica in Honorem R. Lapesa*, I, Madrid (Gredos), 1972, pp. 413-415.

—*Estudios de Fonética Hispánica*. Madrid (C.S.I.C. Collectanea Phonetica), 1965.

—"Problèmes d'interprétation phonologique en castillan", *F.W.W.* (Homenaje a W. von Wartburg), I, pp. 485-492.

MENÉNDEZ PIDAL, Ramón: "Homenaje a ... ", Filología, XIII, 1968-1969. Univ. de Buenos Aires. Fac. de F.ª y L. Inst. de Filología y Literaturas Hispánicas "Dr. Amado Alonso" (1970). *Vid. Filología*.

MEYER-LÜBKE, W.: "La evolución de la 'c' latina delante de 'e' e 'i' en la Península Ibérica" (traducción de A. Castro). *RFE*, VIII, 3 (1921), pp. 225-251.

MICHELENA, Luis: *Fonética histórica vasca*. (Publicaciones del Seminario Julio de Urquijo de la Excma. Diputación Provincial de Guipúzcoa). San Sebastián, 1961, 455 pp. [Reseña de Wilhelm Giese en *BICC*, XIX (1964), pp. 164-168.]

NAVARRO TOMÁS, Tomás: "Dédoublement de phonèmes dans le dialecte andalou", *TCLP*, VIII, pp. 184-186. "Desdoblamiento de fonemas vocálicos", *RFH*, I, pp. 165-167.

—"Diptongos y Tonemas". *Thesaurus (B.I.C.C.)*, XXVI (1971), pp. 1-10.

—*Estudios de fonología española*. Nueva York (Syracuse Univ. Press), 1946.

—*Manual de Entonación Española*. México (Málaga, S.A.), 3.ª ed., 1966, 306 pp.

—*Manual de pronunciación española*. 10.ª ed., Madrid (C.S.I.C.), 1961, 326 pp.

—"Nuevos datos sobre el yeísmo en España", *BICC*, XIX (1964), pp. 1-17.

—"Rehilamiento", *RFE*, XXI (1934), pp. 274-279.

NARO, A. G.: "Binary or N-ary Features? Historical Evidence", *CLS*, 6 (1970), pp. 533-542.

—"A Note on the Elision of the Yod in Spanish" *Ling I*, 1:4 (1970) 543-545.

PEI, M. A.: "Intervocalic Occlusives in 'East' and 'West' Romance". *Rom. Review*, XXXIV (1943), pp. 235-247.

QUILIS, Antonio: "Datos fisiológico-acústicos para el estudio de las oclusivas españolas y de sus correspondientes alófonos fricativos", *Homenajes* (Madrid), 1964, I, pp. 33-42.
—"El método espectrográfico. Notas de Fonética experimental", *R.F.E.*, XLIII (1960), páginas 415-428.
—"Ultimos estudios sobre fonética y fonología españolas", *BFE* (1964), 12, pp. 37-42.
QUILIS, A., y FERNÁNDEZ, J. A.: *Curso de fonética y fonología españolas para estudiantes angloamericanos*. Madrid (C.S.I.C. Collectanea Phonetica), 1964.

RABANALES, Ambrosio: "Las siglas: un problema de Fonología española", *BFUCh*, 15 (1963), pp. 327-342.
ROHLFS, G.: "Vorrömische Lautsubstrate auf der Pyrenäenhalbinsel? *ZRPh*, LXXI (1955), pp. 408-413.
RIVAROLA, J. L. *Cf.* KURT BALDINGER.
ROSETTI, A.: "Remarques sur l'emploi des phonèmes semi-voyelles en roumain et en espagnol", *Linguistica*, La Haya (Mouton), 1965, pp. 103-106.

SABLESKI, J. F.: "A Generative Phonology of a Spanish Dialect", Masters Thesis, University of Washington, 1965.
SACIUK, B.: "Lexical Strata in Generative Phonology (With illustrations from Ibero-Romance)" Ph. D. Dissertation, University of Illinois, 1969 (Abs. *DA*, 31:2 (1970), 746-A).
—"The Strata Division of the Lexicon", *PIL*, 1:3 (1969), pp. 464-532.
—"Phonological Studies in Romance", *GSRL*, pp. 215-224.
—"Spanish stress and language change", en Campbell *et. al.* pp. 28-49.
SALAZAR, Ambrosio de: *Espejo general de la gramática en diálogos para saber la natural y perfecta pronunciación de la lengua castellana*. Ruan, 1626 (1.ª ed., 1614).
SALTARELLI, M. A.: "Epenthesis, Velar Softening and Stress in Spanish: A Reply to J. W. Harris and W. Meyerthaler", *LingB*, 19 (1972), pp. 47-52.
—"Romance Dialectology and Generative Grammar", *Orbis*, 15:1 (1966), pp. 51-59.
SÁNCHEZ D., A.: "Caracterización del sistema fonológico del castellano a base de rasgos distintivos", *LyC*, 11:3 (1971), pp. 55-61.
SAPORTA, Sol.: "A note on Spanish semivowels", *Language*, 32 (1956), pp. 287-290.
—"Ordered Rules, Dialect Differences, and Historical Processes", *Language*, 41:2 (1965), pp. 218-224.
SAPORTA, S., y H. CONTRERAS: *A Phonological Grammar of Spanish*. Seattle: University of Washington Press, 1962. [Re.: García, E. *Word*, 19 (1963), pp. 258-265; Guiter, J. *RLR* (1963), pp. 287-288; Trager, G. *SIL*, 17 (1963), p. 102; Lloyd, P. M. *HR*, 32 (1964), pp. 69-71; Myers, O. T. *RPh*, 25:4 (1972), pp. 412-420.]
SAROIHANDY, J.: "Remarques sur la phonétique du ç du z en ancien espagnol", *BH*, IV (1902), pp. 198-214.
SCHÜRR, F.: "Epilogemena à la diphtongaison romane en général, roumaine et ibéro romane en particulier", *RLiR*, XXXIII (1969), pp. 17-37.
—"La inflexión y la diptongación del español en comparación con las otras lenguas románicas", *Pres. Fut. Leng. Esp.* 2, pp. 135-150.
SPAULDING, R. K., y PATT, B. S.: "Data for the Chronology of 'Theta' and 'Jota'", *HR* (1948), XVI, pp. 50-60.
ST. CALIR, R.: "Diphthongization in Spanish", *PIL*, 4:3 (1971), pp. 421-432.

STOCKWELL, Robert P., y BOWEN, J. Donald: *The sounds of English and Spanish.* Chicago Univ. Press., 1965, XI + 168 pp.
STOCKWELL, Robert P.; BOWEN, J. Donald, y SILVA-FUENZALIDA, I.: "Spanish juncture and intonation" *Language,* 32 (1956), pp. 641-665.
STOCKWELL, R. P. *Cf.* BOWEN, J. D.

TOGEBY, Knud: "L'apophonie des verbes espagnols et portugais en *-ir*", *RoPhil,* XXVI, páginas 72-73, 256-264.
TOVAR, Antonio: "La sonorización y caída de las intervocálicas y los estratos indoeuropeos en Hispania". *Bol. R.A.E.,* XXVIII (1948), pp. 265-280.
TRAGER, George L.: "The phonemic treatment of semivowels", *Language,* 18 (1942), páginas 220-233.

WANG, M. Cl.: "What Stops a Sound Change?", *GSRL,* pp. 277-284.
WILLIS, Br. Ed.: "The Diachronic Study of Spanish Vowels", Masters Thesis, Univ. of Illinois, 1967.
—"The Alternation of So-Called Learned/Popular Vocabulary in a Phonological Description of Latin American Spanish", PH. D. Dissertation, University of Illinois, 196. [Abs. *DA,* 31:2 (1970), 749-A.]
—"Stress Assignment in Spanish", *Studies to Lees,* pp. 303-312.
WILSON, J. L.: "A Generative Phonological Study of Costa Rican Spanish", Ph. D. Dissertation, Univ. of Michigan, 1970. [Abs. *DA,* 31:8 (1971), 4148-A.]
WOODMAN, R. E. B.: "A Distinctive Feature Analysis of Spanish", Ph. D. Dissertation, Georgetown University, 1972. [Abs. *DA,* 33:7 (1973), 3626-A.]


FRASE


ALARCOS, Emilio: "Grupos nominales con /de/ en español", *Studia Hispania in honorem R. Lapesa,* I, Madrid (Gredos), 1972, pp. 85-91.
ALGEO, James E.: "The Concessive Conjunction in Medieval Spanish and Portuguese; its Function and Development", *RoPhil,* XXVI (1972-73), pp. 532-575.

BABCOCK, S. Sch.: "Patern-Meaning in Syntactic Structures", *LangS.* (1970), pp. 13-17. *Cf. et.* en *Verbo.*
BACKVALL, H.: "Algo y nada (+ de) + adjetivo en el castellano actual", *Ibero-romanskt* (Utg. av. Föreningen HISPANIA) (Estocolmo) II (1967), pp. 76-93.
BADIA MARGARIT, Antonio: "Sobre las interpretaciones del verso 20 del Cantar de Mío Cid", *AO,* IV (1954), pp. 149-165.
BARRENECHEA, A. M., y ORECCHIA, T.: "La duplicación de objetos directos e indirectos en el español hablado en Buenos Aires", *Romance Philology,* XXIV (1970), pp. 58-83.
—"Problemas semánticos de la coordinación", *E.F.L.* (1974), pp. 83-96.
BARTH, G.: *Recherches sur la fréquence et la valeur des parties du discours en français, en anglais et en espagnol.* París, 1961, 134 pp.
BEBERFALL, Lester: "The partitive indefinite construction in the Cid", *Hispania,* XXXV (1952), pp. 215-216.
BLANSITT, Ed. L.: "The Verb Phrase in Spanish: Classes and Relations", Ph. D. Dissertation, Univ. of Texas, 1963. [Abs. *DA,* 24:7 (1964), 2897-A.]
BOBES NAVES, Carmen: "Construcciones Castellanas con 'SE'. Análisis Transformacional" *R.S.E.L.,* 4 (1974), pp. 87-127 y 301-325.

382

—"La coordinación en la frase nominal castellana", I. *Rev. Esp. Ling.*, 2 (1972), pp. 285-311.
II. *RSEL*, 3 (1973) pp. 261-295.
BOLINGER, Dw.: "Postposed Noun Phrases: An English Rule for the Romance Subjunctive", *CJL*, 14:1 (1968), pp. 3-30.
BOUZET, Jean: "Le gérondif espagnol dit 'de postériorité'", *B.H.*, 55 (1953), pp. 349-374.
—"Orígenes del empleo de "estar". Ensayo de Sintaxis Histórica", *Estudios Dedicados a Menéndez Pidal*, IV (1953), pp. 37-58.
BOWEN, J. Donald, y MOORE, Terence: "The reflexive in English and Spanish: a Transformational approach", *TESOL. Quarterly* 2, 1968, pp. 12-26.

CÁRDENAS, D. N.: "*Ser* and *estar* vs. to be", *Fil. Mod.*, IV. pp. 61-78.
CARRILLO HERRERA, G.: "Estudios de Sintaxis. Las oraciones subordinadas", *BFUCH*, XV (1963), pp. 165-221.
CASTAÑEDA CALDERÓN, H. N.: "Esbozo de un estudio sobre el complemento indirecto". *Lang.*, XXXIV (1946), pp. 9-43.
COHEN, P. I.: "The Grammar and Constituent Structure of the Noun Phrase in Spanish and English", Ph. D. Dissertation, Univ. of Texas, 1967. [Abs. *DA*, 28:10 (1968), 4155-A-4156-A.]
CONTRERAS, Lidia: "Los Complementos". Separata cel *B.F.U.Ch.* (Inst. Filología. Univ. Chile). XVIII (1966), pp. 39-57.
—"Oraciones independientes introducidas por 'si'", *Bol. F.U.Ch.*, XII (1960), pp. 273-290.
—"Las oraciones condicionales", *B.F.U.Ch.* (Chile), XV (1963), pp. 33-109.
—"El período causal hipotético con 'si'", *B.F.U.Ch.* Santiago de Chile, 11 (1959), pp. 355-359.
CONWAY, Sister M. A. Ch.: "Order Classes of Adjectives in Spanish", Ph. D. Dissertation, Univ. of Texas, 1964. [Abs. *DA*, 25:11 (1965), 6607-6608; *Linguistics*, 26 (1966), pp. 92-93.]
CRABB, Daniel M.: *A Comparative Study of Word Order in Old Spanish and Old French Prose Works* (a dissertation presented to the Graduate School of Arts and Sciences of the Catholic University of America). XVIII + 66 pp. Washington, D. C.: the Catholic University of America Press, 1955. Reseña de Dwight L. Bolinger, *Word*, 12 (1956), páginas 148-151. Reseña de V. T. Holmes Jr. en *Language*,32 (1956), pp. 332-334.
CRESSEY, W. W.: "Relative Adverbs in Spanish: Transformational Analysis", *Language*, 44:3 (1968), pp. 487-500. [Abs. Anónimo, *LTA*, 2:4 (1969), 22-223.]
—"Relatives and Interrogatives in Spanish: a Transformational Analysis", *Linguistics*, 58 (1970), pp. 5-17.
—"Teaching the possition of Spanish adjectives: a transformational approach", *Hispania*, 52 (1969), pp. 879-881.
—"A Transformational Analysis of the Relative Clause in Urban Mexican Spanish". Ph. D. Dissertation, Univ. of Illinois, 1966. [Abs. *DA*, 27:11 (1967), 3857-A.]

DÍAZ TEJERA, Alberto: "La frase interrogativa como modalidad", *RSEL*, 3 (1973), pp. 95-116.

FARGO, N. L.: "Algunas oraciones básicas y algunas transformaciones", *RLA*, 1 (1965), páginas 40-46.
FERLDMAN, D.: "Some Structural Characteristics of the Spanish Modal Verb Phrase", *BF*, 16 (1964), pp. 241-255.
FERNÁNDEZ RAMÍREZ, S.: "Oraciones interrogativas españolas", *B.R.A.E.*, XXXIX (1959), páginas 243-276.
FISH, G. T.: "The position of subject and object in Spanish prose", *Hispania*, XLII (1959), pp. 582-59.
FOSTER, D. W.: "Sintáctica esiva del inglés y español", *Hispania*, 52:3 (1969), pp. 419-451.
"A Concomitant Structure in Spanish" *Orbis*, 19:2 (1970), pp. 445-451.

383

—"Spanish So-Called Impersonal Sentences", *AnL,* 12:1 (1970), pp. 1-9.

GAÍNZA, Gastón: "Notas a la 'clasificación de las proposiciones' de Andrés Bello. La clasificación de los sintagmas oracionales como tarea de la sintaxis", *E. Fil* (1965), pp. 131-160.

GARCÍA BERRIO, Antonio: *Bosquejo para una descripción de la frase compuesta en español.* Murcia (Publ. Univ.), 1970.

GARCÍA DE DIEGO, V.: "La información rítmica en las oraciones condicionales", *Estudios Dedicados a Menéndez Pidal,* III (1952), pp. 95-107.

GESSNER, E.: "Die Hypothetische Periode im Spanischen in ihrer Entwicklelung", *ZRPh,* XIV (1980-91), pp. 21-65.

GILI GAYA, S.: "¿Es que...? Estructura de la pregunta general", en *Studia Philologica.* Homenaje ofrecido a Dámaso Alonso. vol. II (1961), pp. 91-98.

—"Fonología del período asindético", *Estudios dedicados a Menéndez Pidal.* I. Madrid 1950, pp. 57-67.

GOLDIN, Mark G.: "Indirect Objects in Spanish and English", *GSRL.* pp. 376-383.

—*Spanish Case and Function.* Washington (Georgetown Univ. Press), 1968. [Reseña de H. Contreras en *Lingua,* 25 (1970), pp. 12-19.]

GONZÁLEZ MUELA, J.: "'Ser y estar': enfoque de la cuestion", *B.H.S.,* XXXVIII, 1961.

GREEN, John N.: "Spanish Conditionals: Systems or Rules?", *Arch. Ling.* (n.s., 3 (1972), pp. 75-85.

HARRIS, Martin: "The History of the Conditional Complex from Latin to Spanish: Some Structural Considerations", *Arch. Ling.* (n.s.), 2 (1971), pp. 25-33.

—"Systems or Rules: a False Dichotomy?", *Arch. Ling.* (n.s.), 3 (1972), pp. 87-93.

HATCHER, Anna Granville: *Theme and underlying question. Two studies of Spanish word order.* Suplemento de *Word,* 12, 1956. Monografía n.° 3, 52 pp. (cap. I: "The existential sentence and Inversion of the subject in Spanish". Cap. II: "On the Inverted Object in Spanish: OV *vs.* O + lo V Apéndice: "The verbal Material of *OV* in Spanish".

HERNÁNDEZ ALONSO, César: "Atribución y Predicación", *Bol. R.A.E.* LI (1971), pp. 327-340.

IBÁÑEZ, Roberto: Negation im Spanischen. Munich (Wilhelm Fink Verlog), 1972, III + 188 páginas.

JENSEN, Frede, y LATHROP, Thomas A.: *The Syntax of the Old Spanish Subjunctive.* La Haya-París (Mouton), 1973, 92 pp. [Reseña de Harri Meier en *Rom-Forsch.,* 85 (1973), pp. 572-573.]

KARDE, Sven: *Quelques manières d'exprimir l'idée d'un sujet indéterminée on générale en espagnol.* Uppsala (Appelberg), 1943, 142 pp.

KÖRNER, Karl-Hermann: *Die "Aktionsgemeinschaft finites Verb + Infinitiv" im spanischen Formensystem.* Hamburg, rom. St., B. Iberoam. Reihe 30, Calderoniana I, Hamburgo, 1968. [Reseña de Peter Wunderli en *Rom. Forsch.* 81 (1969), pp. 480-485; *Cf. RFE.,* 55 (1972), pp. 116-117.]

KOVACCI, Ofelia: "Las proposiciones en español", *Filología,* 11 (1965), pp. 23-39.

KRETSCHMANN, W.: *Die Kausalsätze und Kausalkonjunktionen in der altspanischen Literatursprache.* Hamburgo, 1936.

LACKSTROM, J. Ed.: *Pro-Forms in the Spanish Noun Phrase.* Studies in Linguistics and Language Learning, III, Seattle: Univ. of Washington Dept. of Linguistics, 1966. [Reseñas: Harris, J. *Hispania,* 52 (1969, p. 179; Hadlich, R. L., *HR,* 38:1 (1970), pp. 80-82; Pottier, B., *BH.,* 72:1-2 (1970), pp. 241-242.]

LAKOFF, R. T.: *Abstract Syntax and Latin Complementation*. Cambridge, Massachusetts: MIT Press, 1968, esp. 6, pp. 218-225. [Res. Householder, Fred., *LangS*, 6 (1969), pp. 11-18; Cunningham, M. P., *CP*, 65 (1970), pp. 273-277; Green, G. M., *Language*, 46:1 (1970), pp. 149-167; Householder, Fr., *LangS*, 10 (1970), pp. 35-36, Lakoff, R. T., *LangS*, 10 (1970), pp. 30-35; Baldi, Ph., *PIL*, 4:3 (1971), pp. 601-609.]

LAPESA, Rafael: "Los casos latinos: restos sintácticos y sustitutos en español", *B.R.A.E.*, XLIV, 1964. Separata. 105 pp.

— "La ruptura de la 'consecutio temporum' en Bernal Díaz del Castillo'. Sobretiro del *Anuario de Letras*, vol. VII. México, 1968-69 (Homenaje a Menéndez Pidal), pp. 73-83.

— "Sobre las construcciones 'con sola su figura', 'Castilla la gentil' y similares", *Iberida*, III, pp. 82-95.

— "Sobre las construcciones 'el diablo del toro', 'el bueno de Minaya', '¡ay de mí!', ¡pobre de Juan!, 'por malos de pecados'", *Filología*, VIII (1962), pp. 169-184.

LOPE BLANCH, J. M.: "La expresión condicional en Diego de Ordaz (sobre el español americano en el siglo XVI)", *Studia Hispanica in Honorem R. Lapesa*, I, Madrid (Gredos), 1972, pp. 379-400.

— "Sobre la oración gramatical (En torno al Curso de Sintaxis de Gili Gaya)", *N.R.F.H.*, XVI (1962), pp. 416.422.

LORENZO, E.: "La expresión de ruego y mandato en español", *Strenae*, pp. 301-8.

LOZANO, Anthony G.: Subjunctives, transformations and features in Spanish", *Hispania*, 55 (1972), pp. 76-90.

LUJÁN, M.: "Pre-and Postnominal Adjectives in Spanish", *On the Theory of Transformational Grammar* (GS-2468, August 1971), p. 71.

LLORENS, E. L.: *La negación en español antiguo con referencia a otros idiomas*. Madrid (anejos *RFE*, XI), 1929, 198 + 1 pp.

MALER, Bertil: "Frases con infinitivo equivalentes a subordinadas introducidas por 'así que', etc.", *Moderna Språk*, Malmöe, LI (1957), pp. 442 y ss.

MEIER, Harri: "Sobre as origens do acusativo preposicional nas linguas românicas", en *Ensaios de filologia românica*. Lisboa (1948), pp. 115-164.

MENDELOFF, H.: *The Evolution of the Conditional Sentence Contrary to Fact in Old Spanish*. Washington (The Catholic Univ. of America Press), 1960, VII + 106 pp. [Reseñas de E. Alarcos Llorach en *Romance Philology*, XIV (1960-61), pp. 349-350. J. Polo en *Las Oraciones Condicionales en español*, p. 15, y B. Pottier en *Bulletin Hispanique*, LXIII (1961), pp. 127-129.]

MEYER, P. L.: Some Observations of Constituent Order in Spanish", *GSRL*, pp. 184-195.

MOLHO, Maurice: "De la negation en espagnol", *Mélanges M. Bataillon*. Burdeos, pp. 704-715.

MOLINA REDONDO, José Andrés de: "La construcción 'verbo en la forma personal + infinitivo'", *Rev. Esp. Ling.* I (1971), pp. 275-298.

MONGE, Félix: "Ser y estar con participios y adjetivos", *Bol. Fil. Lisboa*, XVIII (1959-61), pp. 213-227.

MONTEVERDE, L.: "Semantic and Syntactic Analyses of the Pattern NP + be + Adj. + to + Inf. and its Equivalents in Spanish (I)", *L y C*, 38 (1970), pp. 1-15.

— "Semantic and Syntactic Analyses of the Pattern NP + be + Adj. + to + Inf. and its Equivalents in Spanish (II)", *LyC*, 11:1 (1971), pp. 1-10.

— "Semantic and Syntactic Analyses of the Pattern NP + be + Adj. + to + Inf. and its Equivalents in Spanish (III)", *LyC*, 11:2 (1971), pp. 32-43.

MOODY, Raymond: "More on teaching spanish adjective position: some Theoretical and practical considerations", *Hispania*, 54 (1971), pp. 315-321.

MOZOS MOCHA, Santiago de los: *El Gerundio Preposicional*. Salamanca (Univ.), 1973, 187 páginas.

NÁÑEZ, Emilio: "Sobre oraciones condicionales", *Anales Cervantinos*, III (1953), pp. 353-360.
NAVAS RUIZ, R.: "Construcciones con verbos atributivos en español", *BBMP*, XXXVI (1960), pp. 277-295.
— *Ser y estar. Estudio sobre el sistema atributivo español*. Salamanca (Acta Salmanticensia). XVII, 1963, 214 pp.
NICULESCU, A.: "Sur l'objet direct prépositionnel dans les langues romanes", en *Recueil d'études romanes*. Bucarest (1959), pp. 82-99.
NUESSEL, Fr. H., JR.: "Complement Structures in Spanish", Ph. D. Dissertation. Univ. of Illinois, 1973.

ORECCHIA, Teresa. *Cf.* BARRENECHEA, Ana María, y...
OTERO, C. P.: "Acceptable Ungrammatical Sentences in Spanish", *LingI*, 3:2 (1972), páginas 233-242.

PARISI, G.: "Coordination in Spanish: A Syntactic-Semantic Description of y, *pero* and *O*", Ph. D. Dissertation, Georgetown University, 1968. [Abs. *DA*, 29:2 (1968), 587-A-588-A.]
PICCARDO, L. J.: *El concepto de oración*. Montevideo, 1954, 37 pp.
PIETSCH, K.: "Zur spanischen Grammatik: Einzelheiten zum Ausdruck des Konzesiven Gendankens", *H. R.* (1933), I, pp. 37-49.
POLO, JOSÉ: *Las oraciones condicionales en español (ensayo de teoría gramatical)*. Universidad de Granada (C.S.I.C.), 1971, 184 pp.
POTTIER, Bernard: "L'objet direct prépositionnel: faits et théories", *S.C.L.* II (1960), pp. 673-676.

RABANALES, Ambrosio: "Las funciones gramaticales", Separata del *Boletín de Filología* (Inst. Filología Univ. Chile), XVIII (1966), pp. 235-276.
REICHENKRON, G.: "Das präpositionale Akkusativ-Objeckt in ältesten Spanish", en *Rom. Forsch.* LXIII (1951), pp. 342-397.
RESTREPO-MILLÁN, J. M.: "De la proposición de infinitivo", *Bol. I. C. C.* I (1945), pp. 140-145.
RIVERO-GONZÁLEZ, M. L.: "The Spanish Quantifiers", Ph. D. Dissertation, Univ. of Rochester, 1969. [Abs. *DA*, 31:7 (1971), 3535-A.]
— "A Surface Structure Constraint en Negation in Spanish", *Language*, 46:3 (1970), pp. 64-66.
— "Estudio de una transformación en la gramática generativa del español", *Esp. A.*, 17 (1970), pp. 14-22.
— "Mood and Presupposition in Spanish", *FLang*, 7:3 (1971), pp. 305-336. [Abs. Anónimo 5:2 (1972), 95 pp.]
— "On Conditionals in Spanish", *GSRL*, pp. 196-214.
ROCA PONS, José: "Le sujet et le predicat dans la langue espagnole", *R.L.R.*, XIX (1965), pp. 249-55.
ROJAS, J. de la C.: "The Spanish Subjunctive in Embedded Clauses. A Transformational Approach", Masters Thesis, Cornell University, 1969.
ROLDÁN, M.ª de las M.: "Ordered Rules for Spanish: Selected Probleme of Syntactic Structure", Ph. D. Dissertation, Indiana University, 1965. [Abs. *DA*, 26:9 (1969), 5427; *Linguistics*, 40 (1969), pp. 133-135.]
— "*Ser* and *Estar* in a New Light", *LangS*, 12 (1970), pp. 17-20.
— "Double Object Constructions in Spanish", *LangS*, 15 (1971), pp. 8-14.
— "Spanish Construction with *se*", *LangS*, 18 (1971), pp. 15-29.
— "Concerning Spanish Datives and Possessives", *LangS*, 21 (1972), pp. 27-32.
— "Spureous Relative Clauses in Spanish", *PIL*, 5:2 (1972), pp. 321-329.
— "In Defense of Raising", *PIL*, 5:4 (1973), 514-529.
RONA, José Pedro: "Las 'partes del discurso' como nivel jerárquico del lenguaje", *Litterae Hispanae et Lusitanae. Festschrift zum fünfzigjährigen Bestehen des iberoamerikanischen Forschunginstituts der Universität*. Hamburgo-Munich. (Max Hueber), 1968, pp. 433-453. [Reseña

de E. García C. en *Boletín de Filología*, XXI, 1970 (Instituto de Filología de la Facultad de Filosofía y Educación de la Universidad de Chile), pp. 354.]

RUDOLPH, Elisabeth: *Das finale Satzgefüge als Informationskomplex. Analysen aus des spanischen Literatursprache*. Tubinga (M. Niemeyer), 1973, VII + 151 pp. *(B.Z.R.Ph.,* 138). [Reseña de Gerhard Charles Rump, en *Rom Forsch*, 85 (1973), pp. 586-589.]

SAPORTA, Sol: "Spanish *Estar:* On the Explanation of Anomalies", *ILPHHRK*, pp. 808-814.

SAUER, K. Ed.: "Sentential Complementation in Spanish", Ph. D. Dissertation, Univ. of Washington, 1972. [Abs. *DA*, 33:1 (1972), 299-A.]

SCHROTEN, Jan: *Concerning the deep structure of Spanish reflexive sentences*. La Haya-París (Mouton), 1972.

SPAULDING, R. K.: "Two problems of Spanish Syntax", *Hispania*, 1941, XXXIV, n.º 3 páginas 311-315.

SPITZER, Leo: "El acusativo griego en español", *R.F.H.*, II (1940), pp. 35-45.

—"Rum *p(r)e*. Span. *a* vor persönlichen Akkusativobjekt", *ZRPh*, XLVIII (1928), pp. 423-432.

THOMPSON, Ll. S.: "Some Uses of the: *ing* Form After Nouns and Their Equivalents in Spanish", *L y C*, 28 (1968), pp. 1-5.

THOMPSON, E. V.: "The Generation ánd Surface Ordering of Spanish Clitics", Masters Thesis, Univ. of Texas, 1969.

VALLEJO, J.: "Complementos y frases complementarias en español", *RFE*, XII (1925), página 126.

—"Notas sobre la expresión concesiva I. 'Por'. II. El subjuntivo con 'aunque'", *RFE*, IX, pp. 40-51.

VERMEYLEN, A.: "L'emploi de *ser* et de *estar:* question de sémantique ou de syntaxe", *BHi*, LXVII (1965), pp. 129-134.

WAGENAAR, K.: *"Etude sur la négation en ancien espagnol jusqu'au XV siècle*. Gröningen, 1930.

WONDER, J. P.: "Complementos del adjetivo del genitivo", *Hispania*, 54:1 (1971), pp. 114-120. [Abs, en *LTA*, 5:1 (1972), p. 14.]

YNDURÁIN, Francisco: "Notas sobre frases nominales", *Studia Hispanica in Honorem R. Lapesa* I, Madrid (Gredos), 1972, pp. 609-618.

ZIERER, Ernesto: "El comportamiento sintáctico de algunos adjetivos castellanos demostrado mediante transformaciones", *Lyc*, 21 (1966), pp. 16-23.

—"Embedding Transformations-A Criterion for Clasifying Adjectives in Spanish" *L y C*, 38 (1970), pp. 29-36.

## NOMBRE

ANDERSON, J.: "The Morphophonemics of gender in Spanish Nouns", *Lingua*, 10 (1969), pp. 285-296.

ARNHOLT, K.: *Die Stellung des attributiven Adjektivs in Italianischen und Spanischen*. Greijswald, 1916.

BOLINGER. Dwight L.: The comparison of inequality in Spanish", *Language*, 26 (1950), pági. nas 28-62.

BULL, Williams E.: "Spanish adjective positions: presents rules and theories", *Hispania*, XXXIII, pp. 297-303.

COSERIU, E.: "El plural de los nombres propios", en *Teoría del Lenguaje y Lingüística General*, Madrid (Gredos), pp. 261-281.

DINNES, Iris Sinding: "Must all unclassified Spanish words be memorized for gender?", *Hipania*, 54 (1971), pp. 487-492.

ECHAIDE, Ana M.ª: "El género del substantivo en español: Evolución y estructura", *Ibero-romania*, I (1969), pp. 89-124.

FALK, J. S.: "Nominalizations in Spanish", Ph. D. Dissertation, Univ. of Washington, 1968. [Abs. 29:10 (1969), 3596-A.]
—*Nominalizations in Spanish*. Seattle, Univ. of Washington Press, 1968, IV + 189 pp. [Reseña de W. W. Cressey en *Lg*, 6 (1970), pp. 185-188. de John N. Green en *Romance Phil.*, XXV (1971-72), pp. 344-347, y de B. Pottier en *BH*, 72 (1970), pp. 241-242.]
FOLEY, James A.: "Spanish plural formation", *Lg*, 43 (1967), pp. 486-493.

GARCÍA, Erica C.: "Gender Switch in Spanish Derivation" (With special Reference to -a → -ero, -o → -era, -a → -n, -ón)", *Romance Philology*, XXIV (1970), pp. 39-54. Con una *Postdata* de Y(akov) M(alkiel), pp. 55-57.
GAZDARU, Demetrio: "¿Privilegio del acusativo o sincretismo de los casos en español?", *Actas XI C.I.L.F.R.* Madrid, pp. 1769-1684.
GIURESCU, An.: "El método transformacional en el análisis de los nombres compuestos del español moderno", *RRL*, 17:5 (1972), pp. 407-414.
GOUGH, M.E.L.: "Adjectives in Spanish", Ph. D. Dissertation, Univ. of Texas, 1972. [Abs. *DA*, 33:9 (1973), 5152-A-5153-A.]

HARRIS, James W.: "A note on Spanish plural formation", *Language*, 46 (1970), pp. 928-930.

IANNUCCI, James E.: *Lexical Number in Spanish Nouns with Reference to their English Equivalents.* Philadelphia (Univ. of Penn. Dept. Rom. Lg.), 1952, XII + 80 pp. [Reseña de Robert K. Spaulding, *HR*, XXII (1954), pp. 329-330.]

LAPESA, Rafael: "El sustantivo sin actualizador en Español", *E.F.L.* (1974), pp. 289-304.
LÓPEZ DE MESA, Luis: "El singular y lo singular de los apellidos", *BICC*, XIII (1958), páginas 94-111.
LORENZO, Emilio: "Dos notas sobre morfología del español actual", en *El español de hoy, lengua en ebullición*, Madrid (Gredos), 1966, pp. 47-58.

MALKIEL, Yakov: "Probleme des spanischen Adjektivabstraktums", en *NM*, XLVI (1945), pp. 171-191.
—"Zur Substantivierung der Adjektiva im Romanischen über der Ursprung des typus 'atractivo', 'iniciativa'", en *CM*, V (1942), pp. 238-256.
— *Cf.* GARCÍA, Erica C.
MARINER BIGORRA, Sebastián: "Situación del neutro románico en la oposición genérica", *BSEL*, 3 (1973), pp. 23-38.
—"El femenino de indeterminación", *Actas XI C.I.L.F.R.*, Madrid, pp. 1297-1314.
MEYERTHALER, W.: "Anmerkungen zur Pluralbildung im Spanischen". *LingB*, 12 (1971), páginas 47-52.
MONTEVERDE, L., y E. ZIERER: "Clasificación de algunos adjetivos del idioma español de acuerdo a su comportamiento sintáctico y semántico frente a las cópulas *ser* y *estar*", *LyC*, 36 (1970), pp. 22-27.
MORREALE, Margherita: "Aspectos Gramaticales y Estilísticos del Número", *Bol. RAE*, LI (1971), pp. 83-138. y LIII (1973), pp. 99-205.
—"El superlativo en ísimo y la versión castellana del 'Cortesano'", *RFE*, XXXIX (1955), pp. 46-60.

NAVAS, R.: "En torno a la clasificación del adjetivo", en *Strenae*, pp. 369-374.

PAUFLER, Hans-Dieter: *Strukturprobleme der Stellung attributiver Adjektive im Altspanischen*. Leipzig (VEB Max Niemeyer Verlag), 1968, 142 pp.

POTTIER, B.: "Peut-on parler d'un genre 'neutre' dans le structure de l'espagnol", *BSLP*, VII-VIII, 1959.

QUILIS, Antonio: "Morfología del número en el sintagma nominal español", *Tr Li Li*, VI (1968), pp. 131-140.

RODRÍGUEZ HERRERA, Esteban: *Observaciones acerca del género de los nombres*. La Habana (Lex), 1942, 2 vols: I, 509 pp. II, 620 + XIV pp.

ROSENBLAT, Angel: "Género de los sustantivos en -*e* y en consonante. Vacilaciones y tendencias", en *Estudios dedicados a Mz. Pidal*, III (1952), pp. 159-202.

—"El género de los compuestos", *NRFH*, VII (1953), pp. 95-112.

—"Morfología del género en español: comportamiento de las terminaciones -o, -a", *NRFH*, XVI (1962), pp. 31-80.

—"Cultismos masculinos con -*a* antietimológica", en *Filología*, V (1959), pp. 35-46.

—"Vacilaciones y cambios de género motivados por el artículo", en *BICC*, V (1949), páginas 21-32.

—"Vacilaciones y cambios de género motivados por el artículo", en *BAV*, XVIII (1950), pp. 183-204.

—"Vacilaciones de género en los monosílabos", Caracas, 1951, 24 pp.

SALTARELLI, Mario D.: "Spanish Plural Formation: Apocope or Epenthesis?", *Language*, 46:1 (1970), pp. 89-96.

SAPORTA, Sol: *On the expression of gender in spanish*. Berkeley (Univ. California), 1962.

—"On the Expression of gender in Spanish", en *RPh*, XV (1962), pp. 279-84.

SOBEJANO, Gonzalo: El epíteto en la lírica española. Madrid (Gredos), 1970 (2.ª ed.), 451 páginas.

SPITZER, Leo: "El dual en catalá i en castellá", en *BDC*, IX (1921), pp. 83-84.

—"Die epizönen Nomina auf -a (s) in den iberischen Sprachen", en *Beiträge zur romanischen Wortbildungslehre* de E. Gamillscheg y L. Spitzer, Ginebra (1921), pp. 82-182.

—"La feminización del neutro", en *RFH*, III (1941), pp. 339-371.

—"El sintagma 'Valencia la bella'", *RFH*, VII (1945), pp. 259-76.

SPITZOVA, Eva: "El campo sintáctico del sustantivo hombre en el español moderno", *ERB*, I (1965), pp. 189-212.

STEVENS, Cl. E.: *A Characterization of Spanish Nouns and Adjectives*, Studies in Linguistics and Language Learning, II. Seattle: Univ. of Washington Dept. of Linguistics, 1966. [Res. Bolinger, Dwight, *RPh*, 21:2 (1967), pp. 186-212; Langacker, R. W. *Flang*, 4:2 (1968), pp. 211-218.]

TANASE, Eugenio: "De la cuarta categoría morfológica del substantivo: la persona", *Actas XI C.I.L.F.R.*, Madrid, pp. 1295-1404.

TUDORICA, Olga: "O paralelă româno-spaniolă 'sâraca de mine!' ¡pobre de mí!'", *SCL*, XVIII (1967), pp. 627-633.

WALLIS, E., y BULL, W. E.: "Spanish adjective position: phonetic stress and emphasis", *Hispania*, XXXIII (1950), pp. 221-229.

WARTBURG, W. von: "Substantifs féminis avec valeur augmentative", *BDC*, IX (1921), páginas 51-55.

WONDER, John P.: "Complementos de adjetivo del genitivo", *Hispania*, 54 (1971), pp. 114-120.

YNDURÁIN, Francisco.: "Sobre un tipo de composición nominal verbo + nombre", en *Presente y Futuro de la Lengua Española*, II, pp. 297-302.

ZIERER, Ernesto: *The Qualifying Adjective in Spanish*. La Haya-París (Mouton), 1974, 54 páginas.

—"Sobre la convertibilidad de ciertos adjetivos en el idioma español", *L y C*, 11:4 (1971), pp. 97-107.


## VERBO

ALARCOS LLORACH, E.: "La diátesis en español", en *RFE*, XXXV (1951), pp. 124-127.

—"La forme *cantaría* en espagnol: mode, temps et aspect", en *Actas del IX Cong. Int. de Ling. Rom. B. F. Lisboa*, XVIII (1959-61), pp. 203-201.

—"Perfecto simple y compuesto en español", *RFE*, XXXI (1947), pp. 108-139.

—"Pasividad y atribución", en *Homenaje al profesor Alarcos García*, II. Valladolid, (1965-67).

—"Sobre el imperativo", *AO*, 21 (1971), pp. 389-395.

—"Análisis sincrónico de algunas construcciones del infinitivo español", *Actas XI C.I.L.F.R.*, Madrid, pp. 1755-1759.

—"Verbo transitivo, verbo intransitivo y estructura del predicado", *AO*, XVI (1966), pp. 5-17.

ALONSO CORTÉS, N.: "El pronombre 'se' y la voz pasiva castellana", Valladolid, 1939, 59 páginas.

ALONSO, A.: "Sobre Métodos: construcciones con verbos de movimiento en español", en *Estudios Lingüísticos: temas españoles*, Madrid, 1951.

ALVAR LÓPEZ, M.: "El imperfecto *iba* en español", en *Homenaje a Fritz Krüger*, (1952), pp. 41-45.

ASCUNCE. H. I. G.: "Descripción semántica generativa del verbo español". Ph. D. Dissertation. Georgetown University, 1972. [Abs. *DA*, 33:8 (1973), 4378-A-4379-A.]

ATKINSON, Dorothy: "A re-examination of the hispanic radicalchanging verbs", en *Estudios dedicados a Menéndez Pidal*, V (1954), pp. 39-65.

BABCOCK, S. Sch.: "The Syntax of Spanish Reflexive Verbs. The Parameters of the Middle Voice", Ph. D. Dissertation, Ohio State University, 1965. [Abs. *DA*, 26:3 (1965), 1640; *Linguistics*, 26 (1966), pp. 89-90.]

—*The Syntax of Spanish Reflexive Verbs*. La Haya, Mouton, 1970. [Res. Knowles, J. *Glossa*, 5:1 (1971), 99-106; Green, J. M. *RPh*, 26-1 1972.]

BADÍA MARGARIT. A.: "El gerundio de posterioridad", en *Presente y Futuro de la Lengua Española*, II, pp. 287-295.

—"Toward a formal definition of the verb in Spanish", *ILHHRK*, pp. 41-47.

—"Ensayo de una sintaxis histórica de los tiempos: I. El pretérito imperfecto de indicativo", *BRAE*, XXVIII (1948), pp. 281-300, 393-400; XXIX (1949), pp. 15-29.

BASSOLS DE CLIMENT, M.: "La cualidad de la acción verbal en español", *2.º Hom. Mz. Pidal*, II (1951), pp. 135-147.

BASTIANUTTI, D. L.: "Tendencias en el empleo del imperfecto de subjuntivo en sus dos formas en el teatro español de las últimas décadas", *Español Actual*, 22 (1972), pp. 11-18.

BECKER, D.: *Die Entwickelung des lateinischen Pluscuamperfect-Indicativus im Spanischen*. Leipzig, 1928, 118 pp.

BEJARANO, V.: "Sobre las formas del imperfecto de subjuntivo y el empleo de la forma en *-se-* con valor de indicativo", en *Strenae*, pp. 185-192.

BENZING, J.: "Zur Geschichte von 'ser' als Hilfzeitwort bei den intransitiven Verben in Spanischen", *ZRPh*, LI (1931), pp. 385-460.

BOLINGER, D. L.: "Subjunctive -ra- and -se-: free variation", en *Hispania*, XXXIX (1956), páginas 345-349.

—"The future and conditional of probability", en *Hispania*, XXIX (1946), pp. 363-375.
—"Essence and Accident: English Analogs of Hispanic *Ser-Estar*", *ILPHHRK*, pp. 58-59.
BONNEKAMP, N.: *Das spanische Verbum. Aktualisierung und Kontext*. Tübingen, 1959, 134 páginas.
BOUZET, Jean: "Le gérondif espagnol dit de postériorité", en *B. Hi.*, LV (1953), pp. 349-374.
BRISK, M.: "A Transformational Statement of the Subjunctive in Spanish", Masters Thesis, Georgetown University, 1966.
BUESA OLIVER, Tomás: "Sobre algunos tiempos y modos verbales en el español virreinal peruano del siglo XVIII", *Hom. Prof. Carriazo*, II. F. Letras, Sevilla (1972), pp. 83-90.
BULL, William E.: "*Quedar* and *quedarse*: a study of contrastive ranges", *Language*, 26 (1950), pp. 467-480.
—*Time, tense and the verb. A study in theoretical and applied linguistics, with particular attention to Spanish*. Berkeley, 1960, 120 pp.

CARRASCO, Félix: "Sobre el formante de la 'voz pasiva' en español", *R.S.E.L.*, 3 (1973), pp. 333-341.
CASARES, Julio: "La pasiva con 'se', en *Nuevo concepto del Diccionario de la Lengua. Obras Completas*, T. V. Madrid (Espasa Calpe), 1941.
CASTRO, Américo: "La pasiva refleja en español", en *Hispania*, I (1918), pp. 81-85.
CERNY, Siri: "La categoría de actualidad en el verbo español", *Actes du XIIIème. Cong. Int. Ling. Phil. Rom.* Quebec.
—"Dos niveles temporales del verbo español y la doble función del pretérito imperfecto", *Estudios Filológicos (Univ. Austral Chile)*.
—"El pretérito español y la categoría del aspecto", *Actas XII Cong. Int. Ling. Fil. Rom.* Bucarest, I (1970), pp. 787-792.
—"Los sistemas morfológicos del verbo español y del checo, sus diferencias y dificultades de traducción", *Ibero-americana Pragensia*.
—"Sobre la asimetría de las categorías del tiempo y del aspecto en el verbo español", *Philologica Pragensia*, 12 (1969), pp. 83-93.
—"Sobre el origen y la evolución de las categorías morfológicas", *Español Actual*, 17. Madrid, 1970, pp. 1-13.
—"Tiempos pretéritos compuestos y la estructura del sistema verbal", *Español Actual*, 22 (1972), pp. 1-10.
CIROT, G.: "Sur quelques archaïsmes de la conjugaison espagnole", en *B Hi*, XIII (1911), pp. 82-90.
—"'Ser' et 'estar' avec un participe passé", en *Mélanges F. Brunot*, París (1904), pp. 57-69.
COSERIU, E.: "Sobre las llamadas 'Construcciones con verbos de movimiento': un problema hispánico", Montevideo, 1960, 16 pp.
CRESSEY, William W.: "Irregular Verbs in Spanish", *GSRL*, pp. 236-246.
—"The subjunctive in Spanish: a transformational approach", *Hispania*, 54 (1971), pp. 895-6.
—"Teaching Irregular Presente Tense Verb Forms: A Transformational Approach", *Hispania*, 55:1 (1972), pp. 98-100.
CRIADO DE VAL, Manuel: *Análisis verbal del estilo*. Madrid, 1953.
—*Sintaxis del verbo español moderno. I. Metodología;II. Los tiempos pasados del indicativo*. Madrid, 1948, 190 pp.
—"Sistema verbal de español, notas para una sintaxis hispanorrománica", *Vox Romanica*, XVII, 1952.
—*El Verbo español*. Madrid (SAETA), 1969.
CUERVO, R. J.: "Las segundas personas de plural en la conjunción castellana", *Romania*, XXII (1893), pp. 71-86.
—"Las segundas personas del plural en la conjunción castellana", en *Obras Completas*, II (1954), pp. 119-137, 138-166.

—"Sobre el carácter del infinitivo", en *Disquisiciones sobre filología castellana*. Bogotá, 1950, pp. 102-119.

DALBOR, John B.: "Temporal distinctions in the Spanish subjunctive", *Hispania*, LII (1969), pp. 889-896.

DÍAZ VALENZUELA, O.: *The Spanish Subjunctive*. Philadelphia, 1942, 75 pp.

DUBSKY, J.: "Intercambio de componentes en las formas descompuestas españolas", *B Hi*, LXVII (1965), pp. 343-352.

ESPINOSA, A. M.: "The use of the conditional for the subjunctive in Castilian Popular speech", en *MPh*, XXVII (1930), pp. 445-9.

FARLEY, Rodger A.: "Time and the subjunctive in contemporary Spanish", *Hispania*, LIII (1970), pp. 466-475.

FELDMAN, David M.: "Some Structural Characteristics of the Spanish Modal Verb Phrase", *BFUCh*, XVI (1964), pp. 241-255.

FERNÁNDEZ RAMÍREZ, Salvador: "Algo sobre la fórmula *estar* + gerundio", *Studia Philologica*, I, pp. 509-516.

FISH, G. T.: "The neglected tenses: *hube hecho*, indicative, -ra, -re", en *Hispania*, XLVI, pp. 134-142.

FOLEY, James: "Assibilation in Spanish First Singular Verb Forms: Interrupted Rule Schemata", *G.S.R.L.*, pp. 225-235.

FONTANELLA DE WEINBERG, M.ª Beatriz: "Los auxiliares españoles", *Anales del Instituto de Lingüística*, X (1970), pp. 61-73. (Universidad Nacional de cuyo, Mendoza, Facultad de F.ª, y L.)

FOUCHÉ, P.: "Le présent dans la conjugaison castillane", en *AUG*, XXXIV, 1933, 29 pp.

GILI GAYA, Samuel: "El pretérito de negación implícita", *Studia Hipanica in Honorem R. Lapesa*, I. Madrid (Gredos), 1972, 251-256.

GILMAN, S.: *Tiempo y formas temporales en el Poema del Cid*. Madrid Gredos), 1961, 141 pp.

GRANDA, Germán de: "Formas en -re en el español atlántico y problemas conexos", *B.I.C.C.*, XXIII, 1968, 24 pp.

GREGORIO DE MAC, M.ª Isabel de: *El problema de los modos verbales*. Rosario (Univ. Nal. del Litoral), 1968, 35 pp.

HAMPLOVÁ, Sylva: *Algunos problemas de la voz perifrástica pasiva y las perífrasis factitivas en español*. Praga (Inst. Leng. y Lit. de la Ac. Checoesl. de Ciencias), 1970, 96 pp. (Reseña de Valeria Neagu en *SCL*, 5, 1972.)

HANSSEN, Friedrich: "Das spanische Passiv", en *Rom. Forsch*, XXIX, pp. 764-778.

HARRIS, James W.: "Five Classes of Irregular Verbs in Spanish", *GSRL*, pp. 247-271.

—"Two Notes on Spanish Verb Forms", Mimeographed, 1970.

HATCHER, Anna G.: *Passive 'se' in Spanish*. Nueva York, 1954.

—"Construcciones pasivas con *se*", en *BAAL* (1941), pp. 585-7.

HEGER, Klaus: *Die Bezeichnung temporaldeiktischer Begriffskategorien im framzösischen und spanischen Konjugationssystem*. Tubinga (Max Niemeyer), 1963, 244 pp.

—"La conjugación objetiva en castellano y en francés", *BICC*, XXII (1967), pp. 153-175.

—"Problemas y métodos del análisis morfológico del 'tiempo' verbal", *AFUCh*, XIX (1967), pp. 165-195.

HERNÁNDEZ ALONSO, César: "Sobre el tiempo en el verbo español", *RSEL*, 3 (1973), páginas 143-178.

IRVING, T. B.: "Completion and becoming in the Spanish verb", en *MLJ*, XXXVII (1953), pp. 412-414.

—"The Spanish reflexive and verbal sentence", en *Hispania*, XXXV, 3 (1952), pp. 305-309.

KALEPKY, Th.: "Sind die 'verba impersonalia' ein gramatisches Problem", en *N. Spr.*, XXXV (1927), pp. 161-175.

KARDE, S.: *Quelques manières d'exprimer l'idée d'un sujet indeterminé on général en espagnol*. Upsala, 1943.

KENISTON, Hayward: "The Subjunctive in *Lazarillo de Tormes*", *Lg*, 6 pp. 41-63.

—"Verbal aspect in Spanish", en *Hispania*, XIX (1936), pp. 163-176.

KLEIN, PH. W.: *Modal Auxiliaries* en *Spanish Studies in Linguistics and Language Learning*, IV. Seattle. Univ. of Washington Dept. of Linguistics, 1968. [Res. Bolinger, Dwight: *RPh*, 23:4 (1970), pp. 572-580; Cressey, W. W.: *Language*, 46:1 (1970), pp. 185-188; Hadlich, R. L. *HR*, 38 (1970), pp. 420-422; Pottier B.: *BH.*, 72:1-2 (1970), pp. 241-242.]

KOCK, Josse de: "La 'rareté' de *ser* + adjectif verbal, passif", *RSEL*, 3 (1973), pp. 343-367.

KÖRNER, Karl-Hermann: *Die "Aktionsgemeinschaft finites Verb + Infinitiv" im spanischen Formensystem*. Hamburgo (Hamburg rom. St., B. Iberoam. Reihe 30, Calderoniana I, 1968. [Reseña de P. Wunderli en *Rom. Forsch.*, 81 (1969), pp. 480-485. *Cf. et.* A. Llorente en *RFE* LV (1972), pp. 116-117.]

LAGO ALONSO, Julio: "Consideraciones sobre el uso del indefinido y de la forma si + potencial en español y en francés", *Actas XI C.I.L.F.R.*, Madrid, pp. 1785-1789.

LAMÍQUIZ, Vidal: "Cantara y cantase", *RFE*, LIV (1971), pp. 1-11.

—"El sistema verbal del español actual. Intento de estructuración", en *Homenaje a Mz. Pidal*, I, *Revista de la Univ. de Madrid*, XVIII, 69 (1969), pp. 241-265.

—*Morfosintaxis estructural del verbo español*. Univ. Sevilla, 1972.

LAPESA, Rafael: "Las formas verbales de segunda persona y los orígenes del 'voseo'". Sobretiro de las *Actas del Tercer Congreso Internacional de Hispanistas. El Colegio de México*, México (1970), pp. 519-531.

LAROCHETTE, J.: "Les aspects verbaux en espagnol ancien", en *Revue des Langes Romanes*, LXVIII (1939), pp. 345 y ss.

—"Les aspects verbaux en espagnol moderne", en *RBPhH*, XXIII (1944), pp. 39-72.

LEUSCHEL, D. A.: "Spanish Verb. Morphology", Ph. D. Dissertation, Indiana University, 1960 [Abs. *DA*, 21:9 (1960), 2708.]

LOPE BLANCH, Juan M.: "Algunos usos del indicativo por subjuntivo en oraciones subordinadas", en *NRFH*, XII (1958), pp. 383-385.

—"Construcciones de infinitivo", en *N.R.F.H.* (1956), pp. 313-336

LOZANO, Anthony G.: "Non-Reflexivity of the Indefinite 'se' in Spanish", *Hispania*, 53:3 (1970), pp. 452-457.

—"The indefinite 'se' Revisited", *Hispania*, 55:1 (1972), pp. 94-95.

MALKIEL, Jakob: "The contrast *tomáis-tomávades, queréis-queríades* in Classical Spanish", *H.R.*, XVII (1949), pp. 159-165.

—"Diphtongization, monophthongization, metaphony: studies in their interaction in the paradigm of the Old Spanish *-ir* verbs". *Lg*, 42 (1966), pp. 430-473.

MALLO, Jerónimo: "El empleo de las formas del subjuntivo terminadas en *-ra* con significación de tiempos del indicativo", en *Hispania*, XXXIII (1947), pp. 484-487.

—"La discusión sobre el empleo de las formas verbales en *-ra* con función de tiempos pasados del indicativo", en *Hispania*, XXXIII (1950), pp. 126-139.

MANCZAK, W.: "Sur quelques regularités dans le développement de la conjugaison espagnole", en *Rev. Ling. Rom.*, XXVII (1963), pp. 463-469.

MARCOS MARÍN, Francisco: "Formas verbales en las jarchas de moaxajas árabes", *Homenaje a Mz. Pidal*, IV, *Revista de la Univ. de Madrid*, XIX, 74 (1970), pp. 169-184.

MARINER BIGORRA, Sebastián: "Triple noción básica en la categoría modal castellana", *RFE*, LIV (1971), pp. 209-252.

—"Estructura de la categoría verbal modo en latín clásico", *Emerita*, XXV (1957), pp. 449-486.

MATHIES, W.: *Die aus den intransitiven Verben der Bewegung und dem Partizip des Perfekts gebildeten Umschriebungen im Spanischen*. Iena, 1933, 66 pp.

MATTOSO CAMARA, J.: "Une catégorie verbale: le futur du passé, en *Reprints of papers for the ninth Interm. Cong. of Ling*. Cambridge (Mass.), pp. 63 y ss.

McCOY, A. M. C. B.: "A case Grammar Classification of Spanish Verbs", Ph. D. Dissertation, Univ. of Michigan, 1969. [Abs. *DA*, 31:7 (1971), 3534-A.]

MEIER, Harri: "Futuro y Futuridad", en *RFE*, XLVIII (1965), pp. 61-77.

—"Infinitivo flexional portugués e infinitivo personal español", *BFUCh*, VIII (1954-55). páginas 267-291.

—"Sintaxis verbal española, peninsular e hispanoamericana", *A. 3.ᵉʳ C. I. H.* (1970), páginas 601-610.

MONGE, Félix: "Las frases pronominales de sentido impersonal en español", Separata de *Arch. de Fil. Aragonesa* (C.S.I.C.), 1955, 102 pp.

MONTES, J. J.: "Dos observaciones sintácticas", *BICC*, XX (1965), pp. 138-139.

MOURIN, L.: "La valeur de l'imparfait, du conditionnel et de la forme en '-ra' en espagnol moderne", *Romanica Gandensia*, 4 (1955), pp. 251-278.

NAVAS RUIZ, Ricardo: "Bibliografía crítica sobre el subjuntivo español", *Actas del XII Congreso Internacional de Ling. y Fil. Románicas*, 1968, vol. IV, Madrid (1970), pp. 1823-1840.

NELSON, Dana A.: "The Domain of the Old Spanish -er and -ir Verbs: A Clue to the provenience of the Alexandre", *RoPhil*, XXVI (1972-73), pp. 265-303. [P. S. de Y(akov) M(a-kiel), pp. 303-305.

PARIENTE HERREJÓN, Angel: "El problema de la forma 'eres'", en *Homenaje a Mz Pidal (I). Revista de la Univ. de Madrid*, XVIII, 69 (1969), pp. 281-298.

POTTIER, B.: "Sobre el concepto de verbo auxiliar", en *NRFH*, XV (1961), pp. 325-361.

RALLIDES, Charles: *The Tense Aspect System of the Spanish Verb*. As used in Cultivated Bogotá Spanish. Mouton (La Haya-París), 1971, 66 pp.

REICHENKRON, G.: *Passivum, Medium und Reflexivum in den romanischen Sprachen*. Iena y Leipzig, 1933.

REIFF, D. G.: "A Characterization-Evaluation System for Theories Of Spanish Verb. Morphology", Ph. D. Dissertation, Univ. of Michigan, 1963. [Abs. *DA*, 24:4 (1963), 1608.]

RIVERO. M.ª Luisa: "La concepción de los modos de la gramática de Andrés Bello y los verbos abstractos de la gramática generativa", *Rev. de Lingüística Teórica y Aplicada* (Univ. de Concepción, Chile), n.º 10, p. 197.

—"Mood and Presupposition in Spanish", *Found Lg.*, 7. 1971.

ROBLES DÉGANO, Felipe: *Filosofía del Verbo*. Madrid, 1910.

ROCA PONS, José: "Dejar + Participio", en *RFE*, XXXIX (1955), pp. 151-185.

—"Estudio Morfológico del Verbo Español", *RFE*, XLIX (1966), pp. 73-89.

—*Estudios sobre perífrasis verbales del español*. Madrid (C.S.I.C.), 1958, 403 pp.

RONA, José P.: "El uso del futuro en el voseo americano", *Filología*, VII (1961), pp. 121-144.

RUIPÉREZ, Martín: "Notas sobre estructura del verbo español", en *Problemas y Principios de Estructuralismo Lingüístico*, pp. 89-96.

—"Observaciones sobre el aspecto verbal en español", en *Strenae*, pp. 427-435.

SADEANU, Florenta: "Perfectul simplu si perfectul compus. Comparatie între spaniolă si română", *SCL*, XXIII (1972), pp. 615-626.

SÁEZ GODOY, Leopoldo: "Algunas observaciones sobre la expresión del futuro en español".

*Actas del XI Congreso Internacional de Ling. y Fil. Románicas*, 1968, vol. IV, Madrid (1970), pp. 1875-1889.

SAPORTA, Sol: "Spanish *Estar:* On the Explanation of Anomalies", *ILPHHRK*, pp. 808-814.

SCAZZOCCHIO, M. S. de: "El 'futuro eventual' en español, una particularidad sintáctica del español a la luz de una forma griega; el futuro en los idiomas clásicos", en *RFHC*, VII (1951), pp. 167-177.

SEIFERT, Eva: "'Haber' y 'tener' como expresiones de la posesión en español", en *RFE*, XVII (1930), pp. 233-276, 345-389.

SELLARS W.: "Inferencia y significado", en *USC*, I (1960), pp. 143-162.

SKUBIC, Mitja: "Pretérito simple y compuesto en los primeros textos castellanos", *Actas XI C.I.L.F.R.*, Madrid, pp. 1891-1901.

SKYDSGAARD, Sven: "Análisis sintáctico de algunas construcciones del infinitivo español preposición/conjunción + infinitivo", *A. 2.º C.I.H.* (1969), pp. 611-616.

SOLL, Ludwig: "Synthetisches und analytisches Futur im Modernen Spanischen", *Rom. Forsch.*, LXXX, 1968 (1-3). *Cf.* A. Llorente en *RFE*, LIV (1971), pp. 330-331.

SOUZA, Roberto de: "Desinencias verbales correspondientes a la persona *vos/vosotros* en el *Cancionero General* (Valencia, 1511)", *Filología*, X (1964), pp. 1-95.

SPAULDING, R. F.: "Infinite and subjunctive with 'hacer', 'mandar'", en *Hispania*, XVI (1933), pp. 425-432.

—"An inexact analogy. The '-ra' form as a substitute for the 'ría'", en *Hispania*, XII (1929), pp. 371-376.

—*Syntax of the Spanish Verb.* Nueva York (1931), p. 136.

SPITZER, Leo: "Das Gerundium als Imperativ im Spanischen", en *ZRPh*, XLII (1922), páginas 204-210.

STARK, D. St.: "A Comparative Verb Morphology of Four Spanish Dialects", Ph. D. Dissertation, Cornell University, 1967. [*Abs. DA*, 28:6 (1967), 2234-A).

STARR, W. T.: "Impersonal 'haber' in old Spanish", en *PMLA*, LXII (1947), pp. 9-31.

STEIGER, A.: "Das Spanische Imperfekt mit präsentischer Bedeutungs-funktion", en *Vos Románica*, XVII, pp. 158-162.

TERRACINI, B.: "Sobre el verbo reflexivo y el problema de los orígenes románicos", en *RFH*, VII (1945), pp. 1-22.

TERRELL, Tr. D.: "The Tense-Aspect System of the Spanish Verb: A Diachronic Study in the Generative Transformational Model", Ph. D. Dissertations, Univ. of Texas, 1970. [*Abs. DA*, 31:11 (1971), 6039-A.]

TOGEBY, Knud: "Les désinences de l'imparfait et du parfait dans les langues romanes", *Studia Neophilologica*, XXXVI (1964), pp. 4.

—*Mode, aspect et temps en espagnol.* Copenhague (Dan. Hist. Fil. Medd. 34, n.º 1), 1953, 136 pp.

VERMEYLEN, A.: "L'emploi de 'ser' et de 'estar': question de sémantique ou de syntaxe?", *BHi*, LXVII (1965), pp. 129-134.

WAGNER, M. L.: "Expletive Verbalformen in den Sprachen des Mittelmeeres", en *Rom. Forsch.*, LXVII (1955), pp. 1-8.

WOLFE, D. L.: "A Generative-Transformational Analysis of Spanish Verb Forms", Ph. D. Dissertation, University of Michigan, 1966. [*Abs. DA*, 28:1 (1967), 219-A.]

WRIGHT, J. R.: "Spanish Verb Morphophonology", Ph. D. Dissertation. Indiana University, 1972. [*Abs.* 33:8 (1973), 4395-A-4396-A.]

WRIGHT, L. O.: "The indicative function of the '-ra' verb form", en *Hispania*, XII (1929), pp. 259-278.

—*"The -ra form in Spanish".* Univ. of Cal. Press, 1932, 160 pp.

—"The Earliest Shift of the Spanish *-ra* Verb-form from the Indicative Function to the Subjunctive: 1000-1300 A. D. *Lg*, 9 (1933), pp. 265-268.

## PRONOMBRE Y ARTICULO

ALARCOS LLORACH, E.: "El artículo en español", *To honor Roman Jakobson*, t. I La Haya (Mouton), 1967, y *Gramática Funcional*.

—"Los pronombres personales en español", en *Archivum*, XI (1961), y *Gramática Funcional*.

—"'Un', el número y los indefinidos", *Archivum*, XVIII (1968), pp. 11-20, y *Gramática Funcional*.

—"Valores del 'se' en español", *Archivum*, XVIII (1968), pp. 21 y ss., y *Gramática Funcional*.

ALONSO AMADO: "Estilística y Gramática del Artículo en español", *En Estudios Lingüísticos. Temas Españoles*, Madrid (Gredos), 1951.

—"*Las abreviaciones del 'señor', 'señora', en fórmulas de tratamiento*", en *BDH*, I (1930), páginas 417-430.

ANDERSON, J. O. *Cf.* HILLS, E. C., y...

. ARNOLD, M. H.: "Spanish neuter dative 'le'", en *M.L.J.*, XIII (1929), pp. 631-632.

BABCOCK, Sandra Scharf: "Verbal Clitics and Object Pronouns in Spanish", Unpublished paper, 1968.

BADÍA MARGARIT, Antonio: *Los complementos pronominalo-adverbiales derivados de 'ibi' e 'inde' en la Península Ibérica*. Madrid (anejo *RFE)*, 1947.

—"Los demostrativos y los verbos de movimiento en iberorrománico", en *2.º Hom. a Mz. Pidal*, III (1952), pp. 3-31.

BARRENECHEA, A. M.: "El pronombre y su inclusión en un sistema de categorías semánticas", en *Filología*, VIII (1962), pp. 241-272.

—*Cf.* en Frase.

BOBES NAVES, M.ª del Carmen: "Construcciones castellanas con 'se'. Análisis transformacional", *RSEL*, 4, 1 (1974, pp. 87-127 (cont.).

BREWER, William B.: "A 'loísta' passage of the *Primera Crónica General*", *Hispania*, LII (1969), pp. 430-433.

—"Extent of verbal influence and choice between *le* and *lo* in Alphonsine prose", *H.R.*, 38 (1970-72), pp. 133-146.

CARRASCO, Félix: "El pronombre neutro *lo* como pro-forma del predicado nominal", *Thesaurus (B.I.C.C.)*, 27 (1972), pp. 324-333.

—"Nota adicional...", *Ibid*, 28, 1973.

CONTRERAS, H.: "Grammaticality vs. Acceptability: The Spanish *se* Case", *LingI*, 4:1 (1973), pp. 83-88.

—"The Structure of the Determiner in Spanish", *Linguistics*, 44 (1968), pp. 22-28.

CONTRERAS. H., y J. N. Rojas: "Some Remarks on Spanish Clitics", *LingI*, 3:3 (1972), páginas 385-392.

CONTRERAS, Lidia: "Significados y funciones del 'se'", *ZRPh* (1966), pp. 298-307.

—"Usos pronominales no-canónicos en el español de Chile", *E.F.L.* (1974), pp. 157-172.

COPCEAG, D.: "Sobre la definición del artículo español", *RRLi*, XI (1966), pp. 63-65.

COSERIU, E.: "Determinación y entorno", en *Teoría del Lenguaje*, Madrid (Gredos), 1962, pp. 282-323.

CUERVO, R. J.: "Los casos enclíticos y proclíticos del pronombre de tercera persona en castellano", en *Obras*, II (1954), pp. 167-234.

DAVIS, R.: "The emphatic object pronoun in Spanish", en *Ph. Q.*, XVI (1937), pp. 272-277.

DINNSEN, Daniel A.: "Additional Constraints on Clitic Order in Spanish", *GSRL*, pp. 176-183.

Espinosa, A. M.: "Fórmulas de tratamiento" (en Nuevo México), en *BDH*, II (1946), páginas 15-18.

Fernández Ramírez, S.: "Un proceso lingüístico en marcha", en *Presente y ·Futuro de la Lengua Española*, 2, pp. 277-285.

Fish, G. T.: "Notes on usage: el cual, el que, or quien?", en *Hispania*, XLIV, 1961.

Foster, A. W.: "A Transformational Analysis of Spanish *se*", *Linguistics*, 64 (1970), páginas 10-25.

Gamillscheg, E.: "Zum Spanischen Artikel und personal Pronomen", *RLiR*, XXX (1966), pp. 250-256.

Gessner, E.: "Das spanische indefinite Pronomen", en *ZRPh*, XIX (1895), pp. 153-169.

—"Das spanische Personalpronomen", en *ZRPh*, XVII, 1893, pp. 1-54.

—"Das spanische Possesiv- und Demostrativpronomen", en *ZRPh*, XVII (1893), pp. 329-354.

—"Das spanische Relativ- und Interrogativpronomen", en *ZRPh*, XVIII (1894), pp. 449-497.

Gili Gaya, S.: "Nos-otros, vos-otros", en *RFE*, XXX (1946), pp. 108-117.

Granda, Germán de: "La evolución del sistema de posesivos en el español atlántico (estudio de morfología diacrónica)", *Bol. RAE*, XLVI (1966), pp. 69-82.

Heger, Klaus: "Personale Deixis und grammatische Person", *ZRPh*, LXXXI (1965), pp. 76-216.

Henríquez Ureña, P.: "Ello", en *RFH*, I (1939), pp. 209-229.

Hernández Alonso, César: "Del 'se' reflexivo al impersonal", en *Archivum*, XVI (1966), pp. 39-66.

—"El 'que' español", *RFE*, L (1967), pp. 257-271.

Hills, E. C., y Anderson, J. O.: "The relative frequency of Spanish personal pronouns", en *Hispania*, XIV (1931), pp. 335-337.

Jensen, J. B.: "The Feature Human as a Constraint on the Occurrence of Third Person Subject Pronouns in Spanish", *Hispania*, 56:1 (1973), pp. 116-122.

Lamíquiz, Vidal: "El demostrativo en español y en francés. Estudio comparativo y estructuración", *RFE*, L (1967), pp. 163-202.

—"Los posesivos del español, su morfosintaxis sincrónica actual", *EA*, 10 (1967), pp. 7-9.

—"El Pronombre Personal en Español. Estudio de su sistemática sincrónica actual", *BFE*, VII (1967), pp. 3-12.

Lapesa, Rafael: "Del demostrativo al artículo", en *NRFH*, XV (1961), pp. 23-44.

—"El artículo como antecedente del relativo en español", en *Homenaje* (Instituto de Estudios Hisp. Port. e Iberoam. Univ. Utrecht). La Haya (van Goor Zonen), 1966, pp. 287-298.

—"El artículo con calificativos o participios no adjuntos o sustantivo en español", *Phoné. et. Ling. Rom. Mélanges offerts à M. Georges Strake*, II, Lyon-Strasbourg (1970), páginas 78-86.

—"El artículo ante posesivo en castellano antiguo", *Sprache und Geschichte. Festichrifs für Harri Meier*. München (1971), pp. 277-296.

—"El sustantivo sin actualizador en las 'Soledades' gongorinas", *Cuadernos Hispanoamericanos*, pp. 280-282, octubre-diciembre 1973, pp. 433-448.

—"Personas Gramaticales y Tratamientos en Español", *Homenaje a Mz. Pidal*, IV, *Revista de la Univ. de Madrid*, XIX, 74 (1970), pp. 141-167.

—"Sobre los orígenes y evolución del leísmo, laísmo y loísmo", en *Festschrift W. v. Warburg*. Tubinga (Max Niemeyer), 1968, pp. 523-551.

Luján, M.: "On the So-Called Neuter Article in Spanish", *On the Theory of Transformational Grammar* (GS-2468), agosto 1971, pp. 45-69.

—"On the so-called neuter article in Spanish", *GSRL*, pp. 162-175.

397

LLORENTE, A., y MONDÉJAR, J.: "La conjugación objetiva en español", *RSEL*, 4, 1 (1974), pp. 1-60.

MAC HALE, C. F.: "Leísmo, loísmo", en *III Congreso de Academias de la Lengua Española. Actas y labores*, pp. 479-491.

MARCOS MARÍN, F.: "El pronombre sujeto de primera persona en las jarchas", *Homenaje Universitario a Dámaso Alonso*, Madrid (Gredos), 1970, pp. 65-67.

MEIER, Harri: "Indefinita von Typus span 'cualquiera', it 'qualsivoglia'", *Rom. Forsch.*, LXII (1950), pp. 385-401.

MEYN, L.: "Zur Syntax des Fürworts in Spanischen", *ZFEU*, XXIII (1928), pp. 375-378.

MOEELERING, Willian: "On the Indefinite 'Se'", *Hispania*, 54 (1971), p. 300.

MONTES, J. Joaquín: "*Le* por *les:* ¿un caso de economía morfológica?", *BICC*, XX (1965), pp. 622-625.

MONTGOMERY, Thomas: "A Datum for the history of Castilian *alguien* and *nadie*", *HR*, XXXIII (1965), 52-57.

MORALES PETTIRINO, F.: "Apuntaciones sobre los numerales y los colectivos en español", *An. de la Univ. de Chile*, 1961, pp. 121-122.

NAVARRO TOMAS, T.: "'Vuesasted', 'usted'", en *RFE*, X (1923), pp. 310-311.

OLZA ZUBIRI, Jesús: *El Pronombre. Naturaleza, Historia y Ambito de una Categoría Gramatical.* Caracas (Univ. Andrés Bello), 1973, 258 + 1 pp.

OTERO, C. P.: "The Syntax of 'mismo'", *Actes du deuxième Congrès Internationale des Linguistes*, 2 (1970), pp. 1145-1151.

PERLMUTTER, David M.: "Les pronoms objets en espagnol: Un exemple de la nécessité de contraintes de surface en syntaxe", *Langages*, 14 (1969), pp. 81-133.

—"Surface Structure Constraints in Syntax", *Ling. Inq.* I (1970), pp. 187-255.

PLÁ CÁRCELES, J.: "La evolución del tratamiento 'vuestramerced'", en *RFE*, X (1923), páginas 245-280.

—"'Vuestra merced' 'usted'", en *RFE*, X (1923), pp. 402-403.

POSTON, Jr. Lawrence: "The redundant object pronoun in contemporary Spanish", *Hispania*, XXXVI, 3 (1953), pp. 263-272.

ROLDÁN, María de las Mercedes: "Spanish Articles and Pronouns", *LangS*, 24 (1973), páginas 16-20.

RONA, José P.: *Geografía y morfología del "voseo"*. Pôrto Alegre, 1967.

ROSENBLAT, Angel: "Fórmulas de tratamiento", *BDH*, II (1946), pp. 112-130.

ROSENGREN, Per: *Presencia y Ausencia de los Pronombres Personales Sujetos en Español Moderno.* Estocolmo (Romanica Gothoburgensia. Acta Universitatis Gothoburgensis), 1974, 299 pp.

SABATINI, R. N.: "Some considerations of pronominal variation", *Hispania*, 54 (1971), páginas 504-509.

SANTIAGO, Ramón: "'Impersonal' se le(s), se lo(s), se la(s)", *Bol. R.A.E.*, LV (1975), páginas 83-107.

SCHMIDELY, Jacques: "Grammaire et Statistique: l'alternance *le/lo* dans l'expression de l'objet 'direct' en espagnol", *Et. Ling. Apl.* 6 (1972), pp. 37-58.

SCHMIDT, L.: "Das Pleonastische Fürwort im Spanischen", en *N Spr*, XXXVI (1928), páginas 283-294.

SCHMITZ, John R.: "La construcción reflexiva 'se me' para acaecimientos no proyectados". *Hispania*, XLIX, 1966.

SOUZA, R. de. *Vid.* en Verbo.

SPITZER, Leo: "Vosotros", en *RFE*, XXXI (1947), pp. 170-171.
SPRANGER, G.: *Syntaktische Studien über den Gebrauch des bestimmten Artikels im Spanischen*, Leipzig, 1933.
SZABO, Robert K.: "Deep and Surface order of the Spanish clitics", en Campbell y otros: *Ling. St. in Rom. Lang.*, pp. 139-145.

WANNER, Dieter: "The evolution of Romance clitic order", en Campbel y otros: *Ling. Est. in Rom. Lang.*, pp. 158-177.
WEBER, Frida: "Fórmulas de tratamiento en la lengua de Buenos Aires", en *RFH*, III, 1941, pp. 105-139.
Wilson, W. E.: "'Él' and 'ella' as pronouns of address", *Hispania*, XXIII (1940), pp. 336-340.


PARTICULAS


ALARCOS LLORACH, E.: "Español *que*", en *Archivum*, XIII (1963), pp. 5-17.
ALONSO, A.: "Español 'como que' y 'cómo que'", en *RFE*, XII (1925), pp. 133-156.
ARNOLD, H. H.: "Double function of the conjunction 'que'", en *Hispania* (1930), pp. 116-122.

BOLINGER, D. L.: "Purpose with 'por' and 'para'", *M.L.J.*, XXVIII (1943), pp. 15-21.

CASTRO, Américo: "'De aquí a' = 'hasta'", en *RFE*, III (1916), p. 182.
CASTRO, Américo, y GILI GAYA, S.: "Y todo", en *RFE*, IV (1917), pp. 285-289.

DEUTSCHMANN, O.: *Zum Adverb im Romanischen*. Tübingen, 1959.
DONELL, Albert L.: "La conjunción 'que' en el antiguo español", México, 1952, XVIII + 221 pp. (tesis U. México).
DYER, Nancy Joe: "A Study of the Old Spanish Adverb in '-mente'", *H.R.*, 40 (1972), páginas 303-308.

FERNÁNDEZ RAMÍREZ, Salvador: "Como si + subjuntivo", en *RFE*, XXIV (1937), pp. 372-380.
FITZ GIBBON, J. P.: *Verbs and adverbial prepositions*. Madrid, 1960, 52 pp.

GAMILLSCHEG, Ernst: "Spanish *como* mit dem Konjunktiv", en *Mélanges à M. Delbouille*. Gembloux (1964), pp. 221-235.
—"Über Präposition und Adverb im Spanischen", en *Medium Aevum Romanicum, Festschrift für Hans Rheinfelder* (1963), pp. 120-139.

HANSSEN, Friedrich: "Cuestiones de gramática. Observaciones sobre la preposición *para, por*", en *BHi*, XIII (1911), pp. 40-46.
HATCHER, A. G.: "The use of 'a' as a designation of the personal accusative in Spanish", *M.L.N.* (1942), pp. 421 y ss.
—"The Informant and the Adverb", *M.L.N.*, LXXIII (1958), pp. 355-364.

HEINIMANN, S.: "Vom Kinderspielnamen zum Abverb", *ZfRPh*, 69 (1953), pp. 1-42.

KRUGER, Fritz: "*El argentinismo 'es de lindo'*". Madrid (C.S.I.C.), 1960.
—"A propósito de 'de aquí a' 'hasta'", en *RFE*, VIII (1921), pp. 295-296.

LAVANDERA, Beatriz R.: "La forma *que* del español y su contribución al mensaje", *RFE*, LIV (1971), pp. 13-36.
LÓPEZ, M.ª Luisa: *Problemas y métodos en el análisis de preposiciones*. Madrid (Gredos), 1970, 223 pp.

MANOLIU-MANEA, María: "Les conjonctions de coordination dans une grammaire transformationnelle romane", *Bull. société Roum de Ling. Rom. (S.R.L.R.)*, VII, 1970.

McWILLIAMS, Ralph Dale: "The Adverb in Colloquial Spanish", en *Descriptive Studies in Spanish Grammar*, ed. H. R. Kahane y A. Pietrangeli. Urbana (Univ. of Illinois Press), 1954.

MENÉNDEZ PIDAL, R.: "El 'que' expletivo", en *Al. And*, XIX (1954), pp. 387-388.

MONDÉJAR, José: "La expresión de la condicionalidad en español (conjunciones y locuciones conjuntivas)", *RFE*, XLIX (1966). pp. 229-254.

PIETSCH, K.: "The Spanish Particle 'He'", *Modern Philology* (1904), pp. 205-206.

POTTIER, B.: "Problèmes relatifs à *aun, aunque*", en *Mélanges offerts à*, M. Bataillon. Bordeaux, pp. 716-721.

—"Espacio y tiempo en el sistema de las preposiciones", en *BFS*, VIII (1954), pp. 347-354.

—"Problèmes relatif aux adverbes ςn -*ment*", en *Miscelanea Griera*, II (1960), pp. 189-205.

RODRÍGUEZ-PASQUÉS, Petrona Domínguez de: "Morfología y sintaxis del adverbio en -mente", *A. 3.ᵉʳ C.I.H.* (1970), pp. 293-303.

SACKS, Norman: "'Aquí', 'acá', 'allí' and 'allá'", en *Hispania*, XXXVII (1954), pp. 263-266.

SCHEVEN, Sture von: "La conjunción temporal *tan pronto* y algunos casos más de reducción prosódica", *Studier i modern språkvetenskap* (Universidad de Estocolmo). Nueva Serie,•3 (1968), pp. 224-237.

SHENTON, G.: "'Bajo' y 'debajo de'", *Hispania*, XLVii, 1964.

SPITZER, Leo: "¿Adverbios en -ter en romance?", *An. Int. Ling. Cuyo*, II (1942), p. 5.

—"Lokaladverb staat Personalpronomen", en *Rom. Forsch.*, LXII (1950), pp. 158-162.

—"Notas sintáctico-estilísticas a propósito del español 'que'", en *RFH*, IV (1942), pp. 105-126 y 253-265.

—"Span. como que", en *ZRPh*, XXXVII (1913), pp. 730-735.

TRUJILLO, Ramón: "Notas para un estudio de las preposiciones españolas", *BICC*, 26 (1971), pp. 234-279.

WAGNER, Max Leopold: "Spanisch *tan* und *más* mit Verblassung der ursprünglichen Funktion", en *ZRPh* XLVIII (1924). pp. 589-594.

## LEXICOGRAFIA, LEXICOLOGIA Y SEMANTICA

AID, Fr. M.: "Semantic Structures in Spanish: A Proposal for Instructional Materials", Ph. D. Dissertation, Georgetown University, 1972. [Abas. *DA*, 33:8 (1973), 4378-A).

ALEMANY-BOLUFER, J.: *Tratado de la formación de palabras en lengua castellana. La derivación y la composición. Estudios de los sufijos y prefijos empleados en una y otra*. Madrid (Victoriano Suárez), 1920, 214 pp.

ALONSO, A.: "Noción, emoción, acción y fantasía en los diminutivos", en *Estudios Lingüísticos: Temas Españoles*. Madrid, 1951.

—"Para la lingüística de nuestros diminutivos", *Nos*, XXI, n.º 21 (1930), pp. 35-41.

ARCE, Joaquín: "El diminutivo italiano y su adaptación española por un traductor clásico", *Bolletino dell'Istituto di Lingue Estere*, VIII, Génova, 1969.

BAYLISS, Betty: *Sebastián de Covarrubias. Suplemento al Tesoro de la Lengua Castellana": A critical edition of selections from the original manuscript*. Univ. of Illinois doctoral dissertation (Urbana, 1959); en microfilme de University Microfilms, Ann Arbor, Mich.

BERSCHIN, Helmut: "Sprachsystem und Sprachnorm bei spanischen lexicalischen Einheiten der Struktur KKVKV", *Linguistische Berichte,* 12 (1971), pp. 39-46.

BLOISE CAMPOY, P.: *Diccionario de la rima,* Madrid, 1946.

BOGGS, R. S.; KASTEN, LL,; KENISTON, H., y RICHARDSON, H. B.: *Tentative Dictionary of Medieval Spanish.* Chapel Hill, North Caroline, 1946.

BOLINGER, Dwight: "Modes of Modality in Spanish and English", *RoPh,* XXIII (1970), páginas 575-580.

BROWN, C. B.: "The Disappearance of the Indefinite *hombre* from Spanish", *Lg,* 7, páginas 265-277.

BUESA OLIVER, Tomás: "Léxico vasco relativo al tiempo en la Navarra Nordoriental (Partido de Aoiz)", *Hom. Fco. Ynduráin,* Zaragoza (Univ.), 1972, pp. 65-105.

BUSTOS, Eugenio de: "Algunas consideraciones sobre la palabra compuesta como signo lingüístico", *RFE,* XLIX (1966), pp. 255-274.

—"Un nuevo recuento del vocabulario español", *Fil. Mod.,* 6 (1965-66), núms. 25/26.

BUSTOS TOVAR, José Jesús de: *Contribución al estudio del cultismo léxico medieval.* Madrid (R.A.E.), 1974, 744 + 2 pp.

—"Notas sobre Lexicología y Semántica", *Vida Escolar,* 139-140, 1972, pp. 55-60.

CASARES, Julio: *Diccionario ideológico de la lengua española.* Barcelona (G. G.), 1942.

—*Introducción a la lexicografía moderna.* Madrid (C.S.I.C., Anejo *RFE,* LII), 1950, XV + 354 pp.

CASTRO, Américo: "Adiciones Hispánicas al Diccionario Etimológico de W. Meyer-Lübke", *RFE,* V, VI. (Anuncia que continuará, pero no lo hace en los volúmenes siguientes.)

—*Glosarios latino-españoles de la Edad Media.* Madrid *(C.E.H.), 1936.*

CISNEROS, L. J.: "Los diminutivos en español", *Mercurio peruano,* XXXVII (1956), pp. 327-345.

CONTRERAS, Lidia: "Semántica del español americano", *RPF,* XIV (1966-1968), pp. 157-212.

COOPER, Louis: "El *Recueil* de Hornkens y los diccionarios de Palet y de Oudin", *NRFH,* XVI (1967), pp. 297-328.

COROMINAS, Joan: *Diccionario crítico-etimológico de la lengua castellana.* Madrid (Gredos), 4 vols., 1954.

COVARRUBIAS OROZCO, Sebastián de: *Tesoro de la lengua castellana o española.* Madrid, 1611. Edición de M. de Riquer, Barcelona, 1943, "con las adiciones de Benito Remigio Noydens publicadas en la edición de 1674".

CUERVO, R. L.: *Diccionario de Construcción y Régimen de la Lengua Castellana.* Tomos I-II. París, 1886-1893 (se continúa en Bogotá, Instituto Caro y Cuervo).

DE MAURO, Tullio: *Une Introduction à la Sémantique.* París (Payot), 1969, 222 pp.

DÍAZ S., A.: "Implicancias semánticas en la gramática transformacional", *L y C,* 23 (1967), pp. 20-22.

DIETRICH, G.: *Syntaktisches zu Kalila wa Dimna. Beiträge zur arabisch-Spanischen Uebersetzungskunst im 13. Jahrhunderts. Cf.* Eva Seifert, *VoxR,* IV (1939), pp. 193-198.

ENGELBERT, Manfred: "Zur Sprache Calderóns: Das Diminutiv", *Romanistisches Johrbuch,* XX (1969), pp. 290-303.

ESPINOSA, A. M.: "The Language of the *Cuentos Populares Españoles", Lg.,* 3, pp. 188-98; 4, 18-27, 111-9.

FERNÁNDEZ RAMÍREZ, Salvador: "A propósito de los diminutivos españoles", *Strenae* (Salamanca), XVI (1962), pp. 185-192.

FLEISCHMAN, Suzanne: "Collision of Homophonous Suffixes Entailing Transfer of Semantic Content. The Luso-Hispanic Action Nouns in *-ón* and *-della | -dilla". Ro Phil,* XXVI (1972-73), pp. 635-663.

FONTANELLA, M. B.: "Algunas observaciones sobre el diminutivo en Bogotá", *BICC*, XVIII (1962), pp. 556-573.

FÓRNEAS, J. M.ª, y MARCOS, F.: "*Guezerá: Precisiones sobre el origen de este vocablo judeoespañol*", *Bol. RAE* (1974), pp. 153-156.

GARCÍA DE DIEGO, V.: *Diccionario Etimológico Español e Hispánico*. Madrid (SAETA), 1955.

GARCÍA GÓMEZ, Emilio: "Hipocorísticos árabes y patronímicos cristianos", *Arabica*, I, 2 (1954), pp. 129-135.

GILI GAYA, S.: *Diccionario general ilustrado de la lengua española*. Barcelona (VOX), 1953.

—*Diccionario de Sinónimos*. Barcelona (VOX), 1958.

—*Tesoro Lexicográfico (1492-1726)*, Madrid (C.S.I.C.), t. I (publicado a partir de 1947, sin continuar.

GONZÁLEZ OLLÉ, Fernando: *Los sufijos diminutivos en castellano medieval*. Madrid (C.S.I.C.), 1962, 339 pp.

—"Primeros testimonios de algunos sufijos diminutivos en castellano y nuevos datos para su historia", *Actes X Cong. Int. Ling. phil. rom.* Estrasburgo, 1962 (Klincksiek, París, 1965), II, pp. 547-552.

GOOCH, Anthony: *Diminutive augmentative and pejorative suffixes in modern Spanish* (A Guide to their use and Meaning). Oxford *et. al.* (Pergamon Press), 1967, XII + 304 pp.

GRANDA, Germán de: "Acerca de los portuguesismos en el español de América", *BICC*, XXIII (1968), 15 pp. (separata).

GREIMAS, A. J.: *Semántica Estructural*. Madrid (Gredos), 1971.

GYURKO, Lanin A.: "Affixal Negation in Spanish", *Ro Phil*, XXV (1971-72), pp. 225-240.

HASSELROT, Bengt: *Études sur la formation diminutive dans les langues romanes*. Uppsala (Universitets Arsskrift, 11), 1957, 344 pp.

HILLS, E. C.: "Spanish Patronymics in -z", *Revue Hispanique*, LXVIII (1926), pp. 161-173.

HOFFMAN, R. J.: "The Derivation of Spanish Hypocoristics", *CLS*, 5 (1969), pp. 366-373.

IORDAN, Iorrgu: "Observaciones sobre la formación de palabras en español", *A. 3.er C.I.H.* (1970), pp. 443-451.

JAUREGUI, S. B.: "Semantic Analysis of English Compound Nouns and Their Equivalents in Spanish (I)", *L y C*, 12:2-3 (1972), pp. 53-63.

—"Semantic Analysis of English Compound Nouns and Their Equivalents in Spanish", *L y C*, 12:4 (1972), pp. 82-89.

JUILLAND, y CHANG-RODRÍGUEZ: *Frequency Dictionary of Spanish Words*. La Haya (Mouton), 1966.

KANY, Charles: *American-Spanish Euphemisms*. Berkeley, 1960.

—*Semántica hispanoamericana*. Madrid (Aguilar), 1963.

KÖNIG, V. F.: "Notes on Spanish Word formation", *M.L.N.*, LXVIII (1953), pp. 13-17.

LATORRE, Federico: "Diminutivos, despectivos y aumentativos en el siglo XVII", *Archiv. de Fil. Arag.*, VIII-IX (1956-57), pp. 105-120.

LAPESA, Rafael: "Latinismos semánticos en la poesía de Fray Luis de León", *Homenaje a Antonio Tovar*, Madrid (Gredos), 1972, pp. 243-251.

—"Los provenzalismos del Fuero de Valfernoso de las Monjas (1189)", *Philological Quarterly* (Iowa), 51 (1972), pp. 54-59.

—"Nomenclatura de estructuras de cemento", *Bol. Ac. Col.*, 15 (1965), pp. 386-388. Publicado de nuevo, *ibid.*, 16 (1966), pp. 123-125, precedido de unas observaciones de H. Luque, pp. 120-122.

LÁZARO CARRETER, Fernando: "Transformaciones nominales y diccionario", *Rev. Esp. de Ling.*, I (1971), pp. 371-379.

Luria, M. A.: "Old and Dialectal Spanish *muncho*, Portuguese *muito*", *Lg.*, 13, pp. 317-319.
—"Portuguese, Spanish *Cisco*, Ciscar", *Lg.*, 13, pp. 315-317. *Cf.* L. Spitzer: "Portuguese, Spanish *cisco*, ciscar", *Lg.*, 14, pp. 147-148.
Lloyd, Paul M.: *Verb-Complement Compoundis in Spanish*. Beihefte z. *ZRPh*, 116, Tubinga, 1968, 44 + 100 pp. [Reseña de Hans Dieter Bork en *Rom. Forsch*, 81 (1969), pp. 476-480, *Cf. RFE*, LV (1972), p. 116.]

Magaña, José: "Contribución al estudio del vocabulario de la Rioja", *RDTP*, IV (1949), pp. 266-303.
Malaret, Augusto: *Semántica Americana*. Cataño, P. Rico (Imp. S. José), 1943, 128 pp.
Malkiel, Yakov: "The base of the Spanish suffix '-eño'", *AJPh*, LXV (1944), pp. 307-323 y 372-381.
—"A cluster of four homophones in Ibero-romance", *HR*, XXI (1953), pp. 20-36.
—*Development of the Latin suffixes '-antia' and '-entia' in the Romance Languages, with special regard to Ibero-Romance*. Berkeley y los Angeles (UCP), 1945, VI + 187 pp.
—"Los interfijos hispánicos. Problemas de lingüística histórica y estructural", en *Miscelánea Homenaje a André Martinet*, II, La Laguna (1958), pp. 108-199.
—"Lexical polarization in Romance", *Language*, 27 (1951), pp. 485-518.
—"Nuevas aportaciones para el estudio del sufijo -uno", en *NRFH*, XIII (1959), pp. 241-290.
—"Some contrast between verbal derivations in Spanish and Portuguese". *Univ. of Wyoming Pub.* IX (1942), pp. 53-67.
—"The ancient Hispanic verbs 'posfaçar', 'porfaçar', profaçar: a study in etymology and word-formation", *Rom. Ph.*, III (1949), pp. 27-72.
—"Studies in the Hispanic infix '-eg' (pedregal)", en *Lan*, XXV, pp. 139-181.
—"Studies in Spanish and Portuguese Animal Names. A propos of Delmira Maçãs, *Os Animais na Linguagem Portuguesa*". *HH*, XXIV (1956), I, pp. 115-143; II, pp. 207-231.
—"The Latin background of the Spanish suffix '-uno'". en *Rom. Ph.* IV (1950), pp. 17-45.
—"The Hispanic suffix '-(i)ego'; a morphological and lexical study based on historical and dialectal sources". Berkeley, 1951 (Univ. of Cal. Pub. in *Ling.*, IV, n.º 3), pp. 111-213. Res. de F. Jungemann, en *Lang.* (1961), pp. 155-157.
—"The two sources of the Hispanic suffix -azo, -aço", en *Lang*, XXXV (1959), pp. 193-258.

Marchand, Hans: "Morphonology and word-formation", en *NM* (1951), pp. 87-95.
Marcos Marín, F.: *Cf.* J. M. Fórneas y...
Márquez, P.: "Algunas reglas generativas para la formación de palabras de parentesco en castellano", *L y C*, 31 (1069), pp. 1-7.
Menéndez Pidal, R.: "Sufijos átonos en español", en *Festgabe für A, Mussafia*. Halle (1905), pp. 386-400.
—"Sufijos átonos en el Mediterráneo occidental", en *Homenaje a A. Alonso, NRFH*, VIII (1953), pp. 34-55.
—"Los sufijos en -rr- en España y fuera de ella, especialmente en la toponimia", BRAE, XXXVIII (1958), pp. 161-214.
Menéndez Pidal, R., y Tovar, A.: "Los sufijos españoles en '-z' y especialmente los patronímicos", *BRAE*, XLII (1962), pp. 371-460.
Molina Redondo, José Andrés de: "'Cabeza' (+ sufijos) en andaluz (estudio de un campo semántico etimológico)", *RFE*, LV (1972), pp. 279-301.
Monge, Félix: "Los diminutivos en español", en *Actes du Xe Congrès International de Ling. et Phil. Romanes*, I, París (1965), pp. 137-149.
Montes Giraldo, José Joaquín: "Funciones del diminutivo en español: ensayo de clasificación", *BICC*, XXVII (1972), pp. 71-88.
Murphy, Spencer L.: "Andescription of noun suffixes in colloquial Spanih", en *Descriptive studies in Spanish Grammar* 1954, pp. 1-48.

NÁÑEZ FERNÁNDEZ, Emilio: *El Diminutivo. Historia y funciones en el español clásico y moderno.* Madrid (Gredos), 1973, 458 pp.

NAVARRO TOMÁS, Tomás: "Metodología lexicográfica del español hablado", *RIB,* XVIII (1968), pp. 375-386.

NOUGUÉ, André: "Le genre du mot 'Estratagema'", *B. Hisp.,* 68 (1966), pp. 365-369.

O'KANE, Eleanor S.: *Refranes y frases proverbiales españoles en la Edad Media.* Madrid, 1959.

OTERO, C. P.: "Problemas del nuevo *Diccionario Histórico (Diccionario histórico de la lengua española,* ed. by Real Academia Española, I: 1-5)", *Romance Philology,* XXI (1967), páginas 42-66.

POTTIER, Bernard: "La semántica y los criterios funcionales", pp. 415-419, *Actas del Primer Congreso Internacional de Hispanistas,* Oxford (The Dolphin Book Co. Ltd.), 1964, 494 + 1 pp.

QUILIS, Antonio: "Sobre la Morfonología. Morfonología de los Prefijos en Español", en *Homenaje a Mz. Pidal,* IV, *Revista de la Univ.,* Madrid, XIX, 74 (1970), pp. 169-184.

RANSON, H. M.: "Diminutivos, aumentativos, despectivos", *Hispania,* XXXVII (1954), páginas 406-408.

REAL ACADEMIA ESPAÑOLA: *Diccionario de Autoridades.* Ed. facsímil 3 vols. Madrid (Gredos), 1963.

—*Diccionario Histórico de la Lengua Española.* Madrid, 10 fasc. desde 1960.

—*Diccionario de la Lengua Castellana* (luego *Española).* Madrid, desde 1726, hasta 1970, última edición.

RESTREPO, F.: *Diseño de semántica general: el alma de las palabras.* Bogotá (Librería Voluntad), 5.ª ed., 1958, 242 pp.

RICE, C. C.: "Hispanic Etymologies", *Lg.,* 10, pp. 27-31. "Romance Etymologies", *Lg.,* 7, pp. 259-264; 9, 309-312. "Spanish Etymologies", *Lg.,* 8, pp. 143-144. "Romance Etymologies", *Lg.,* 11, pp. 238-241. "Romance Etymologies", *Lg.,* 13, pp. 18-20.

ROMERA NAVARRO, M.: *Registro de Lexicografía Hispánica.* Madrid (C.S.I.C.), 1951.

SALA, Marius: "Arcaísmos e innovaciones en el léxico del español americano", *Actas 3.ᵉʳ Cong. Int. Hisp.,* pp. 779-785.

SANDRU, T.: "Despre fizionomia lexicolă a Spaniolei Contemporane", *SCLB,* XVI (1965), pp. 566-567.

STEEL, Brian: "Contrasting approaches to Spanish lexicography", *Hispania,* 54 (1971), páginas 46-53.

STERN, Gustaf: *Meaning and Change of Meaning.* Indiana Univ. Press. 2.ª ed., 1965.

TRUJILLO, Ramón: *El campo semántico de la valoración intelectual en español.* Las Palmas (1970), 513 pp.

URRUTIA CÁRDENAS, Hernán: "Aproximación metodológica en el estudio de la formación de palabras", *Español Actual* (OFINES), 20, dic. 1971, pp. 21-24.

VELILLA BARQUERO, Ricardo: *Contribución al Estudio del Vocabulario Alavés.* Vitoria (Dip. Foral de Alava), 1971, 54 pp. [Res. de C. Casado en *RDTrP* (1974), pp. 288-289.]

VIDOS, B. E.: "Relaciones antiguas entre España y los Países Bajos y problemas de los préstamos holandeses (flamencos) en castellano", *RFE,* LV (1972), pp. 232-242.

WAGNER, M. L.: "Grammatikalisation der Suffixfunktion in den Ibero-Romanischen Sprachen", en *ASNSL*, XLVIII (1924), pp. 265-267.
—"Zum Spanisch-portugiesischen Suffix 'al'", en *VKR*, III (1930), pp. 87-92, "azo", en *ZRPh*, LXIII (1943), pp. 329-344, "azo", en *ZRPh*, LXIV (1944), pp. 353-356.
WUEST, Anne: "The Spanish Suffix '-udo', *PMLA*, LXIII (1948), pp. 1283-1293.

YNDURÁIN, F.: "Sobre el sufijo *-ezno*", *Archivo de Filología Aragonesa*, IV (1952), pp. 195-200.

ZIERER, E.: "La formación de palabras considerada desde el punto de vista estructural", en *Lenguaje y Ciencias* (Trujillo, Perú), VII, pp. 13-23.
ZULUAGA, A.: "La función del diminutivo en español", *BICC*, 25 (1970), pp. 23-48.

# INDICE DE AUTORES CITADOS

Los números entre paréntesis remiten a las notas, los restantes al texto, según los párrafos.

Abad: 7.5.27, 7.5.28, 7.5.29, (450).
Abu Ali Al-Qali: 6.2.2.
Abu Halim Al-Razi: (291).
Abu-l-Aswad Al-Duali: 6.2.2.
Abu Ubayd: 6.2.2.
Abu Ubayda: 6.2.2.
Acevedo: 8.7.
Adams: (648).
Adelung: (289), (369).
Aebischer: 9.2.
Agüero: 11.5.1.
Agustín, San: 7.4.10, 8.2.9.
Ajdukiewicz: 1.4.2.
Akhmanova: (190), 8.5.9.
Alarcos García: (324), (325), 6.3.26.
Alarcos Llorach: (40), 3.2.3, (171), 4.5.5, (281), 7.5.26, 8.2.6, 8.2.19, 8.2.43, 8.2.44, 8.2.45, 8.2.51, (591), 8.6.12, 8.6.13, 8.6.14, 8.7.
Alatorre: (124), (500).
Alcalá Zamora: (403).
Aldrete: 4.5, 4.5.1, (200), 6.3.19, 6.3.25, 7.5.32.
Alea: 7.5.10, (378).
Alemán: (328).
Alemany, J.: 7.5.1, 7.5.32, 7.5.35, (423), (575), 8.7.1.
Alemany, L. de: 7.5.6.
Alfonso X: (10) 3.2.6. (650).
Alonso, A.: 1.5.7, (57), 2.1.3. (63), (175), (186), (282), (322) 7.1.10, 7.2.9, (391), 7.5.22, 7.5.24, 7.5.26, (439), 8.2, 8.6.6, (591), 8.6.19, 8.7.5, 9.3, (648), (649), (651), 9.3.2, (652), (653), 9.3.4, (655), (658), 9.3.9, .9.3.11, 9.3.12, 9.3.13, 9.3.14, 9.3.22, (665), 9.3.24, 9.4.3, 10.1.3, 10.2.1, (712), 10.3.14, 10.3.15, 10.3.19, 10.3.20, 10.4.6, 10.4.7, 11.7.2.
Alonso, D.: 5.4.4, 7.5.26, 7.5.36, 8.2, (577), 8.6.6, 10.4.5.
Alvar: (159), (164), 3.2.3, 3.2.6, 3.2.9, (360), (428), 4.3.4, 8.2.33, (577), (601), 8.6.17, 8.6.18, (608), 8.6.19, 8.6.20, 8.6.21, 9.2, (666).
Alvarado: (482).
Alvarez: 6.3.6.
Allen: 8.6.22.
Amman: 10.3.13.
Amorós: (771), 11.6.8.
al-Anbari: 6.2.2.
Anderson: 8.6.22.

Andrés: (294).
Anónimo de Lovaina: 6.3.18, 6.3.22, 9.3.9, 9.3.11.
Apolonio Díscolo: 6.1.11, 6.1.12.
Aquino: 6.2.10.
Araya: 8.6.20.
Arbolí: 7.5.17.
Argenté: (440), (443), (570), (593).
Aristarco: 6.1.12.
Aristóteles: (227), 6.1.8, 6.1.10, 6.1.13, (288), 7.2.5, 7.3, 7.3.1.
Ariza: (162), (612).
Arnauld: 7.1, 7.1.6, 7.1.9.
Arteaga: 2.2.6, 7.4.11.
Arriaga: 11.5.1.
Ascoli: 10.1.2.
al-Asmai: 6.2.2.
Assas: 7.5.33.
Astarloa: 7.5.3, (364).
Avram: (167).

Bacon: 7.2.8.
Bach: 4.5.6, 8.4.28, (554), 10.1.1.
Badía: (666), 9.4.3.
Badilius: (82).
Báez: 8.5.9.
Bahner: (301).
Balbín: (321), 6.3.22.
Baldinger: (253), 8.2.29, 8.2.34, (591), (600), (666), (739).
Balmes: 7.5.10, 7.5.13, 7.5.17.
Ballot: 7.5.6.
Bally: (175), (231), 8.2, 10.2.1, 10.3.20.
Baquero: 5.4.3, 5.4.4, 5.4.5.
Bar-Hillel: (131), 4.4.4, 4.4.5.
Barthes: 8.4.62.
Barton: (160).
Barrenechea: 11.7.2.
Bastero: 7.5.31, (411).
Beauzée: 7.2.9, 7.5.13.
Bécquer: 11.5.11.
Belic: 8.2.7.
Belokrinickaja: (510).
Bello: 7.2.9, 7.4.19, 7.5.1, 7.5.11, 7.5.16, (391), 7.5.18, 7.5.19, 7.5.22, (398), (403), (404), 7.5.24, (409), 7.5.27, 7.5.28, 7.5.29, 8.7.3, 8.7.4, 8.7.5, 11.7.2.
Bellón: (567).

Contreras: (519), (535), (537), 8.6.22.
Copeland: (283).
Corominas: (417), 8.6.5, 8.6.9.
Cortejón: (754), 11.4.1, 11.4.2, 11.4.3, 11.4.4.
Correa: 11.5.1, (771).
Correas: 6.3, 6.3.18, 6.3.26, 6.3.27, 6.3.29,
   6.3.33, (325), 6.3.36, 7.1.11, 7.4.16, 9.3.7,
   9.3.13, 9.3.20.
Corriente: 4.6.4.
Coseriu: (19), (21), (25), (62), (70), (142), (174),
   (182), (184), 4.4, *passim.* (185), (190), (192),
   (195), (212), (213), 4.6, 4.6.1, 4.6.2, (344),
   8.2.19, 8.2.24, 8.2.25, 8.4.39, (600), (678),
   10, 3.3, (696), (710), 10.3.14, 10.3.15, 10.3.19,
   (727).
Costa: (375).
Coste: 8.7.6.
Courtenay: 2.2.5, (432), 8.2.1, 10.1.2, 10.3.10.
Covarrubias: 9.3.15.
Cowan: (11).
Cressey: (570).
Criado: 8.7, 8.7.7.
Croce: 2.2.5, 6.3.17, 7.5.26.
Cuatrecasas: (431).
Cuveiro: 7.5.37.

Chatman: 8.4.100.
Chauchard: (48).
Chomsky: (5), (8), (14), 1.1.2, (48), (62), (171),
   (186), 4.4.3, 4.4.4, 4.5.2, 4.5.4, 4.5.5, 7.1.3,
   (333), 8.2.7, 8.2.63, 8.3.13, 8.4. *passim,* (519),
   (529), (533), (540), (541), (542), 8.5.3, 8.5.9,
   10.3.15, 11.7.4.

Dahl: 8.4.72, 8.4.73.
D'Alambert: 7.5.13.
Damourette: 5.2.4.
Danes: 8.4.49.
Dante: 6.2.4. (410).
Darrigrán: 11.5.1.
Decroly: 11.5.1.
Delacroix: (48).
Delbrük: 10.1.2.
Demócrito: 7.4.1.
Demonte: (567).
Descartes: 6.3, 7.1.3, 7.1.4, 7.1.5, 7.1.6, 7.2.5,
   7.2.8, 7.2.9.
Descoeudres: 11.5.1.
Destutt: 7.5.12, 7.5.13, (404).
Díaz de San Julián: 7.5.6.
Diderot: 7.5.13.
Diez: 7.5.31, 7.5.34, (422), (575), 9.2, 9.4.3.

Dijk: (559 *bis*), 8.4.65, 8.4.72, 8.4.79, 8.4.80,
   8.4.81, 8.4.82, 8.4.87, 8.4.101, 8.4.102.
Dionisio de Tracia: 6.1.11, 6.1.12.
Dixon: (160).
Donato: 6.1.18.
Donzé: (336), (341).
Dorsey: (160).
Dressler: (559 *bis*).
Du Quesnay: 7.5.13.
Dubois: 8,5.7.
Dubsky: (440).
Ducrot: (62).
Durkheim: 3.1.8, (160).
Duvivier: 7.5.13.

Engler, (183).
Enkvist: 8.4.100.
Erfurt: 6.2.14, (298), 6.2.16.
Erro: 7.5.4, (367).
Escalígero: 6.3.8, 7.1.6.
Espinosa: 2.2.6, 8.6.19.
Esquer: (766).
Evans-Pritchard: (160).

Fajardo: 9.3.17.
Farinelli: (15), (62), (320).
al-Farrá: 6.2.2.
Farré: (298).
Feijoo: 7.4.3, 7.4.4, 7.4.20.
Fellmann: (285).
Fernández: (377).
Fernández de Navarrete: 7.5.33.
Fernández Ramírez: 8.7.1, 8.7.2, 8.7.6.
Ferreras: 9.3.17.
Feuer: 2.4.
Fillmore: 8.4.26, 8.4.72, 8.4.73.
Fink: 2.2.5, (182).
Firth: (25), 1.1.9, (160), 5.2.11, 8.2.54, (490),
   8.2.57.
Fishman: (159), (613).
Fleish: (286).
Fodor: 8.4.13, (532), (567).
Foley: (570), 8.6.22.
Fontanella: 8.6.22.
Forgione: (754).
Forner: 7.4.7, 7.4.9.
Fortunatov: 8.2.1.
Fortunio: (301).
Fourquet: (164), 3.2.10, (463).
Francescato: (164), 3.2.9. (600).
Frege: (268).
Frei: 4.4.6, 8.2.

(306), (322), 7.5.26, (452), (553), 8.6.3, (585), 8.6.7, (590), 8.6.14, (619), 8.7.1, 9.2, (647), (666), 9.4.6, 11.7, 11.7.8.
Lasso: (484).
Laverde: (415), 7.5.37.
Lázaro: 1.5.12, (76), 3.2.3, (204), 5.4.1, 5.4.6, (301), 6.3.5, (304), (305), (307), (318), (342), (344), (345), 7.4, *passim* (353), (358), (409), (448), 8.2.10, (519), (542), 8.4.81, 8.4.97, 8.4.98, 8.4.99, 8.4.100, 8.4.101, 8.4.103, 8.5, *passim,* (563), (570), (620), (648), 9.3.14, 9.3.21, 11.1.4, (7.5.4), 11.4.5, 11.4.6, 11.4.7, 11.5.1, 11.5.2, 11.5.10, (771), (772), 11.6.3, 11.6.6, 11.6.7, 11.7, 11.7.7.
Lee: 2.4.
Lehmann: (591), 10.1.1.
Leibniz: 2.2.6, 2.2.7, 4.2.1, (300), 7.1.4, 7.2, *passim* (342), (353), 7.4.7, 7.4.19.
Lekomcev: (519).
Lenneberg: (32), (36), (38), 1.2.10, 1.3.4, 2.5, (133).
Lenz: 8.7.3, 8.7.4.
León: 6.3.7, 9.3.13.
Lepschy: 8.1, 8.1.2, (432), (435), 8.2, (440), (441).
Lerch: 5.2.1, 5.2.4.
Leroy: (285), (293), 8.1, 10.3.13.
Leskien: 10.1.2.
Lévi-Strauss: 1.2.13, (160), (161).
Levin: 8.4.100.
Locke: 2.2.7, 7.2, *passim* (342), 7.3, 7.3.3, 7.4.7, 7.4.9, 7.4.10, 7.4.19, 7.5.12, 7.5.13, 7.5.25.
Lockwood: 4.3.1, 4.4.6, 8.4.31, 10.3.15, 10.3.17, 10.3.18.
Lohmann: 5.2.4.
Lope Blanch: (392), 8.2.52.
López Madera: *Cf.* Madera.
López Morales: 8.5.9.
Lorrio: (381).
Lotz: 4.4.
Lounsbury: 2.4.
Lowie: (160).
Luján y Sylva: 9.3.15.
Lukoff: 8.4.40.
Luna: 6.3.25.
Luria: 1.3.6, 2.3.10.
Lyons: 1.3.3, (204), 4.5.3, (519), 8.4.24, 8.4.29, 8.4.53, 8.4.100, 8.5.7, 8.5.9.

Llorente: (32), (48), (51), (62), (65), (67), (111), (159), (190), 4.6.4, (220), 5.1.2, 2.4.1, 2.4.2, (245), (246), (247), (248), (282), (285), (292),

(298), (317), 7.3.1, (348), (487), (591), 10.1.2, 10.2, 10.2.1, 10.4.3, (731), (732), 10.4.4.
Llull: (300).

Maclay: (519), (526), (532).
Madera: 6.3.25, 6.3.29.
Madvig: 10.1.2.
Maíllo: (748), (754).
Malinowski: 1.1.9, (160).
Malkiel: (62), (591), (600), 10.1.1.
Malmberg: 8.1, (600).
Malson: (39), 1.2.13.
Mallarmé: 8.2.9.
Manoliu: (666).
Manteca: (43), (567), 10.1.1.
Maravall: (646), 9.2.
Marbais: 6.2.14.
Marcos: (9), (171), (612).
March: 9.4.3.
Marello: (559 *bis*).
Mariana: 9.3.6, 11.3.2.
Mariner: 8.2.6, 8.2.51, (577), 8.6.14, 8.7.
Marr: 4.2.1.
Marrasx: (369).
Martin: 8.5.2.
Martinet: (40), (164), 3.2.3, 4.6.4, 8.2.7, 8.2.12, 8.2.14, 8.2.22, 8.2.51, 8.6.13, 8.6.14, (594), (600), 10.4.4.
Martínez Gayoso: 7.4.15.
Martínez López: (381), 7.5.21.
Martínez Marina: 7.5.4.
Marty: (62), (182), (708), 10.3.10.
Marx: 8.4.96.
Mas: (381).
Masaryk: 10.2, 10.3.10.
Mason: (160).
Mata, L. de: 7.5.10, 7.5.17.
Mata, P.: 7.5.10, (381).
Mathesius: 8.2.1.
Mauro: (175), (183), (227), (233), (235), 10.1.2, 10.2, 10.3, 10.3.1, 10.3.3, 10.3.11, 10.3.12, (715), (719), 10.3.15, 10.3.19, 10.3.20.
Mauss: (105), 3.1.1, (150), 3.1.2, 3.1.3, 3.1.4, 3.1.8, (160).
Mayans: 7.4.6, (354), (355), 7.4.16, 7.4.20, 7.5.32.
Mc Cawley: 8.1.11, (519), 8.4.26, 8.4.72.
Mc Intosh: (160).
Mc Lennan: (172), 4.6.
Meillet: (150), (160), 8.2.1, (472), (473), 8.2.32.
Mel'čuk: 8.6.22.
Menéndez Pelayo: 7.4.10, 7.5.36, 8.6.

411

413

415